HERFSTTIJ DER MIDDELEEUWEN

Twaalfde druk 1973 met een inleidend essay van F. W. N. Hugenholtz

1. Blijheid leidt de Dans, uit een laat 15e-eeuws Vlaams handschrift van de Roman de la Rose
(Londen, British Museum, MS Harley 4425)

HERFSTTIJ
DER
MIDDELEEUWEN

*Studie over
levens- en gedachtenvormen der veertiende
en vijftiende eeuw in
Frankrijk en de Nederlanden
door*

J. HUIZINGA

1973
H. D. TJEENK WILLINK GRONINGEN

Eerste druk 1919   *Zevende druk 1950*
Tweede druk 1921   *Achtste druk 1952*
Derde druk 1928   *Negende druk 1959*
Vierde druk 1935   *Tiende druk 1963*
Vijfde druk 1941   *Elfde druk 1969*
Zesde druk 1947   *Twaalfde druk 1973*

ISBN 90 01 40907 5

INHOUD

LIJST VAN ILLUSTRATIES

18. Toegeschreven aan Rogier van der Weyden, Portret van een jonge vrouw (Londen, British Museum)

19. Hugo van der Goes, Portinari-Altaar, detail linker zijluik (Florence, Uffizi)

tegenover p. 189

20. Jean Fouquet, Tweeluik van Melun, rechterpaneel, ± 1450 (Antwerpen, Museum)

tussen p. 236 en p. 237

21. Jan van Eyck, Madonna met Kanunnik Joris van der Paele (Brugge, Groeninge-museum)

22. Jan van Eyck, Annunciatie (Washington, National Gallery of Art)

23. Meester van Flemalle, Drieluik van Mérode, Joseph, rechterpaneel (New York, Metropolitan Museum of Art)

24. Toegeschreven aan Hubert van Eyck, De geboorte van Johannes de Doper (boven) en de Doop van Christus (beneden) uit het Turijns-Milanese Getijdenboek (Turijn, Museo Civico)

25. Bernt Notke, Dodendans (Lübeck, Marienkirche)

26. Dodendans, houtsnede uit de Danse Macabre van Guyot Marchant, Parijs, 1485

27. Gebroeders van Limburg, De Verzoeking van Christus (Le Château de Mehun-sur-Yèvre) uit de 'Très riches heures du Duc de Berry' ± 1415 (Chantilly, Musée Condé)

28. Gebroeders van Limburg en Jean Colombe, September (le Château de Saumur) uit de 'Très riches heures du Duc de Berry', ± 1415, voltooid 1485 (Chantilly, Musée Condé)

29. Pol van Limburg, De Duc de Berry aan tafel, Januari uit de 'Très riches heures du Duc de Berry' ± 1415 (Chantilly, Musée Condé)

tegenover p. 269

30. Uitreiking van de Ereprijs, Le livre des Tournois du Roi René, ± 1460 (Parijs Bibliothèque Nationale, MS. 2695)

tussen p. 316 en p. 317

31. Tapisserie School van Arras, Aanbieding van het Hart, ± 1410 (Parijs, Musée de Cluny)

32. Tapisserie van Doornik, Houthakkers, ± 1460 (Parijs, Musée des Arts décoratifs)

33. Rondedans der Boeren en verkondiging aan de Herders uit de 'Heures de Charles d'Angoulème', tweede helft 15e eeuw (Parijs, Bibliothèque Nationale, MS 1173)

34. Werkplaats van Jean Wauquelin, Bergen 1448, Chronique de Hainaut van Jacques de Guise, boekdeel I, Houthakkers (Brussel, Koninklijke Bibliotheek, MS 9242)

35. Onbekend Meester in opdracht van het Gilde der Gewandsnijders en Lakenwevers, ± 1550, Lakenmarkt te 's Hertogenbosch (Noord-brabants Museum)

36. Schaak- en Trictracbord, ivoor en inlegwerk, ± 1465 (Florence, Museo Nationale)

37. Pronkbeker, verguld zilver en email, waarschijnlijk 1471 (Neuenstein, Museum Hohenlohe)

38. Geëmailleerd gouden agraaf, Nederlands werk ± 1450 (Wenen, Kunsthistorisches Museum)

39. Dalmatiek uit de Bourgondische paramentenschat (Wenen, Kunsthistorisches Museum)

Bij de keuze der illustraties werd advies gegeven door Dr. W. R. Juynboll
en door Jonkvrouwe Dr. J. M. van Winter.

VII

HERFSTTIJ DER MIDDELEEUWEN

1919-1969

De gedachte die aan Herfsttij ten grondslag ligt rees bij Huizinga kort voor 1909, vermoedelijk in 1907 tijdens een wandeling langs het Damsterdiep. Tussen 1909 en 1911 werkte hij de gedachte verder uit: hij gaf een college over de Bourgondische cultuur en las de schrijvers van de veertiende en vijftiende eeuw. 'In den langen warmen zomer van 1911 zat ik met 25 deelen Froissart, in de editie van Kervijn de Lettenhove en in die van Luce en Reynaud in mijn studeerkamertje op de zolderverdieping van Toornvliet', zegt hij zelf in zijn autobiografische aantekening, *Mijn weg tot de historie*. Na enkele jaren onderbreking werkte hij er sinds 1915 weer aan voort en op 31 januari 1919 kon hij het voorbericht tekenen van wat zijn meest gelezen historische boek zou worden.

Was het uitgangspunt van dit boek de behoefte om de kunst der Van Eycks 'te begrijpen in haar samenhang met het gansche leven van den tijd', in feite is Herfsttij een der resultaten van een bezig zijn met een veel wijdere problematiek, die Huizinga in de eerste jaren na de eerste wereldoorlog bijzonder boeide en die hem nooit geheel losgelaten heeft. Het was de vraag naar het wezen van de overgang van de Middeleeuwen naar de Nieuwe Tijd, het Renaissanceprobleem: van deze occupatie getuigen naast Herfsttij een Gidsartikel van 1920 (later getiteld *Het probleem der Renaissance*) en een lezing, in 1920 te Londen, in 1926 op diverse plaatsen in Zwitserland gehouden en pas in 1929 gepubliceerd (*Renaissance en Realisme*).

Typische voorstudies voor Herfsttij zijn er eigenlijk maar twee, wanneer men afziet van het Groningse college in de cursus 1909-1910. In 1911 sprak Huizinga de leden van het Historisch Genootschap toe; hij las er gedeelten uit het al evenzeer klassiek geworden artikel *Uit de voorgeschiedenis van ons nationaal besef*, dat een van de resultaten was van zijn onderzoekingen op het gebied van de Bourgondische beschaving. De vraagstelling ervan was, achteraf gezien, niet erg hoopgevend en het artikel is als geheel dan ook betrekkelijk vaag gebleven. De grote betekenis was voor Huizinga dat hij de methode van onderzoek, die hij in Herfsttij zo meesterlijk toonde te beheersen, voor het eerst in een studie van wat langer adem kon beproeven. Voor zijn lezers lag en ligt de grote waarde niet in de vrijwel afwezige conclusies – in Herfsttij is de innerlijke zekerheid van de auteur duidelijk groter – maar in de vele opmerkingen die licht werpen op de tijd en de 'levens- en gedachtenvormen' van die tijd. Enkele jaren later, in 1916, kwam het Herfsttijthema duidelijk op de voorgrond. Huizinga publiceerde toen in De Gids zijn artikel *De kunst der Van Eyck's in het leven van hun tijd*; veel hieruit werd in Herfsttij verwerkt en opgenomen. In dit verband verdient ook het proefschrift van mejuffrouw J. D. Hintzen vermelding. Er is mij geen onder leiding van Huizinga bewerkte dissertatie bekend die zo dicht staat bij zijn eigen werk en onmiskenbaar uit zijn eigen denkwereld stamt: in dr. Hintzens *De kruistochtplannen van Philips den Goede*, van 1918, is gebruik gemaakt van hetzelfde materiaal dat Huizinga voor zijn Herfsttij had doorgewerkt, de methode vertoont grote verwantschap en van de inhoud is veel in Herfsttij terug te vinden.

Over Herfsttij spreken zonder Jacob Burckhardt te noemen is onmogelijk; het is boud, maar niet eens onwaarschijnlijk, wanneer men stelt dat Herfsttij zonder Burckhardt niet geschreven zou zijn. Het is algemeen bekend dat Huizinga een groot en kritisch bewonderaar was van Burckhardts *Die Cultur der Renaissance in Italien*, dat in 1860 was verschenen om een zegetocht over de wereld te maken. In de artikelen gewijd aan de Renaissanceproblematiek trad Huizinga met Burckhardt in discussie en nuanceerde hij diens visie. In Herfsttij, een boek dat ik zonder aarzeling een tegenhanger van Burckhardts *Cultur* noem, wordt buiten de contemporaine bronnen vrijwel geen latere literatuur geciteerd en dus komt ook de naam Burckhardt maar enkele keren voor. Toch kan men zeggen dat Burckhardt voortdurend in Herfsttij aanwezig is, niet als bron waaruit wordt geciteerd, niet als opponent tegen wie Huizinga zich afzet, misschien wel als inspirator, maar vooral als iemand met wiens visie en denken Huizinga zo vertrouwd was dat hij hem liet meedenken, mee-oordelen, dat hij in innerlijke discussies met hem de materie vorm gaf.

Laat ik in aansluiting op het hiervoor gezegde dadelijk stellen dat Huizinga zelf, als hij de wordingsgeschiedenis van Herfsttij beschrijft in zijn autobiografische aantekeningen, over Burckhardt zwijgt. Hij legt wel uit hoe hij zich meer en meer ging verzetten tegen kunsthistorische opvattingen over de schilders Van Eyck en hun tijdgenoten. Dat deze schilders een Noordelijke Renaissance zouden hebben ingeluid was voor Huizinga een onaanvaardbaar denkbeeld. Maar, zeggen wij lateren, op de achtergrond van deze kunsthistorische opvattingen staat natuurlijk de hele problematiek die dankzij Burckhardts boek toen al een paar generaties historici en kunsthistorici bezighield.

Indien Huizinga zich niet heeft vergist in de tijdsvolgorde van de prikkels die hem tot het schrijven van Herfsttij brachten, dan ging dit niet aanvaarden van een in zwang komende kunsthistorische theorie vooraf aan elk eigen historisch onderzoek in de periode; het kwam eerder voort uit een artistiek gevoel dan uit enige vorm van wetenschappelijke activiteit. Pas na het concipiëren van deze inspirerende gedachte ging Huizinga zich verdiepen in de laatmiddeleeuwse cultuurgeschiedenis en zette hij zich aan de lectuur van de grote schrijvers uit de Bourgondische hofkring. Het uitgangspunt was dus kunsthistorisch, en intuïtief gevonden zoals dat trouwens vaak het geval is. Huizinga's werkwijze, de verdere wordingsgeschiedenis van het boek, laat zien dat hij van het begin af aan de bedoeling heeft gehad de kunst te duiden vanuit de achtergrond van de gehele cultuur, en cultuur dan gezien als het geheel van de 'levens- en gedachtenvormen' van het Bourgondisch tijdperk. In dit streven is Huizinga geslaagd, beter geslaagd dan Burckhardt, die, zoals Kaegi vertelt in *Das Historische Werk Johan Huizingas*, wel bij het voorbereiden van zijn boek de kunst voortdurend heeft betrokken, maar in de uiteindelijke vormgeving van *Die Cultur der Renaissance* niet heeft geïntegreerd.

Uit vele tekenen kan worden afgeleid dat het boek al dadelijk een diepe indruk maakte, en is blijven maken: nieuwe drukken zijn regelmatig nodig gebleken en het lezerspubliek was veel en veel groter dan dat van verreweg de meeste publicaties op historisch gebied. Hierover straks nader. Op deze plaats in mijn betoog wil ik pogen de plaats van Herfsttij te bepalen in de beoefening der mediaevistiek in Nederland omstreeks het jaar 1919. Huizinga was – het is algemeen bekend – geen mediaevist van huis uit, en zeker niet een getrainde in de strenge discipline van de mediaevistiek zoals die in Frankrijk en vooral in Duitsland was gegroeid. Op dat terrein werd in 1919 al sinds een vijftiental jaren de toon in Nederland aangegeven door de uit Duitsland afkomstige Otto Oppermann, die bezig was te Utrecht echte mediaevisten op te leiden en zich daarmee de dank van de Nederlandse geschiedbeoefening zou verwerven. Buiten de Utrechtse school en al dan niet in verbinding daarmee werkten zeer verdienstelijke historici en archivarissen op het terrein van de middeleeuwse geschiedenis. Een enkele naam moge volstaan: I. H. Gosses, die in 1915 Huizinga's Groningse leerstoel overnam; S. Muller Fzn., de Utrechtse rijks- en gemeente-archivaris (†1922) en eerste uitgever van het *Oorkondenboek van het Sticht Utrecht*; P. J. Blok, Huizinga's leermeester en raadsman, die niet alleen in zijn *Geschiedenis van het Nederlandsche Volk*, maar ook in vele andere publicaties onze kennis van het middeleeuws verleden van Nederland zeer heeft vergroot.

Het leek er aanvankelijk op, dat Huizinga zich zou gaan scharen in deze rijen. Enkele, achteraf gezien min of meer obligate, publicaties (Blok zette hem ertoe aan om hem voor het Groningse professoraat benoembaar te maken), die de reeks van zijn historische werken openen, konden doen vermoeden dat de vaderlandse geschiedenis der Middeleeuwen er een beoefenaar had bijgekregen die zou gaan helpen bij de ontsluiting van het bronnenmateriaal en die zijn onderzoek zou ondernemen met de geijkte en beproefde methoden der historici-mediaevisten. Huizinga miste echter de ware affiniteit tot deze kant van het vak: 'Een echte geschiedvorser ben ik eigenlijk nooit geworden'. Hij had daarvoor bovendien ook nooit een opleiding gehad. Zijn prestaties op dit technisch moeilijk terrein vormen dan ook in zijn œuvre geen hoogtepunten, al waren zij nu ook weer niet zo lachwekkend als de 'echte' mediaevisten van die dagen suggereerden. Oplettende waarnemers hadden trouwens in 1905 al kunnen merken dat Huizinga, met zijn literair-filologische voorgeschiedenis, van plan was, althans de mogelijkheden in zich had, een geheel eigen weg in de geschiedwetenschap te bewandelen: zijn Groningse intreerede over *Het aesthetische bestanddeel van geschiedkundige voorstellingen* was daarvoor al een duidelijke aanwijzing geweest.

De toonaangevende beoefenaars van de Nederlandse geschiedenis der Middeleeuwen waren juist op gang gekomen hun vak – in Nederland vergeleken met de omringende landen duidelijk onderontwikkeld – op het vereiste wetenschappelijke peil te brengen. Zorgvuldige kritiek op het aanwezige archiefmateriaal, zuiverder methoden van interpreteren, dat alles was broodnodig om de Nederlandse Middeleeuwen te ontsluiten. Daarbij richtte men zijn aandacht vooral op de documenten, want het was niet te ontkennen dat de kennis van onze middeleeuwse geschiedenis al te lang en al te zeer had gesteund op de oude kronieken, die – dat had men in het buitenland al lang ontdekt – als bron van exacte kennis veel minder betrouwbaar waren en zijn dan de meer zakelijke bronnen zoals oorkonden en akten. De meer verhalende geschiedbronnen, zoals de kronieken, geraakten op de achtergrond om niet te zeggen zelfs in discrediet. Grotere kennis op het gebied van het bestuurlijke, van de instellingen, van de maatschappelijke opbouw, van de oude economie ook, was nodig en werd omstreeks 1919 dan ook naarstig en met goede resultaten vergaard.

In die situatie verscheen Herfsttij, opgebouwd uit kennis die nu juist (weer) werd geput uit de verhalende bronnen alleen; geen enkel archiefstuk, geen oorkonde, contract of rekening was gebruikt. En dat moet wel een schok geweest zijn. Geheel afwijkend van het patroon van de nieuwe Nederlandse mediaevistiek was ook de vraagstelling. Huizinga vroeg niet naar de inrichting of wordingsgeschiedenis van bestuurlijke organen, niet naar politieke of leenrechtelijke verhoudingen, nauwelijks bemoeide hij zich met de economische situatie. Hij stelde de vraag naar de 'levens- en gedachtenvormen' en stelde daarmee de mens in zijn geestelijk milieu centraal: wat waren de interrelaties tussen het denken, de verbeelding, haar symboliek en het leven? Het was een vraagstelling die sterk psychologisch gericht was. Daar kwam dan bij dat Huizinga – men had het kunnen zien aankomen! – literaire pretenties had, althans aan de vorm van zijn uiteenzettingen een meer dan gebruikelijke aandacht besteedde. Niets typeert het verschil in stijl en aanpak beter dan een vergelijking tussen de geschriften van de leidende mediaevist Oppermann met die van Huizinga. Daarbij is niet van belang dat de een liefst in het Duits schreef en de ander in het Nederlands, evenmin is relevant dat de een gewoon beter kon schrijven dan de ander, – waar het op aankomt is dat de een een soort vaktaal gebruikte, die zijn werk, dat door de aard van de stof toch al geen groot publiek kon trekken, uitsluitend begrijpelijk maakte voor de vakgenoten, terwijl Huizinga principieel zijn wetenschappelijke productie voor een veel groter publiek bestemde. Huizinga heeft de eis van begrijpelijkheid en leesbaarheid van de geschiedschrijving meerdere malen expliciet gesteld en zelfs als een conditio-sine-qua-non voor de geschiedwetenschap beschouwd. Deze houding zal er wel mede de oorzaak van zijn dat Huizinga, toen hij de uitgever op 1 januari 1919 de verzending van de kopij aankondigde, daarbij schreef dat hij de zeer uitvoerige inleiding die hij geschreven had terugnam, zulks onder meer omdat zijn vriend Van Vollenhoven haar minder geslaagd en *te geleerd* vond. Dat wijst erop dat de schrijver zeker niet in de eerste plaats op de vakgenoten mikte; dat H. D. Tjeenk Willink deze houding waardeerde spreekt vanzelf, dat hij ooit enige druk in die richting uitoefende blijkt uit de correspondentie nergens.

Dat Huizinga zijn boek niet alleen een zo goed mogelijke literaire vorm gaf, maar zich ook voor de uiterlijke aspecten in hoge mate interesseerde, blijkt uit zijn brieven aan de uitgever telkens weer. Deze zorg, vaak bezorgdheid, betrof de letter, de band, de bladspiegel en, vanaf de derde druk, ook de illustraties die hij oorspronkelijk niet had gewild maar onder pressie van uitgever en publiek moest aanvaarden (de buitenlandse edities waren alle geïllustreerd) en toen ook met aandacht koos, of liever gezegd: door bij uitstek deskundigen liet kiezen. In de correspondentie over de derde druk komt veel voor over het nieuwe lettertype, de kleur van de linnen band en de bandstempeling; een enkele kenmerkende zin moge dit illustreren: 'Wat de kleur betreft, zou ik verre de voorkeur geven aan de grijsbruine, die ik gedistingeerd, niet al te gewoon en rustig vind. De donkerroode vind ik erg gewoon, evenals de blauwe, de helroode te glad en te opdringend, de groene wat te deftig-wetenschappelijk' (8 sept. 1928). De laatste opmerking steunt mijn uiteenzetting over Huizinga's opvattingen omtrent wetenschappelijke boeken. Over de in 1928 gekozen letter: 'Ik vind toch om te lezen deze letter bepaald aangenamer dan die van De Roos. Zij leidt minder af, zij dringt zich niet zoo in de aandacht' (20 nov. 1928). Terzijde verdient vermelding dat deze zorg zich niet altijd tot de kopij zelf uitstrekte; die was nogal eens slordig en vergde heel wat van de uitgever.

In 1919 drong Herfsttij zich wel degelijk in de aandacht. Niet zozeer dankzij de vakpers, die kennelijk aarzelde. In de *Bijdragen voor vaderlandsche geschiedenis en oudheidkunde* zag Japikse, die toen met Blok het blad redigeerde, het boek over het hoofd; in het *Tijdschrift voor geschiedenis* gaf Tenhaeff, afkomstig uit de Utrechtse school, een bespreking van $1\frac{1}{2}$ bladzijde, waarin hij weliswaar van zijn bewondering getuigde, maar op twee punten ernstige kritiek uitte: het boek was te *Frans*-Bourgondisch en het verwaarloosde de politiek, die toch ook een cultuuruiting is. De lezer kon uit deze recensie niet de indruk krijgen dat men met een meesterwerk te doen had.

Buiten de strikte vakpers, in opiniebladen en dagbladen, vinden we veel meer reacties en zeer lovende, zoals die van Verwey in De Beweging. Eén bespreking verdient meer aandacht, die van S. Muller Fzn in de eerste jaargang van Onze Eeuw, 27 bladzijden lang: bewondering voor de prestatie, afwijzing van de resultaten, vooral op grond van te eenzijdige keuze van het bronnenmateriaal. Geen enkel document van staatkundige of economische aard is gebruikt; het is de archivaris, de mediaevist van de nieuwe methode, die zijn beschuldiging formuleert, en, toch wel moedwillig, Huizinga's welgekozen ondertitel *Studie over levens- en gedachtenvormen* (en niet bijvoorbeeld: *Studie over de cultuur*) negeert. Kan men immers op grond van de politieke of economische documenten 'levens- en gedachtenvormen' leren kennen? Huizinga had zich wijselijk beperkt en zijn terrein duidelijk afgebakend, maar in de ogen van de vakgenoten vond het weinig genade. Zeer typerend was ook Mullers slotpassage: 'Literaire lauweren zijn voor een geschiedschrijver altijd eenigszins gevaarlijk; voor hem zijn het altijd lauweren van wat verdachte kleur, van wat bedenkelijke nuance, vreemd aan het wezen der historiographie, die geene fraaie groepeeringen, schilderachtige effecten zoekt noch zoeken moet. Nooit is mij gebleken, dat prof. Huizinga zwak stond tegenover deze verleidingen. Maar toch komt het mij voor, dat het niet verkeerd zou geweest zijn, indien hij had

kunnen goedvinden, om een iets eenvoudiger vorm te kiezen dan de zijne is.'
Het gerucht gaat dat anderen van dezelfde richting Herfsttij zouden af hebben
gedaan met de opmerking: 'Het is toch maar een roman'. In een brief aan de uitgever zegt Huizinga: 'Gisteren las ik het stuk van Muller. Het is eigenlijk
nogal mal' (10 januari 1920). Toch niet zo mal of hij reageerde erop in het voorbericht bij de tweede druk, toen hij met nadruk naar de ondertitel en naar het
eerste voorbericht verwees. Zou hij toen al gezien hebben welke kloof zijn
mediaevistiek scheidde van die van de 'officiële'? De kloof zou, overigens door
andere oorzaken, in de komende jaren ernstig verdiept worden, om pas later,
kort voor en na de tweede wereldoorlog, te worden overbrugd, toen Huizinga
op vrijwel alle mediaevisten diepgaande invloed bleek te gaan uitoefenen, vooral
wat hun aanpak en hun vraagstellingen betreft.

Herfsttij ontketende geen langdurige polemiek, zoals er volgde op Burckhardts *Cultur der Renaissance*, dat zo'n geweldige discussie uitlokte dat aan die
discussie alleen al weer boeken konden worden gewijd. Dat zou in verband met
Herfsttij niet mogelijk en ook minder nodig zijn. Wel is er vooral sinds de jaren
dertig heftig en interessant geschreven over de publicaties van Huizinga. Maar
in die discussies, waarin wel telkens ook Herfsttij wordt betrokken, is dat boek
zelf toch allerminst centraal. De polemieken zijn van algemener inhoud, cultuurhistorisch en cultuurfilosofisch; een schrijver als Menno ter Braak speelde
er een aanzienlijke rol in. Herfsttij wordt, soms ten onrechte, betrokken in
discussies over Huizinga's cultuurhistorische opvattingen in het algemeen en
men poogde wel latere opvattingen van Huizinga terug te vinden in het vrij
vroege Herfsttij. Een typisch voorbeeld van zulk een methode leverde niet zo
lang geleden nog Geyl in *Huizinga als aanklager van zijn tijd* (1961). Hij viel
Huizinga's houding en opvattingen aan vooral op grond van *In de schaduwen van
morgen* en poogde vervolgens aan te tonen dat de gewraakte meningen in aanleg al in Herfsttij aanwezig waren. Jammer dat deze twee groten uit onze geschiedschrijving van deze eeuw elkander zo weinig begrepen hebben; ik heb
daarover in Hollands Maandblad, onder de titel *Een psychologisch conflict* (1961)
het mijne gezegd. In deze inleidende beschouwing ga ik daarop niet in, vooral
omdat het hier, anders dan in de gesignaleerde discussies, tenslotte niet kan
gaan over het verschijnsel-Huizinga, maar over het verschijnsel-Herfsttij, al
geef ik toe dat de tijd rijp lijkt voor een boek over Huizinga's gehele œuvre en
dus ook over het fenomeen Huizinga zelf.

De 1600 exemplaren van de eerste druk vlogen ondanks de kritiek van enkele
vakgenoten de deur uit. In 1921 schreef H. D. Tjeenk Willink ietwat aarzelend
of hij de oplage van de tweede druk, die op 2000 was bepaald, toch maar niet op

XV

3000 zou stellen. Huizinga kon toen nog niet voorzien dat alleen in Nederland reeds ver over de 50.000 exemplaren van het boek zouden worden verkocht; hij schreef: 'Een oplaag van 3000 exemplaren zal natuurlijk beteekenen, dat er in afzienbaren tijd, waarschijnlijker nooit, een derde uitgave noodig zal zijn. Dit is mij in één opzicht aangenaam, want het lokt mij niet aan, het boek later nog eens weer te herzien.'

Zo werd Herfsttij 'klassiek'. En dat ondanks de sombere voorspelling van J. A. N. Knuttel in het Revolutionair-socialistische tijdschrift *De Nieuwe Tijd* van 1920. Huizinga had volgens hem een boek geschreven dat een uitdaging was: 'Een uitdaging, omdat dit late product van burgerlijke wetenschap zooveel breeder van opzet, zoveel dieper doordacht, zooveel rijker van inhoud is – een waarlijk onuitputtelijke schatkamer van vondsten en uitgewerkte gegevens – dan wat vooral in dit landje aan historische wetenschappen pleegt gepubliceerd te worden.' En hij voegde eraan toe: 'Een werk inderdaad dat, twintig jaar vroeger verschenen, klassiek had kunnen worden in de wetenschappelijke wereldliteratuur', al was Knuttel realist genoeg om daaraan voorzichtig en niet zonder enige spijt toe te voegen een clausule die nog mogelijkheden open liet: 'indien het al vast staat dat de tijd daarvoor nu voorbij is'. En blijkbaar was de tijd nog niet voorbij: men mag Herfsttij met het volste recht klassiek noemen.

Meer dan 10 drukken in Nederland, 6 drukken in Duitsland en voorts vertalingen in het Engels (1924), het Zweeds (1927), het Spaans (1930), het Frans (1932), het Hongaars (1937), het Italiaans (1940), het Fins (1951) en ik vermoed dat ik niet volledig ben. Nergens in het buitenland was in wat later jaren de actieve belangstelling voor Huizinga zo groot als in Basel. Daar zat op de leerstoel van Burckhardt een van diens grote bewonderaars Werner Kaegi, die de geestelijke nalatenschap van de meester beheerde. Kaegi werd tegelijkertijd de grote vereerder van Huizinga, van wie hij veel vertaalde, deed vertalen en bundelde en die zeker een van de beste Huizinga-kenners van de wereld werd. Typischer bewijs voor de wezenlijke verwantschap van deze twee grote geschiedschrijvers is nauwelijks te bedenken.

'Het schijnt zeer veel gelezen te worden, naar wat ik er zoo van hoor. Ik hoop, dat je tevreden bent, en ik misschien later (maar dan veel later waarschijnlijk) nog eens weer mag komen', aldus Huizinga aan Tjeenk Willink op 5 januari 1920. De uitgever had uit de aard van de zaak weinig reden om niet tevreden te zijn en Huizinga mocht nog eens terugkomen. Intussen was al de faam van de eerste druk tot buiten onze grenzen doorgedrongen. Dat een Duitse uitgever al zo vroeg belangstelling toonde voor de mogelijkheid van een vertaling wordt gemakkelijk verklaard door de aanwezigheid in Leipzig van Huizinga's vriend André Jolles, wiens vrouw de vertaling op zich nam. Maar ook Frankrijk toonde in 1921 al belangstelling: Tjeenk Willink moest een exemplaar sturen aan Gabriel Hanotaux, die de Franse uitgave dan ook zou inleiden, – hoewel deze eerst na veel heen en weer geschrijf tien jaar later zou verschijnen.

Duizenden over de hele wereld hebben Herfsttij gelezen en het boek blijft voortdurend nieuwe lezers, en herlezers, trekken. De overgrote meerderheid van dat lezerspubliek moet uit niet-historici bestaan. Men ontkomt niet aan de vraag naar de verklaring. Voor een deel is de populariteit van Herfsttij niet los te zien van de hevige maar veel minder blijvende roem van *In de schaduwen van morgen*, dat in 1935 verscheen: in dat jaar werd de oplage van de vierde druk van Herfsttij vrij drastisch verhoogd. Men moest in die jaren de *Schaduwen* gelezen hebben om erover te kunnen meepraten en het bezit van Herfsttij werd daardoor ontegenzeggelijk voor zeer velen een cultureel statussymbool. Dit klinkt niet aardig, maar men moet de waarheid onder de ogen durven zien. Het is trouwens gelukkig niet de enige verklaring, want nadat de storm van *Schaduwen* was uitgewoed, na de oorlog, bleef de vraag naar Herfsttij bestaan en nam zelfs nog aanzienlijk toe zonder dat daartoe een pocket-editie nodig was. Die opleving in de jaren vijftig en zestig moet al weer voor een groot deel worden toegeschreven aan een factor die vooral buiten Herfsttij zelf lag, de toegenomen vraag naar goede en verantwoorde lectuur over geschiedenis in het algemeen; de belangstelling voor geschiedenis is in Nederland flink toegenomen. Ook en misschien juist het min of meer romantische middeleeuwse verleden trekt en het niveau waarop men die belangstelling poogt te bevredigen lijkt me vrij hoog te liggen: er wordt vrij veel 'pittige' lectuur aangeboden die toch veel lezers trekt. Welnu, die belangstelling wordt niet in de laatste plaats bij voortduring ook door Herfsttij bevredigd, al is het boek bepaald moeilijk van inhoud en al wordt de rijkdom ervan pas na herhaalde lezing iemands geestelijk eigendom.

Nu is een best-seller nog geen klassiek werk. Klassiek kan een wetenschappelijk werk worden door verschillende oorzaken. Het kan zijn dat in een wetenschappelijke publicatie zulke fundamentele waarheden voor altijd zijn vastgelegd, dat het daardoor tot in lengte van jaren gelezen moet worden, of liever zou moeten worden: dergelijke klassieke werken worden doorgaans niet zo erg veel meer gelezen. Het komt ook voor dat een wetenschappelijke productie zo typerend is voor de tijd waarin zij verscheen, dat men deze moet blijven raadplegen omdat zij een onmisbare schakel vormt in de ontwikkeling van het denken, van de opvattingen die men zonder haar niet goed zou begrijpen; daarbij is een bij uitstek verzorgde literaire vorm dan ook nog een vereiste. Het is eveneens mogelijk dat een boek-à-thèse klassiek wordt en blijft al is de stelling zelf al lang weerlegd; dat komt dan omdat het werk en de erin neergelegde stelling dusdanig inspirerend hebben gewerkt dat het wetenschappelijk denken er totaal nieuwe wegen door is opgegaan. Als begin en uitgangspunt van een nieuwe wetenschappelijke traditie blijft zo'n boek dan klassiek. Ook het lanceren van een nieuwe methode kan een boek klassiek maken, ook al is die methode misschien al weer vervangen door een andere. *Klassiek* kan daardoor (hoeft niet altijd) de begrippen *verouderd* èn *van blijvende waarde* in zich verenigen.

Van al die elementen heeft Herfsttij wel iets, al is het in de eerste plaats klassiek omdat er nauwelijks een ander werk te noemen is waaruit voor de lezer zo'n beeld van een tijdperk oprijst. Herfsttij is een schilderij in woorden, en kan daarom aanspraak maken op de betiteling historisch kunstwerk en zo klassiek worden. Het boek is ook klassiek in die zin, dat het in Nederland voor het eerst, en ook in vergelijking met het buitenland bijzonder vroeg, een soort psychologische benadering van het verleden introduceerde die meer en meer wordt gebruikt. Aanpak en methode zijn een bron van inspiratie en de invloed is bij de laatste generaties historici daardoor eerder sterker geworden dan zwakker. Verouderd is het intussen geenszins, het boek is niet achterhaald, noch is het beeld dat het geeft in essentiële delen vervangen of zelfs aangevochten. Dat de historicus in 1969, een halve eeuw later, andere vragen aan het verleden gaat stellen omdat de mensen van nu nu eenmaal andere vragen stellen ook aan hun eigen tijd, is zo inherent aan de wetenschap der geschiedenis dat daarover geen woorden hoeven te worden vuilgemaakt; maar als Huizinga's vraagstellingen misschien niet meer in alle opzichten de vragen vàn deze tijd zijn, wil dat niet automatisch zeggen dat zij ook uìt de tijd zouden zijn, of dat het boek op andere wijze 'ouderwets' zou zijn dan doordat taal en woordkeus in 1919 nu eenmaal anders waren dan in 1969, hetgeen niet betekent: slechter.

Deze druk van 1969 is door dit alles geen obligaat herdenkingsmonument ter bijzetting van Herfsttij. Veeleer is deze druk te zien als het dankbaar aangrijpen van een gelegenheid even stil te staan bij dit jubileum van een nog sterk levend boek, een boek dat zijn werking nog lang kan behouden, een boek van een man die enkele jaren voor zijn dood met de bescheidenheid van de heel groten schreef: 'Ik had, om in de taal van onze oude Windesheimers te spreken, maar een vonkske ontvangen, dat af en toe wel gloeien wilde.'

F. W. N. HUGENHOLTZ

Voor de ontvangst van Herfsttij in het buitenland zie een bijdrage van F. W. N. Hugenholtz in 'The fame of a master-work'. Verschijnt in W. E. H. Koops, E. H. Kossmann, Gees van der Plaat eds., *Johan Huizinga 1872-1972*. Papers delivered to the Johan Huizinga Conference, 11-15 December 1972. Nijhoff, Den Haag, 1973.

XVIII

VOORBERICHT BIJ DEN EERSTEN DRUK

Het is meestal de oorsprong van het nieuwe, wat onze geest in het verleden zoekt. Men wil weten, hoe de nieuwe gedachten en nieuwe levensvormen, die in later tijden in hun volheid stralen, ontloken zijn; men beziet elken tijd bovenal om de beloften, die hij bergt voor de volgende. Hoe ijverig heeft men in de middeleeuwsche beschaving naar de kiemen der moderne cultuur gespeurd; zoo ijverig, dat het soms schijnen moet, alsof de geestesgeschiedenis der Middeleeuwen nauwelijks iets anders was geweest dan de advent der Renaissance. Immers, overal zag men in die tijden, die eenmaal als star en doodsch gegolden hadden, het nieuwe reeds ontspruiten, en alles scheen te wijzen naar toekomstige volmaking. Doch bij het zoeken naar het nieuwe leven, dat opkwam, vergat men licht, dat in de geschiedenis als in de natuur het sterven en het geboren worden eeuwig gelijken tred houden. Oude beschavingsvormen sterven af terzelfdertijd en op denzelfden bodem, waarin het nieuwe voedsel vindt om op te bloeien.

Hier is beproefd om de veertiende en vijftiende eeuw te zien, niet als de aankondiging der Renaissance, maar als het einde der Middeleeuwen, de middeleeuwsche beschaving in hàar laatste levensgetij, als een boom met overrijpe vruchten, algeheel ontplooid en ontwikkeld. Het woekeren van oude, dwingende denkvormen over de levende kern der gedachte, het verdorren en verstijven van een rijke beschaving, – dat is de hoofdinhoud van deze bladzijden. De blik is bij het schrijven van dit boek gericht geweest als in de diepten van een avondhemel, – maar van een hemel vol bloedig rood, zwaar en woest van dreigend loodgrijs, vol valschen koperen schijn.

Overzie ik het geschrevene, dan rijst de vraag, of niet, wanneer de blik nog langer op dien avondhemel had gerust, de troebele kleuren zich toch nog zouden hebben opgelost in louter klaarheid. Het schijnt wel, dat het beeld, nu ik het lijn en kleur gegeven heb, toch somberder en minder sereen is geworden, dan ik het meende te ontwaren, toen ik den arbeid begon. Het kan licht gebeuren, dat men, de opmerkzaamheid steeds gericht op neergaan, uitleven en verwelken, te veel van de schaduw des doods over het werk laat vallen.

Het uitgangspunt van het werk is geweest de behoefte, om de kunst der Van Eyck's en hun volgers beter te verstaan, ze te begrijpen in haar samenhang met het gansche leven van den tijd. De Bourgondische samenleving was de eenheid, die ik in het oog wilde vatten: het scheen mogelijk, deze te zien als een even afgeronden beschavingskring als het Italiaansche quattrocento, en de titel van het boek was eerst bestemd te luiden: *De eeuw van Bourgondië*. Doch naarmate de strekking der beschouwingen algemeener werd, moest die begrenzing worden opgegeven; slechts in zeer beperkten zin viel er een eenheid van Bourgondische cultuur te postuleeren; het niet-Bourgondische Frankrijk eischte minstens even-veel aandacht. Zoo kwam in de plaats van Bourgondië de tweeledigheid: Frankrijk en de Nederlanden, en dat een zeer ongelijke. Want in een beschouwing over de afstervende middeleeuwsche cultuur in het algemeen moest het Nederlandsche element bij het Fransche verre achter blijven; slechts op die gebieden, waar het eigen beteekenis heeft: dat van het godsdienstig leven en dat der kunst, komt het uitvoeriger ter sprake. Dat in het zestiende hoofdstuk de gestelde aardrijks-kundige grenzen even zijn overschreden, om naast Ruusbroec en Dionysius den Kartuizer ook Eckhart, Suso en Tauler tot getuigen te kunnen roepen, zal wel geen verdediging behoeven.

Hoe gering lijkt mij het getal der doorgelezen geschriften uit de veertiende en vijftiende eeuw, vergeleken bij alles, wat ik nog wel had willen lezen. Hoe gaar-ne had ik naast de reeks van hoofdtypen der verschillende geestesrichtingen, op welke de voorstelling veelal is gebaseerd, nog tal van andere gesteld. Doch in-dien het onder de geschiedschrijvers meer dan anderen Froissart en Chastellain zijn, die ik aanhaal, onder de dichters Eustache Deschamps, onder de theologen Jean Gerson en Dionysius de Kartuizer, onder de schilders Jan van Eyck, – dan ligt dit niet enkel aan beperktheid van mijn materiaal, maar meer nog aan het feit, dat dezen door den rijkdom en het scherp eigenaardige van hun uitingen bij uitstek de spiegel zijn van den geest dier tijden.

Vormen van het leven en van de gedachte zijn het, wier beschrijving hier be-proefd is. Den wezenlijken *inhoud* te benaderen, die in die vormen heeft gerust, – zal het ooit het werk zijn van geschiedkundig onderzoek?

Leiden, 31 Januari 1919

I

'S LEVENS FELHEID

Toen de wereld vijf eeuwen jonger was, hadden alle levensgevallen veel scherper uiterlijke vormen dan nu. Tussen leed en vreugde, tussen rampen en geluk scheen de afstand groter dan voor ons; al wat men beleefde had nog die graad van onmiddellijkheid en absoluutheid, die de vreugde en het leed nu nog hebben in de kindergeest. Elke levensgebeurtenis, elke daad was omringd met nadrukkelijke en uitdrukkelijke vormen, was getild op de verhevenheid van een strakke, vaste levensstijl. De grote dingen: de geboorte, het huwelijk, het sterven, stonden door het sacrament in de glans van het goddelijk mysterie. Maar ook de geringer gevallen: een reis, een arbeid, een bezoek, waren begeleid door duizend zegens, ceremonies, spreuken, omgangsvormen.

Tegen rampen en gebrek was minder verzachting dan nu; zij kwamen geduchter en kwellender. Ziekte stak sterker af bij gezondheid; de barre koude en het bange duister van de winter waren een wezenlijker kwaad. Eer en rijkdom werden inniger en gretiger genoten, want zij staken nog feller dan nu af bij de jammerende armoede en verworpenheid. Een bonten tabbert, een helder haardvuur, dronk en scherts en een zacht bed hadden nog dat hoge genotsgehalte, dat misschien door de Engelse novelle in de beschrijving der levensvreugde het langst is beleden en het levendigst ingeboezemd. En al de dingen des levens hadden een pronkende en gruwelijke openbaarheid. De leprozen klepten met hun ratel en hielden ommetochten, de bedelaars jammerden in de kerken en stalden er hun wanstaltigheid uit. Elke stand, elke orde, elk bedrijf was kenbaar aan zijn kleed. De grote heren bewogen zich nooit zonder pralend vertoon van wapens en livreien, ontzagwekkend en benijd. Rechtspleging, venten van koopwaar, bruiloft en begrafenis, het kondigde zich alles luide aan met ommegang, kreet, klaagroep en muziek. De verliefde droeg het teken van zijn dame, de genoten het embleem van hun broederschap, de partij de kleuren en blazoenen van haar heer.

Ook in het uiterlijk aanschijn van stad en land heerste die tegenstelling en die bontheid. De stad verliep niet zoals onze steden in slordig aangelegde buitenwijken van dorre fabrieken en onnozele landhuisjes, maar lag in haar muur besloten, een afgerond beeld, stekelig van talloze torens. Zo hoog en zwaar de stenen huizen van edelen of koopheren mochten zijn, de kerken bleven met haar omhoogrijzende massa's de aanblik der stad beheersen.

Gelijk de tegenstelling van zomer en winter sterker was dan in ons leven, zo was het die van licht en duister, van stilte en gedruis. De moderne stad kent nauwelijks meer het zuivere donker en de zuivere stilte, het effekt van een enkel lichtje of een enkele verre roep.

Door het voortdurend contrast, door de bonte vormen, waarmee alles zich aan de geest opdrong, ging er van het alledaagse leven een prikkeling, een hartstochtelijke suggestie uit, welke zich openbaart in die wankele stemming van ruwe uitgelatenheid, hevige wreedheid, innige vertedering, waartussen het middeleeuwse stadsleven zich beweegt.

Er was één geluid, dat al het gedruis van het drukke leven steeds weer overstemde, en dat, hoe bont dooreenklinkend, toch nooit verward, alles tijdelijk ophief in een sfeer van orde: de klokken. De klokken waren in het dagelijks leven als waarschuwende goede geesten, die met bekende stem dan rouw, dan blijdschap, dan rust, dan onrust kondigden, dan opriepen, dan vermaanden. Men kende hen bij gemeenzame namen: de dikke Jacqueline, klokke Roelant; men wist de betekenis van kleppen of luiden. Men was ondanks het overmatig klokgelui niet verstompt voor de klank. Gedurende het beruchte tweegevecht tussen twee burgers van Valenciennes, dat in 1455 de stad en het gehele Bourgondische hof in buitengewone spanning heeft gehouden, luidde de grote klok, zolang de strijd duurde, 'laquelle fait hideux à oyr', zegt Chastellain[1]. In de toren van Onze Lieve Vrouwe te Antwerpen hangt nog de oude alarmklok uit 1316, *Orida*, dat is *horrida*, de verschrikkelijke genaamd[2]. 'Sonner l'effroy', 'faire l'effroy' heet het luiden der alarmklok[3]; het woord betekende oorspronkelijk onvrede – *exfredus*, daarna de afkondiging van die toestand door klokgelui, dus alarmsignaal, eindelijk schrik. Welk een ontzaglijke bedwelming moet het zijn geweest, als alle kerken en kloosters van Parijs de klokken luidden van de morgen tot de avond, en zelfs de gehele nacht, omdat er een paus gekozen was, die een einde aan het schisma zou maken, of om een vrede tussen Bourguignon en Armagnac[4].

Van een diep roerende werking moeten ook de processies zijn geweest. Wanneer het bange tijden waren, en die waren het dikwijls, liepen ze soms dag aan dag, weken achtereen. Als de noodlottige twist tussen de huizen van Orleans en Bourgondië eindelijk heeft geleid tot openlijke burgeroorlog, en de koning, Karel VI, in 1412 de oriflamme neemt, om met Jan zonder Vrees de Armagnacs te gaan bestrijden, die door een verbond met Engeland landverraders zijn geworden, laat men te Parijs, zodra de koning zich op vijandelijk gebied bevond, het houden van dagelijkse processies verordenen. Zij duren van eind mei tot in juli, telkens van andere groepen, orden of gilden, telkens langs andere wegen, met andere relieken: 'les plus piteuses processions qui oncques eussent été veues de aage de homme'. Allen liepen barrevoets en met nuchtere maag, de heren van het Parlement zogoed als de arme burgers; elk die kon droeg een kaars of een toorts; er waren steeds veel kleine kinderen bij. Ook uit de dorpen rondom Parijs kwamen de arme landlieden blootsvoets van ver gelopen. Men ging mede of keek het aan 'en grant pleur, en grans lermes, en grant devocion'. En bijna al die dagen regende het hard[1].

Dan waren er de vorstelijke intochten, voorbereid met al de zinrijke kunstvaardigheid, waarover men beschikken kon. En in nooit onderbroken veelvuldigheid de terechtstellingen. De wrede prikkeling en de grove vertedering van het schavot waren een gewichtig element in de geestelijke voeding van het volk. Het was kijkspel met moraal. Tegen gruwelijke roverijen verzon de justitie gruwelijke straffen; een jonge brandstichter en moordenaar wordt te Brussel met een ketting, die aan een ring om een staak kan draaien, binnen een kring van brandende takkebossen geplaatst. Hij stelt zichzelf aan het volk in roerende woorden ten voorbeeld, 'et tellement fit attendrir les cœurs que tout le monde fondoit en larmes de compassion'. 'Et fus sa fin recommandée la plus belle que l'on avait oncques vue.'[2] Messire Mansart du Bois, een Armagnac, die in 1411 te Parijs wordt onthoofd tijdens het schrikbewind der Bourgondiërs, geeft niet alleen de beul gaarne de vergiffenis, die deze hem naar de gewoonte vraagt, maar verzoekt de beul, hem te kussen. 'Foison de peuple y avoit, qui quasi tous ploroient à chaudes larmes.'[3] Dikwijls waren de slachtoffers grote heren; dan genoot het volk de voldoening over het strenge recht en de ernstige vermaning over de wisselvalligheid van aardse grootheid levendiger, dan enig geschilderd exempel of dodendans het hun geven kon. De overheid zorgde, dat aan de indruk van het schouwspel niets ontbrak: in de tekenen van hun grootheid deden de heren hun droevige tocht. Jean de Montaigu, grand maître d'hôtel van de koning, slachtoffer van de haat van Jan zonder Vrees, rijdt naar het schavot, hoog op een kar gezeten, twee trompetters vooruit; hij draagt zijn staatsiekleed, kaproen, houppelande en hozen half wit half rood, en gouden sporen aan de voeten; met die gouden sporen hangt het onthoofde lijk aan de galg. De rijke kanunnik Nicolas d'Orgemont, slachtoffer van de wraak der Armagnacs in 1416, wordt in een vuilniskar door Parijs gevoerd, in een grote violette mantel en kaproen, om

3

de onthoofding van twee genoten aan te zien, vóór hij zelf veroordeeld werd tot levenslange opsluiting 'au pain de doleur et à eaue d'angoisse'. Het hoofd van maître Oudart de Bussy, die een plaats in 't Parlement geweigerd had, werd op bijzondere last van Lodewijk XI weer opgegraven en in een scharlaken kaproen met bont gevoerd 'selon la mode des conseillers de parlement' op de markt te Hesdin tentoongesteld, met een verklarend rijmpje. De koning zelf schrijft over het geval met grimmige grappigheid[1].

Zeldzamer dan de processies en de terechtstellingen waren de preken van de reizende predikers, die af en toe het volk kwamen schokken met hun woord. Wij krantenlezers kunnen ons nauwelijks meer de geweldige werking van het woord op een onverzadigde en onwetende geest voorstellen. De volksprediker broer Richard, die als biechtvader Jeanne d'Arc heeft mogen bijstaan, preekte te Parijs in 1429 tien achtereenvolgende dagen. Hij begon des morgens om vijf uur, en eindigde tussen tien en elf uur, meest op het kerkhof der Innocents, onder welks galerijen de beroemde dodendans geschilderd stond, met de rug naar de open knekelhuizen, waarin, boven de booggang rondom, de schedels voor het gezicht lagen opgestapeld. Toen hij na zijn tiende preek meedeelde, dat het de laatste zou zijn, daar hij geen verlof voor meer had, 'les gens grans et petiz plouroient si piteusement et si fondement, commes s'ilz veissent porter en terre leurs meilleurs amis, et lui aussi'. Als hij eindelijk Parijs gaat verlaten, meent het volk, dat hij de zondag nog te St. Denis zal preken; in grote troepen, wel zes duizend, zegt de burger van Parijs, trekken zij zaterdagsavonds uit de stad, om zich een goede plaats te verzekeren, en overnachten op het veld[2].

Ook aan de franciscaan Antoine Fradin werd te Parijs het preken verboden, omdat hij hevig uitvoer tegen de slechte regering. Maar juist daarom was hij het volk lief. Zij bewaakten hem dag en nacht in het klooster der Cordeliers; de vrouwen stonden er op wacht, met haar munitie van as en stenen gereed. Om de proclamatie, die deze wacht verbiedt, lacht men: de koning weet er niets van! Als eindelijk Fradin, verbannen, toch de stad verlaten moet, doet het volk hem uitgeleide, 'crians et soupirans moult fort son departement'[3].

Wanneer de heilige dominicaan Vincent Ferrer komt preken, trekt uit alle steden het volk, de magistraat, de geestelijkheid, tot bisschoppen en prelaten toe, hem met lofzangen tegemoet, om hem in te halen. Hij reist met een talrijke schare van volgers, die iedere avond na zonsondergang in processie rondtrekken met geseling en zingen. Uit iedere stad vergezellen hem nieuwe scharen. Hij heeft de verzorging en herberging van al die volgelingen zorgvuldig geregeld door het aanstellen van onbesproken mannen tot kwartiermeesters. Tal van priesters uit verschillende orden reizen mee, om hem voortdurend bij te staan

4

in het horen der biecht en de bediening der mis. Een paar notarissen vergezellen hem, om terstond acte op te maken van de bijlegging der geschillen, die de heilige prediker overal tot stand brengt. De magistraat van de Spaanse stad Orihuela verklaart in een brief aan de bisschop van Murcia, dat hij in hun stad 123 verzoeningen had bewerkstelligd, waaronder 67 ter zake van moorden[1]. Waar Vincent preekt, moet een houten getimmerte hem en zijn gevolg beschutten tegen de aandrang der menigte, die hem hand of kleed wil kussen. Het handwerk staat stil, zolang hij preekt. Zelden was het, dat hij zijn hoorders niet tot wenen bracht, en als hij sprak van het oordeel en de hellestraffen of van het lijden des Heren, dan braken zowel hij als de hoorders altijd uit in zulk een groot geween, dat hij geruime tijd moest zwijgen, totdat het wenen bedaarde. Boosdoeners kwamen zich voor alle aanwezigen ter aarde werpen en hun grote zonden met tranen belijden[2]. Toen de beroemde Olivier Maillard in 1485 te Orleans de vastenpreken hield, klommen er zoveel mensen op de daken der huizen, dat de leidekker 64 dagen herstellingsarbeid in rekening bracht[3].

Het is de stemming der Engels-Amerikaanse revivals en van het leger des heils, maar in het ongemetene en veel meer in het openbaar. Men behoeft bij de beschrijving van Ferrer's uitwerking aan geen vrome overdrijving van zijn levensbeschrijver te denken; de nuchtere, droge Monstrelet geeft op bijna gelijke wijze de werking weer, die zekere broeder Thomas, zich uitgevend voor een karmeliet, maar later als bedrieger ontmaskerd, in 1428 met zijn preken in Noord-Frankrijk en Vlaanderen teweegbracht. Ook hem haalde de magistraat in, terwijl edelen de teugel van zijn muildier hielden; ook om hem verlieten velen, waaronder heren, die Monstrelet met name noemt, huis en gezin, om hem overal te volgen. De aanzienlijke burgers versierden het hoge gestoelte, dat zij voor hem oprichtten, met de kostbaarste hangtapijten, die men betalen kon.

Het was naast de lijdensstof en de laatste dingen vooral de bestrijding van weelde en ijdelheid, waarmee de volkspredikers zo diep de mensen aangrepen. Het volk, zegt Monstrelet, was broeder Thomas vooral dankbaar en genegen voor het neerwerpen van praal en opschik en in het bijzonder voor de blaam, waarmee hij adel en geestelijkheid overlaadde. Hij placht, wanneer aanzienlijke dames zich met hun hoge puntige kapsels onder zijn gehoor waagden, de kleine jongens op haar aan te hitsen (met belofte van aflaat, beweert Monstrelet), met de kreet: au hennin, au hennin! zodat de vrouwen gedurende al die tijd geen hennins meer durfden dragen en gehuifd gingen als begijnen. 'Mais à l'exemple du lymeçon – zegt de gemoedelijke chroniqueur – lequel quand on passe près de luy retrait ses cornes par dedens et quand il ne ot plus riens les reboute dehors, ainsy firent ycelles. Car en assez brief terme après que ledit prescheur se fust départy du pays, elles mesmes recommencèrent comme devant et oublièrent sa doctrine, et reprinrent petit à petit leur viel estat, tel ou plus grant qu'elles avoient accoustumé de porter.'[1]

Zowel broer Richard als broer Thomas deden de mutserts der ijdelheden vlammen, gelijk Florence er zestig jaar later op enorme schaal en met onherstelbaar verlies voor de kunst terwille van Savonarola ontsteken zou. In Parijs en Artois in 1428 en 1429 bleef het bij kaarten, verkeerborden, dobbelstenen, kapsels en sieradiën, die mannen en vrouwen gewillig aanbrachten. Deze verbrandingen waren in de 15de eeuw zowel in Frankrijk als Italië een veelvuldig element in de grote opwinding, die de predikers teweegbrachten[2]. Het was de ceremoniële vorm, waarin zich de berouwvolle afkeer van ijdelheden en vermaken had vastgezet, de stylering van een heftige aandoening in een gemeenschappelijke, plechtige daad, zoals die tijd in alles neigt tot het scheppen van stijlvolle vormen.

In al deze ontvankelijkheid van gemoed, deze vatbaarheid voor tranen en geestelijke ommekeer, deze prikkelbaarheid moet men zich indenken, om te beseffen, welke kleur en felheid het leven had.

Een publieke rouw had toen nog het uiterlijk van een calamiteit. Bij de begrafenis van Karel VII geraakt het volk buiten zichzelf van aandoening, als het de stoet ziet: al de hofbeambten 'vestus de dueil angoisseux, lesquelz il faisoit moult piteux veoir; et de la grant tristesse et courroux qu'on leur veoit porter pour la mort de leurdit maistre, furent grant pleurs et lamentacions faictes parmy toute ladicte ville'. Er waren zes pages van de koning op geheel in zwart fluweel gedoste paarden. 'Et Dieu scet le doloreux et piteux dueil qu'ilz faisoient pour leur dit maistre!' Een van de knapen had van verdriet in vier dagen niets gegeten of gedronken, vertelde het volk vertederd[3].

Het is echter niet alleen de aandoening van een grote rouw of over een hevige predikatie of over de mysteriën van het geloof, die een overvloed van tranen wekt. Ook bij elke wereldlijke plechtigheid wordt een vloed van tranen gestort. Een beleefdheidsgezant van de koning van Frankrijk aan Philips de Goede breekt bij zijn aanspraak herhaaldelijk in tranen uit. Bij het afscheid van de jonge Jan van Coïmbra van het Bourgondische hof weent alles luide, evenzo bij de verwelkoming van de dauphin, bij de samenkomst der koningen van Engeland en Frankrijk te Ardres. Men zag Lodewijk XI tranen storten bij zijn intocht in Atrecht; tijdens zijn verblijf als dauphin aan het Bourgondische hof beschrijft Chastellain hem herhaaldelijk in snikken en tranen[4]. Er is natuurlijk overdrijving in die beschrijvingen; men moet ze vergelijken met het 'geen oog bleef droog' van een dagbladbericht. Bij de beschrijving van het vredescongres te

6

Atrecht in 1435 laat Jean Germain de toehoorders van de treffende aanspraken der gezanten van aandoening plat op de grond vallen, sprakeloos, met zuchten, snikken en gehuil[1]. Zo zal het zeker niet geweest zijn, maar zo vond de bisschop van Chalons, dat het zijn moest: in de overdrijving ziet men de achtergrond van waarheid. Het is ermee als met de tranenvloeden der 18de-eeuwse sentimentelen. Het wenen was verheffend en schoon. En bovendien: wie kent ook nu niet de sterke ontroering, tot huivering en tranen toe, die een intocht kan teweegbrengen, ook al is de vorst die de praal geldt ons volkomen onverschillig. Toen werd zulk een onmiddellijke aandoening gevuld door een halfreligieuze verering van staatsie en grootheid, en brak zich vrij baan in echte tranen.

Wie het verschil in prikkelbaarheid tussen de 15de eeuw en onze tijd niet ziet, kan het leren uit een klein voorbeeld op een ander gebied dan dat der tranen, namelijk dat der heethoofdigheid. Wij kunnen ons waarschijnlijk moeilijk een vreedzamer en rustiger spel denken dan het schaakspel. La Marche zegt, dat het dikwijls gebeurt, dat er bij 't schaakspel geschillen rijzen, 'et que le plus saige y pert patience'[2]. Twist van koningszonen over een spel schaak was in de 15de eeuw nog een even gangbaar motief als in de Karel-romans.

Er was in het dagelijks leven voortdurend een onbegrensde ruimte voor gloeiende hartstocht en kinderlijke fantasie. De hedendaagse wetenschappelijke historie der Middeleeuwen, die wegens de onbetrouwbaarheid der kronieken bij voorkeur zoveel mogelijk uit officiële oorkonden put, vervalt daardoor wel eens in een gevaarlijke fout. De oorkonden tonen ons weinig van het verschil in levenstoon, dat ons van die tijden scheidt. Zij doen ons het felle pathos van het middeleeuwse leven vergeten. Van al de hartstochten, die het kleuren, spreken de oorkonden doorgaans slechts van twee: de hebzucht en de strijdlust. Wie heeft zich niet dikwijls verbaasd over de schier onbegrijpelijke hevigheid en aanhoudendheid, waarmee hebzucht, twistzucht, wraakzucht uit gerechtelijke oorkonden van die tijd naar voren komen! Eerst in het verband met de algemene hartstochtelijkheid, die op elk gebied het leven doorgloeide, worden die trekken voor ons aannemelijk en verklaarbaar. Daarom blijven de kroniekschrijvers, zij mogen op het stuk van feitelijkheden nog zo oppervlakkig zijn en nog zo dikwijls dwalen, onmisbaar om de tijd goed te zien.

Het leven had in menig opzicht nog de kleur van het sprookje. Wanneer de hofchronisten: geleerde, aanzienlijke mannen, die hun vorsten van nabij kenden, de doorluchtige personen niet anders kunnen zien en beschrijven dan in een archaïsche, hiëratische gedaante, wat moet dan voor de naïeve volksverbeelding de toverglans van het koningschap zijn geweest! Ziehier een voorbeeld van die sprookjestoon uit het geschiedwerk van Chastellain. De jonge Karel de Stoute, nog graaf van Charolais, is van Sluis te Gorkum aangekomen, en verneemt daar, dat zijn vader, de hertog, zijn pensie en al zijn beneficiën heeft ingetrokken. Chastellain beschrijft, hoe nu de graaf zijn ganse hofhouding, tot de keukenjongens toe, voor zich laat verschijnen, en hun zijn rampspoed meedeelt in een roerende toespraak, waarin hij zijn eerbied voor de misleide vader, zijn zorg voor het wel der zijnen en zijn liefde voor hen allen betuigt. Die zelf middelen hebben, spoort hij aan, met hem zijn fortuin af te wachten; die arm zijn, laat hij vrij om heen te gaan, en als zij mochten horen, dat 's graven fortuin zich gekeerd heeft, 'komt dan terug, en gij zult allen uw plaats open vinden en zult mij welkom zijn, en ik zal het geduld belonen dat gij om mijnentwil hebt gehad'. – 'Lors oyt-l'on voix lever et larmes espandre et clameur ruer par commun accord: 'Nous tous, nous tous, monseigneur, vivrons avecques vous et mourrons'.' – Diep geroerd aanvaardt Karel hun trouw: 'Or vivez doncques et souffrez; et moy je souffreray pour vous, premier que vous ayez faute'. Dan komen de edelen en bieden hem aan, wat zij bezitten, 'disant l'un: j'ay mille, l'autre: dix mille, l'autre: j'ay cecy, j'ay cela pour mettre pour vous et pour attendre tout vostre advenir'. En zo ging alles zijn gewone gang, en er kwam geen kip minder om in de keuken[1].

De uitpenseling van het tafereel is natuurlijk van Chastellain. Wij weten niet, in hoeverre zijn verhaal hier het werkelijk gebeurde stileert. Doch waar het op aankomt: hij ziet de vorst in de eenvoudige vormen van de volksballade; het geval wordt voor hem geheel beheerst door de meest primitieve roerselen van wederzijdse trouw, zich uitend in epische soberheid.

Terwijl het mechanisme van het staatsbestuur en de staatshuishouding in werkelijkheid reeds gecompliceerde vormen had aangenomen, projecteert zich het staatsbeleid in de geest des volks in enkele vaste, eenvoudige figuren. De politieke voorstellingen, waarin men leeft, zijn die van het volkslied en de ridderroman. Men herleidt als het ware de koningen van zijn tijd tot een beperkt getal van typen, elk min of meer beantwoordend aan een motief uit lied of aventure: de edele, rechtvaardige vorst, de door boze raden misleide vorst, de vorst wreker van de eer van zijn geslacht, de vorst in het ongeluk door de trouw der zijnen gesteund. De burgers van een laat-middeleeuwse staat, zwaar belast en zonder zeggenschap over de besteding der gelden, leven in een voortdurend wantrouwen, of hun penningen niet worden verspild, of zij wel ten bate komen van 's lands welzijn. Dit wantrouwen in het staatsbeleid zet zich om in de vereenvoudigende voorstelling: de koning wordt omringd door hebzuchtige, sluwe raadgevers, of de weelde en overdaad van 's konings hofhouding is er schuld aan, dat het slecht gaat met het land. Zo reduceren zich de politieke kwesties voor het volk tot de gevallen van de sproke. Philips de Goede begreep, welke taal het volk verstond. Tijdens zijn feesten in den Haag in 1456 heeft hij, om indruk te maken op de Hollanders en Friezen, die zouden menen, dat het hem aan geld ontbrak om het bisdom Utrecht te vermeesteren, in een kamer naast de ridderzaal dertig duizend mark zilver aan kostelijk vaatwerk laten uitstallen. Iedereen mag er naar komen kijken. Bovendien zijn er uit Rijsel twee geldkisten meegebracht met tweehonderdduizend gouden leeuwen. Men mag beproeven, ze op te lichten, maar het is moeite vergeefs[1]. Kan er opvoedkundiger vermenging van staatscrediet en kermisvermaak bedacht worden?

Het vorstelijk leven en bedrijf had nog menigmaal een fantastisch element, dat ons aan de kalief uit Duizend en één Nacht herinnert. Zij handelen temidden van de koel berekende politieke ondernemingen soms met een roekeloze onstuimigheid, die om een persoonlijke gril hun leven en hun werk in gevaar brengt. Eduard III waagt er zichzelf, de prins van Wales en de zaak van zijn land aan, om een vloot van Spaanse koopvaarders aan te vallen, ter vergelding van enige zeeroverij[2]. – Philips de Goede heeft er zijn zinnen op gezet, een zijner archers te huwen aan een rijke brouwersdochter uit Rijsel. Toen de vader dit tegenwerkt en er het Parlement van Parijs inhaalt, breekt de hertog, in woede ontstoken, de gewichtige staatsbesognes, die hem in Holland hielden, plotseling af, en onderneemt, in de heilige tijd vlak voor Pasen nog wel, een gevaarlijke zeereis van Rotterdam naar Sluis, om zijn zin door te drijven[3]. Een andermaal is hij in zinneloze toorn om een twist met zijn zoon als een weggelopen schooljongen stil uit Brussel gereden, en verdwaalt 's nachts in het bos. Als hij weer terecht is, valt de hachelijke taak, om hem weer in zijn gewone doen te brengen, de ridder Philippe Pot te beurt. De handige hoveling vindt het rechte woord: 'Bonjour monseigneur, bonjour, qu'est cecy? Faites-vous du roy Artus maintenant ou de messire Lancelot?'[4].

Hoe kaliefachtig doet het aan, wanneer dezelfde hertog, als de geneesheren hem hebben voorgeschreven, zich het hoofd kaal te laten scheren, gelast, dat alle edelen zullen doen als hij, en Peter van Hagenbach opdraagt, om waar hij een edelman ongeschoren vond, hem van zijn haardos te ontdoen[5]. Of wanneer de jonge koning van Frankrijk, Karel VI, met een vriend op één paard, vermomd de intocht van zijn eigen bruid Isabella van Beieren gaat zien, en in 't gedrang klappen oploopt van de dienders[6]. – Een dichter uit de vijftiende eeuw laakt het, dat de vorsten hun nar of speelman tot hofraad en minister verheffen, gelijk ten deel viel aan Coquinet le fou de Bourgogne[7].

De staatkunde is nog niet geheel binnen de grenzen van bureaucratie en protocol ingeperkt: ieder ogenblik kan de vorst zich daaraan onttrekken, om elders het richtsnoer van zijn beleid te zoeken. Zo zoeken de vorsten der vijftiende eeuw herhaaldelijk raad in staatszaken bij de visionaire asceten en de geëxalteer-de volkspredikers. Dionysius de Kartuizer, Vincent Ferrer traden als politieke raadgevers op; de luidruchtige prediker Olivier Maillard, een Franse Brugman, was in de heimelijkste onderhandelingen van vorstenhoven gemengd[1]. Een element van godsdienstige spanning werd zodoende levend gehouden in de hoge staatkunde.

Omstreeks het einde der veertiende en het begin der vijftiende eeuw moesten de geesten bij het opzien naar het hoge toneel van vorstelijk bedrijf en lotgeval wel meer dan ooit vervuld worden van het denkbeeld, hoe daar in een bloedig romantische sfeer zich louter woeste treurspelen afspeelden, vol van de aangrij-pendste neerstortingen uit majesteit en heerlijkheid. In dezelfde maand septem-ber 1399, dat te Westminster het Engelse Parlement bijeenkwam, om te horen, dat de koning Richard II, overwonnen en gevangen door zijn neef van Lancaster, de kroon had opgegeven, waren te Mainz reeds de Duitse keurvorsten verga-derd, om hùn koning af te zetten: Wenzel van Luxemburg, even wankel van geest, even onbekwaam tot heersen, even grillig van gemoed als zijn zwager van Engeland, alleen niet zo tragisch vallende. Wenzel bleef nog lange jaren koning van Bohemen, maar op Richard's afzetting volgde zijn geheimzinnige dood in de gevangenis, die de moord van zijn overgrootvader Eduard II, zeventig jaren eer-der, in het geheugen terugriep. Was niet de kroon een droevig bezit vol gevaren? In het derde grote rijk der Christenheid een waanzinnige op de troon, Karel VI, en weldra het land verscheurd door wilde partijtwist. In 1407 brak de naijver van de huizen Orleans en Bourgondië uit in openlijke vete: Lodewijk van Orleans, 's konings broeder, viel door sluipmoordenaars, gehuurd door zijn neef de hertog van Bourgondië, Jan zonder Vrees. Twaalf jaren later de wraak: in 1419 wordt Jan zonder Vrees bij de plechtige samenkomst op de brug van Montereau ver-raderlijk gedood. Die beide vorstenmoorden, met hun eindeloze nasleep van wraakzucht en strijd, hebben aan de Franse geschiedenis ener ganse eeuw een grondtoon van sombere haat gegeven. Want de geest des volks ziet al het onge-luk, dat Frankrijk weervaart, in het licht van dat grote, dramatische motief; hij kan nog geen andere oorzaken beseffen dan persoonlijke en hartstochtelijke.

Bij dat alles de Turken, die steeds dreigender opdringen, die weinige jaren te voren, in 1396, bij Nicopolis het prachtige Franse ridderleger vernietigd heb-ben, dat roekeloos was uitgetrokken onder diezelfde Jan van Bourgondië, toen nog graaf van Nevers. En de Christenheid verscheurd door het grote schisma, dat nu reeds een kwart eeuw had geduurd: twee die zich paus noemden, elk met hartstochtelijke overtuiging door een deel der westerse landen aangehangen;

straks als het concilie van Pisa in 1409 smadelijk faalt in zijn poging tot herstel
der eenheid in de Kerk, zullen het er drie zijn, die om de pausmacht strijden. 'Le
Pappe de la Lune' heette gemeenlijk in Frankrijk de hardnekkige Aragonees Peter van Luna, die als Benedictus XIII zich te Avignon staande hield; zal het niet
voor het eenvoudige volk een half ijlhoofdige klank hebben gehad: 'le Pappe de
la Lune'?

Er doolde in die eeuwen langs de vorstenhoven menig onttroonde koning,
meestal schraal van middelen en groot van plannen, met de glans van het wonderlijke Oosten, vanwaar zij kwamen: Armenië, Cyprus, weldra Constantinopel
zelf, elk een figuur uit het beeld dat ieder voor ogen had van het rad der Fortuin,
waar de koningen aftuimelen met schepters en tronen. Tot hen behoorde niet
René van Anjou, al was ook hij een koning zonder kroon. Hij had het best in zijn
rijke bezittingen in Anjou en Provence. Toch was de wisselvalligheid der vorstelijke fortuin in niemand beter belichaamd te zien dan in deze prins van het huis
van Frankrijk, die altijd weer de hoogste kansen had gemist, die getracht had
naar de kronen van Hongarijë, Sicilië en Jeruzalem, en niet anders gevonden had
dan nederlagen, moeilijke ontvluchtingen, lange gevangenschappen. De dichter-
koning zonder troon, die zich vermeide in herderdicht en miniatuurkunst, moet
wel van een diep gewortelde frivoliteit zijn geweest, of het lot zou hem hebben
genezen. Bijna al zijn kinderen had hij zien sterven, en de dochter, die hem gebleven was, had een lot, dat in zwarte somberheid het zijne overtrof. Margareta
van Anjou, vol geest, eerzucht en hartstocht, had, zestien jaar oud, de koning
van Engeland gehuwd, Hendrik VI, een onnozele. Het Engelse hof was een hel
van haat. Nergens waren de argwaan tegen de koninklijke verwanten, de aanklacht tegen machtige dienaren der kroon, de heimelijke en gerechtelijke moorden terwille van veiligheid of partijzucht zo door de politieke zeden heenge-
weven als in Engeland. Lange jaren had Margareta in die sfeer van vervolging en
angst geleefd, eer de grote familietwist tussen Lancaster, het huis van haar gemaal, en York, dat van hun talrijke en roerige neven, in het stadium treedt van
bloedig en openlijk geweld. Toen verloor Margareta kroon en bezit. De wisse-
lingen van de Rozenoorlog hadden haar geleid door de vreselijkste gevaren en de
bitterste nood. Eindelijk veilig in een toevlucht aan het Bourgondische hof, gaf
zij uit eigen mond aan Chastellain, de hofchroniqueur, het aandoenlijk verhaal
van haar rampspoed en zwerftochten: hoe zij zich en haar jonge zoon had moeten toevertrouwen aan de erbarming van een struikrover; hoe zij eens bij de mis
een Schotse boogschutter om een penning had moeten vragen voor een offer,
'qui demy à dur et à regret luy tira un gros d'Escosse de sa bourse et le luy presta'.
De brave historieschrijver, bewogen om zoveel leed, wijdde haar tot troost een

Temple de Bocace[1], 'aucun petit traité de fortune, prenant pied sur son inconstance et déceveuse nature'. Hij meende, naar het vaste recept van die dagen, de veelbeproefde koningsdochter niet beter te kunnen sterken dan door een sombere galerij van vorstenongeluk. Geen van beiden kon weten, dat haar het ergste nog te wachten stond: bij Tewkesbury in 1471 de Lancaster's voorgoed verslagen, haar enige zoon in de slag gevallen of na de slag vermoord, haar gemaal heimelijk omgebracht, zijzelf vijf jaren in de Tower, om tenslotte door Eduard IV aan Lodewijk XI te worden verkocht, aan wie zij tot dank voor haar bevrijding afstand moest doen van de erfenis van haar vader, koning René.

Waar echte koningskinderen zulk een lot beleefden, hoe zou daar een burger van Parijs anders dan geloof schenken aan de verhalen van verloren kronen en ballingschap, waarmede vagebonden somtijds belangstelling en barmhartigheid zochten? In 1427 verscheen in Parijs een troep Zigeuners, zich voordoende als boetelingen, 'ung duc et ung conte et dix hommes tous à cheval'. De rest, een honderdtwintig sterk, moest buiten blijven. Uit Egypte waren zij, de paus had hun als boete voor hun afval van het christelijk geloof opgelegd, om zeven jaren te zwerven zonder in een bed te slapen. Zij waren wel twaalfhonderd geweest, maar hun koning en koningin en al de anderen waren onderweg gestorven. Tot enige solaas had de paus gelast, dat ieder bisschop en abt hun tien pond tournoois zou geven. De Parijzenaars kwamen in grote menigte naar het vreemde volkje kijken, en lieten zich de hand lezen door de vrouwen, die de lieden het geld uit hun beurzen in de hare deden verhuizen 'par art magicque ou autrement'[2].

Er lag om het vorstenleven een sfeer van avontuur en van hartstocht. Het was niet louter de volksverbeelding, die het die kleur leende. De moderne mens maakt zich doorgaans geen voorstelling van de teugelloze buitensporigheid en ontvlambaarheid van het middeleeuws gemoed. Wanneer men enkel te rade gaat met de officiële documenten, de meest betrouwbare gegevens tot het kennen der geschiedenis, zoals zij terecht beschouwd worden, dan kan men van een stuk middeleeuwse geschiedenis soms een beeld ontwerpen, dat in niets wezenlijks verschilt van een beschrijving van ministers- en gezantenpolitiek der achttiende eeuw. Maar zulk een beeld mist één gewichtig element: de schelle kleur van de geweldige hartstocht, die èn de volken èn de vorsten heeft bezield. Zonder twijfel is een hartstochtelijk element ook nù nog in de staatkunde aanwezig, maar het vindt, behalve in dagen van omwentelingen en burgeroorlog, meer remmen en beletselen; het is op honderden wijzen door het ingewikkelde mechanisme van het gemeenschapsleven in vaste banen geleid. In de vijftiende eeuw komt in de politieke daad nog zulk een mate van onmiddellijk affect tot uiting, dat nut en berekening er telkens worden doorbroken. Gaat dat affect gepaard met machtsgevoel, zoals bij de vorsten, dan werkt het dubbel heftig. Chastellain drukt het in zijn deftige termen bondig uit. Het is geen wonder, zegt hij, dat vorsten dikwijls met elkaar in vijandschap leven, 'puisque les princes sont hommes, et leurs affaires sont haulx et agus, et leurs natures sont subgettes à passions maintes comme à haine et envie, et sont leurs cœurs vray habitacle d'icelles à cause de leur gloire en régner'[1]. Is dit niet ongeveer hetzelfde, wat Burckhardt 'das Pathos der Herrschaft' heeft genoemd?

Wie de geschiedenis van het Bourgondische vorstenhuis wilde schrijven, moest als grondtoon van zijn verhaal steeds weer een wraakmotief kunnen doen klinken, zo zwart als een katafalk, dat u bij elke daad in de raad en te velde de bittere smaak gaf te proeven van hun geest vol sombere wraakgierigheid en verscheurde hoogmoed. Zeker, het zou onnozel zijn, om weer te willen terugkeren tot het al te simpele gezicht, dat de vijftiende eeuw zelf op de geschiedenis had. Het gaat natuurlijk niet aan, de gehele machtstegenstelling, waaruit de eeuwenlange strijd van Frankrijk en de Habsburgers is gegroeid, te willen afleiden uit de bloedwraak tussen Orleans en Bourgondië, de twee takken van het huis Valois. Doch men dient zich, meer dan bij het opsporen van de algemene staatkundige en economische oorzaken in de regel geschiedt, voortdurend bewust te blijven, dat voor de tijdgenoot, zowel voor de beschouwers als voor hen, die zelf de handelenden waren in het grote pleit, die bloedwraak het bewuste moment was, dat de handelingen en lotgevallen van de vorsten en de landen beheerste. Philips de Goede is voor hen in de eerste plaats de wreker, 'celuy qui pour vengier l'outraige fait sur la personne du duc Jehan soustint la gherre seize ans'[2]. Als een heilige taak had Philips het op zich genomen: 'en toute criminelle et mortelle aigreur, il tireroit à la vengeance du mort, si avant que Dieu luy vouldroit permettre; et y mettroit corps et âme, substance et pays tout en l'aventure et en la disposition de fortune, plus réputant œuvre salutaire et agréable à Dieu de y entendre que de le laisser'. Het was de dominicaan, die bij de lijkdienst voor de vermoorde hertog de predikatie hield, in 1419 euvel genoeg aangerekend, dat hij had durven wijzen op de christenplicht om niet te wreken[3]. La Marche stelt het zo voor, dat de plicht van eer en wraak ook voor de landen van de hertog het motief hunner politieke wensen was: al de staten van zijn landen riepen met hem om wraak, zegt hij[4].

Het traktaat van Atrecht, dat in 1435 de vrede tussen Frankrijk en Bourgondië scheen te zullen brengen, begint met de boete voor de moord van Montereau; een kapel te stichten in de kerk van Montereau, waar Jan het eerst begraven was, waar ten eeuwigen dage een requiem zal gezongen worden iedere dag; desgelijks in dezelfde stad een Kartuizerklooster, een kruis op de brug zelf, waar het

13

feit was bedreven, een mis in de Kartuizerkerk te Dijon, waar de Bourgondische hertogen begraven liggen[1]. Dit was nog maar een deel van al de openbare boete en schande, die de kanselier Rolin namens de hertog geëist had: kerken met kapittels niet alleen te Montereau, maar ook te Rome, Gent, Dijon, Parijs, Santiago de Compostela en Jeruzalem, met opschriften in steen, die het feit verhalen moesten[2].

Een wraakbehoefte, die zich in zo wijdlopige vormen kleedde, moet wel vooraan in de geest hebben gestaan. En wat zou het volk van de staatkunde zijner vorsten beter hebben begrepen dan deze eenvoudige, primitieve motieven van haat en wraak? De aanhankelijkheid aan de vorst was van een kinderlijk impulsief karakter; het was een zeer onmiddellijk gevoel van trouw en gemeenschap. Het is een uitbreiding van het oude sterke besef, dat de eedhelpers aan de klager, de mannen aan hun heer bond, en dat in vete en strijd tot alles vergetende hartstocht aangloeide. Het is partijgevoel, geen staatsgevoel. De latere Middeleeuwen zijn de tijd der grote partijstrijden. In Italië consolideren de partijen zich reeds in de dertiende eeuw, in Frankrijk en de Nederlanden rijzen ze overal omhoog in de veertiende. Iedereen, die de geschiedenis van die tijden bestudeert, moet wel eens getroffen zijn door de gebrekkigheid, waarmee die partijschappen door de moderne geschiedvorsing uit economisch-politieke oorzaken worden verklaard. De economische tegenstellingen, die men eraan ten grondslag legt, zijn veelal louter schematische constructies, die men met de beste wil niet uit de bronnen kan aflezen. Niemand zal de aanwezigheid van economische oorzaken voor die partijgroeperingen willen loochenen, doch onbevredigd door het succes, waarmee zij tot nu toe zijn aangewezen, is men geneigd te vragen, of ter verklaring van de laat-middeleeuwse partijstrijd een sociologisch gezichtspunt voorlopig niet meer profijt oplevert dan een politisch-economisch. Wat de bronnen werkelijk te zien geven van het ontstaan der partijen is ongeveer dit. In de zuiver-feodale tijd ziet men overal afzonderlijke, beperkte veten, waarin geen ander economisch motief kan worden waargenomen dan dat de een de ander zijn goed benijdt. Doch niet alleen zijn goed, ook en zeker niet minder hevig zijn eer. Familietrots en wraakzucht, hartstochtelijke trouw van de zijde der volgers, zijn hier volkomen primaire roerselen. Naarmate nu de staatsmacht zich versterkt en uitbreidt, treden al die familieveten in zekere polarisering ten opzichte van het landsheerlijk gezag, en nu agglomeren zij zich tot partijen, die zelf de grond van hun gescheiden zijn niet anders beseffen dan op de basis van solidariteit en gemeenschapseer. Zien wij dieper in die grond, als wij economische tegenstellingen postuleren? Wanneer een scherpziend tijdgenoot verklaart, dat voor de haat van Hoeksen en Kabeljauwsen geen redelijke gronden waren te bespeuren[3], moet men niet minachtend de schouders ophalen en wijzer willen zijn dan hij. Er is immers inderdaad geen enkele bevredigende verklaring, waarom de Egmonds kabeljauws en de Wassenaars hoeks zijn geweest. Want de economische contrasten, die hun geslachten kenmerken, zijn eerst het produkt van hun positie tegenover de vorst als aanhangers van deze partij of van gene*.

Hoe hevig de gemoedsbeweging van vorstentrouw werken kon, leest men op elke bladzijde der middeleeuwse geschiedenis. De dichter van het mirakelspel Marieken van Nimwegen vertoont ons, hoe Marieken's kwade moei, na zich met de buurvrouwen half razend gekeven te hebben over de twist van Arnold en Adolf van Gelre, in haar woede haar nicht het huis uitjaagt, en later uit spijt, dat de oude hertog uit zijn gevangenis is verlost, zich van het leven berooft. Het is deze dichter te doen om te waarschuwen voor de gevaren van 'partiscap'; hij kiest daartoe een extreem voorbeeld, een zelfmoord uit 'partiscap', overdreven zonder twijfel, doch met dat al bewijst het, welk een hartstochtelijk karakter de dichter aan het partijgevoel toekende.

Er zijn vertroostender voorbeelden. Midden in de nacht laten de schepenen van Abbeville de klokken luiden, omdat er een bode gekomen is van Karel van Charolais met verzoek om te bidden voor de genezing zijns vaders. De verschrikte burgers stromen ter kerke, ontsteken honderden kaarsen, liggen geknield of gans ter aarde, in tranen, de gehele nacht, terwijl de klokken aldoor luiden[1].

Als het volk van Parijs, in 1429 nog Engels-Bourgondischgezind, verneemt, dat broeder Richard, die hen nog pas zo innig had aangegrepen met zijn preken, een Armagnac is, die de steden heimelijk ompraat, dan vervloeken zij hem bij God en de heiligen; voor de tinnen penning met de naam van Jezus, die hij hun gegeven had, nemen zij het Andrieskruis, het partijteken van Bourgondië. Zelfs het hervatten van de dobbelspelen, waartegen broer Richard geijverd had, geschiedde, meent de burger van Parijs, 'en despit de luy'[2].

Men zou menen, dat het schisma tussen Avignon en Rome, dat immers geen enkele dogmatische grond had, ook geen geloofshartstocht kon wekken, althans niet in de landen, ver van de beide centra verwijderd, waar men beide pausen enkel bij name kende, en niet onmiddellijk bij de scheuring betrokken was. Toch

---

* Dat een opvatting als de mijne in het geheel niet het erkennen der economische factoren uitsluit, laat staan als protest tegen economische geschiedverklaring zou zijn geformuleerd, kan worden aangetoond door het volgend citaat van Jaurès: 'Mais il n'y a pas seulement dans l'histoire des luttes de classes, il y a aussi des luttes de partis. J'entends qu'en dehors des affinités ou des antagonismes économiques il se forme des groupements de passions, des intérêts d'orgueil, la domination, que se disputent la surface de l'histoire et qui déterminent de très vastes ébranlements'. Histoire de la révolution française, IV p. 1458.

ontwikkelt zich ook daar het schisma terstond tot een scherpe en hevig bewogen partijzaak, ja, tot een tegenstelling als van gelovigen en ongelovigen. Wanneer Brugge overgaat van de paus te Rome tot die van Avignon, verlaten tal van lieden huis en stad, bedrijf of prebende, om in Utrecht, Luik of een ander gebied der urbanistische obedientie naar hùn partij te kunnen leven[1]. Vóór de slag bij Rozebeke in 1382 is de Franse legeraanvoering in twijfel, of men tegen de Vlaamse opstandelingen de oriflamme, de heilige koningsvaan, die enkel gebruikt mocht worden in een heilige strijd, zal ontplooien of niet. De beslissing valt: ja, want die Vlamingen zijn urbanisten, dus ongelovigen[2]. De Franse politieke agent en schrijver Pierre Salmon kon bij een bezoek aan Utrecht geen priester vinden, die hem zijn paas wil laten vieren, 'pour ce qu'ils disoient que je estoie scismatique et que je créoie en Benedic l'antipape', zodat hij alleen in een kapel gaat biechten, alsof hij 't voor een priester deed, en de mis hoort in het Kartuizerklooster[3].

Het sterk bewogen karakter van partijgevoel en vorstentrouw werd nog verhoogd door de machtige, suggestieve werking, die er uitging van al de partijtekens, kleuren, emblemen, deviezen, kreten die elkander somtijds in bonte wisseling opvolgden, meestal zwanger van moord en doodslag, een enkele maal teken van blijder dingen. Wel tweeduizend personen trokken in 1380 de jonge Karel VI bij zijn intocht in Parijs tegemoet, allen gelijk gekleed in half groen half wit. Tot driemaal toe zag men in de jaren 1411 tot 1423 heel Parijs plotseling met ander kenteken getooid: paarse kaproenen met het Andrieskruis, witte kaproenen, dan weer violette. Zelfs geestelijken, vrouwen en kinderen droegen ze. Tijdens het schrikbewind der Bourguignons te Parijs in 1411 werden iedere zondag de Armagnacs onder klokgelui geëxcommuniceerd; men behing de heiligenbeelden met het Andrieskruis, ja, sommige priesters, beweerde men, wilden bij de mis en bij de doop het kruisteken niet recht maken, zoals de Heer gekruist was, maar maakten het schuins[4].

De blinde hartstocht, waarmee men zijn partij, zijn heer of ook zijn eigen zaak volgde, was ook voor een deel een uitingsvorm van het muurvaste, steenharde rechtsgevoel, dat de middeleeuwse mens eigen was, de onwrikbare verzekerdheid, dat elke daad haar uiterste vergelding eist. Het gerechtigheidsgevoel was nog voor drie kwart heidens. Het was wraakbehoefte. De Kerk had wel getracht, de rechtsgewoonten te verzachten door aandrang op zachtmoedigheid, vrede, vergevensgezindheid, maar het eigenlijke rechtsgevoel had zij daarmee niet veranderd. Integendeel, zij had het geëxaspereerd, door aan de vergeldingsbehoefte de haat tegen de zonde toe te voegen. De zonde nu, dat was voor de heftige geest maar al te vaak: dat wat mijn vijand doet. Het gerechtigheidsgevoel was gaandeweg tot een uiterste van spanning gekomen tussen de polen van een barbaars besef van oog om oog, tand om tand, en een godsdienstige afschuw van de zonde, terwijl bovendien de taak van de staat, om streng te straffen, meer en meer als dringende nood werd gevoeld. Het gevoel van onzekerheid, de bange vrees, die in elke crisis het staatsgezag smeekt om schrikbewind, was in de latere Middeleeuwen chronisch. De opvatting van de afkoopbaarheid van het misdrijf week van lieverlede terug, om een bijna idyllische rest van oude gemoedelijkheid te worden, naarmate sterker de voorstelling doordrong, dat het misdrijf tegelijkertijd een bedreiging der gemeenschap en een aanranding van Gods majesteit was. Zo is het einde der Middeleeuwen de bedwelmende bloeitijd geworden van pijnlijke gerechtigheid en justitiële wreedheid. Daar was geen ogenblik van twijfel of de boosdoener zijn recht verdiend had. Daar was innige voldoening over treffende daden van justitie door de vorst zelf verricht. Bij vlagen verhief zich de overheid tot campagnes van straffe gerechtigheid, dan tegen rovers en geboefte, dan tegen heksen en tovenaars, dan tegen sodomie.

Wat in de justitiële wreedheid der late Middeleeuwen treft, is geen ziekelijke perversiteit, maar het dierlijke, verstompte jolijt, dat het volk erin had, de kermisvreugde ervan. Die van Mons kopen een roverhoofdman tegen veel te hoge prijs, voor het genoegen van hem te vierendelen, 'dont le peuple fust plus joyeulx que si un nouveau corps sainct estoit ressuscité'[1]. Tijdens de gevangenschap van Maximiliaan te Brugge in 1488 staat op de markt, waar de gevangen koning het kan zien, de pijnbank op een hoge estrade, en het volk krijgt er niet genoeg van, de van verraad verdachte magistraatspersonen telkens weer te zien pijnigen, en weerhoudt de executie, waar dezen om smeken, om nieuwe kwellingen te genieten[2].

Tot welke onchristelijke uitersten juist de vermenging van geloof en wraakzucht leidde, bewijst de gewoonte, die in Frankrijk en Engeland heerste, om de terdoodveroordeelde niet alleen het viaticum maar ook de biecht te weigeren. Men wilde hun ziel niet redden, men wilde hun doodsangst verzwaren met de zekerheid der hellestraf. Vergeefs had paus Clemens V in 1311 gelast, althans het boetsacrament toe te staan. De politieke idealist Philippe de Mézières drong er opnieuw op aan, eerst bij Karel V van Frankrijk, toen bij Karel VI. Doch de kanselier Pierre d'Orgemont, wiens 'forte cervelle', zegt Mézières, moeilijker om te keren was dan een molensteen, verzette er zich tegen, en Karel V, de wijze, vreedzame koning, verklaarde, dat bij zijn leven de gewoonte niet veranderd zou worden. Eerst toen de stem van Jean Gerson zich bij die van Mézières voegde met een vijftal consideraties tegen het misbruik, gelastte een koninklijk edict van 12 februari 1397, de veroordeelde de biecht toe te staan. Pierre de Craon, aan wiens bemoeiing het besluit te danken was, richtte een stenen kruis op bij de galg van Parijs, waar de Minderbroeders de berouwvolle misdadigers konden bijstaan[1]. Toch verdween ook toen de oude gewoonte nog niet uit de volkszeden: nog kort na 1500 moet de bisschop van Parijs, Etienne Ponchier, het statuut van Clemens V hernieuwen. In 1427 wordt een roofziek jonker te Parijs gehangen. Bij de terechtstelling komt een aanzienlijk ambtenaar, groot tresorier in dienst van de regent, zijn haat tegen de veroordeelde luchten; hij belet, dat hem de confessie wordt toegestaan, die hij vraagt; hij klimt scheldende achter hem de ladder op, slaat hem met een stok, ranselt de beul, omdat hij het slachtoffer vermaant, aan het heil zijner ziel te denken. De beul, verschrikt, overhaast zich; de strop breekt, de arme misdadiger valt, breekt been en ribben, en moet zo de ladder weer op[2].

In de Middeleeuwen ontbreken al de gevoelens, die ons besef van justitie schuchter en weifelend hebben gemaakt: het inzicht in halve toerekenbaarheid, het besef van ’s rechters feilbaarheid, het besef, dat de maatschappij mee schuld heeft aan het misdrijf van de enkele, de vraag, of men hem niet kan verbeteren in plaats van hem te doen lijden. Of misschien beter gezegd: die gevoelens ontbraken niet, maar waren onuitgedrukt verenigd in onmiddellijke aandoening van barmhartigheid en vergiffenis, die onafhankelijk van de schuld, telkens weer de wrede voldoening over het gedane recht komt breken. Waar wij een aarzelend en half schuldbewust toemeten van verzachte straffen kennen, daar kent de middeleeuwse justitie slechts de twee uitersten: de volle maat van wrede straf en de genade. Bij het schenken van genade wordt veel minder dan thans gevraagd, of de schuldige om bijzondere redenen de gratie verdient: voor elke schuld, ook de klaarblijkelijkste, is volle kwijtschelding te allen tijde gepast. In de praktijk gaf bij die kwijtscheldingen niet altijd de zuivere barmhartigheid de doorslag. Het is verbazend, met welk een gelijkmoedigheid de tijdgenoten vertellen, hoe de tussenkomst van aanzienlijke verwanten een misdadiger ‘lettres de rémission’ bezorgt. Niettemin gelden de meeste van die brieven geen aanzienlijke overtreders maar arme lieden uit het volk, die geen hoge voorspraak gehad hebben[3].

De onmiddellijke tegenstelling van hardvochtigheid en barmhartigheid beheerst ook buiten de rechtspleging de zeden. Aan de ene zijde de vreselijkste hardvochtigheid tegen misdeelden en gebrekkigen, aan de andere die ontzaglijke vertedering, dat innig gevoel van verwantschap voor zieken, armen en gekken, zoals wij het, samen met de wreedheid, nog uit de Russische litteratuur kennen. Het genot in terechtstellingen wordt althans nog begeleid en tot zekere hoogte gerechtvaardigd door een sterk bevredigd rechtsgevoel. In de ongeloofelijke, naïeve hardheid, onkiesheid, de wrede spot, het leedvermaak, waarmee men het ongeluk der ellendigen beschouwt, ontbreekt zelfs het veredelend element van het bevredigd rechtsgevoel. De kroniekschrijver Pierre de Fenin besluit het verhaal van het omkomen van een bende maraudeurs met de woorden: 'et faisoit-on grant risée, pour ce que c'estoient tous gens de povre estat'[1].

Te Parijs wordt in 1425 een 'esbatement' gehouden van vier geharnaste blinden, die om een big vechten. Daags te voren trekken zij in hun wapenrusting door de stad, voorop een doedelzakspeler en een man met een grote vlag, waarop de big geschilderd staat[2].

Velazquez heeft ons de innig droevige tronies bewaard van de dwerginnetjes, die als zottinnen aan het Spaanse hof in zijn tijd nog in ere waren. Zij waren een gezocht voorwerp van vermaak aan de vorstenhoven der vijftiende eeuw. Bij de kunstige 'entremets' der grote hoffeesten vertoonden zij haar kunsten en haar mismaaktheid. Madame d'Or, de goudblonde dwergin van Philips van Bourgondië, was algemeen bekend. Men liet haar worstelen met de acrobaat Hans[3]. Bij de huwelijksfeesten van Karel de Stoute met Margareta van York in 1468 komt Madame de Beaugrant, 'la naine de Mademoiselle de Bourgogne', gedost als herderin, binnenrijden op een gouden leeuw, groter dan een paard. De leeuw kan de bek open en dicht doen en zingt een welkomstliedje; het herderinnetje wordt cadeau gedaan aan de jonge hertogin en op tafel gezet[4]. Wij kennen geen klachten over het lot van die vrouwtjes, wel posten uit rekeningen, die ons nog iets meer zeggen. Zij spreken ervan, hoe een hertogin zulk een dwergje liet halen uit haar ouderlijk huis, hoe de moeder of de vader haar kwamen brengen, hoe ze haar ook later af en toe kwamen bezoeken, en dan een fooi kregen. 'Au pere de Belon la folle, qui estoit venu veoir sa fille...' Ging de vader verheugd en hoogvereerd over de hofdienst van zijn dochter naar huis? In hetzelfde jaar leverde een slotemaker te Blois twee ijzeren halsbanden, één 'pour attacher Belon la folle et l'autre pour mettre au col de la cingesse de Madame la Duchesse'[5].

Hoe de krankzinnigen behandeld werden, kan men afmeten naar een bericht omtrent de verzorging van Karel VI, die als koning toch een verpleging genoot, die gunstig afweek van wat anderen ondervonden. Om de arme waanzinnige te verschonen, wist men niets beters te bedenken, dan hem te laten verrassen door twaalf zwartgemaakte mannen, alsof de duivelen hem kwamen halen[6].

Er is in de hardvochtigheid van die tijden een mate van 'ingénu', die ons de veroordeling op de lippen doet besterven. Temidden van een pestepidemie, die Parijs teisterde, verzoeken de hertogen van Bourgondië en Orleans, om terwille der verstrooiing een cour d'amours in te stellen[7]. In een pauze van de gruwelijke moordpartijen op de Armagnacs in 1418 sticht het volk van Parijs in de kerk van Sint Eustathius de broederschap van Sint Andries; iedereen, priester of leek, draagt een krans van rode rozen; de kerk is er vol van en geurt 'comme s'il fust lavé d'eau rose'[1]. Wanneer de heksenprocessen, die Atrecht in 1461 als een helse plaag hadden geteisterd, tenslotte vernietigd worden, viert de burgerij die zege van het recht met een wedstrijd in het opvoeren van 'folies moralisées', eerste prijs een zilveren lelie, vierde prijs een paar kapoenen; de gemartelde slachtoffers waren lang dood[2].

Zo fel en bont was het leven, zo verdroeg het de geur van bloed en rozen dooreen. Tussen helse benauwingen en de kinderlijkste pret, tussen gruwelijke hardvochtigheid en snikkende vertedering slingert het volk als een reus met een kinderhoofd. Tussen de volstrekte verzaking van alle wereldse vreugde en een waanzinnige gehechtheid aan goed en genot, tussen duistere haat en de meest goedlachse goedmoedigheid leeft het in uitersten.

Van de heldere helft van dat leven is ons maar luttel bewaard: het is, of al de blijde zachtheid en sereniteit van de ziel der vijftiende eeuw is verzonken in haar schilderkunst en gekristalliseerd in de ijle reinheid van haar hoge muziek. De lach van dat geslacht is verstorven, zijn gulle levenslust en onbekommerde vreugde leeft enkel nog in volkslied en klucht. Er is genoeg, om bij ons heimwee naar vervlogen schoon van andere tijden ook een verlangen naar de zonnigheid van de eeuw der Van Eyck's te voegen. Maar wie zich waarlijk in die tijd verdiept, heeft dikwijls moeite om het blijde aspect vast te houden. Want overal buiten de sfeer der kunst heerst het donker. In het dreigend waarschuwen der sermoenen, in de moede zuchten der hogere litteratuur, in het eentonig relaas der kronieken en oorkonden, overal schreeuwen de bonte zonden en jammert de ellende.

De tijden na de reformatie hebben de hoofdzonden van hoogmoed, toorn en hebzucht niet meer gezien in die purperen volbloedigheid en onbeschaamde vrijpostigheid, waarmee zij wandelden onder de mensheid der vijftiende eeuw. De onmetelijke hoogmoed van Bourgondië! De ganse geschiedenis van dat geslacht, van de daad van ridderlijke bravoure, waarvan het hooggroeiende fortuin van de eerste Philips zijn oorsprong neemt, over de bittere naijver van Jan zonder Vrees en de zwarte wraakzucht na zijn dood, over de lange zomer van die andere Magnifico, Philips de Goede, tot de waanzinnige halsstarrigheid, waarin de hoogwillende Karel de Stoute ondergaat, is het niet een poëem van heroïeke hoogmoed? Hun landen waren de sterkst levende van het westen: Bourgondië, zwaar van kracht als zijn wijn, 'la colérique Picardie', het gulzige, rijke Vlaanderen. Het zijn dezelfde landen, waar de pracht van schilderkunst, sculptuur en muziek opbloeit, en waar het felste wraakrecht heerst en de gewelddadigste barbaarsheid zich botviert onder adel en burgers[3].

Geen kwaad is die tijden meer bewust geweest dan de hebzucht. Men kan de hoogmoed en de hebzucht tegenover elkander zien als de zonde van de oude en van de nieuwe tijd. De hoogmoed is de zonde van het feodale en hiërarchische tijdperk, waarin bezit en rijkdom weinig mobiel zijn. Het machtsgevoel zit dan nog niet in de eerste plaats vast aan de rijkdom; het is persoonlijker, en de macht moet, om erkend te worden, zich manifesteren door groot vertoon, van talrijk gevolg van getrouwen, van kostbare versiering en indrukwekkend optreden van de machtige. Het besef van meer te zijn dan een ander mens wordt door de feodale en hiërarchische gedachte voortdurend gevoed met levende vorm: van knielende hulde en dienstbaarheid, van plechtig eerbewijs en ontzagwekkende staatsie, die al tezamen de verhevenheid boven anderen doen voelen als iets zeer wezenlijks en gerechtvaardigds.

De hoogmoed is een symbolische zonde en een theologische; haar wortels zitten diep in de grond van alle levens- en wereldbeschouwing. Superbia was de oorsprong van alle kwaad; Lucifer's hoogmoed was het begin en de oorzaak van alle verderf. Zo had Augustinus het gezien, zo bleef de voorstelling der lateren: de hoogmoed is de bron van alle zonden, zij groeien uit hem als wortel en stam[1].

Doch naast het schriftwoord, dat deze opvatting staafde: A superbia initium sumpsit omnis perditio[2], stond een ander: Radix omnium malorum est cupiditas[3]. In aansluiting daaraan kon men ook de hebzucht zien als de wortel van alle kwaad. Want onder cupiditas, dat als zodanig in de rij der hoofdzonden geen plaats had, werd hier avaritia verstaan, gelijk zelfs een andere lezing van de tekst inhield[4]. En het schijnt wel, alsof vooral sedert de dertiende eeuw de overtuiging, dat het de teugelloze hebzucht is, die de wereld verderft, in de schatting der geesten de hoogmoed van zijn plaats als eerste en noodlottigste der zonden verdringt. De oude theologische vooraanstelling van superbia wordt overstemd door het steeds aanzwellend koor van stemmen, die al de ellende der tijden wijten aan de steeds toenemende hebzucht. Hoe heeft niet Dante haar vervloekt: La cieca cupidigia!

De hebzucht nu mist het symbolisch en theologisch karakter van de hoogmoed; zij is de natuurlijke en materiële zonde, de zuiver aardse drift. Zij is de zonde van het tijdperk, waarin het geldverkeer de voorwaarden van machtsontwikkeling heeft verplaatst en losgemaakt. De schatting van menselijke waardigheid wordt een rekensommetje. Er is een veel onbegrensder veld geopend voor de bevrediging van tomeloze begeerten en opeenhoping van schatten. En die schatten hebben nog niet de spookachtige ontastbaarheid, die het moderne credietwezen aan het kapitaal heeft gegeven; het is nog het gele goud zelf, dat vooraan in de voorstelling staat. En de besteding van de rijkdom heeft nog niet het automatische en mechanische van voortgezette belegging: de bevrediging ligt nog in de hevige uitersten van gierigheid en verspilling. In de verspilling gaat de hebzucht het huwelijk aan met de oude hoogmoed. Die was nog sterk en levend: de hiërarchisch-feodale gedachte had nog niets van haar bloei verloren, de lust aan pracht en praal, opschik en staatsie was nog zo purperrood.

Juist de verbinding met een primitieve hoogmoed geeft aan de hebzucht der latere Middeleeuwen dat onmiddellijke, hartstochtelijke, geëxaspereerde, wat latere tijden verloren schijnen te hebben. Het Protestantisme en de Renaissance hebben in de hebzucht ethische inhoud gebracht: haar gelegaliseerd als nuttige voortbrenging van welvaart. Haar stigma verflauwde, naarmate de loffelijkheid van de verzaking der aardse goederen minder overtuigd beleden werd. In de late Middeleeuwen daarentegen kon de geest nog enkel de onopgeloste tegenstelling bevatten van zondige hebzucht tegenover milddadigheid of vrijwillige armoede.

Overal klinkt uit de litteratuur en de kronieken van die tijd de bittere haat tegen de rijken, de klacht over de hebzucht der groten, van het spreekwoord tot het vrome tractaat. Het is soms als een vaag besef van klassenstrijd, uitgedrukt met de middelen van zedelijke verontwaardiging. Op dit gebied kunnen evengoed de oorkonden als de verhalende bronnen ons het gevoel van de levenstoon van die tijd geven, want in alle bescheiden van processen blinkt de meest onbeschaamde hebzucht.

In 1436 was het mogelijk, dat de dienst in een der drukst bezochte kerken van Parijs tweeëntwintig dagen stilstond, omdat de bisschop de kerk niet wilde herwijden, voor hij zekere som van penningen daarvoor ontving van twee bedelaars, wier handgemeen door een bloedige schram de kerk had ontwijd; en de stakkers hadden het niet. De bisschop, Jacques du Châtelier, stond dan ook bekend als 'ung homme très pompeux, convoicteux, plus mondain que son estat ne requeroit'. Maar onder zijn opvolger, Denys de Moulins, was het in 1441 al weer zo: nu kon er vier maanden lang op het kerkhof 'des Innocents', het vermaardste en gezochtste van Parijs, niet begraven worden noch ommegang gehouden, omdat de bisschop een hoger recht daarvan eiste, dan de kerk kon opbrengen. Deze bisschop heette 'homme très pou piteux à quelque personne, s'il recevoit argent ou aucun don qui le vaulsist, et pour vray on disoit qu'il avait plus de cinquante procès en Parlement, car de lui n'avoit on rien sans procès'[1]. Men moet de geschiedenis van de 'nouveaux riches' van die tijd, een familie d'Orgemont bijvoorbeeld, in al de laagheden van hun schraapzucht en proceszucht vervolgen, om de geweldige haat van het volk, de toorn van predikers en dichters te begrijpen, die zonder ophouden over de rijken werd uitgestort[2].

Het volk kan zijn eigen lot en het gebeuren van de tijd niet anders zien dan als een altijddurende opeenvolging van wanbestuur en uitzuiging, oorlog en roverij, duurte, gebrek en pestilentie. De chronische vormen, die de oorlog placht aan te nemen, de voortdurende verontrusting van stad en land door allerlei gevaarlijk geboefte, de eeuwige bedreiging van een harde en onbetrouwbare justitie, en daarboven nog de druk van helleangst, duivel- en heksenvrees, hielden een gevoel van algemene onveiligheid levend, dat wel geschikt was, de achtergrond van het leven zwart te kleuren. Het zijn niet alleen de kleinen en armen, wier leven verliep in die hachelijke onveiligheid; ook in dat van edelen en magistraten zijn de sterkste lotswisselingen en voortdurende gevaren bijna regel. Mathieu d'Escouchy, een Picardiër, is een geschiedschrijver, zoals de vijftiende eeuw er zovelen oplevert: zijn kroniek, eenvoudig, nauwkeurig, onpartijdig, vervuld van de gewone verering voor het ridderideaal en de gewone moraliserende strekking, zou ons een eerzaam auteur doen vermoeden, die aan nauwgezette historische arbeid zijn gaven wijdde. Maar welk een leven is het geweest, dat de uitgever van dit geschiedwerk van de auteur uit de oorkonden aan het licht heeft gebracht![1] Mathieu d'Escouchy begint zijn magistratenloopbaan als raad, schepen, gezworene, schout (prévôt) van de stad Péronne tussen 1440 en 1450. Van de aanvang af vindt men hem in een soort van vete met de familie van de procureur dier stad, Jean Froment, een vete, die met processen wordt uitgevochten. Dan is het de procureur, die d'Escouchy vervolgt wegens valsheid en moord, dan wegens 'excès et attemptaz'. De schout op zijn beurt belaagt de weduwe van zijn vijand met een onderzoek naar toverij, waarvan zij verdacht stond; maar de vrouw weet een mandaat te verkrijgen, krachtens hetwelk d'Escouchy zijn onderzoek in handen der justitie moet stellen. De zaak komt voor het Parlement van Parijs, en d'Escouchy geraakt voor de eerste maal in gevangenschap. Nog zesmaal daarna vinden wij hem als beschuldigde in hechtenis en eenmaal in krijgsgevangenschap. 't Zijn telkens ernstige criminele zaken en meer dan eens zit hij in zware ijzers. De wedstrijd van wederzijdse aanklachten tussen de familie Froment en d'Escouchy wordt afgewisseld door een gewelddadige ontmoeting waarbij de zoon Froment hem wondt. Beide huren rabauwen om elkaar naar 't leven te staan. Nadat deze lange vete uit onze gezichtskring verdwenen is zijn het nieuwe aanslagen; ditmaal wordt de schout verwond door een monnik; nieuwe klachten, dan in 1461 d'Escouchy's verhuizing naar Nesle, onder verdenking van euveldaden, naar het schijnt. Dit belet hem niet, om carrière te maken: hij wordt baljuw, prévôt van Ribemont, procureur du roi te Saint Quentin; hij wordt geadeld. Na nieuwe verwondingen, opsluitingen, boeten, vindt men hem in krijgsdienst: hij strijdt voor de koning bij Montlhéry in 1465 tegen Karel de Stoute, en wordt er krijgsgevangen gemaakt. Uit een volgende veldtocht keert hij verminkt terug. Dan trouwt hij, maar het beduidt niet de intrede in een rustig leven. Men vindt hem onder de beschuldiging van zegelvervalsing gevankelijk naar Parijs gevoerd 'comme larron et murdrier', in nieuwe vete met een magistraat van Compiègne, naar wiens daden hij een onderzoek moet doen, door pijniging tot bekentenis gebracht en van appèl terughouden, veroordeeld, gerehabiliteerd, weer veroordeeld, totdat het spoor van dit bestaan van haat en vervolging uit de bescheiden verdwijnt.

Overal waar men de lotgevallen naspeurt van de personen, in de bronnen van die tijd vermeld, verrijst zulk een beeld van heftig bewogen levens. Lees bijvoorbeeld de bijzonderheden, die Pierre Champion verzameld heeft over allen, die door Villon in zijn Testament zijn bedacht of genoemd[1], of de aantekeningen van Tuetey op het dagboek van de burger van Parijs. Het zijn processen, misdrijven, twisten en vervolgingen zonder eind, die ons treffen. En dit zijn de levens van willekeurige lieden, uit rechterlijke, kerkelijke of andere bescheiden opgediept. Kronieken als die van Jacques du Clercq, een verzameling van euveldaden, of het dagboek van Philippe de Vigneulles, burger van Metz[2], kunnen een te zwart beeld van de tijd geven; zelfs de lettres de rémission, die het dagelijks leven in zo levendige nauwkeurigheid voor ogen brengen, kunnen uithoofde van hun crimineel onderwerp te uitsluitend de boze zijden van het leven belichten. Doch elke proef, genomen uit willekeurig materiaal, bevestigt de donkerste voorstellingen.

Het is een boze wereld. Het vuur van haat en geweld brandt hoog, het onrecht is machtig, de duivel dekt met zijn zwarte vlerken een duistere aarde. En spoedig wacht de mensheid het eind van alle dingen. Maar de mensheid bekeert zich niet; de Kerk strijdt, predikers en dichters klagen en vermanen vergeefs.

2

DE ZUCHT NAAR SCHONER LEVEN

Iedere tijd smacht naar een schoner wereld. Hoe dieper de wanhoop en verslagenheid over het verwarde heden, des te inniger dat smachten. In het laatste der Middeleeuwen is de grondtoon van het leven die van bittere zwaarmoedigheid. De toon van moedige levensvreugde en van het vertrouwen in kracht tot grote daden, zoals die klinkt door de geschiedenis der Renaissance en door die der Verlichting, wordt in de Frans-Bourgondische sfeer der vijftiende eeuw nauwelijks gehoord. Is die samenleving dan werkelijk ongelukkiger geweest dan andere? Men zou het soms geloven. Waar men zoekt in de overlevering van die tijd: de geschiedschrijvers, de dichters, de sermoenen en godsdienstige tractaten, en evengoed de oorkonden, er is haast niet anders in bezonken dan de herinnering aan twist, haat en boosaardigheid, hebzucht, woestheid en ellende. Men vraagt zich af: heeft die tijd geen andere vreugden gekend dan die uit wreedheid, hoogmoed en onmatigheid, is daar nergens zachte blijdschap en rustig levensgeluk? Het is waar, elke tijd laat in de overlevering meer sporen na van zijn leed dan van zijn geluk. Het zijn de rampen, die historie worden. Een onberedeneerde overtuiging zegt ons, dat de som van alle levensgeluk en blijde vreugde en zoete rust, welke de mensen ooit beschoren is, in het ene tijdperk niet veel kan verschillen van het andere. En de glans van het laat-middeleeuwse geluk is ook niet geheel vergaan: het herleeft nog in het volkslied, in de muziek, in de stille verschieten van het landschap en de ernstige aangezichten van het portret.

Doch het was in de vijftiende eeuw nog geen gebruik, nog geen goede toon, zou men bijna willen zeggen, om het leven en de wereld luide te prijzen. Wie ernstig de dagelijkse loop der dingen beschouwde, en dan zijn oordeel over het leven sprak, placht enkel te gewagen van leed en vertwijfeling. Hij zag de tijd neigend naar zijn einde en al het aardse naar het verderf. Het optimisme, dat van de Renaissance af groeien zal, om in de achttiende eeuw hoogtij te vieren, is aan de Franse geest der vijftiende eeuw nog vreemd geweest. Wie zijn het, die het eerst met hoop en voldoening over de eigen tijd spreken? Niet de dichters, nog minder de godsdienstige denkers, ook niet de staatslieden, maar de studie-mannen, de humanisten. Het is de glorie over de hervonden antieke wijsheid, die het eerst aan de geesten jubeltonen over het heden ontlokt: het is een intellectuele triomf. Ulrich von Hutten's bekende juichkreet: O saeculum, o literae! juvat vivere! – O eeuw, o letteren, het is een lust te leven! wordt meestal in te wijde zin opgevat. Het is veel meer de geestdriftige litteraat die hier juicht, dan de gehele mens. Men zou uit het begin der zestiende eeuw een aantal soortgelijke jubeltonen over de heerlijkheid van de tijd kunnen aanhalen, maar steeds bevinden, dat zij bijna uitsluitend de herwonnen geestesbeschaving gelden, en geenszins dithyrambische uitingen van levenslust in al zijn volheid zijn. Ook van de humanist is de levensstemming nog getemperd door de oude vrome afwending van de wereld. Beter dan uit Hutten's te veel aangehaald woord kan men haar leren kennen uit de brieven van Erasmus omstreeks 1517. Niet veel later, want spoedig bezwijkt in hem het optimisme, dat hem die blijde tonen had ontlokt.

'Ik ben, – schrijft Erasmus in het begin van 1517 aan Wolfgang Fabricius Capito[1] –, voorwaar niet zozeer begerig naar het leven, hetzij omdat ik naar mijn zin reeds ten naastenbij genoeg heb geleefd, immers mijn een en vijftigste jaar ben ik ingegaan, hetzij omdat ik in dit leven niets zo heerlijks of aangenaams zie, dat het buitengewoon zou zijn na te jagen voor iemand, die het Christelijk geloof waarlijk heeft doen geloven, dat hun, die hier naar hunne krachten de vroomheid hebben omhelsd, een veel gelukkiger leven wacht. Maar toch zou ik tegenwoordig bijna lust krijgen, nog een tijdje weer jong te worden, enkel omdat ik in de naaste toekomst een gouden eeuw als 't ware zie opkomen.' Hij beschrijft dan, hoe alle vorsten van Europa eensgezind zijn en geneigd tot de vrede (hem zo dierbaar) en gaat voort: 'Ik word gedrongen tot vaste hoop, dat niet alleen de rechtschapen zeden en de christelijke vroomheid, maar ook die gekuiste en echte* letteren en zeer schone wetenschappen deels herleven deels ontluiken'. Door de bescherming der vorsten wel te verstaan. 'Aan hun vrome zin danken wij het, dat wij overal als op een gegeven teken de luisterrijke vernuften zien opgewekt en opgerezen, en onder elkander samenspannend, om de goede letteren te herstellen' (ad restituendas optimas literas).

Ziedaar de zuivere uitdrukking van zestiende-eeuws optimisme, de grondstemming van Renaissance en Humanisme, heel iets anders dan die ongetemperde levenslust, die men gewoonlijk voor de grondtoon der Renaissance aanziet. Erasmus' levensaanvaarding is schuchter en een weinig stijfjes, en vooral

* Germanae, dat hier 'Duitse' kan betekenen.

uiterst intellectueel. Met dat al een geluid, dat in de vijftiende eeuw buiten Italië nog niet werd gehoord. De geesten in Frankrijk en de Bourgondische landen omstreeks 1400 houden er nog van, de smaad tegen het leven en tegen de tijd er dik op te leggen. En merkwaardigerwijs (doch niet zonder parallel: men denke aan het Byronianisme), hoe dichter zij bij het wereldse leven staan, hoe zwarter hun gemoed. Zij die de sterkste uitdrukking geven aan die diepe zwartgalligheid, die de tijd eigen is, zijn niet in de eerste plaats degenen, die zich in klooster of studie voorgoed van de wereld hebben afgekeerd. Het zijn bovenal de kroniekschrijvers en de modedichters der hoven, die, zwak van hogere cultuur en zonder uitzicht op beter te putten uit de vreugden van het begrip, altijd weer de afgeleefdheid der wereld beklagen en vertwijfelen aan vrede en gerechtigheid. Niemand heeft zo eindeloos de klacht herhaald, dat alle goede dingen de wereld verlaten hebben, als Eustache Deschamps.

> *Temps de doleur et de temptacion,*
> *Aages de plour, d'envie et de tourment,*
> *Temps de langour et de dampnacion*
> *Aages meneur près du definement,*
> *Temps plains d'orreur qui tout fait faussement,*
> *Aages menteur, plain d'orgueil et d'envie,*
> *Temps sanz honeur et sanz vray jugement,*
> *Aage en tristour qui abrege la vie.*[1]

In die toon heeft hij zijn balladen bij tientallen gedicht, eentonige, matte variaties op één dof thema. Er moet toch wel een sterke zwaarmoedigheid onder de hogere standen hebben geheerst, dat de adel zijn brooddichter dat geluid zo dikwijls deed herhalen.

> *Toute léesse deffaut,*
> *Tous cueurs ont prins par assaut*
> *Tristesse et merencolie.*[2]

Jean Meschinot zingt drie kwart eeuw later dan Deschamps nog in volkomen dezelfde toon.

> *O miserable et très dolente vie!...*
> *La guerre avons, mortalité, famine;*
> *Le froid, le chaud, le jour, la nuit nous mine;*
> *Puces, cirons et tant d'autre vermine*
> *Nous guerroyent. Bref, misere domine*
> *Noz mechans corps, dont le vivre est très court.*

27

Ook deze spreekt steeds weer de bittere overtuiging uit, dat alles slecht gaat in de wereld: gerechtigheid is zoek, de groten plunderen de kleinen, en de kleinen elkander. Zijn hypochondrie brengt hem zelfs, naar zijn zeggen, tot de rand van zelfmoord. Hij beschrijft zichzelf:

> *Et je, le pouvre escrivain,*
> *Au cueur triste, faible et vain,*
> *Voyant de chascun le dueil,*
> *Soucy me tient en sa main;*
> *Toujours les larmes à l'œil,*
> *Rien fors mourir je ne vueil.*[1]

Alle uitingen van de levensstemming der aanzienlijken getuigen van een sentimentele behoefte aan een zwarte dos der ziel. Bijna iedereen komt verklaren, dat hij niets dan ellende heeft gezien, en dat nog erger te wachten staat, dat hij de afgelegde levensweg niet zou willen teruggaan. 'Moi douloureux homme, né en eclipse de ténèbres en espesses bruynes de lamentation', aldus dient Chastellain zich aan[2]. 'Tant a souffert La Marche' heeft de hofpoëet en kroniekschrijver van Karel de Stoute zich tot devies gekozen; een bittere smaak vindt hij aan 't leven, en zijn portret vertoont ons die morose trekken, welke op zoveel beeltenissen van die tijd onze blik boeien[3].

Geen leven van die eeuw schijnt zo vervuld van aardse hoogmoed en pralende genotzucht, en zo bekroond met welslagen, als dat van Philips de Goede. Ook onder zijn glorie schuilt de levensmoeheid van de tijd. Als hem de dood van zijn eenjarig zoontje wordt bericht, zegt hij: 'had het God behaagd, dat ik ook zo jong gestorven ware, ik zou mij wel gelukkig achten'.[4]

Het is opmerkelijk, dat in deze tijd in het woord melancholie de betekenissen van droefgeestigheid, ernstig nadenken en fantasie ineenvloeien. Zozeer scheen elke ernstige bezigheid van de geest in het sombere te moeten overzweven. Froissart zegt van Philips van Artevelde, die nadenkt over een pas ontvangen tijding: 'quant il eut merancoliet une espasse, il s'avisa que il rescriproit aus commissaires dou roi de France' enz. Deschamps zegt van iets, wat in lelijkheid de verbeelding te boven gaat: geen schilder is zo 'merencolieux', dat hij het zou kunnen schilderen[5].

In het pessimisme van deze verzadigden, ontgoochelden, vermoeiden is een religieus element, doch slechts een gering. Door hun levensmoeheid speelt zeker ook de verwachting van het naderend einde der wereld, die door de herleefde volksprediking der bedelorden overal met verse dreiging en verhoogde kleur van verbeelding in het gemoed was gestort. De duistere en verwarde tijden, de

28

chronische oorlogsellende waren wel geschikt, die gedachte te versterken. Er schijnt in de laatste jaren der veertiende eeuw een volksgeloof te zijn geweest, dat sedert het grote schisma niemand meer in het paradijs was opgenomen[1]. De afkeer van de ijdele schijn van het hofleven maakte vanzelf rijp, om de wereld vaarwel te zeggen. Toch is die stemming van depressie, zoals bijna al die vorstendienaars en hovelingen haar uiten, nauwelijks van godsdienstig gehalte. Op zijn hoogst hebben de godsdienstige voorstellingen wat kleur afgegeven op een vlak van eenvoudige levensmoeheid. Het is de zucht, om het leven en de wereld te smaden, die van wezenlijk godsdienstig besef ver afstaat. De wereld, zegt Deschamps, is als een kindse grijsaard; eerst was hij onschuldig, toen wijs lange tijd, rechtvaardig, deugdzaam en dapper:

> *Or est laches, chetis et molz,*
> *Vieulx, convoiteus et mal parlant:*
> *Je ne voy que foles et folz...*
> *La fin s'approche, en verité...*
> *Tout va mal...*[2]

Het is niet alleen levensmoeheid maar ook levensbangheid, het terugschrikken voor het leven om de onvermijdelijke smarten, die het begeleiden, de houding van de geest, die in het Boeddhisme de basis der levensbeschouwing uitmaakt: bange afkeer van de moeiten van het dagelijks leven, vrees en afschuw voor zorg, ziekte en ouderdom. Deze levensbangheid delen de geblaseerden met hen, die nooit voor de verlokkingen der wereld bezweken waren, omdat zij altijd het leven geschuwd hadden.

De gedichten van Deschamps vloeien over van die kleinzielige smaad tegen het leven. Gelukkig wie geen kinderen heeft, want kleine kinderen, 't is al geschreeuw en stank en moeite en zorg; zij moeten gekleed, geschoeid, gevoed worden; altijd zijn zij in gevaar van te vallen en zich te bezeren. Zij worden ziek en sterven, of zij worden groot en slecht; zij komen in de gevangenis. Niets dan lasten en verdriet, geen geluk vergoedt de zorgen, moeiten en kosten van de opvoeding. Geen groter ongeluk, dan mismaakte kinderen te hebben. De dichter wijdt er geen woord van liefde aan: de mismaakte is slecht van hart, laat hij de Schrift zeggen. Gelukkig wie ongetrouwd is, want met een kwade vrouw is het slecht leven, en een goede vreest men voortdurend te verliezen. Met het ongeluk wordt ook het geluk geschuwd. Van de ouderdom ziet deze dichter niet dan kwaads en weerzinwekkends, het jammerlijk lichamelijk en geestelijk verval, de belachelijkheid en onsmakelijkheid. Vroeg is de mens oud, de vrouw met dertig, de man met vijftig jaren, en zestig is hun perk[3]. – Hoe ver is men hier van de serene idealiteit, waarmee Dante in zijn Convivio de waardigheid van de edele grijsaard beschreven had[1].

Een vrome strekking, die bij Deschamps nauwelijks aanwezig is, kan bespiegelingen van levensbangheid gelijk deze enigszins verheffen, terwijl men toch als grondstemming veeleer het moedeloos versagen dan ware vroomheid blijft proeven. Althans herhaaldelijk klinkt ook uit ernstige vermaningen tot een heilig leven meer van dit negatieve dan van de echte wil tot het heilige. Wanneer de onberispelijke kanselier der Parijse universiteit en licht der godgeleerdheid Jean Gerson voor zijn zusters een vertoog schrijft over de voortreffelijkheid van de maagdelijke staat, dan dient onder zijn argumenten een lange lijst van leed en rampen, aan de huwelijke staat verbonden. Een echtgenoot zou wellicht een dronkaard blijken, of een verkwister, of een gierigaard. Of is hij braaf en goed, dan kan er misgewas komen, veesterfte of schipbreuk, die hem van al zijn have beroven. Welk een ellende is niet de zwangerschap, hoevele vrouwen sterven er in het kraambed! Wat heeft de zogende moeder voor rustige slaap, wat voor blijdschap en vreugde? Misschien zullen de kinderen mismaakt zijn of ongehoorzaam; misschien zal de man sterven en de moeder als weduwe in zorg en armoe achterblijven[2].

Diepe verslagenheid over de aardse ellende is de stemming, waarmee de dagelijkse werkelijkheid wordt beschouwd, zodra de kinderlijke levensvreugde of het blind genieten wijkt voor overpeinzing. Waar is de schonere wereld, waar iedere tijd naar smachten moet?

De zucht naar een schoner leven heeft te allen tijd drie paden voor zich naar het verre doel zien wijzen. Het eerste leidde regelrecht uit de wereld: het pad van de verzaking der wereld. Hier schijnt het schone leven enkel te bereiken aan de overzijde, kan het enkel een verlossing zijn uit al het aardse; alle aandacht aan de wereld besteed, vertraagt slechts het beloofde heil. Alle hogere beschaving heeft dit pad bewandeld; het Christendom had dit streven èn als individuele levensinhoud èn als cultuurgrondslag zo machtig in de geesten geprent, dat het lange tijd het betreden van het tweede pad bijna geheel heeft belet.

Dat tweede was de weg, die wees naar verbetering en volmaking van de wereld zelf. De Middeleeuwen hebben dit streven nog nauwelijks gekend. Voor hen was de wereld zo goed en zo slecht als zij zijn kon, dat wil zeggen, al de instellingen, door God gewild immers, waren goed; het is de zonde der mensen, die de wereld in ellende houdt. De tijd kent als drijfveer van denken en handelen geen bewust streven naar verbetering en hervorming van maatschappelijke of staatkundige instellingen. De deugd te betrachten in eigen beroep is het enige, wat de wereld baten kan, en ook daarbij is het eigenlijke doel toch het andere leven. Ook waar inderdaad een nieuwe maatschappelijke vorm geschapen wordt, beschouwt men het in beginsel als een herstel van goed, oud recht, of als het keren van misbruiken door een opzettelijke delegering der behoedende overheidsmacht. Het bewust instellen van werkelijk als nieuw bedoelde organismen is zeldzaam, ook in de drukke wetgevende arbeid, die de Franse monarchie sedert Lodewijk de Heilige kende, en die de Bourgondische hertogen navolgden in hun erflanden. Dat zich in die arbeid inderdaad een ontwikkeling van de staatsorde tot doeltreffender vormen voltrekt, is hun nog niet of nauwelijks bewust. Een toekomst, een streven staat hun niet voor ogen; het is nog in de eerste plaats terwille van de onmiddellijke uitoefening hunner macht en de vervulling van hun taak voor het algemeen welzijn, dat zij ordonnanties uitvaardigen en colleges instellen.

Niets heeft zozeer meegewerkt tot die stemming van levensbangheid en vertwijfeling aan de komende tijden als deze afwezigheid van een vaste wil van allen, om de wereld zelf beter en gelukkiger te maken. In de wereld zelf was geen belofte van beter dingen. Wie naar beter smachtte, en toch geen afscheid kon nemen van de wereld en al haar heerlijkheid, kon enkel tot vertwijfeling vervallen; hij zag nergens hoop of blijdschap meer; de wereld rest nog maar een korte tijd, en wat haar daarin wacht is ellende.

Wanneer eenmaal ook de weg naar positieve verbetering van de wereld zelf zal zijn ingeslagen, begint een nieuwe tijd, waarin de levensbangheid plaats maakt voor moed en hoop. Het is eigenlijk eerst de achttiende eeuw, die dit besef brengt. De Renaissance had uit andere bevredigingen haar energische levensaanvaarding geput. Eerst de achttiende eeuw verheft de volmaaktheid van mens en samenleving tot haar grondleerstuk, en het economische en sociale streven der volgende eeuw verliest daarvan enkel de naïveteit, niet de moed en het optimisme.

Het derde pad naar een schonere wereld is dat van de droom. Het is de gemakkelijkste weg, maar een, die het doel altijd even ver laat. Als dan de aardse werkelijkheid zo hopeloos ellendig is, en de verzaking der wereld zo moeilijk, laat ons dan het leven kleuren met schone schijn, wegleven in het droomland van heldere verbeeldingen, de werkelijkheid temperen met de verrukking van het ideaal. Er is maar een eenvoudig thema, een enkel akkoord nodig, om de hartvervoerende fuga te doen klinken: een uitzicht op het gedroomd geluk van een schoner verleden is genoeg, een blik op zijn heldendom en zijn deugd, of anders de blijde zonneschijn van het leven in en naar de natuur. Op die enkele thema's: het heldenthema, het wijzenthema en het bucolische thema is van de

Oudheid af de ganse litteraire cultuur gebouwd. De Middeleeuwen, de Renaissance, de achttiende eeuw en de negentiende, zij vinden al tezamen niet veel meer dan nieuwe variaties op het oude lied.

Is echter dit derde pad naar een schoner leven: het ontvlieden van de harde werkelijkheid in een schone schijn, enkel een zaak van litteraire cultuur? Stellig is het meer dan dat. Het raakt de vorm en de inhoud van het gemeenschapsleven zelf even goed als de beide andere strevens, en dat des te sterker, naarmate de beschaving primitiever is.

De uitwerking van de drie genoemde geesteshoudingen op het werkelijke leven zelf is zeer ongelijk. Het nauwste en bestendigste contact tussen levensarbeid en ideaal ontstaat daar, waar de idee wijst naar de verbetering en volmaking van de wereld zelve. Hier wordt de bezielende kracht en moed in de stoffelijke arbeid zelf gestort, hier wordt de direkte werkelijkheid met energie vervuld; al werkende aan zijn levenstaak streeft men mede naar de bereiking van het ideaal ener betere wereld. Als men wil, is ook hier een geluksdroom het bezielende motief. Tot zekere hoogte streeft iedere cultuur naar de verwezenlijking van een droomwereld binnen de werkelijke, door het herscheppen van de vormen der samenleving. Doch terwijl het elders alleen een geestelijke herschepping betreft: het stellen van denkbeeldige volmaaktheid tegenover ruwe werkelijkheid, om de laatste te kunnen vergeten, is hier het object van de droom de werkelijkheid zelf. Háár wil men omvormen, zuiveren en verbeteren; de wereld schijnt op de goede weg naar het ideaal, als de mens maar voortwerkt. De ideale levensvorm schijnt van die van het werkende bestaan slechts weinig verwijderd; er is maar een geringe spanning tussen werkelijkheid en droom. Waar men genoeg heeft aan het streven naar de hoogste produktie en de billijkste verdeling der goederen, waar de inhoud van het ideaal welvaart, vrijheid en cultuur is, daar worden aan de levenskunst betrekkelijk geringe eisen gesteld. Er is geen behoefte meer, de mens te accentueren als een verhevene, of een held, of een wijze, of een hoofs verfijnde.

Heel anders is de invloed op het werkelijk leven bij de eerste der drie geesteshoudingen: die van de verzaking der wereld. Het heimwee naar een eeuwig heil maakt de gang en de vorm van het aards bestaan onverschillig, mits daarin de deugd wordt gekweekt en onderhouden. Men laat de levensvormen en maatschappijvormen voor wat zij zijn, maar tracht ze te doordringen van transcendentale zedelijkheid. Hierdoor werkt de afkeer van de wereld op de aardse maatschappij niet louter negatief door verloochening en afwending, maar straalt ook op haar terug in zegenrijke arbeid en praktische barmhartigheid.

Hoe werkt nu op het leven de derde houding: de zucht naar het schonere le-

32

ven volgens een gedroomd ideaal? Zij herschept de vormen van het leven in kunstvormen. Maar het zijn niet enkel de kunstwerken als zodanig, waarin zij haar schoonheidsdroom uitdrukt, zij wil het leven zelf veredelen met schoonheid, en vult de samenleving zelf met spel en vormen. Hier worden juist aan de persoonlijke levenskunst de hoogste eisen gesteld, eisen, die alleen kunnen worden nagestreefd door een élite, in een kunstig levensspel. Het naleven van de held en de wijze is niet ieders zaak; het is een kostbaar vermaak om het leven te kleuren met heroïsche of idyllische verven, en het slaagt bovendien doorgaans nog heel slecht. Aan het streven naar de verwezenlijking van de schoonheidsdroom in de vormen van de samenleving zelf is als vitium originis een aristocratisch karakter opgedrukt.

Hiermee zijn wij genaderd tot het aspect, waaronder de beschaving van het einde der Middeleeuwen thans moet worden gezien: de verfraaiing van het aristocratische leven met de vormen van het ideaal, het kunstlicht van de ridderlijke romantiek over het leven, de wereld vermomd in de dos der Tafelronde. De spanning tussen levensvorm en werkelijkheid is bijster groot; het licht is vals en schel.

De zucht naar het schone leven geldt als het eigenste kenmerk van de Renaissance. Hier ziet men de volste harmonie tussen de bevrediging van de schoonheidsdorst in het kunstwerk en in het leven zelf, hier dient de kunst het leven en het leven de kunst als nooit te voren. Maar de grens tussen Middeleeuwen en Renaissance is ook in dezen te scherp getrokken. De hartstochtelijke zin, om het leven zelf met schoonheid te bekleden, de verfijnde levenskunst, de bonte uitwerking van een levensideaal, zij zijn alle veel ouder dan het Italiaanse quattrocento. De motieven van levensverfraaiing zelf, waarop de Florentijnen doorgaan, zijn niet anders dan de oude middeleeuwse vormen: Lorenzo de' Medici huldigt nog even goed als Karel de Stoute het oude ridderideaal als de edele levensvorm; hij ziet zelfs in de laatste, ondanks zijn barbaarse pracht, in zekere opzichten het model. Italië heeft nieuwe horizonten van levensschoonheid ontdekt, het leven gestemd in een nieuwe toon, doch de houding tegenover het leven, die men gewoonlijk als karakteristiek voor de Renaissance aanmerkt: het streven om het eigen leven tot een kunstvorm op te werken, zo niet op te schroeven, is geenszins eerst door de Renaissance ingeleid.

De grote scheiding in de opvatting der levensschoonheid valt veeleer tussen de Renaissance en de nieuwere tijd. Het kenteringspunt ligt daar, waar kunst en leven beginnen uiteen te gaan, waar men begint, de kunst niet meer te genieten *midden in* het leven, als een edel deel van de levensvreugde zelf, maar buiten het leven, als een hoge vererenswaardigheid, waarheen men zich wendt in ogenblik-

33

ken van verheffing en van verpozing. Het oude dualisme, dat God en wereld scheidde, is daarmede in een andere vorm, als scheiding van kunst en leven, teruggekeerd. Er is een streep getrokken midden door de genietingen des levens. Zij zijn in twee helften, een lagere en een hogere, gescheiden. Voor de middeleeuwer waren zij al tezamen zondig; thans gelden zij alle als geoorloofd, maar van zeer verschillende waardigheid, al naar hun meerdere of mindere geestelijkheid.

De dingen, die het leven tot genieten kunnen maken, blijven dezelfde. Nu als vroeger zijn het: lectuur, muziek, beeldende kunst, reizen, natuurgenot, sport, mode, maatschappelijke ijdelheid (ridderorden, eerambten, vergaderingen) en bedwelming der zinnen. De grens tussen het hogere en het lagere schijnt thans nog voor de meesten te vallen tussen natuurgenot en sport. Maar die grens is niet vast. Waarschijnlijk zal de sport eerlang, althans voorzover zij de kunst van lichaamskracht en moed is, weer algemeen tot het hogere gerekend worden. Voor de middeleeuwer viel de grens hoogstens terstond achter lectuur; zelfs het genot van het lezen kon slechts geheiligd worden door het streven naar deugd of wijsheid, en in muziek en beeldende kunst werd uitsluitend de dienstbaarheid aan het geloof als goed erkend; het genot er aan op zichzelf was zondig. De Renaissance had zich ontworsteld aan de verwerping der levensvreugde als in zichzelf zondig, en een nieuwe scheiding tussen hoger en lager levensgenot had zij nog niet aangebracht; zij wilde het ganse leven onbekommerd genieten. De nieuwe scheiding is het resultaat van het compromis tussen Renaissance en Puritanisme, waarop de moderne geesteshouding berust. Het was een wederzijdse capitulatie, waarbij de een zich de redding der schoonheid en de ander de veroordeling der zonde bedong. Voor het strenge Puritanisme trof de veroordeling als zondig en werelds in de grond nog evengoed als voor de middeleeuwer de ganse sfeer der levensverfraaiing, tenzij deze uitgesproken godsdienstige vormen aannam en zich heiligde door een direkte toepassing op het geloof. Eerst naarmate de puriteinse wereldbeschouwing afsleet, won de renaissancistische aanvaarding van alle levensvreugde weer veld; ja zelfs meer dan het oude terrein, want sedert de achttiende eeuw komt de neiging op, om in het natuurlijke op zich **zelf** een element van het ethisch goede te zien. Wie thans wilde beproeven, de scheidingslijn tussen hogere en lagere levensvreugde zo te trekken, als ons ethisch bewustzijn dicteert, zou niet meer de kunst scheiden van het zingenot, het natuurgenot van de lichaamsoefening, het verhevene van het natuurlijke, maar enkel het egoïstische, het leugenachtige en het ijdele van het zuivere.

In het laatst der Middeleeuwen, toen het kenterde naar een nieuwe geest, was in beginsel nog slechts de oude keuze mogelijk tussen God en de wereld:

34

een algehele versmading van alle heerlijkheid en schoonheid des aardsen levens of de roekeloze aanvaarding ervan op perijkel der ziel. De schoonheid der wereld kreeg door haar erkende zondigheid een dubbele verlokking; gaf men zich over, dan genoot men haar ook met een bodemloze hartstochtelijkheid. Maar die de schoonheid niet konden ontberen, en zich toch niet aan de wereld wilden overgeven, moesten de schoonheid adelen. De gehele groep van de kunst en litteratuur, waar het wezen der genieting bewondering was, konden zij heiligen, door ze in dienst te stellen van het geloof. Ook al was het inderdaad de vreugde aan kleur en lijn, die de minnaars van schilderij en miniatuur bezielde, het heilig onderwerp ontnam aan de kunstgenieting het stempel der zonde.

Maar de schoonheid met een hoog zondegehalte: de lichaamsvergoding van ridderlijke sport en hoofse mode, de hoogmoed en de hebzucht van ambt en ere, de verrukkende onpeilbaarheden der liefde, hoe dit alles, dat door het geloof veroordeeld en uitgestoten was, te veredelen en te verheffen? – Hier diende die middenweg, die in het droomland leidde: door ze te bekleden met de schone schijn van oude, fantastische idealen.

Dit is de trek, die de Frans-ridderlijke cultuur van de twaalfde eeuw af verbindt met de Renaissance: de sterke cultivering van het schone leven in de vormen van een heldenideaal. De verering der natuur was nog te zwak, dan dat men met volle overtuiging de schoonheid van het aardse in haar naaktheid zou hebben gediend, zoals de Griekse geest het had gedaan; het zondebesef was daartoe te geweldig; slechts door zich te hullen in de gewaden der deugd kon de schoonheid cultuur worden.

Het gehele aristocratische leven van de latere Middeleeuwen, om 't even of men denkt aan Frankrijk en Bourgondië of aan Florence, is een poging, om een droom te spelen. Altijd dezelfde droom, die van de oude helden en wijzen, van de ridder en de maagd, van de eenvoudige en vergenoegde herders. Frankrijk en Bourgondië spelen het stuk nog immer in de oude trant; Florence dicht op hetzelfde thema een nieuw en mooier spel.

Het adellijk en vorstelijk leven is opgetooid tot een maximum van uitdrukkelijkheid; alle levensvormen zijn als 't ware verheven tot mysteriën, versierd met kleur en praal, vermomd als deugd. De levensgebeurtenissen en de aandoeningen daarover zijn geëncadreerd in schone en verheffende vormen. Ik weet wel, dit alles is niet specifiek laat-middeleeuws; het is reeds gegroeid in de primitieve stadiën der beschaving; men kan het ook chinoiserie en byzantinisme noemen, en het sterft niet af met de Middeleeuwen, getuige de zonnekoning.

De hofstaat is het terrein, waarop zich de esthetiek van de levensvorm ten volle kan ontplooien. Het is bekend, hoeveel gewicht de Bourgondische hertogen

hebben gehecht aan alles wat de praal en staatsie van hun hof betrof. Na de oor-
logsroem, zegt Chastellain, is de hofstaat de eerste zaak, waarop men het oog
richt, en welks regeling en goede handhaving van de hoogste noodzaak is[1].
Olivier de la Marche, de ceremoniemeester van Karel de Stoute, schreef op verzoek van de Engelse koning Eduard IV zijn tractaat over de hofstaat des hertogen, ten einde de koning het model van ceremonieel en etikette ter navolging
te bieden[2]. Van Bourgondië hebben de Habsburgers het fraai uitgewerkte hofleven geërfd en overgebracht naar Spanje en Oostenrijk, die er tot op de jongste
tijd het bolwerk van waren gebleven. Het hof van Bourgondië werd door allen
geroemd als het rijkste en best geordende, dat men vond[3]. Vooral Karel de
Stoute, de man met de gewelddadige geest van orde en regel, die niets dan wan-
orde achterliet, had de hartstocht van het hoog vormelijke leven. De oude illusie,
dat de vorst zelf de klachten der armen en kleinen aanhoort en terstond berecht,
was door hem in een fraaie vorm gekleed. Twee of driemaal per week na de
maaltijd hield hij een openlijk gehoor, waar elkeen hem met verzoekschriften
kon naderen. Al de edelen van zijn huis moesten tegenwoordig zijn: niemand
waagde er weg te blijven. Zorgvuldig gescheiden naar hun rangen zaten zij ter
weerszijden van de doorgang, die naar 's hertogen hoge zetel leidde. Aan zijn
voeten lagen geknield de twee maistres des requestes, de audiencier en een secretaris, die de verzoekschriften voorlazen en afdeden, naar de vorst gebood. Achter balustraden rondom de zaal stond de lagere hofhouding. Het was, zegt Chastellain, in schijn, 'une chose magnifique et de grand los', maar de gedwongen
toeschouwers verveelden zich geducht, en aan de goede vruchten van deze
rechtspraak twijfelt hij; het was een zaak, die hij in zijn tijd van geen andere
vorst had gezien[4].

Ook de ontspanning moest voor Karel de Stoute die fraaie vorm hebben.
'Tournoit toutes ses manières et ses mœurs à sens une part du jour, et avecques
jeux et ris entremeslés, se délitoit en beau parler et en amonester ses nobles à
vertu, comme un orateur. Et en cestuy regart, plusieurs fois, s'est trouvé assis
en un hautdos paré, et ses nobles devant luy, là où il leur fit diverses remon-
strances selon les divers temps et causes. Et toujours, comme prince et chef sur
tous, fut richement et magnifiquement habitué sur tous les autres.'[5] De bewuste
levenskunst is ondanks de stijve en naïve vormen eigenlijk volkomen Renaissance. Het is, wat Chastellain noemt zijn 'haute magnificence de cœur pour estre
vu et regardé en singulières choses', de kenmerkendste eigenschap van Burckhardt's Renaissance-mens.

De hiërarchische ordinanties van de hofhuishouding zijn van een pantagrue-
leske sappigheid, waar zij betrekking hebben op de maaltijd en de keuken. De hof-

maaltijd van Karel de Stoute, met al de met bijkans liturgische waardigheid geregelde diensten van panetiers en voorsnijders en schenkers en keukenmeesters, was als de opvoering van een groot en ernstig schouwtoneel. Het gehele hof at in groepen van tien in afzonderlijke kamers, bediend en onthaald gelijk de heer, alles zorgvuldig naar rang en stand geordend. Alles was zo goed geregeld, dat al de groepen bijtijds na hun maaltijd de hertog, die nog aan zijn tafel zat, konden komen begroeten 'pour luy donner gloire'[1].

De onbekende berichtgever over de vastenavondmaaltijd* in Thann, 21 juni 1469, die hertog Sigismund aanbood aan de Bourgondische commissarissen tot de inbezitneming van het graafschap Pfirt, voelt zich hoog verheven boven de Duitse tafelmanieren: 'daarop gebakken grondels, welke mijn gezegde heer van Oostenrijk over de tafel morste'. 'Item te noteren, dat zodra het gerecht op tafel stond, iedereen toetastte, en soms de geringste het eerst.'[2]

In de keuken (men denke zich de heroïsche keuken, nu de enig bewaarde rest van het hertogenpaleis te Dijon, met haar zeven reusachtige schoorstenen), in de keuken zit de dienstdoende kok in een zetel tussen schoorsteen en buffet, vanwaar hij het gehele vertrek kan overzien. In zijn hand moet hij een grote houten lepel hebben, 'die hem dient tot twee doeleinden: het ene om soep en sausen te proeven en het andere om de keukenjongens uit de keuken te drijven, om hun plicht te doen, en zo nodig erop te slaan'. Bij zeldzame gelegenheden komt de kok wel eens zelf opdienen, een toorts in de hand, bijvoorbeeld de eerste truffels of de eerste nieuwe haring.

Voor de gewichtige hoveling, die ons dit alles beschrijft, zijn het heilige mysteriën, waar hij met ontzag en met een soort van scholastische wetenschappelijkheid van spreekt. Toen ik page was, zegt La Marche, was ik nog te jong om vragen van préséance en ceremonieel te begrijpen[3]. Hij legt zijn lezers gewichtige vragen van voorrang en hofdienst voor, om ze met zijn rijpe kennis op te lossen. Waarom zit bij 's heren maaltijd de kok en niet de jonker van der keukene? Hoe moet de kok worden aangesteld? Wie moet hem bij afwezigheid vervangen: de gebraadmeester (hateur) of de soepmeester (potagier)? Hierop antwoord ik, zegt de wijze man: wanneer er een kok moet zijn aan 's vorsten hof, zullen de hofmeesters (maîtres d'hôtel) de jonkers van der keukene (escuiers de cuisine) en alle degenen, die ter keukene dienen, de een na de ander oproepen; en bij plechtige keuze, door ieder onder ede gedaan, zal de kok worden aangesteld. En op de tweede vraag: noch de gebraadmeester noch de soepmeester, maar eveneens bij

---

* Blijkbaar een verschrijving van Huizinga (let op de datum!). In de bron wordt gesproken van een karig maal, 'un repas maigre', hetgeen Huizinga wellicht met *vastenmaal* (als appellativum) heeft willen weergeven. (Noot v. d. Comm. v. Red. v. d. Verz. Werken).

keuze zal de plaatsvervanger van de kok worden aangewezen. – Waarom staan de panetiers en schenkers als eerste en tweede rang boven de voorsnijders en koks? Omdat hun ambt het brood en de wijn betreft, de heilige dingen, waarop de waardigheid van het sacrament afstraalt[1].

Men ziet, er is hier een werkelijke verbinding tussen de gedachtensferen van het geloof en van de hofetikette. Het is niet teveel gezegd, dat er in die toestel van de schone, edele levensvormen een liturgisch element schuilt, dat de waardering van die vormen als 't ware is opgetrokken in een quasi-religieuze sfeer. Alleen dit verklaart de buitengewone belangrijkheid, die (niet alleen in de latere Middeleeuwen) aan alle kwesties van voorrang en beleefdheid wordt toegekend.

In het oude Russische rijk vóór de Romanov's had zich de strijd om de voorrang bij de troon ontwikkeld tot een vast departement van de staatsdienst. Die vorm kennen de westerse staten der Middeleeuwen niet, maar ook hier neemt toch de naijver om de voorrang een grote plaats in. Het zou gemakkelijk zijn, daarvan de voorbeelden te verzamelen. Hier evenwel is het erom te doen, de versiering der levensvormen tot een schoon en verheffend spel en de woekering dier vormen tot een hol vertoon te doen blijken. Daartoe enige voorbeelden. De fraaie vorm kan somtijds de doelmatige handeling geheel opzij dringen. Vlak voor de slag bij Crécy hebben vier ridders de slagorde der Engelsen verkend. De koning, die met ongeduld hun bericht verwacht, langzaam voortrijdend over het veld, houdt stil, toen hij hen ziet terugkomen. Zij dringen door het gedrang der krijgslieden heen tot voor de koning. Wat nieuws, heren? vraagt de koning. 'Zij zagen elkander aan, zonder een woord te spreken, want geen wilde spreken vóór zijn makker. En zij zeiden de een tot de ander: 'Heer, zegt gij het, spreek gij tot de koning ik zal niet vóór u spreken'. Zo waren zij een tijd in strijd, dat geen 'par honneur' wou beginnen te spreken'. Totdat de koning het een hunner beveelt[2]. – Nog vollediger moest de doelmatigheid voor de fraaie vorm wijken in het geval van messire Gaultier Rallart, chevalier du guet te Parijs in 1418. Dit hoofd der politie placht nooit de ronde te doen, of er gingen drie of vier muzikanten voorop, die lustig bliezen, zodat het volk zei, dat hij als 't ware de boeven waarschuwde: vlucht, want ik kom[3]. Het geval staat niet opzichzelf. In 1465 vindt men opnieuw, hoe de bisschop van Evreux, Jean Balue, de nachtelijke ronde in Parijs doet met klaroenen, trompetten en andere muziekinstrumenten, 'qui n'estoit pas acoustumé de faire à gens faisans guet'[4]. – Zelfs op het schavot wordt de eer van rang en stand streng in acht genomen: dat van de connétable de Saint Pol is rijk getapiseerd met leliën, het bidkussen en de blinddoek zijn van karmozijn fluweel, en de beul is iemand, die nog nooit een executie heeft verricht, voor de veroordeelde een twijfelachtig voorrecht[5].

De wedijver in beleefdheid, die nu een kleinburgerlijk karakter heeft gekregen, was in het hofleven der vijftiende eeuw buitengewoon sterk ontwikkeld. Men beschouwde het als een ondragelijke schande voor zichzelf, als men de meerdere niet de plaats liet, die hem toekwam. De Bourgondische hertogen geven angstvallig de voorrang aan hun koninklijke verwanten van Frankrijk. Jan zonder Vrees bewees zijn jonge schoondochter Michelle de France altijd overdreven eer; hij noemde haar Madame, knielde altijd voor haar tot de grond, en wilde haar altijd bedienen, maar zij wilde het niet hebben[1]. Als Philips de Goede hoort, dat zijn neef, de dauphin, naar Brabant is uitgeweken om de twist met zijn vader, breekt hij het beleg van Deventer, dat de inleiding moest zijn voor een expeditie, die Friesland onder zijn macht zou brengen, af, en haast zich naar Brussel terug, om de hoge gast te verwelkomen. Naarmate de ontmoeting nadert, wordt het een wedloop, wie de ander in eerbetoon voor zal zijn. Philips in grote angst, dat de dauphin hem tegemoet zal rijden; spoorslags rijdt hij door, en zendt bode op bode om de dauphin te bewegen, hem toch te wachten waar hij is. Kwam de koningszoon hem tegemoet, dan bezwoer hij, zelf te willen terugkeren, en zo ver weg rijden, dat deze hem nergens zou vinden, want het zou hem, de hertog een spot en een blaam zijn, die hem door de ganse wereld eeuwig zouden worden nagehouden. Met nederig afstel van de gewone staatsie rijdt Philips Brussel binnen; haastig stijgt hij af buiten het paleis, gaat binnen en loopt snel door. Daar ziet hij de dauphin, die met de hertogin zijn vertrek heeft verlaten, en hem op het binnenplein met open armen tegemoet komt. Terstond ontbloot de oude hertog het hoofd, valt even op zijn knieën, en loopt dan haastig weer verder. De hertogin houdt de dauphin vast, dat deze geen stap zal doen, de dauphin houdt vergeefs de hertog vast, om hem het knielen te beletten, en tracht vruchteloos hem te doen opstaan. Beiden weenden van aandoening, zegt Chastellain, en alle omstanders mede.

Gedurende het ganse gastverblijf van deze man, die spoedig als koning de ergste vijand van zijn huis zou worden, put de hertog zich uit in Chinese nederigheid. Hij noemt zich en zijn zoon 'de si meschans gens', hij laat zijn zestigjarig hoofd nat regenen, hij biedt de dauphin al zijn landen aan[2]. – 'Celuy qui se humilie devant son plus grand, celuy accroist et multiplie son honneur envers soy-mesme, et de quoy la bonté mesme luy resplend et redonde en face.' Met die woorden besluit Chastellain het verhaal, hoe de graaf van Charolais hardnekkig weigerde, tezamen met koningin Margareta van Engeland en haar jonge zoon het wasbekken vóór de maaltijd te gebruiken. De edelen spraken er de ganse dag van; het geval werd de oude hertog voorgelegd, die door twee edelen het voor en tegen van Karel's houding liet bepleiten. Het feodaal eergevoel was nog zo

levend, dat men deze dingen blijkbaar werkelijk nog belangrijk, schoon en verheffend heeft gevonden. Hoe anders te begrijpen, dat de tegenstribbelingen, om
de voorrang te nemen, geregeld wel een kwartier lang worden voortgezet?[1]
Hoe langer men blijft weigeren, hoe meer gesticht de omstanders zijn. Iemand,
wie de handkus toekomt, verbergt zijn hand, om die eer te ontgaan. De koningin van Spanje verbergt zo haar hand voor de jonge aartshertog Philips de
Schone; deze wacht enige tijd, maar als hij de kans schoon ziet, grijpt hij de hand
bij verrassing en kust haar. En ditmaal lachte het ernstige Spaanse hof, want de
koningin had er niet meer aan gedacht[2].

Al de spontane tederheden van de omgang zijn zorgvuldig geformaliseerd.
Het is nauwkeurig voorgeschreven, welke hofdames hand aan hand hebben te
gaan. En dit niet alleen, maar ook of de een de ander tot die gemeenzaamheid
heeft aan te moedigen of niet. Deze aanmoediging, het elkaar wenken of roepen
(hucher) om mee te gaan, is voor de oude hofdame, die het Bourgondisch ceremonieel beschrijft, een technisch begrip[3]. De vorm, dat men een vertrekkende
gast niet wil laten gaan, wordt tot in de lastigste uitersten doorgevoerd. De gemalin van Lodewijk XI is voor enkele dagen de gast van Philips van Bourgondië;
de koning heeft een bepaalde dag bepaald voor haar terugkomst, maar de hertog
weigert haar te laten gaan, ondanks de smeekbeden van haar gevolg en hoewel
zij zelve beeft voor de toorn van haar gemaal[4]. – Goethe heeft gezegd: 'es gibt
kein äusseres Zeichen der Höflichkeit, das nicht einen tiefen sittlichen Grund
hätte'; 'virtue gone to seed' heeft Emerson de beleefdheid genoemd. Men kan
misschien niet met vol recht zeggen, dat die zedelijke grond in de vijftiende
eeuw nog gevoeld werd, maar zeker werd het de esthetische waarde, die tussen
de oprechte betuiging van genegenheid en de dorre omgangsvorm ligt.

Het spreekt vanzelf, dat deze wijdlopige levensversiering vooral haar plaats
heeft aan de vorstenhoven, waar men er de tijd en de ruimte voor kon nemen.
Dat zij ook de lagere sferen der samenleving vervulde, bewijst reeds het feit, dat
thans van die vormen juist bij de kleine burgerij (afgezien van de hoven zelf) nog
het meest is overgebleven. Het herhaald nodigen, om nog wat van een gerecht
te nemen, het aanmoedigen om nog wat te blijven, het weigeren om voor te
gaan, is in de laatste halve eeuw uit de hogere burgerlijke omgangsvormen grotendeels verdwenen. In de vijftiende eeuw zijn die vormen in de volste bloei.
Evenwel, terwijl zij angstvallig in acht worden genomen, treft niettemin de
satire ze met levendige spot. Het is vooral de kerk, die het toneel van fraaie en
langdurige plichtplegingen behoort te zijn. Eerst bij de 'offrande'. Niemand wil
het eerst zijn aalmoes op het altaar brengen.

Passez. – Non feray. – Or avant!
Certes si ferez, ma cousine.
– Non feray. – Huchez no voisine,
Qu'elle doit mieux devant offrir.
– Vous ne le devriez souffrir,
Dist la voisine: n'appartient
A moy: offrez, qu'a vous ne tient
Que li prestres ne se delivre[1].

Wanneer eindelijk de aanzienlijkste is voorgegaan, onder de nederige betuiging dit enkel te doen om er een eind aan te maken, volgt dezelfde strijd opnieuw bij het kussen van het 'paesberd', 'la paix', dat is het houten, zilveren of ivoren bordje, dat in de latere Middeleeuwen bij de mis na het Agnus Dei in zwang was gekomen ter vervanging van de vredeskus van mond tot mond[2]. Het was een vaste en langdurige stoornis van de dienst geworden, dat de paes onder de aanzienlijken van hand tot hand ging onder beleefde weigering, haar het eerst te kussen.

Respondre doit la juene fame:
– Prenez, je ne prendray pas, dame.
– Si ferez, prenez, douce amie.
– Certes, je ne le prendray mie;
L'en me tendroit pour une sote.
– Baillez, damoiselle Marote.
– Non feray, Jhesucrist m'en gart!
Portez a ma dame Ermagart.
– Dame, prenez. – Saincte Marie,
Portez la paix a la baillie.
– Non, mais a la gouverneresse[3].

Deze neemt haar eindelijk. – Zelfs een heilig en van de wereld afgestorven man als François de Paule acht het zijn plicht, aan deze fraaiigheden mee te doen[4], en het wordt hem door zijn vrome vereerders als echte nederigheid aangerekend, waaruit blijkt, dat de ethische inhoud uit deze vormen nog niet geheel en al geweken was. De betekenis van die vormen wordt overigens eerst recht duidelijk door het feit, dat zij de keerzijde waren van heftige en hardnekkige twisten om diezelfde voorrang in de kerk, die men elkander zo hoffelijk wilde opdringen[5]. Het was een schone en loffelijke verzaking van nog levendiggevoelde adellijke of burgerlijke hoogmoed.

De ganse kerkgang werd zodoende als een menuet, want bij het uitgaan herhaalde zich de strijd; dan kwam de wedijver om de meerdere rechts te laten, het voorgaan over een vonder of door een steeg. Bij huis gekomen moet men, gelijk nog de Spaanse zede eist, het gehele gezelschap uitnodigen, mee binnen te gaan om te drinken, waarvan de anderen zich beleefd hebben te verontschuldigen; dan moet men de anderen een eindweegs wegbrengen, alles onder beleefde tegenstribbeling[1].

Al die schone vormen krijgen iets roerends, wanneer men bedenkt dat zij opbloeien uit de ernstige strijd van een woest en hartstochtelijk geslacht tegen zijn eigen hoogmoed en toorn. Dikwijls faalt de vormelijke verzaking van de trots. Telkens breekt de felle ruwheid door de versierde vormen heen. Jan van Beieren is te gast in Parijs; de grote heren geven feesten, waarop de elect van Luik hun bij het spel al hun geld afwint. Een der prinsen houdt het niet langer uit en roept: 'Wat duivel van een priester is dat hier? Hoe? zal hij ons al ons geld afwinnen?' Waarop Jan: 'Ik ben geen priester, en ik heb uw geld niet van node'. 'En hij nam het en smeet het overal in 't rond. Dont y pluseurs orent grant mervelle de sa grant liberaliteit'[2]. Hue de Lannoy slaat een ander met een ijzeren handschoen, terwijl hij voor de hertog geknield ligt om hem aan te klagen; de kardinaal van Bar heet voor het aangezicht des konings een prediker liegen en noemt hem gemene hond[3].

Het formele eergevoel is zo sterk, dat een vergrijp tegen de etikette, zoals nu nog bij vele Oosterse volken, wondt als een dodelijke belediging, want het gooit omver die schone illusie van een eigen hoog en zuiver leven, die voor elke onverhulde werkelijkheid bezwijkt. Het is voor Jan zonder Vrees een onuitwisbare smaad dat hij Capeluche, de beul van Parijs, die hem in staatsie tegemoet reed, als een edelman heeft begroet en zijn hand heeft aangeraakt; slechts de dood van de beul kan die smaad boeten[4]. Bij de staatsiemaaltijd op de wijdingsdag van Karel VI in 1380 dringt Philips van Bourgondië zich met geweld tussen de koning en de hertog van Anjou op de plaats, die hem als doyen des pairs toekomt; hun wederzijds gevolg dringt reeds met roepen en dreigen op, om de twist gewelddadig te beslechten, toen de koning hem sust, door toe te geven aan 's Bourgondiërs eis[5]. Ook in de ernst van het leven te velde wordt geen veronachtzaming van de vormen geduld: de koning van Engeland neemt het hoog op, dat L'Isle Adam voor hem verschijnt in een gewaad van 'blanc gris' en hem in het gelaat ziet[6]. Een Engels aanvoerder zendt de parlementair uit het belegerde Sens eerst heen, om zich te laten scheren[7].

De prachtige orde aan het hof van Bourgondië, die de tijdgenoten prijzen[8], krijgt eerst haar ware betekenis naast de verwarring, die aan het zoveel oudere Franse hof placht te heersen. Deschamps beklaagt zich in tal van balladen over

de ellende van het hofleven, en zijn klachten zijn iets meer dan de geijkte mis-
prijzingen van het hovelingsbestaan, waarover later. Slechte kost en slecht lo-
gies, altijd gedruis en verwarring, vloeken en twisten, nijd en hoon, het is een
poel van zonden, een poort der hel[1]. Ondanks de heilige verering voor het koningschap en de trotse opzet van grootse ceremoniën gaat zelfs bij de plechtigste
gelegenheden het decorum meer dan eens jammerlijk teloor. Bij de begrafenis
van Karel VI te Saint Denis in 1422 ontstaat grote twist tussen de monniken der
abdij en het gilde der zoutmeters (henouars) van Parijs, om het staatsiekleed en
andere bekledingen, die het koninklijke lijk dekken; elk der partijen beweert er
recht op te hebben: zij trekken er aan, en raken bijna handgemeen, maar de hertog van Bedford geeft het geschil in handen van het gerecht, 'et fut le corps
enterré'[2]. Hetzelfde geval herhaalt zich in 1461 bij de begrafenis van Karel VII.
Op weg naar Saint Denis bij het Croix aux Fiens gekomen, weigeren de henouars,
na een woordenwisseling met de monniken der abdij, het koninklijk lichaam verder te dragen, als men hun niet tien pond parijs betaalt, waarop zij recht beweren
te hebben. Zij laten de baar midden op de weg staan, en de stoet blijft geruime
tijd steken. Reeds willen de burgers van Saint Denis zich met de taak belasten,
toen de grand écuyer uit eigen zak den henouars betaling belooft, waarop de
tocht kan worden voortgezet, om eerst tegen acht uur 's avonds in de kerk aan
te komen. Terstond na de teraardebestelling volgt nog een nieuwe twist tussen
de koninklijke grand écuyer zelf en de monniken over het staatsiekleed[3]. Dergelijke tumulten om het bezit van de utensiliën ener plechtigheid behoorden er
zelfs enigermate bij; de verstoring van de vorm was zelf vorm geworden[4].

De algemene openbaarheid, die, immers ook nog in de zeventiende eeuw, bij
alle belangrijke gebeurtenissen in het koninklijk leven voorgeschreven was,
maakte, dat juist bij de grootste plechtigheden dikwijls elke orde ontbrak. Bij
het kroningsmaal van 1380 is het gedrang van toeschouwers, deelnemers en
dienenden zo groot, dat de daartoe aangewezen dienaren der kroon, de connétable en de maarschalk de Sancerre, te paard de gerechten opdienen[5]. Wanneer
Hendrik VI van Engeland in 1431 te Parijs als koning van Frankrijk is gekroond,
dringt het volk reeds in de vroege morgen de grote zaal van het paleis binnen,
waar het kroningsmaal gehouden zal worden, om er te kijken, te grissen en te
schransen. De heren van het Parlement, van de Universiteit, de prévôt des
marchands en de schepenen kunnen nauwelijks door het gedrang de eetzaal bereiken, en eenmaal daar, vinden zij de voor hen bestemde tafels ingenomen door
allerlei handwerkslieden. Men tracht deze te verwijderen, 'mais quant on en
faisoit lever ung ou deux, il s'en asseoit VI ou VIII d'autre costé'[6]. – Bij de ko-
ningswijding van Lodewijk XI in 1461 heeft men de voorzorg genomen, de in-

gangen van de kathedraal van Reims tijdig te sluiten en te bewaken, zodat er niet meer mensen in de kerk zijn, dan het koor gemakkelijk kon bevatten. Deze evenwel dringen zodanig op rondom het hoogaltaar, waar de zalving plaats heeft, dat de prelaten zelf, die de aartsbisschop ter zijde stonden, nauwelijks plaats hadden om zich te bewegen, en de prinsen van den bloede op hun erezetels geducht in verdrukking komen[1].

De kerk van Parijs verdroeg het node, dat zij nog altijd (tot 1622) suffragaan was van het aartsbisdom Sens. Men laat het de metropoliet op alle wijzen merken, dat men van zijn gezag niet gediend is, en beroept zich op de exemptie door de paus. Op 2 februari 1492 heeft de aartsbisschop van Sens in de Notre Dame te Parijs de mis gecelebreerd in tegenwoordigheid van de koning. Terwijl de koning de kerk nog niet heeft verlaten, trekt de aartsbisschop, het volk zegenend, zich terug, voorafgegaan door het priesterkruis. Twee der kanunniken dringen met een grote schaar van kerkedienaren op, slaan de hand aan het kruis en beschadigen het, verrekken 's dragers hand, en maken een tumult, waarbij de dienaren van de aartsbisschop de haren uit het hoofd getrokken worden. Toen de aartsbisschop de twist tracht te bedaren, 'sans lui mot dire, vinrent près de lui; Lhuillier (deken van het kapittel) lui baille du coude dans l'estomac, les autres rompirent le chapeau pontifical et les cordons d'icelluy'. De andere kanunnik vervolgt de aartsbisschop 'disant plusieurs injures en luy mectant le doigt au visage, et prenant son bras tant que dessira son rochet; et n'eust esté que n'eust mis sa main au devant, l'eust frappé au visage'. Het werd een proces van dertien jaar[2].

De hartstochtelijke en gewelddadige geest, hard en tevens tranenrijk, altijd wankelend tussen de zwarte vertwijfeling aan de wereld en het zwelgen in haar bonte schoonheid, kon niet buiten de strengste vormen van het leven. Het was nodig, dat de aandoeningen waren gevat in een vast raam van geijkte vormen; zodoende kreeg het samenleven althans in de regel orde. Zo werden de eigen levensgebeurtenissen en die van anderen tot een schoon schouwspel voor de geest; men genoot de pathetische uitmonstering van leed en geluk onder kunstlicht. Voor een zuivere gemoedsuitdrukking ontbreken nog de middelen; het gemoed kan slechts in esthetische uitbeelding die hoge graad van uitdrukkelijkheid bereiken, waar de tijd naar haakt.

Het is natuurlijk niet zo gemeend, dat deze levensvormen, vooral die rondom de grote oude heiligheden van geboorte, huwelijk en sterven, met zulk een bedoeling zouden zijn ingesteld. Gebruiken en staatsie zijn gegroeid uit primitief geloof en cultus. Maar de oorspronkelijke zin van dat alles, die er het aanzijn aan gaf, is reeds lang onbewust geworden, en in plaats daarvan hebben die vormen zich gevuld met nieuwe esthetische waarde.

In rouwpraal vond de aankleding der ontroering in suggestieve vorm haar hoogste ontplooiing. Daar was een onbeperkt gegeven voor die prachtige hyperbolisering van de smart, die het wederpart is van de hyperbolisering der vreugde in de ontzaglijke hoffeesten. Hier volge geen uitvoerige beschrijving van al de sombere praal van zwarte gewaden, al de staatsie van lijkdiensten, die het afsterven van iedere vorst begeleiden. Zij zijn niet in het bijzonder aan de latere Middeleeuwen eigen; de monarchieën bewaren ze tot de huidige dag, en ook de burgerlijke lijkkoets is er nog de aflegger van. De suggestie van al het zwart, waarin bij een vorstelijk sterfgeval niet enkel de hofhouding, maar ook magistraten, gilden en volk gedost ging, moet bij de bonte kleurigheid van het middeleeuwse stadsleven nog veel groter zijn geweest door de tegenstelling. De rouwpraal over de vermoorde Jan zonder Vrees is met de kennelijkste toeleg op een sterk (en ten dele politiek) effect opgezet. Het krijgsgevolg, waarmee Philips optrekt, om de koningen van Frankrijk en Engeland te ontmoeten, prijkt met twee duizend zwarte vaantjes, met zwarte standaarden en vaandels van zeven ellen, de franje van zwarte zijde, alles bestikt of beschilderd met gouden wapens. De staatsiezetels, de reiswagen van de hertog zijn voor die gelegenheid zwart geschilderd[1]. Bij de plechtige samenkomst te Troyes begeleidt Philips de koninginnen van Frankrijk en Engeland in een fluwelen rouwkleed, dat over de rug van zijn paard afhangt tot op de grond[2]. Nog geruime tijd daarna verschijnt niet alleen hij, maar ook zijn gevolg in 't zwart[3].

Soms verhoogde een afwijking van al het zwart de indruk nog: terwijl het gehele hof, ook de koningin, zwart draagt, rouwt de koning van Frankrijk in het rood[4]. En in 1393 zagen de Parijzenaars met verbazing de geheel en al witte lijkstaatsie van de in ballingschap gestorven koning van Armenië, Léon de Lusignan.[5]

Zonder twijfel omhulde dat zwart dikwijls een hevigheid van echte, hartstochtelijke smart. De grote afschuw van de dood, het sterke verwantschapsgevoel, de innige aanhankelijkheid aan de heer, maakten een vorstelijk sterfgeval tot een waarlijk schokkende gebeurtenis. En als het, zoals in 1419 de moord op de hertog van Bourgondië deed, daarbij nog de eer van een trots geslacht scheurde en de wraak opriep als een heilige plicht, dan kon de hyperbolische uiting van smart wel evenredig zijn in staatsie en in gemoed. Chastellain heeft in de esthetiek van deze doodstijding zich wijdlopig verlustigd; hij verzint in de zware, slepende stijl van zijn deftige rhetoriek de lange rede, waarmee de bisschop van Doornik te Gent de jonge hertog langzaam op het vreselijke bericht voorbereidt, de statige jammerklachten van Philips zelf en van zijn gemalin Michelle de France. Maar de kern van zijn verhaal: hoe de tijding bij de jonge hertog een

45

zenuwtoeval teweegbrengt, hoe ook zijn gemalin in onmacht valt, de wilde verwarring van het hof, de luide rouwkreten van de stad, kortom de woeste uit-
bundigheid van smart, waarmee het bericht ontvangen werd, vallen niet te be-
twijfelen[1]. Ook Chastellain's verhaal van het smartbetoon van Karel de Stoute
bij het sterven van Philips in 1467 draagt de kenmerken van waarheid. Hier was
de schok veel minder hevig; de oude hertog, vrijwel kinds, was reeds lang ach-
teruitgaande; de verstandhouding tussen hem en zijn zoon was in de laatste jaren ver van hartelijk geweest, zodat Chastellain zelf opmerkt, dat het verbazing
wekte, toen men Karel bij het sterfbed zag wenen, krijten, handenwringen en
nedervallen, 'et ne tenoit règle, ne mesure, et tellement qu'il fit chacun s'esmer-
veiller de sa démesurée douleur'. Ook in de stad Brugge, waar de hertog stierf,
'estoit pitié de oyr toutes manières de gens crier et plorer et faire leurs diverses
lamentations et regrets'[2].

Het is moeilijk uit te maken, hoever in deze en dergelijke berichten de hofstijl
gaat, die een luidruchtig leedbetoon gepast en fraai vindt, en hoever de werkelijke hevige aandoenlijkheid, die de tijd eigen was. Er loopt zeker een sterk element van primitieve vorm onder: het luide wenen over de dode, dat geformaliseerd was in klaagvrouwen, en artistiek uitgedrukt in de 'plourants', die juist in
deze tijd aan de grafsculptuur zulk een sterke bewogenheid verlenen, is een overoud beschavingselement.

Die vereniging van primitivisme, hevige aandoenlijkheid en fraaie vorm valt
ook te zien in de grote vrees voor het meedelen van een doodsbericht. Men
houdt voor de gravin van Charolais, wanneer zij zwanger gaat van Maria van
Bourgondië, de dood van haar vader lange tijd geheim; men durft Philips de
Goede, die ziek ligt, geen enkel sterfgeval, dat hem enigszins raakt, meedelen,
zodat Adolf van Cleef geen rouw mag dragen over zijn echtgenote. Toen de hertog toch van de dood van zijn kanselier Nicolaas Rolin de lucht gekregen had
(Chastellain gebruikt zelf die uitdrukking: 'avoit esté en vent un peu de ceste
mort'), vraagt hij de bisschop van Doornik, die hem aan zijn ziekbed komt bezoeken, of het waar is, dat de kanselier gestorven is. – 'Monseigneur, – zegt de
bisschop – : naar waarheid dood is hij wel, want hij is oud en gebroken, en kan
niet lang meer leven. – Déa! – zegt de hertog, – dat vraag ik niet, ik vraag of hij
is 'mort de mort et trespassé'. – Hà! monseigneur, – zegt de bisschop weer, – hij
is niet gestorven, maar aan één kant verlamd, dus hij is zo goed als dood.' – De
hertog wordt boos: – 'Vechy merveilles! zeg mij nu duidelijk, of hij dood is. Toen
eerst zegt de bisschop: Ja, waarlijk, monseigneur, hij is werkelijk gestorven'[3]. Is
er niet in deze zonderlinge wijze van een doodsbericht mee te delen meer van een
oude, bijgelovige vorm dan van een ontzien van een zieke, die dit aarzelen slechts

kon prikkelen? Het hoort in de sfeer der gedachte, die Lodewijk XI bewoog, om
zich nooit weer te bedienen van de kleren, die hij droeg, of het paard, dat hij be-
reed, toen hem enig slecht bericht bereikte, en zelfs om een heel stuk van het
bos van Loches te doen omhakken, waar hem de dood van zijn pasgeboren zoontje werd bericht[1]. 'M. le chancellier – schrijft hij 25 mei 1483 – je vous mercye
des lettres etc. mais je vous pry que ne m'en envoyés plus par celluy qui les m'a
aportées, car je luy ay trouvé le visage terriblement changé depuis que je ne le
vitz, et vous prometz par ma foy qu'il m'a fait grant peur; et adieu'[2].

Wat er ook in de rouwgebruiken aan oude taboevoorstellingen mag schuilen,
de levende cultuurwaarde ervan is, dat zij vorm geven aan het leed, het als iets
schoons en verhevens ontplooien. Zij ritmiseren de smart. Zij brengen het werkelijke leven over in de sfeer van het drama, en doen het cothurnen aan. In primitiever beschaving, ik denk bijvoorbeeld aan de Ierse, zijn rouwgebruiken en
dichterlijke lijkklacht nog één geheel; ook de hofrouw van de Bourgondische tijd
kan men slechts verstaan, door hem verwant te zien aan de elegie. De rouwpraal
vertoont in schone vorm, hoe de getroffene geheel machteloos moet zijn van
smart. Hoe hoger de rang, hoe heroïscher het smartbetoon moet prijken. De
koningin van Frankrijk moet een vol jaar in de kamer blijven, waar men haar de
dood van haar gemaal heeft aangezegd. Voor prinsessen geldt zes weken. Wanneer men Madame de Charolais, Isabelle de Bourbon, de dood van haar vader
heeft medegedeeld, woont zij eerst nog de lijkdienst bij op het kasteel Couwen-
berg, en blijft daarna zes weken in haar kamer, altijd te bed liggende, door kus-
sens gesteund, maar gekleed met barbette*, kap en mantel. De kamer is geheel
met zwart behangen, op de grond ligt in de plaats van een zacht tapijt een groot
zwart laken, en een groot voorvertrek is eveneens met zwart behangen. Edelvrouwen blijven alleen voor haar man zes weken te bed, voor vader of moeder
slechts negen dagen, terwijl zij de rest der zes weken gezeten zijn voor het bed
op het grote zwarte kleed. Voor de oudste broeder houdt men zes weken de kamer doch niet het bed[3]. – Men begrijpt, hoe in een tijd die zulk een hoog ceremonieel in ere hield, als een der ergste omstandigheden bij de moord van 1419 telkens weer herinnerd wordt, dat Jan zonder Vrees zo maar in buis, hozen en
schoenen begraven was[4].

De aandoening, in die fraaie vormen getooid en verwerkt, gaat er licht in te
loor; de zucht naar de dramatisering van het leven laat een achter-de-schermen
over, waarin het edel opgemaakte pathos verloochend wordt. Er is een naïve
scheiding tussen 'staat' en werkelijk leven, welke in het geschrift van de oude
hofdame, Aliénor de Poitiers, die al die 'staat' toch als hoge mysteriën vereert,

* Een lang afhangende rouwsluier, die om de kin werd vastgemaakt.

kenmerkend aan de dag komt. Op de beschrijving van Isabella van Bourbon's prachtige rouw laat zij volgen: 'Quand Madame estoit en son particulier, elle n'estoit point toujours couchée, ni en une chambre'. 'En une chambre' is hier niet te verstaan als 'in een en hetzelfde vertrek'. *Chambre* betekent hier een bijeenhorend stel van wandbehangsels, kleden, dekkleden enz. dat ter stoffering van een vertrek diende, dus zoveel als een speciaal opgemaakte staatsiekamer[1]. De prinses ontvangt in die staat, doch enkel als schone vorm. Zo zegt Aliénor ook: voor een echtgenoot behoort men twee jaar het rouwkleed te dragen, 'indien men althans niet hertrouwt'. Juist de hoogste standen, de vorsten met name, hertrouwden dikwijls zeer spoedig; de hertog van Bedford, regent van Frankrijk voor de jonge Hendrik VI, reeds na vijf maanden.

Naast de rouw biedt de kraamkamer een ruim veld voor strenge staatsie en hiërarchisch verschil van uitmonstering. Er gelden vaste kleuren. Het groen, dat nog in de negentiende eeuw de geijkte kleur was van het burgerlijk ledikant en de vuurmand, was in de vijftiende het prerogatief van koningin en prinsessen. De kraamkamer van de koningin van Frankrijk is van groene zijde; vroeger was zij geheel in wit. Zelfs gravinnen mogen niet 'la chambre verde' hebben. Stof, bont en kleur van dekens en spreien is voorgeschreven. Op het dressoir branden voortdurend twee grote lichten in zilveren kandelaars, want de blinden van de kraamkamer worden eerst na veertien dagen geopend! Het opmerkelijkste evenwel zijn de staatsieledikanten, ledig evenals de koetsen bij de begrafenis van de koning van Spanje. De jonge moeder ligt op een couchette voor het vuur, en het kind, Maria van Bourgondië, in een wieg in de kinderkamer, maar bovendien staan er in de kraamkamer twee grote bedden in een kunstig samenstel van groene gordijnen, opgemaakt en opgeslagen als om erin te gaan slapen, en in de kinderkamer opnieuw twee grote bedden, alles met groen en violet, en nogmaals één groot bed in een voorvertrek geheel getapisseerd in karmozijn satijn. Deze 'chambre de parement' was indertijd door die van Utrecht aan Jan zonder Vrees vereerd, en heette daarnaar 'la chambre d'Utrecht'. Bij de doopplechtigheid dienen die bedden tot ceremonieus gebruik[2].

Die esthetiek der levensvormen deed zich gelden in het dagelijks aspect van stad en land: de strenge hiërarchie van stoffen, kleuren en pelzen gaf aan de verschillende standen een uiterlijke omlijsting, die het waardigheidsgevoel verhief en behoedde. De esthetiek der gemoedsbewegingen beperkte zich niet tot de plechtige vreugden en smarten bij geboorte, huwelijk en sterven, waar de parade door de noodzakelijke ceremoniën geboden was. Elk ethisch gebeuren wordt gaarne gezien in een fraai opgemaakte vorm. Er is zulk een element in de bewondering voor de nederigheid en de zelfkastijding van de heilige, voor het be-

48

rouw van de zondaar, zoals de 'moult belle contrition de ses péchés' van Agnes Sorel[1]. Elke levensverhouding wordt in stijl gebracht; in de plaats van de moderne zucht tot verbergen en effaceren van intieme betrekkingen en sterke aandoeningen geldt het streven, om ze tot een vorm en een schouwspel ook voor anderen te maken. Zo heeft ook de vriendschap in het leven der vijftiende eeuw haar schoon uitgewerkte vorm. Naast de oude bloedbroederschap en wapenbroederschap, die in de kringen zowel van het volk als van de adel in ere was[2], kent men een vorm van sentimentele vriendschap, die uitgedrukt wordt door het woord mignon. De vorstelijke mignon is een geformaliseerd instituut, dat zich gedurende de gehele zestiende en een deel der zeventiende eeuw handhaaft. Het is de verhouding van Jacobus I van Engeland tot Robert Carr en George Villiers; ook Willem van Oranje bij de afstand van Karel V moet onder dit aspect gezien worden. *Twelfth Night* is slechts te begrijpen, als men bij de verhouding van de hertog tot de gewaande Cesario deze geijkte vorm van vriendschap voor ogen heeft. De verhouding wordt gezien als een paralell tot de hoofse liefde. 'Sy n'as dame ne mignon', zegt Chastellain[3]. Doch elke toespeling, die haar op één lijn met de Griekse vriendschap zou brengen, ontbreekt ten enenmale. De openlijkheid, waarmee het mignonschap behandeld wordt in een tijd, die het crimen nefandum zo verfoeide, moet elke argwaan doen zwijgen. Bernardino van Siena stelt aan zijn Italiaanse landgenoten, onder wie de sodomie zeer verbreid was, Frankrijk en Duitsland, waar men haar niet kent, ten voorbeeld[4]. Slechts een zeer gehate vorst wordt wel eens een ongeoorloofde omgang met zijn officiële gunsteling aangewreven, zo Richard II van Engeland met Robert de Vere[5]. Doch in de regel is het een onverdachte verhouding, die de begunstigde tot eer strekt, en waarvoor hij zelf uitkomt*. Commines vertelt zelf, hoe hij de eer genoot, door Lodewijk XI onderscheiden te worden met 's konings behagen, dat hij gelijk gekleed ging als deze[6]. Want dit is het vaste teken van de verhouding. De koning heeft een mignon en titre, in dezelfde klederen gedost als hij, op wie hij steunt bij ontvangsten[7]. Dikwijls zijn het ook twee vrienden van gelijke leeftijd, doch verschillende rang, die zich gelijk kleden, in één kamer, soms ook in één bed slapen[8]. Zulk een onafscheidelijke vriendschap bestaat er tussen de jonge Gaston de Foix en zijn bastaardbroeder, waar zij een tragisch einde neemt, tussen Lodewijk van Orleans (toen nog van Touraine) en Pierre de Craon[9], tussen de jonge hertog van Cleef en Jacques de Lalaing. Op dezelfde wijze hebben vorstinnen een vertrouwde vriendin, die zich gelijk kleedt en mignonne genoemd wordt[10].

Al de schoon gestileerde levensvormen, die de ruwe werkelijkheid moesten

---

* In het geval van Hendrik III van Frankrijk valt aan het schuldig karakter der mignons niet te twijfelen, doch dit is eind zestiende eeuw.

verheffen in een sfeer van edele harmonie, waren delen van de grote levenskunst, zonder onmiddellijke neerslag te geven in de kunst in engere zin. De omgangs-vormen met hun vriendelijke schijn van ongedwongen altruïsme en heuse er-kenning van anderen, de hofpraal en hofetikette met hun hiëratische statigheid en ernst, de blijde tooi van bruiloft en kraamkamer, hun schoonheid is voorbij-gegaan zonder direkte sporen na te laten in kunst en litteratuur. Het uitdruk-kingsmiddel, dat hen verbindt, is niet de kunst, maar de mode. Nu staat de mode in het algemeen veel nader tot de kunst, dan de academische esthetica wil toegeven. Als kunstmatige accentuering van de lichaamsschoonheid en de lichaamsbeweging is zij met een der kunsten, die van de dans, innig verbonden. Maar ook daarbuiten grenst in de vijftiende eeuw het domein der mode, of wil men liever der klederdracht, veel nader aan dat der kunst dan wij geneigd zijn ons voor te stellen. Niet enkel doordat het veelvuldig gebruik van juwelen en de metaalbewerking van het krijgsgewaad in het costuum een direkt element van kunsthandwerk brengt. De mode deelt met de kunst zelf essentiële eigenschap-pen: stijl en ritme zijn haar even onmisbaar als voor de kunst. De late Middel-eeuwen hebben voortdurend in de klederdracht een mate van levensstijl uitge-drukt, waarvan tegenwoordig zelfs een kroningsplechtigheid slechts maar een flauwe afschaduwing kan geven. In het leven van iedere dag vertoonden de ver-schillen van pelzen en kleuren, kappen en huiven de strenge ordonnantie der standen, de pronkende waardigheden, de staat van blijdschap of smart, de tede-re betrekking van vrienden en verliefden.

Van alle levensverhoudingen was de esthetiek zo uitdrukkelijk mogelijk uit-gewerkt. Hoe hoger het schoonheids- en zedelijkheidsgehalte van zulk een ver-houding was, hoe meer de uitdrukking ervan tot zuivere kunst kon worden. Beleefdheid, etikette vinden hun schone uiting enkel in het leven zelf, in kleed en praal. De rouw echter heeft haar sterke uitdrukking bovendien in een duur-zame en machtige kunstvorm: het grafmonument; de cultuurwaarde van de rouw was verheven door zijn verband met de godsdienst. Maar nog rijker was de esthetische bloei van deze drie levenselementen: dapperheid, eer en liefde.

3

DE HIËRARCHISCHE OPVATTING
DER SAMENLEVING

Toen men tegen het einde der achttiende eeuw begon, middeleeuwse cultuurvormen als eigen nieuwe levenswaarden op te nemen, met andere woorden bij
de aanvang der Romantiek, heeft men in de Middeleeuwen allereerst het ridderwezen ontwaard. De vroege Romantiek was geneigd, Middeleeuwen en riddertijd
kortweg te vereenzelvigen. Zij zag bovenal wuivende vederbossen. En hoe para-
doxaal het thans klinkt, zij had in zeker opzicht gelijk. Ons heeft voorzeker een
grondiger studie geleerd, dat het ridderwezen slechts een onderdeel is van de
cultuur van dat tijdperk, dat de staatkundige en maatschappelijke ontwikkeling
grotendeels buiten die vorm om gaat. Het tijdperk van echte feodaliteit en bloeiend ridderwezen loopt reeds in de dertiende eeuw ten einde; wat daarna komt is
de stedelijk-vorstelijke periode der Middeleeuwen, waarin de beheersende factoren van staat en maatschappij de handelsmacht der burgerijen en de daarop be-
rustende geldmacht der vorsten zijn. Wij lateren hebben ons gewend, en terecht,
om veel meer naar Gent en Augsburg te zien, veel meer naar het opkomende
kapitalisme en de nieuwe staatsvormen dan naar de adel, die immers, hier meer
daar minder, overal reeds 'gefnuikt' was. De geschiedvorsing zelf heeft zich sedert de dagen der Romantiek gedemocratiseerd. Het moet evenwel hem, die gewoon is, de latere Middeleeuwen te zien in hun staatkundig-economisch aspect,
zoals wij dat begrijpen, telkens opvallen, dat de bronnen zelf, met name de verhalende bronnen, aan de adel en zijn bedrijf een zoveel ruimer plaats geven, dan
bij onze voorstelling past. Dit geldt zelfs niet enkel van de late Middeleeuwen,
maar ook nog van de zeventiende eeuw.

De reden daarvan is, dat de adellijke levensvorm zijn heerschappij over de samenleving heeft behouden lang nadat de adel als maatschappelijke structuur zijn
overheersende betekenis verloren had. In de geest der vijftiende eeuw neemt de
adel als maatschappelijk element nog onbetwist de eerste plaats in; zijn betekenis
wordt door de tijdgenoot veel te hoog, die van de burgerij veel te laag geschat.

51

Zij zelf zien niet, dat de werkelijke beweegkrachten der maatschappelijke ontwikkeling elders lagen dan in het leven en bedrijf van een oorlogvoerende adel.
Dus, zal men zeggen: de fout zit bij de tijdgenoten zelf en bij de Romantiek, die
hun voorstelling zonder kritiek volgde, terwijl de moderne geschiedvorsing de
ware verhoudingen van het laat-middeleeuwse leven aan het licht heeft gebracht.
Van het staatkundige en economische leven, ja. Maar voor het kennen van het
cultuurleven behoudt de waan zelf, waarin de tijdgenoten leefden, de waarde
van een waarheid. Ook al was de adellijke levensvorm niet anders dan een vernis
over het leven geweest, dan nog zou het noodzakelijk zijn, dat de geschiedenis
dat leven mèt de glans van dat vernis wist te zien.

Het is overigens veel meer geweest dan een vernis. Het begrip van de geleding der maatschappij in standen doordringt in de Middeleeuwen alle theologische en politische beschouwingen tot in haar vezelen. Het bepaalt zich volstrekt
niet tot de geijkte drie: geestelijkheid, adel en derde stand. Het begrip stand
heeft niet alleen een veel sterker waarde maar ook een veel verder strekking. In
het algemeen wordt iedere groepering, iedere functie, ieder beroep gezien als een
stand, zodat naast de indeling der maatschappij in drie standen een in twaalf kan
voorkomen[1]. Want stand is staat, 'estat', of 'ordo'; er ligt de gedachte in van een
door God gewilde wezenlijkheid. De woorden 'estat' en 'ordre' dekken in de
Middeleeuwen een groot aantal van menselijke groeperingen, die voor ons begrip zeer ongelijksoortig zijn: de standen in onze zin, de beroepen, de huwelijke
staat naast de maagdelijke, de staat van zondigheid 'estat de péchié', de vier
'estats de corps et de bouche' aan het hof: panetiers, schenkers, voorsnijders en
keukenmeesters, de geestelijke wijdingen: priester, diaken, subdiaken enz., de
kloosterorden, de ridderorden. In de middeleeuwse gedachte wordt het begrip
'staat' of 'orde' in al die gevallen bijeengehouden door het besef, dat elk dezer
groepen een goddelijke inzetting vertegenwoordigt, een orgaan is in de wereldbouw, even wezenlijk en even hiërarchisch-eerbiedwaardig als de hemelse tronen en machten der engelenhiërarchie.

In het schone beeld, dat men zich maakte van staat en maatschappij, werd aan
elk der standen zijn functie aangewezen niet overeenkomstig zijn beproefde nuttigheid, maar overeenkomstig zijn heiligheid of zijn schitterende glans. Men kon
daarbij de ontaarding der geestelijkheid, het verval van de ridderlijke deugden
bejammeren, zonder daarom het ideale beeld ook maar enigszins prijs te geven;
de zonden der mensen mogen de verwezenlijking van het ideaal beletten, toch
blijft het grondslag en richtsnoer der maatschappelijke gedachte. Het middeleeuwse beeld der maatschappij is statisch, niet dynamisch.

Het is een wonderlijke schijn, waarin Chastellain, de hofhistoriograaf van

Philips de Goede en Karel de Stoute, wiens rijke werk ook hier weer de beste spiegel is van de tijdsgedachte, de maatschappij van zijn dagen ziet. Hier is een man, in de velden van Vlaanderen getogen, die in zijn Nederlanden de schitterendste ontplooiing van burgermacht voor ogen had, en die niettemin, verblind door de uiterlijkste glans van het Bourgondische prachtleven, in de staat slechts riddermoed en ridderdeugd als de bron van kracht ziet.

God heeft het volk doen geboren worden om te arbeiden, om de grond te bewerken, om door de handel duurzaam levensonderhoud te verschaffen, de geestelijkheid voor de werken des geloofs, maar de adel om de deugd te verheffen en de gerechtigheid te handhaven, om met de daden en de zeden van hun schone personen de anderen een spiegel te zijn. De hoogste taak in de staat, de bescherming der Kerk, de vermeerdering van het geloof, de bewaring van het volk voor verdrukking, de handhaving van het gemeen welzijn, bestrijding van geweld en tirannie, versterking van de vrede, Chastellain wijst ze alle de adel toe. Waarheid, dapperheid, zedelijkheid en mildheid zijn zijn eigenschappen. En de adel van Frankrijk, zegt deze hoogdravende lofredenaar, beantwoordt aan dat ideale beeld[1]. Door het gehele werk van Chastellain heen bemerkt men, dat hij ook werkelijk de gebeurtenissen van zijn tijd door dat gekleurde glaasje ziet.

De onderschatting van de burgerij spruit hieruit voort, dat het type, waaronder men zich de derde stand voorstelde, zich nog geenszins gecorrigeerd had naar de werkelijkheid. Dat type was eenvoudig en beknopt als een kalenderminiatuur of bas-relief, dat de werken des jaars afbeeldde: de zwoegende veldarbeider, de vlijtige handwerker of de bedrijvige koopman. De figuur van de machtige patriciër, die de adel zelf van zijn plaats drong, het feit, dat de adel zich voortdurend aanvulde met het bloed en de kracht der burgerij, vond in dat lapidaire type evenmin plaats als de figuur van de strijdbare gildebroeder en zijn vrijheidsideaal. In het begrip van de derde stand bleven, immers zelfs tot de Franse Revolutie toe, burgerij en arbeiders ongescheiden; afwisselend dringt in de voorstelling de figuur van de arme boer of van de vadsige rijke burger[2] naar voren, maar een omlijning volgens zijn werkelijke economisch-politische functie kreeg dat begrip derde stand niet. Een reformprogram van een Augustijner monnik in 1412 kan in ernst verlangen, dat ieder niet-edele in Frankrijk gedwongen zou worden, hand- of veldarbeid te doen, of uit het land gejaagd worden[3].

Zo is het te begrijpen, dat iemand als Chastellain, wiens vatbaarheid voor ethische illusie geëvenaard wordt door zijn politische naïveteit, naast de hoge eigenschappen van de adel de derde stand slechts lage en slaafse deugden toekent. 'Pour venir au tiers membre qui fait le royaume entier, c'est l'estat des bonnes villes, des marchans et des gens de labeur, desquels ils ne convient faire si longue exposition que des autres, pour cause que de soy il n'est gaires capable de hautes attributions, parce qu'il est au degré servile.' Zijn deugd is nederigheid en vlijt, gehoorzaamheid aan hun koning en gewilligheid om genoegen te verschaffen aan de heren[1].

Werkte wellicht ook dat volslagen gemis aan het gezicht op een komende tijd van burgervrijheid en macht ertoe mee, dat Chastellain en gelijkgezinden, die enkel van de adel heil verwachtten, het met de tijden duister inzagen?

De rijke stedelingen heten bij Chastellain nog kortweg 'vilains'[2]. Hij heeft niet het geringste begrip voor burgereer. Philips de Goede had de gewoonte, zijn macht te misbruiken, om zijn 'archers', lagere edelen veelal, of andere dienaren van zijn huis, te huwen aan rijke poorterseweduwen of dochters. De ouders huwelijkten hun dochters zo vroeg mogelijk uit, om die aanzoeken te ontgaan: een weduwe hertrouwde erom twee dagen na haars mans begrafenis[3]. Eens stuitte de hertog daarbij op het hardnekkig verzet van een rijke bierbrouwer te Rijsel, die zijn dochter niet voor een dergelijke verbintenis wil geven. De hertog laat het meisje in verzekerde bewaring stellen; de gekrenkte vader verhuist met zijn hebben en houden naar Doornik, om daar buiten 's hertogen rechtsgebied te zijn, en ongehinderd de zaak voor het Parlement van Parijs te kunnen brengen. Het brengt hem niets dan zorg en moeite; hij wordt ziek van verdriet, en het eind van het geval, dat in hoge mate kenschetsend is voor Philips' impulsief karakter* en hem naar onze begrippen niet tot eer strekt, is, dat de hertog de moeder, die als smekelinge tot hem komt, haar dochter teruggeeft, maar aan de vergiffenis hoon en vernedering toevoegt. Chastellain, die anders volstrekt niet vreest, zijn heer te misprijzen, staat met zijn sympathie geheel aan de zijde van de hertog; voor de beledigde vader heeft hij geen andere woorden dan 'ce rebelle brasseur rustique', 'et encore si meschant vilain'[4].

In zijn *Temple de Bocace*, een hol galmende hal van adellijke roem en ongeluk, laat Chastellain de grote financier Jacques Cœur niet zonder een woord van verontschuldiging toe, terwijl de verfoeilijke Gilles de Rais er ondanks zijn ontzettende misdaden geredelijk toegang vindt van wege zijn hoge geboorte[5]. Hij acht het onnodig, de namen van de burgers te vermelden, die in de grote strijd voor Gent vielen[6].

Ondanks deze geringschatting van de derde stand ligt er in het ridderideaal zelf en in de beoefening van de deugden en de taak, die de adel werden voorgehouden, een dubbel element van een minder hoogmoedig aristocratische volksverachting. Naast de spot over de dorpers, vol haat en verachting, zoals die klinkt

* Zie hierboven p. 9.

uit het Vlaamse *Kerelslied* en de *Proverbes del vilain*, loopt in de Middeleeuwen een tegengestelde uiting van medelijden met het arme volk, dat het zo kwaad heeft.

> *Si fault de faim perir les innocens*
> *Dont les grans loups font chacun jour ventrée,*
> *Qui amassent a milliers et a cens*
> *Les faulx tresors: c'est le grain, c'est la blée,*
> *Le sang, les os qui ont la terre arée*
> *Des povres gens, dont leur esperit crie*
> *Vengence à Dieu, vé à la seignourie...*[1]

Het zijn steeds dezelfde klaagtonen: het arme volk, geteisterd door de oorlogen, uitgezogen door de ambtenaren, leeft in gebrek en ellende; iedereen teert op de boer. Zij lijden geduldig: 'le prince n'en sçait riens', en als zij soms murmureren en de overheid smaden: 'povres brebis, povre fol peuple', de heer zal hen met een woord weer tot rust en tot rede brengen. In Frankrijk komt, onder de indruk van de jammerlijke verwoesting en onveiligheid, waaraan de honderdjarige oorlog gaandeweg het gehele land overleverde, één trek in die klacht op de voorgrond: de boer geplunderd, gebrandschat en mishandeld door de krijgsbenden van vriend en vijand, beroofd van zijn ploegdieren, van huis en hof verjaagd. In die vorm neemt de klacht geen einde meer. Men hoort haar van de grote reform-gezinde geestelijken omstreeks 1400: Nicolaas van Clemanges in zijn *Liber de lapsu et reparatione justitiæ*[2], van Gerson in zijn moedige en aangrijpende politieke preek voor de regenten en het hof op het thema *Vivat rex*, 7 november 1405 in het paleis der koningin te Parijs gehouden. 'Le pauvre homme n'aura pain à manger, sinon par advanture aucun peu de seigle ou d'orge; sa pauvre femme gerra, et auront quatre ou six petits enfants au fouyer, ou au four, qui par advanture sera chauld: demanderont du pain, crieront à la rage de faim. La pauvre mere si n'aura que bouter es dens que un peu de pain ou il y ait du sel. Or, devroit bien suffire cette misere: – viendront ces paillars qui chergeront tout... tout sera prins, et happé; et querez qui paye.'[3] Jean Jouvenel, de bisschop van Beauvais, houdt in bittere klachten de ellende van het volk voor aan de Staten te Blois in 1433, te Orleans in 1439[4]. Gepaard aan het beklag der andere standen over hùn moeilijkheden, in de vorm van een twistgesprek, vindt men het thema van de volksellende in Alain Chartier's *Quadriloge invectif*[5], en in Robert Gaguin's daarop geïnspireerd *Debat du laboureur, du prestre et du gendarme*[6]. De kroniekschrijvers kunnen niet anders dan telkens erop terugkomen; hun stof bracht het mee[7]. Molinet dicht een *Resource du petit peuple*[8], de ernstige Meschinot herhaalt de waarschuwingen over de verwaarlozing van het volk keer op keer:

O Dieu, voyez du common l'indigence,
Pourvoyez-y à toute diligence:
Las! par faim, froid, paour et misere tremble.
S'il a peché ou commis negligence,
Encontre vous, il demande indulgence.
N'est-ce pitié des biens que l'on lui emble?
Il n'a plus bled pour porter au molin,
On lui oste draps de laine et de lin,
L'eaue, sans plus, lui demeure pour boire[1].

In een cahier, de koning aangeboden ter gelegenheid van de Staten te Tours in 1484, neemt de klacht regelrecht het karakter aan van een politiek vertoog[2]. Toch blijft het een volkomen stereotiep en negatief medelijden, niets van een program. Er is nog geen spoor van weloverlegde sociale hervormingszin in, en zo wordt er op het thema doorgezongen, door La Bruyère, door Fénelon, tot diep in de achttiende eeuw, want nog de klachten van de oude Mirabeau, 'l'ami des hommes', zijn weinig anders, al klinkt daarin het geluid van het komende verzet.

Het is te verwachten, dat de verheerlijkers van het laatmiddeleeuwse ridderideaal instemmen met deze betuigingen van medelijden met het volk: immers de toepassing van de ridderplicht, de zwakken te beschermen, eiste het. Evenzeer eigen aan het wezen van het ridderideaal, en even stereotiep en theoretisch, is het besef, dat de ware adeldom slechts berust in de deugd, en dat in de grond alle mensen gelijk zijn. Deze beide gevoelens worden wel eens in hun cultuurhistorische betekenis overschat. Men beschouwt de erkenning van de ware adel die in het hart ligt als een triomf der Renaissance, en wijst erop, dat Poggio die gedachte uitspreekt in zijn *De nobilitate*. Men hoort gewoonlijk dat oude egalitarisme eerst in het revolutionaire geluid van John Ball's 'When Adam delved and Eve span, where was then the gentleman?' – En men stelt zich voor, dat de adel sidderde op die tekst.

Beide gedachten waren reeds lang gemeenplaatsen in de hoofse litteratuur zelf, evenals zij het waren in de salons van het ancien régime. Het denkbeeld, 'dat edelheit began uter reinre herten'[3] was reeds in de twaalfde eeuw zowel in de Latijnse poëzie als in die der troubadours gangbaar. Het bleef te allen tijde een zedelijke bespiegeling zonder sociaal-actieve werking.

Dont vient a tous souveraine noblesce?
Du gentil cuer, paré de nobles mours.
*...Nulz n'est villains se du cuer ne lui muet**

De gelijkheidsgedachte was reeds door de kerkvaders ontleend aan Cicero en Seneca. Gregorius de Grote had de komende Middeleeuwen het 'Omnes namque homines natura æquales sumus' reeds meegegeven. Het was in allerlei klank en nadruk steeds herhaald, zonder bedoeling, de werkelijke ongelijkheid te verminderen. Want voor de middeleeuwer keerde de gedachte haar pointe naar de spoedige gelijkheid in de dood, niet naar een hopeloos verre gelijkheid in het leven. Bij Eustache Deschamps vinden wij haar in een duidelijke verbinding met de dodendansvoorstelling, die aan de late Middeleeuwen de troost moest geven over het onrecht van de wereld. Het is Adam zelf, die zijn kroost toespreekt:

Enfans, enfans, de moy, Adam, venuz,
Qui après Dieu suis peres premerain
Créé de lui, tous estes descenduz
Naturelment de ma coste et d'Evain;
Vo mere fut. Comment est l'un villain
Et l'autre prant le nom de gentillesce
De vous, freres? dont vient tele noblesce?
Je ne le sçay, se ce n'est des vertus,
Et les villains de tout vice qui blesce:
Vous estes tous d'une pel revestus.

Quant Dieu me fist de la boe ou je fus,
Homme mortel, faible, pesant et vain,
Eve de moy, il nous crea tous nuz,
Mais l'esperit nous inspira a plain
Perpetuel, puis eusmes soif et faim,
Labour, doleur, et enfans et tristesce;
Pour noz pechiez enfantent a destresce
Toutes femmes; vilment estes conçuz.
Dont vient ce non: villain, qui les cuers blesce?
Vous estes tous d'une pel revestuz.

* Deschamps, VI no. 1140, p. 67. De verbinding van de gelijkheidsgedachte en die van de adel des harten is treffend uitgesproken in de woorden van Ghismonda tot haar vader Tancred, in de eerste novelle van de vierde dag van Bocaccio's Decamerone.

Les roys puissans, les contes et les dus,
Li gouverneur du peuple et souverain,
Quant ilz naissent, de quoy sont ilz vestuz?
D'un orde pel.
...Prince, pensez, sanz avoir en desdain
Les povres genz, que la mort tient le frain[1].

Het is in overeenstemming met deze gedachten, wanneer geestdriftige vereerders van het ridderideaal somtijds opzettelijk de daden van boerse helden optekenen, om de adel te leren, 'dat bij wijlen zij, die zij dorpser achten, van de grootste dapperheid bezield zijn'[2].

Want dit is de grond van al deze gedachten: dat de adel geroepen is, om door de naleving van het ridderideaal de wereld te schragen en te zuiveren. Het rechte leven en de rechte deugd der edelen is het heilmiddel der slechte tijden; daarvan hangt af het welzijn en de rust van kerk en koninkrijk, de gelding der gerechtigheid[3]. De oorlog is in de wereld gekomen met Caïn en Abel, en sedert vertakt onder goeden en slechten. Hem te beginnen is niet goed. Daarom is de zeer edele en zeer uitstekende stand der ridderschap ingesteld, om het volk, dat gemeenlijk het meest geteisterd wordt door de rampen van de krijg, te bewaren, te verdedigen en in rust te houden[4]. Twee zaken, luidt het in het leven van een der zuiverste vertegenwoordigers van het laatmiddeleeuwse ridderideaal, Boucicaut, zijn door God's wil in de wereld gezet als twee pijlers om de orde der goddelijke en menselijke wetten te schragen; zonder hen zou de wereld niet dan verwarring zijn; die twee pijlers zijn ridderschap en wetenschap, 'chevalerie et science, qui moult bien conviennent ensemble'[5]. 'Science, Foy et Chevalerie' zijn de drie leliën van *Le Chapel des fleurs de lis* van Philippe de Vitri; zij vertegenwoordigen de drie standen; de ridderschap is geroepen, om de beide andere te behoeden en te beschermen[6]. Die gelijkwaardigheid van ridderschap en wetenschap, die ook spreekt uit de neiging om aan de doctorstitel dezelfde rechten toe te kennen als aan de riddertitel[7], getuigt van het hoge ethische gehalte van het ridderideaal. Het is de verering van een hoger willen en durven naast die van een hoger weten en kunnen; men heeft de behoefte om de mens in een hogere potentie te zien, en wil die uitdrukken in de vaste vorm van twee wijdingen tot hoger levenstaak, onderling gelijkwaardig. Maar van die twee had het ridderideaal een veel algemener en sterker werking, omdat daarin met het ethische zoveel esthetische elementen waren verenigd, die voor iedere geest begrijpelijk waren.

4

DE RIDDER-IDEE

De middeleeuwse gedachtenwereld in het algemeen is in al haar delen doortrokken en doorzult met de geloofsvoorstellingen. Op soortgelijke wijze is de gedachtenwereld van die beperkter groep, welke in de sfeer van hof en adel leeft, gedrenkt in het ridderideaal. Zelfs geloofsvoorstellingen worden op haar beurt in de ban der ridderidee getrokken: het wapenfeit van de aartsengel Michael was 'la première milicie et prouesse chevaleureuse qui oncques fut mis en exploict'; van hem neemt de ridderschap haar oorsprong; als 'milicie terrienne et chevalerie humaine' is zij een aardse navolging van de engelenscharen om Gods troon[1]. De innige verbinding van de ridderwijding met godsdienstige gedachten spreekt bijzonder duidelijk uit de geschiedenis van Rienzo's ridderbad[2]. De Spaanse dichter Juan Manuel noemt haar een soort sacrament, dat hij met doop en huwelijk vergelijkt[3].

Leidt de hoge verwachting, die men bouwt op de plichtsvervulling van de adel, tot enige nadere omschrijving van politieke denkbeelden omtrent hetgeen de adel te doen staat? Ja, die van een streven naar de universele vrede, gegrondvest op de eendracht der koningen, de verovering van Jeruzalem en verdrijving der Turken. De onvermoeide plannenmaker Philippe de Mézières, die droomde van een ridderorde, welke al de oude kracht van Tempel en Hospitaal zou overtreffen, heeft in zijn *Songe du vieil pelerin* een plan uitgewerkt, dat het heil der wereld in de naaste toekomst scheen te waarborgen. De jonge koning van Frankrijk, – het is geschreven omstreeks 1388, toen op de ongelukkige Karel VI nog zoveel hoop was gebouwd –, zal gemakkelijk vrede kunnen sluiten met Richard van Engeland, even jong en onschuldig aan oude strijd als hij. Zij moeten persoonlijk over die vrede met elkander spreken, elkander verhalen van de wonderlijke openbaringen, die hem hadden aangekondigd, afzien van al de kleine belangen, die een beletsel zouden opleveren, als de onderhandeling aan geestelijken, rechtsgeleerden of legerhoofden werd toevertrouwd. Laat de koning van

Frankrijk maar wat grenssteden en kastelen afstaan. Terstond na de vrede zou de kruistocht worden voorbereid. Overal zal alle strijd en vete beslecht worden, het tiranniek bestuur der landen zal hervormd worden; een algemeen concilie zal de vorsten der christenheid opwekken, om ten oorlog te trekken, indien de prediking niet helpen mocht, om Tataren, Turken, Joden en Saracenen te bekeren[1]. Niet onwaarschijnlijk was er van zulke ver strekkende plannen nog sprake in het vriendschappelijk verkeer van Mézières met de jonge Lodewijk van Orleans in het klooster der Celestijnen te Parijs. Ook Orleans leefde, zij het met meer bijmenging van praktische en baatzuchtige politiek, in die dromen van vrede en kruistocht.[2]

Het is een wonderlijke kleuring van de wereld, dat beeld van de maatschappij gedragen door het ridderideaal. Het is een kleur, die niet goed houden wil. Wie men ook neemt van de bekende franse chronisten der veertiende en vijftiende eeuw: de scherpe Froissart, de droge Monstrelet en d'Escouchy, de plechtstatige Chastellain, de hoofse Olivier de la Marche, de bombastische Molinet, allen met uitzondering van Commines en Thomas Basin beginnen met hoogdravende verklaringen, dat zij schrijven ter verheerlijking van ridderdeugd en roemrijke wapenfeiten[3]. Maar niemand kan het geheel volhouden, Chastellain nog het best. Terwijl Froissart, zelf dichter van een hyperromantische aflegger der ridderepiek: *Méliador*, met zijn geest zwelgt in ideale 'prouesse' en 'grans apertises d'armes', schrijft zijn journalistenpen voortdurend van verraad en wreedheid, sluwe baatzucht en overmacht, een krijgsbedrijf, dat geheel een zaak van winstbejag is geworden. Molinet vergeet doorlopend zijn chevalereske opzet en vertelt, afgezien van zijn taal en stijl, de gebeurtenissen helder en eenvoudig, om zich af en toe de edele zwier te herinneren, die hij zich had opgelegd. Nog uiterlijker is de ridderlijke strekking bij Monstrelet.

Het is alsof de geest van deze schrijvers, – een ondiepe geest, moet men zeggen –, de ridderlijke fictie aanwendt als een correctief op de onbegrijpelijkheid, die hun tijd voor hen had. Het was de enige vorm, waarin zij de gebeurtenissen konden begrijpen. In de werkelijkheid waren zowel de oorlogen als de staatkunde van hun tijd uiterst vormloos, schijnbaar onsamenhangend. De krijg doorgaans een chronisch proces van geïsoleerde strooptochten over een groot gebied verspreid, de diplomatie een zeer omslachtig en gebrekkig instrument, voor een deel beheerst door zeer algemene traditionele ideeën en voor een deel door een onontwarbaar complex van afzonderlijke, kleine rechtskwesties. Niet in staat om in dit alles een reële maatschappelijke ontwikkeling te erkennen, nam de historie de fictie van het ridderideaal te baat, en herleidde daarmee alles tot een schoon beeld van vorsteneer en ridderdeugd, een fraai spel van edele regels, en schiep de illusie van orde. Vergelijkt men deze historische maatstaf met het inzicht van een geschiedschrijver als Thucydides, dan is het een buitengewoon laag standpunt. De geschiedenis verdort tot een relaas van schone of schijnschone wapenfeiten en solemnele staatshandelingen. Wie zijn dan ook van dit gezichtspunt beschouwd de rechte geschiedgetuigen? De herauten en wapenkoningen, meent Froissart; zij wonen immers die edele verrichtingen bij, en hebben ze officieel te beoordelen; zij zijn experts in zaken van roem en eer, en roem en eer zijn het motief der geschiedschrijving[1]. De statuten van het Gulden Vlies geboden het optekenen van ridderlijke wapenfeiten; Lefèvre de Saint Remy, genaamd Toison d'or, of de heraut Berry kunnen als voorbeelden van de wapenkoning-geschiedschrijver genoemd worden.

Als ideaal van schoon leven is de ridderlijke gedachte van zeer bijzondere gedaante. Het is een in zijn wezen esthetisch ideaal, opgebouwd uit bonte fantasie en verheffende aandoening. Maar het wil zijn een ethisch ideaal: het middeleeuwse denken kon aan een levensideaal slechts een edele plaats geven, door het in betrekking te stellen tot vroomheid en deugd. In die ethische functie schiet het ridderwezen steeds te kort; het wordt omlaaggetrokken door zijn zondige oorsprong. Want de kern van het ideaal blijft de tot schoonheid verheven hoogmoed. Dit heeft Chastellain volkomen begrepen, wanneer hij zegt: 'La gloire des princes pend en orguel et en haut péril emprendre; toutes principales puissances conviengnent en un point estroit qui se dit orgueil'[2]. Uit de hoogmoed gestileerd en verheven, is de eer geboren, die de pool is van het adellijk leven. Terwijl in de middelmatige of ondergeschikte maatschappelijke verhoudingen – zegt Taine[3] – de voornaamste drijfveer het belang is, is de grote beweger bij de aristocratie de hoogmoed: 'or, parmi les sentiments profonds de l'homme, il n'en est pas qui soit plus propre à se transformer en probité, patriotisme et conscience, car l'homme fier a besoin de son propre respect, et, pour l'obtenir, il est tenté de le mériter'. Taine heeft zonder twijfel de neiging, om de aristocratie te fraai te zien. De werkelijke geschiedenis der aristocratieën geeft overal een beeld, waarin de hoogmoed gedoubleerd is met onbeschaamd eigenbelang. Desondanks blijft – als omschrijving van het aristocratisch levensideaal – Taine's woord treffend. Het is verwant aan Burckhardt's bepaling van het Renaissance-eergevoel. 'Es ist die rätselhafte Mischung aus Gewissen und Selbstsucht, welche dem modernen Menschen noch übrig bleibt, auch wenn er durch oder ohne seine Schuld alles übrige, Glauben, Liebe und Hoffnung eingebüsst hat. Dieses Ehrgefühl verträgt sich mit vielem Egoismus und grossen Lastern und ist ungeheurer Täuschungen fähig; aber auch alles Edle, das in einer Persönlichkeit übrig geblieben, kann sich daran anschliessen und aus diesem Quell neue Kräfte schöpfen.'[1]

De persoonlijke eerzucht en roemzucht, die dan eens uitingen van een hoog eergevoel, dan weer veel meer uit onveredelde hoogmoed gesproten schijnen, zijn door Burckhardt in beeld gebracht als de kenmerkende eigenschappen van de Renaissance-mens[2]. Hij stelt tegenover de standseer en standenroem, zoals zij de echt-middeleeuwse samenleving buiten Italië nog bezielen, een gevoel van algemeen-menselijke eer en roem, waarnaar, onder sterke invloed van antieke voorstellingen, de Italiaanse geest sedert Dante streeft. Het schijnt mij toe, dat dit een der punten is, waarop Burckhardt de afstand tussen Middeleeuwen en Renaissance, tussen West-Europa en Italië te groot gezien heeft. Die roemliefde en eerzucht der Renaissance is in haar kern de ridderlijke eerzucht van vroeger tijd en Franse herkomst, de standseer uitgebreid tot wijder gelding, ontdaan van het feodale sentiment en bevrucht met antieke gedachte. Het hartstochtelijk verlangen, om door het nageslacht geprezen te worden, is de hoofse ridder der twaalfde eeuw, de onverfijnde Franse of Duitse soudenier der veertiende eeuw even weinig vreemd als de schone geest van het quattrocento. Froissart laat de afspraak voor het Combat des trente (27 maart 1351) tussen messires Robert de Beaumanoir en de Engelse kapitein Robert Bamborough door de laatste besluiten met de woorden: 'en zo zullen wij maken, dat men ervan spreken zal in komende tijden in zaal en paleis, op pleinen en andere plaatsen over de wereld'*. Chastellain, in zijn waardering van het ridderideaal toch volkomen middeleeuws, drukt niettemin reeds volkomen de geest der Renaissance uit, als hij zegt:

> *Honneur semont toute noble nature*
> *D'aimer tout ce qui noble est et son estre.*
> *Noblesse aussi y adjoint sa droiture[3].*

Elders zegt hij, dat bij joden en heidenen de eer dierbaarder was en nauwer werd gehouden, omdat zij enkel werd betracht om haars zelfs wil en in verwachting van aardse lof, terwijl de christenen de eer ontvangen hebben door het geloof en het licht, in verwachting aan hemels loon[4].

Reeds bij Froissart wordt de dapperheid aanbevolen zonder enige godsdienstige of zedelijke motivering, louter om roem en eer, en – enfant terrible als hij is – om carrière[5].

Het streven naar ridderlijke roem en eer is onafscheidelijk verbonden aan een heldenverering, waarin middeleeuwse en renaissance-elementen ineenvloeien. Het ridderlijke leven is een navolging. Of het de helden van de Arturkring zijn

---

*Froissart, ed. Luce, IV p. 112, waar Bamborough, ook wel Bembro, Brembo genoemd, tot Brandebourch verhaspeld is.

of de antieke helden, maakt weinig verschil. Alexander was immers reeds in de bloeitijd van de ridderroman volkomen in de ideeënsfeer van het ridderwezen opgenomen. De antieke fantasiesfeer was nog niet gescheiden van die der tafelronde. Koning René ziet in een gedicht in bonte mengeling de graftekens van Lancelot, Caesar, David, Hercules, Paris, Troïlus dooreen, alle versierd met hun blazoenen[1]. Het ridderwezen zelf gold voor Romeins. 'Et bien entretenoit – heet het van Hendrik V van Engeland – la discipline de chevalerie, comme jadis faisoient les Rommains.'[2] Het toenemende klassicisme brengt enige zuivering in het historische beeld der Oudheid. De Portugese edelman Vasco de Lucena, die voor Karel de Stoute Quintus Curtius vertaalt, verklaart, gelijk Maerlant het reeds anderhalve eeuw eerder had gedaan, hem daarin te bieden een authentieke Alexander, ontdaan van de leugens, waarmee al de gangbare historiën diens geschiedenis ontsierden[3]. Doch des te sterker geldt zijn bedoeling, de vorst daarmee een voorbeeld ter navolging te bieden, en bij weinig vorsten was de zucht, om door grote en schitterende daden de Ouden te evenaren, zo bewust als bij Karel de Stoute. Van jongsaf had hij zich de heldendaden van Walewijn en Lancelot laten voorlezen; later wonnen het de Ouden. Voor het slapen gaan werd er geregeld een paar uur gelezen in 'les haultes histoires de Romme'[4]. Zijn voorliefde gold met name Caesar, Hannibal en Alexander, 'lesquelz il vouloit ensuyre et contrefaire'[5]. Alle tijdgenoten hebben aan die opzettelijke navolging als drijfveer van zijn daden groot gewicht gehecht. 'Il désiroit grand gloire, – zegt Commines – qui estoit ce qui plus le mettoit en ses guerres que nulle autre chose; et eust bien voulu ressembler à ces anciens princes dont il a esté tant parlé après leur mort.'[6] Chastellain zag hem die hoge zin voor grote daden en voor het schone antieke gebaar de eerste maal in praktijk brengen. Het was bij zijn eerste komst als hertog binnen Mechelen in 1467. Hij had er een oproer te straffen; de zaak werd in alle vormen onderzocht en berecht, een der leiders ter dood veroordeeld, anderen voor eeuwig verbannen. Het schavot wordt op de markt opgericht, de hertog zit er tegenover; de schuldige ligt reeds geknield, de beul ontbloot het zwaard; toen roept Karel, die tot dusver zijn bedoeling verborgen had: 'Houd op! Doe hem de blinddoek af en laat hem opstaan'.

'Et me parçus de lors – zegt Chastellain – que le cœur luy estoit en haut singulier propos pour le temps à venir, et pour acquérir gloire et renommée en singulière œuvre.'[7]

Het voorbeeld van Karel de Stoute is geschikt, om te doen zien, hoe de geest der Renaissance, de zucht naar het schone leven naar het beeld der oudheid, direkt wortelt in het ridderideaal. Het is, als men hem met de Italiaanse virtuoso vergelijkt, slechts een verschil van belezenheid en van smaak. Karel las zijn klassieken nog in vertaling, en zijn levensvorm is nog flamboyant-gothiek.

Dezelfde onscheidbaarheid van het ridderlijke en het renaissance-element vertoont de cultus der negen dapperen, 'les neuf preux'. Die groep van negen helden: drie heidenen, drie joden, drie christenen, komt op in de sfeer van het ridder-ideaal; zij wordt het eerst aangetroffen in de *Vœux du paon* van Jacques de Longuyon omstreeks 1312[1]. De keus der helden verraadt de nauwe samenhang met de roman: Hector, Caesar, Alexander – Jozua, David, Judas Maccabaeus – Artur, Karel de Grote en Godfried van Bouillon. Van zijn leermeester Guillaume de Machaut neemt Eustache Deschamps de gedachte over; hij wijdt er tal van gedichten aan[2]. Waarschijnlijk is hij het geweest, die aan de behoefte aan symmetrie, welke de laat-middeleeuwse geest zo sterk eigen is, voldeed, door aan de negen preux negen preuses toe te voegen. Hij zocht er enige, ten dele vrij zonderlinge, klassieke figuren voor bijeen uit Justinus en andere literatuur: o.a. Penthesilea, Tomyris, Semiramis, en verhaspelde de meeste namen geducht. Dit belette het denkbeeld niet, opgang te maken, en zo vindt men preux en preuses bij de lateren, zoals in *Le Jouvencel*, terug. Zij staan afgebeeld op tapijten, men verzint hun blazoenen; bij de intocht van Hendrik VI van Engeland te Parijs in 1431 gaan alle achttien hem voorop*.

Hoe levend de voorstelling gedurende de vijftiende eeuw en nog daarna gebleven is, bewijst het feit, dat men haar parodieerde: Molinet beproeft zijn luim aan een negental 'preux de gourmandise'[3]. Nog Frans I kleedde zich af en toe 'à l'antique' om een der preux voor te stellen[4].

Deschamps heeft evenwel nog op een andere wijze dan door de aanvulling met vrouwelijke pendanten de voorstelling uitgebreid. Hij verbond die verering voor oude heldendeugd aan het heden, plaatste haar in de sfeer van het opkomende Franse militaire patriotisme, door aan de negen een tijd- en landgenoot als tiende preux toe te voegen: Bertrand du Guesclin[5]. Ook dat denkbeeld had succes: Lodewijk van Orleans liet in de grote zaal van Coucy het beeld van de dappere connétable als tiende der preux opnemen[6]. Het was met reden, dat Orleans de gedachtenis van Du Guesclin een bijzondere zorg wijdde; hij zelf was door de connétable ten doop gehouden, en deze had hem daarbij een zwaard in

---

* Journal d'un bourgeois, p. 274. Een gedicht van 9 strofen over de 9 dapperen in verschillende handschriften van Haarlemse keuren uit de XVe eeuw; zie mijn Rechtsbronnen van Haarlem, p. xlvi vg. Cervantes noemt hen als 'todos los nueve de la fama' Don Quijote, I c. 5. In Engeland blijven zij als 'the nine worthies' bekend tot in de XVIIe eeuw, vgl. John Coke, The debate between the Heraldes, ed. L. Pannier et P. Meyer, Le débat des hérauts d'armes, p. 108 § 171, R. Burton, The Anatomy of Melancholy, III p. 173 (ed. Londen 1886). Thomas Heywood schreef 'The exemplary lives and memorable acts of Nine the most worthy Women of the World', koningin Elizabeth sluit de rij.

de hand gegeven. Als tiende in de rij der vrouwen verwacht men Jeanne d'Arc. Inderdaad heeft men haar in de vijftiende eeuw die rang toegedacht. Louis de Laval, stiefkleinzoon van Du Guesclin, en broeder van Jeanne d'Arc's strijdmakkers, gaf zijn kapelaan Sébastien Mamerot opdracht, een geschiedenis der negen helden en negen heldinnen te schrijven, met Du Guesclin en Jeanne d'Arc als tienden. Doch in het in handschrift bewaarde werk van Mamerot ontbreken beide namen[1], en men vindt geen teken, dat het denkbeeld, wat Jeanne d'Arc betreft, opgang heeft gemaakt. De nationaal-militaire heldenverering, die in Frankrijk in de vijftiende eeuw opkomt, hecht zich in de eerste plaats aan de figuur van de dappere en berekenende Bretonse krijgsman. Allerlei veldoversten, die naast of tegen Jeanne hadden gestreden, nemen in de verbeelding der tijdgenoten veel groter en eervoller plaats in dan het boerenmeisje uit Domrémy. Velen spreken van haar nog zonder aandoening of verering, meer als een curiositeit. Chastellain, die zijn Bourgondische gevoelens, als het pas gaf, merkwaardig opzij wist te zetten voor een pathetisch Frans loyalisme, dicht een 'mystère' op de dood van Karel VII, waarin al de aanvoerders, die in 's konings dienst de Engelsen bestreden hebben, als een eregalerij van dapperen, een strofe zeggen, die hun daden vermeldt: Dunois, Jean de Bueil, Xaintrailles, La Hire zijn er bij, en tal van minder bekenden[2]. Het doet even aan als een reeks van Napoleontische generaals. Maar la Pucelle ontbreekt.

De Bourgondische vorsten bewaarden in hun schatkamer een aantal heldenrelieken van romantische aard: een zwaard van Sint Joris, met diens wapen versierd, een zwaard, dat behoord had aan 'messire Bertran de Claiquin' (Du Guesclin), een tand van het everzwijn van Garin le Loherain, het souter*, waaruit de heilige Lodewijk leerde in zijn kindsheid[3]. Hoe lopen de fantasiesferen van het ridderlijke en het religieuze hier ineen! Nog een schrede, en men is bij het armbeen van Livius, dat, plechtig als gold het een reliek, in ontvangst genomen werd door Paus Leo X[4].

De laat-middeleeuwse heldenverering heeft haar litteraire vorm in de biografie van de volmaakte ridder. Soms zijn het reeds legendaire figuren geworden, zoals Gilles de Trazegnies. De belangrijkste evenwel zijn die van tijdgenoten, zoals Boucicaut, Jean de Bueil, Jacques de Lalaing.

Jean le Meingre, gewoonlijk genoemd le maréchal Boucicaut, had zijn land ge-

---

* Het souter is tijdens de Spaanse successieoorlog verworven door Joan van den Berg, commissaris der Staten in België, en berust thans in de Leidse Universiteitsbibliotheek. Zwaarden van Tristan, van Ogier le Danois en van Wieland de Smid komen voor in Frankrijk, Engeland en Italië; zie H. Jenkinson, The jewels lost in the Wash, History, VIII, 1923, p. 161; J. Loth, L'épée de Tristan, Comptes rendus de l'Acad. des inscr. et Belles lettres 1923, p. 117; G. Rotondi, Archivio storico Lombardo XLIX, 1922.

diend in grote rampen. Hij was met Jan van Nevers in 1396 bij Nicopolis geweest, waar het Franse ridderleger, roekeloos uitgetrokken om de Turk weer
uit Europa te drijven, door Sultan Bajazid vernietigd werd. Hij werd opnieuw
gevangen gemaakt bij Azincourt in 1415, en is zes jaren later in gevangenschap
gestorven. Een bewonderaar heeft nog bij zijn leven in 1409 zijn daden te boek
gesteld, op grond van zeer goede inlichting en documenten[1], doch niet als een
stuk geschiedenis, maar als het beeld van de ideale ridder. De realiteit van dit
veelbewogen leven verdwijnt achter de schone schijn van het ridderbeeld. De
vreselijke katastrofe van Nicopolis heeft in *Le Livre des faicts* maar een flauwe
kleur. Boucicaut wordt geschilderd als het type van de sobere, vrome en tegelijk
hoofse en geletterde ridder. De afkeer van rijkdommen, die de ware ridder eigen
moest zijn, spreekt uit het woord van Boucicaut's vader, die zijn erfgoed had
willen vergroten noch verkleinen, zeggende: als mijn kinderen rechtschapen en
dapper zijn, zullen zij genoeg hebben; en als zij niets waard zijn, zou het jammer
wezen, dat hun zoveel bleef nagelaten[2]. Boucicaut's vroomheid is van een puri-
teins karakter. Hij staat vroeg op, en blijft wel drie uur in gebeden. Hoe gehaast
of bezig ook, hoort hij iedere dag geknield twee missen. Vrijdags kleedt hij zich
in het zwart, op zon- en feestdagen doet hij te voet een bedevaart of laat zich
voorlezen uit het leven der heiligen, of uit de geschiedenissen 'des vaillans tres-
passez, soit Romains ou autres', of hij spreekt met anderen van devote dingen.
Hij is matig en sober, spreekt weinig en meest over God, de heiligen, de deugd
of de ridderlijkheid. Ook al zijn dienaren heeft hij gewend aan devotie en beta-
melijkheid, en hun het vloeken afgeleerd[3]. Hij is een ijverig voorstander van de
edele, kuise vrouwendienst; hij eert allen om ene, en sticht de orde 'de l'écu verd
à la dame blanche', ter verdediging der vrouwen, wat hem de lof bezorgde van
Christine de Pisan[4]. Te Genua, waar hij in 1401 het bestuur kwam voeren voor
Karel VI, beantwoordde hij eens hoffelijk de buigingen van twee dames, die hij
ontmoette. 'Monseigneur,' zei zijn schildknaap, 'qui sont ces deux femmes à qui
vous avez si grans reverences faictes?' – 'Huguenin, dit-il, je ne scay.' Lors luy
dist: 'Monseigneur, elles sont filles communes.' – 'Filles communes, dist-il,
Huguenin, j'ayme trop mieulx faire reverence à dix filles communes que avoir
failly à une femme de bien.'[5] – Zijn devies luidt: 'Ce que vous vouldrez', opzettelijk geheimzinnig, zoals een devies behoorde te zijn. Bedoelt hij de overgave van
zijn wil aan de dame, wie zijn trouw was gewijd, of moet men er een algemene
gelatenheid tegenover het leven in horen, zoals men haar eerst in veel latere tijd
zou verwachten?

Met zulke kleuren van vroomheid en ingetogenheid, soberheid en trouw
schilderde men het schone beeld van de ideale ridder. Dat de werkelijke Bouci-

caut er niet in alle opzichten aan heeft beantwoord, wie zou het anders verwachten? De gewelddadigheid en de geldzucht, in zijn stand zo gewoon, zijn ook deze edele figuur niet vreemd geweest[1].

De modelridder wordt evenwel ook in een geheel andere nuance gezien. De biografische roman over Jean de Bueil, *Le Jouvencel* genaamd, werd ongeveer een halve eeuw later geschreven dan het leven van Boucicaut, en voor een deel verklaart dit het verschil van opvatting. Jean de Bueil was een kapitein, die onder het vaandel van Jeanne d'Arc gestreden had, en later gemengd was in de opstand der Praguerie en de oorlog 'du bien public'. Hij stierf in 1477. In ongenade bij de koning, heeft hij omstreeks 1465 aan drie van zijn dienaren een verhaal van zijn leven ingegeven, getiteld *Le Jouvencel*[2]. In tegenstelling met het leven van Boucicaut, waarin de historische vorm een romantische geest bergt, draagt *Le Jouvencel* bij een gefingeerde vorm een sterk reëel karakter, althans in het eerste gedeelte. Het staat misschien in verband met het veelvoudig auteurschap, dat het werk verderop verloopt in een bloemzoete romantiek. Men vindt er de gruwelijke tocht van de Franse krijgsbenden op Zwitsers gebied in 1444, en de slag bij Sankt Jacob an der Birs, waar de boeren van het Bazelse land hun Thermopylae vonden, vermomd in de ijdele opschik van een afgezaagd bedenksel van herderlijke min.

In sterk contrast daarmee geeft het eerdere gedeelte van *Le Jouvencel* van de werkelijkheid van de toenmalige krijg een beeld zo sober en echt, als nauwelijks elders te vinden is. Ook deze auteurs spreken overigens niet van Jeanne d'Arc, met wie hun meester toch in wapenbroederschap had gestaan; het zijn zijn eigen heldendaden, die ze verheerlijken. Doch hoe goed moet deze hun zijn krijgsbedrijf verteld hebben. Hier kondigt zich de geest van het militaire Frankrijk aan, dat later de figuren van de mousquetaire, de grognard en de poilu zal opleveren. De ridderlijke opzet verraadt alleen de aanhef, die de jonge lieden aanspoort, uit dit geschrift het leven in de wapenen te leren, dat hen waarschuwt tegen hoogmoed, nijd en hebzucht. Zowel het vrome als het amoureuze element van Boucicaut ontbreken in het eerste gedeelte van *Le Jouvencel*. Wat ons hier tegenkomt, is de armzaligheid van de oorlog, zijn ontberingen en vervelingen en de frisse moed om gebrek te lijden en gevaren te bestaan. Een slotvoogd verzamelt zijn garnizoen en telt maar vijftien paarden, magere beestjes; de meeste zijn onbeslagen. Hij zet op elk paard twee mannen, maar ook van de mannen zijn de meesten eenogig of kreupel. Om de kleren van de kapitein te kunnen verstellen, gaat men de was van de vijand buitmaken. Een geroofde koe wordt de vijandelijke kapitein op zijn verzoek hoffelijk teruggegeven. In de beschrijving van een nachtelijke tocht over de velden ademt de nachtlucht en de stilte u tegen[3]. In *Le*

Jouvencel ziet men het riddertype overgaan in dat van de nationale militair: de held van het boek laat de arme gevangenen vrij, mits zij goed-frans worden. Tot hoge waardigheden gekomen, verlangt hij terug naar dat leven van avontuur en vrijheid.

Zulk een realistisch riddertype (overigens, gelijk gezegd, in het werk zelf niet ten einde toe volgehouden) kon de Bourgondische litteratuur, veel ouderwetser, veel solemneler en meer in de feodale vormen bekneld dan de zuiver Franse, nog niet voortbrengen. Jacques de Lalaing is naast Le Jouvencel een antieke curiositeit, naar het cliché van oudere dolende ridders als Gillon de Trazegnies beschreven. Het boek van de daden van deze vereerde held der Bourgondiërs spreekt meer van romantische tournooien dan van de echte krijg[1].

De psychologie van de oorlogsmoed is wellicht vroeger noch later zo eenvoudig en treffend uitgedrukt als in de volgende woorden van *Le Jouvencel*:[2] 'C'est joyeuse chose que la guerre... On s'entr'ayme tant à la guerre. Quant on voit sa querelle bonne et son sang bien combatre, la larme en vient à l'ueil. Il vient une doulceur au cueur de loyaulté et de pitié de veoir son amy, qui si vaillamment expose son corps pour faire et acomplir le commandement de nostre createur. Et puis on se dispose d'aller mourir ou vivre avec luy, et pour amour ne l'abandonner point. En cela vient une délectation telle que, qui ne l'a essaiié, il n'est homme qui sceust dire quel bien c'est. Pensez-vous que homme qui face cela craingne la mort? Nennil; car il est tant reconforté, il est si ravi, qu'il ne scet où il est. Vraiement il n'a paour de rien.'

Dit kon evengoed gezegd zijn door de moderne soldaat als door een ridder der vijftiende eeuw. Het heeft met het ridderlijk ideaal als zodanig niets te maken. Het vertoont de gevoelsgrond van de zuivere strijdmoed zelf: de huiverende uittreding uit het enge egoïsme in de aandoening van het levensgebaar, de diepe vertedering over de dapperheid van de makker, de wellust van de trouw en de zelfopoffering. Deze primitieve ascetische aandoening is de basis, waarop het ridderideaal is opgebouwd tot een edele verbeelding van mannelijke volmaaktheid, nauw verwant aan de Griekse kalokagathia, een hevige aspiratie naar schoon leven, de energische bezieling van een reeks van eeuwen... en ook het masker, waarachter een wereld van baatzucht en geweld zich hullen kon.

5

DE DROOM VAN HELDENDAAD EN LIEFDE

Overal waar het ridderideaal het zuiverst beleden wordt, valt de nadruk op het ascetische element ervan. In zijn eerste opbloei paarde het zich ongedwongen, noodwendig zelfs, aan het monniksideaal: in de geestelijke ridderorden uit de kruistochtentijd. Naarmate de werkelijkheid steeds opnieuw het ideaal logenstrafte, week het meer en meer naar de sferen der verbeelding, om daar de trekken van edele ascese te bewaren, die te midden der maatschappelijke realiteiten zelden zichtbaar waren. De dolende ridder is evenals de Tempelier vrij van aardse banden en arm. Dat ideaal van de edele strijder zonder bezittingen, zegt William James, beheerst nog 'sentimentally if not practically, the military and aristocratic view of life. We glorify the soldier as the man absolutely unencumbered. Owning nothing but his bare life, and willing to toss that up at any moment when the case commands him, he is the representative of unhampered freedom in ideal directions'[1].

De verbindingen van het ridderideaal met hoge elementen van het godsdienstig bewustzijn: medelijden, rechtvaardigheid, trouw, zijn dus geenszins kunstmatig of oppervlakkig. Toch zijn het niet deze, die de ridderschap tot de schone levensvorm bij uitnemendheid maken. En ook haar onmiddellijke wortels in de mannelijke strijdmoed hadden haar daartoe niet kunnen verheffen, als niet vrouwenliefde de brandende gloed was geweest, die aan dat complex van gevoel en idee de levenswarmte gaf.

De diepe trek van ascese, van moedige zelfopoffering, die het ridderideaal eigen is, hangt met de erotische grond van die levenshouding ten nauwste samen, is misschien slechts de ethische verwerking van onbevredigd verlangen. Het is volstrekt niet alleen in litteratuur en beeldende kunst, dat het liefdeverlangen zijn vormgeving, zijn stilering vindt. De behoefte om aan de liefde edele stijl en vorm te geven vindt evengoed een ruim veld om zich te ontplooien in de levensvormen zelf: in hoofse omgang, gezelschapsspel, scherts en sport. Ook daar wordt de liefde voortdurend gesublimeerd en geromantiseerd; het leven volgt daarin de litteratuur na, maar deze leert tenslotte toch alles van het leven. Het ridderlijke aspect der liefde is in de grond niet in de litteratuur maar in het leven opgekomen. In de werkelijke levensverhoudingen was het motief van de ridder en de geliefde gegeven.

De ridder en de geliefde, de held om liefde, – het is het meest primaire, onveranderlijke romantische motief, dat overal opnieuw weer ontspringt en ontspringen zal. Het is de meest onmiddellijke omzetting van de zinnelijke drift in een ethische of kwasi-ethische zelfverloochening. Zij ontspringt direkt uit de behoefte, om ten aanschouwe van de vrouw zijn moed te tonen, gevaar te lopen en sterk te zijn, te lijden en te bloeden, de aspiratie die iedere jongen van zestien jaar kent. De uiting en de vervulling van het verlangen, die onbereikbaar schijnen, worden vervangen en opgeheven door de heldendaad uit liefde. Daarmee is terstond de dood als alternatief der vervulling gesteld, de bevrediging om zo te zeggen naar beide zijden verzekerd.

Maar de droom van de heldendaad uit liefde, die nu het smachtend hart vult en bedwelmt, groeit en woekert als een welige plant. Het eerste eenvoudige thema heeft spoedig uitgewerkt; de geest vraagt nieuwe verbeeldingen op hetzelfde thema. En de passie zelf dringt sterker kleuren op aan de droom van lijden en verzaking. De heldendaad moet bestaan in de bevrijding of redding van de vrouw zelf uit het dreigendste gevaar. Daarmee is een feller prikkel aan het oorspronkelijke motief toegevoegd. Eerst is het het subject zelf, dat lijden wil voor de vrouw; maar spoedig paart zich daaraan de wens, om de begeerde zelf uit lijden te redden. Of in de grond die redding altijd is te herleiden tot de redding der maagdelijkheid, het weren van de andere dus, de bewaring van de vrouw voor zich? In ieder geval is daarmee het ridderlijk-erotische motief bij uitnemendheid gegeven: de jonge held, die de maagd bevrijdt. De belager moge bij wijlen een argeloze draak zijn, het sexuele moment ligt toch steeds onmiddellijk eronder. Hoe naïef-oprecht spreekt het bijvoorbeeld in de bekende schilderij van Burne Jones, waar de moderne damesfiguur van het meisje juist door de kuisheid der voorstelling de sensuele inspiratie zo onmiddellijk verraadt.

De bevrijding van de maagd is het meest oorspronkelijke en altijd jonge romantische motief. Hoe is het mogelijk, dat een thans verouderde mythenverklaring er de weergave van een natuurphenomeen in heeft gezien, terwijl de onmiddellijkheid van de gedachte dagelijks door ieder kan worden beproefd! In de litteratuur moge het bij wijlen wegens overmatige herhaling een tijdlang worden vermeden, telkens komt het motief weer in nieuwe vormen op, bij voorbeeld in de bioscoop-cowboy-romantiek. En in het persoonlijke liefdedenken buiten de litteratuur blijft het ongetwijfeld altijd even sterk.

Het is moeilijk te bepalen, in hoeverre in de voorstelling van de held-minnaar het mannelijk en in hoeverre het vrouwelijk aspect der liefde zich openbaart. Is de lijder om liefde het beeld, dat de man zelf van zich wil zien, of is het de wil der vrouw, dat hij zich zo vertone? Waarschijnlijk veel meer het eerste. In het algemeen komt in de verbeelding der liefde tot cultuurvorm bijna uitsluitend de mannelijke opvatting tot uitdrukking, althans tot in zeer jonge tijd. Het gezicht der vrouw op de liefde blijft altijd omsluierd en verborgen; het is teerder en dieper geheim. En het behoeft niet de romantische sublimering tot het heldhaftige, want door zijn karakter van overgave en zijn onverbrekelijke samenhang met het moederschap verheft het zich vanzelf reeds zonder fantasie van dapperheid en opoffering boven het zelfzuchtig-erotische. Niet alleen omdat de mannen de litteratuur gemaakt hebben ontbreekt de vrouwelijke liefdesuitdrukking grotendeels, maar ook omdat voor de vrouw in de liefde het litteraire veel minder onmisbaar is.

De figuur van de edele redder, die om der wille van de geliefde lijdt, is in de eerste plaats de voorstelling van de man, zoals hij zichzelf zien wil. De spanning van zijn bevrijdersdroom wordt verhoogd, doordat hij onbekend optreedt, en eerst na de heldendaad wordt herkend. In deze onbekendheid van de held ligt voorzeker ook een van de vrouwelijke liefdeverbeelding uitgegaan romantisch motief. In de gehele apotheose van mannelijke kracht en moed in de vorm van de strijder te paard vloeien de vrouwelijke behoefte aan krachtverering en de mannelijke physieke hoogmoed samen.

De middeleeuwse samenleving heeft met een jongensachtige onverzadelijkheid deze primitief-romantische motieven gecultiveerd. Terwijl de hogere litteratuurvormen zich hebben verfijnd tot ijler en soberder of geestiger en nog prikkelender uitdrukking van het verlangen, blijft de ridderroman zich altijd weer verjongen, en behoudt met zijn eindeloos herhaalde uitwerking van het romantische geval een bekoring, die ons schier onbegrijpelijk is. Wij zijn geneigd, de veertiende eeuw reeds ontgroeid te wanen aan die kinderlijke fantasieën, en Froissart's *Méliador* of de *Perceforest*, nabloeiers der ridderlijke avontuurverhalen, anachronismen te noemen. Zij zijn het evenmin als de sensatieroman het heden ten dage is; alleen dit alles is geen zuivere litteratuur, maar om to ze zeggen toegepaste kunst. Het is de behoefte aan modellen voor de erotische verbeelding, die steeds weer die litteratuur levend houdt en vernieuwt. Midden in de Renaissance herleven ze immers in de Amadis-romans. Wanneer nog na het midden van de zestiende eeuw De la Noue ons kan verzekeren, dat de Amadis-romans een 'esprit de vertige' teweegbrachten onder het geslacht, dat toch de staling van Renaissance en Humanisme had ondergaan, hoe groot moet dan de romantische ontvankelijkheid zijn geweest in het bij uitstek ongeëquilibreerde geslacht van 1400!

De zinsverrukking van de liefdesromantiek was niet in de eerste plaats om lezende ondergaan te worden, maar om gespeeld en aanschouwd te worden. Er zijn twee vormen, waarin dat spel kan gebeuren: de dramatische vertoning en de sport. In de Middeleeuwen is de laatste verreweg het voornaamste. Het drama was nog grotendeels gevuld met andere, heilige stof; bij uitzondering behandelt het nog het romantische geval. De middeleeuwse sport daarentegen, en dat is in de eerste plaats het tournooi, was zelf in hoge mate dramatisch en tegelijk van een sterk erotisch gehalte. De sport behoudt te allen tijde zulk een dramatisch en een erotisch element: in een hedendaagse roei- of voetbalwedstrijd zit veel meer van de gevoelswaarden van een middeleeuws tournooi, dan den athleten en toeschouwers zelf misschien bewust is. Maar terwijl de moderne sport teruggekeerd is tot natuurlijke, bijna Griekse eenvoud, is het middeleeuwse, althans het laat-middeleeuwse tournooi, een met versiering overladen, zwaar gedrapeerde sport, waarin het dramatisch en romantisch element zó opzettelijk is uitgewerkt, dat het de functie van het drama zelf regelrecht vervult.

De latere Middeleeuwen zijn een van die eindperioden, waarin het cultuurleven der hogere kringen bijna geheel tot gezelschapsspel is geworden. De werkelijkheid is hevig, hard en wreed; men herleidt haar tot de schone droom van ridderideaal en bouwt daarop het levensspel. Men speelt met het masker van Lancelot voor; het is een reusachtig zelfbedrog, maar de schrijnende onwaarheid ervan kan gedragen worden, doordat een vleug van spot de eigen leugen verzaakt. In de gehele ridderlijke cultuur der vijftiende eeuw is een labiel evenwicht tussen sentimentele ernst en luchtige spot. Al de ridderlijke begrippen van eer en trouw en edele min worden volkomen ernstig behandeld, doch af en toe ontspant de strakke plooi zich even in een lach. Het moest Italië zijn, waar de stemming het eerst omslaat tot bewuste parodie: in Pulci's *Morgante* en Boiardo's *Orlando innamorato*. En zelfs dan en daar wint het ridderlijk-romantisch sentiment het opnieuw, want bij Ariosto heeft de onverholen bespotting plaats gemaakt voor die wonderlijke verhevenheid boven scherts of ernst, waarin de ridderlijke verbeelding haar klassieke uitdrukking vond.

Hoe zou dan aan de ernst van het ridderideaal in de Franse samenleving van omstreeks 1400 getwijfeld kunnen worden? In de edele Boucicaut, litterair type van de modelridder, is de romantische grond van het ridderlijke levensideaal nog zo sterk als bij wie ook. De liefde, zegt hij, is het, die het sterkst in de jonge harten de begeerte naar het edele, ridderlijke strijdbejag doet groeien. Hij zelf dient zijn dame in de oude hoofse vormen: 'toutes servoit, toutes honoroit pour l'amour d'une. Son parler estoit gracieux, courtois et craintif devant sa dame'[1].

Er is voor ons een bijna onbegrijpelijk contrast tussen de litteraire levenshouding van een man als Boucicaut en de bittere werkelijkheid van zijn loopbaan. Hij was als handelende en leidende figuur voortdurend werkzaam in de hardste staatkunde van zijn tijd. In 1388 doet hij een eerste politieke reis naar het Oosten. Op die tocht kort hij zich de tijd, door met twee of drie wapenbroeders: Philippe d'Artois, diens seneschalk en een zekere Cresecque, een dichterlijke verdediging te geven van de edele, trouwe minne, zoals zij de volmaakte ridder betaamt: *Le livre des Cent ballades*[2]. Goed, waarom niet? Maar zeven jaren later, wanneer hij als mentor van de jonge graaf van Nevers (later Jan zonder Vrees) het roekeloze ridderavontuur heeft meegemaakt van de krijgstocht tegen sultan Bajazid: wanneer hij de ontzettende ramp van Nicopolis heeft beleefd, waar al zijn drie vroegere dichtgezellen het leven verloren, wanneer hij de krijgsgevangen adellijke jeugd van Frankrijk voor zijn ogen heeft zien slachten, zou men dan een ernstig krijgsman niet bekoeld wanen voor dat hoofse spel en die ridderlijke waan? Het moest hem leren, dunkt ons, de wereld niet langer door dat gekleurde glaasje te zien. Doch neen, ook verder blijft zijn zin aan het cultiveren van de ouderwetse ridderlijkheid gewijd, getuige zijn stichting van de orde 'de l'escu verd à la dame blanche', ter verdediging van verdrukte vrouwen, waarmee hij partij koos in het fraaie tijdverdrijf van de litteraire strijd tussen het strenge en het frivole liefdesideaal, die sedert 1400 de Franse hofkringen opwond.

De ganse aankleding van de edele liefde in litteratuur en gezelschapsleven schijnt ons dikwijls ondragelijk fade en louter belachelijk. Het is het lot van elke romantische vorm, die als instrument der passie versleten is. In het werk der velen, de gekunstelde versjes, de kostbaar gearrangeerde tournooien, heeft de passie uitgeklonken; zij klinkt enkel nog door de stem van de zeer enkelen, de echte dichters. Maar welke betekenis al dat werk, als litteratuur of kunst minderwaardig, gehad heeft als levenstooi, als gevoelsuitdrukking, kan men enkel beseffen door de levende passie zelf er weer in te blazen. Wat helpt bij het lezen der minnedichten en tournooibeschrijvingen alle kennis en levendige voorstelling der historische détails, zonder het zien van de ogen, licht en duister, onder de meeuwenvlucht der wenkbrauwen en de smalle voorhoofden, die al eeuwen tot stof zijn geworden, en die eenmaal belangrijker zijn geweest dan al de litteratuur, die als puin blijft opgehoopt?

Thans kan enkel een toevallig glimplicht ons even de gepassioneerde betekenis van die cultuurvormen weer duidelijk doen zien. In het gedicht *Le vœu du héron* spreekt Jan van Beaumont, tot het afleggen van zijn ridderlijke strijdgelofte aangespoord:

73

Quant sommes ès tavernes, de ces fors vins buvant,
Et ces dames delès qui nous vont regardant,
A ces gorgues polies, ces coliés tirant,
Chil œil vair resplendissent de biauté souriant,
Nature nous semont d'avoir cœur désirant,
…Adonc conquerons-nous Yaumont et Agoulant*
Et li autre conquierrent Olivier et Rollant.
Mais, quant sommes as camps sus nos destriers courans,
Nos escus à no col et nos lansses bais(s)ans,
Et le froidure grande nous va tout engelant,
Li membres nous effondrent, et derrière et devant,
Et nos ennemis sont envers nous approchant,
Adonc vorrièmes estre en un chélier si grant
Que jamais ne fussions veu tant ne quant[1].

'Hélas – schrijft Philippe de Croy uit Karel de Stoute's kamp voor Neuss –, où sont dames pour nous entretenir, pour nous amonester de bien faire, ne pour nous enchargier emprinses, devises, volets ne guimpes!'[2]

In het dragen van de sluier of het kleed van de geliefde vrouw, die de geur van het haar en het lichaam overbrengt, openbaart zich het erotische moment van het ridderlijke tournooi zo onmiddellijk mogelijk. In de opwinding van het gevecht schenken de vrouwen de ene tooi na de andere weg: als het spel is afgelopen zitten zij blootshoofds, zonder mouwen[3]. Het is tot een prikkelend motief uitgewerkt in een sproke uit de tweede helft der dertiende eeuw: *Van de drie ridders en het hemd*[4]. Een dame, wier echtgenoot niet tot de strijd geneigd maar overigens vol edele largesse is, zendt aan de drie ridders, die haar in minne dienen, haar hemd, om in het steekspel, dat haar man geven zal, het als wapenrok te dragen, zonder pantser of andere bedekking dan alleen helm en beenstukken. De eerste en tweede ridder schrikken ervoor terug. De derde, die arm is, neemt het hemd 's nachts in zijn armen en kust het hartstochtelijk. In het steekspel verschijnt hij met het hemd als wapenrok, zonder pantser daaronder; het wordt verscheurd en met zijn bloed bevlekt; hij wordt zwaar gewond. Men bemerkt zijn buitengewone dapperheid en schenkt hem de prijs: de dame schenkt hem haar hart. Nu eist de minnaar de vergelding. Hij zendt haar het bloedige hemd terug, om het zó als het is over haar klederen te dragen bij het feestmaal, dat het tournooi besluit. Zij omhelst het teder en verschijnt in het bloedige kledingstuk; de meesten laken haar, de echtgenoot is verlegen, en de ver-

* Twee heidenen uit de roman van Aspremont.

74

teller vraagt: wie van de beide minnenden deed het meest voor de ander?

De sfeer van passie, waarin het tournooi enkel zijn betekenis had, verklaart ook de beslistheid, waarmee de Kerk sedert lang het gebruik bestreed. Dat zij inderdaad aanleiding werden tot geruchtmakend overspel, getuigt bijvoorbeeld van een tournooi van 1389 de monnik van Saint Denis en op zijn gezag Jean Juvenal des Ursins[1]. Het kerkelijke recht had ze sinds lang verboden: aanvankelijk ingesteld voor oefening in de strijd, heette het, waren ze wegens misbruiken onduldbaar geworden*. De koningen volgden met verbodsbepalingen. De moralisten misprezen ze[2]. Petrarca vroeg pedant: waar leest men, dat Cicero en Scipio tournooien gehouden hebben? En de burger haalde de schouders op: 'prindrent par ne sçay quelle folle entreprinse champ de bataille' zegt de burger van Parijs[3] van een befaamd tournooi.

De adellijke wereld daarentegen vat alles, wat tournooi en ridderlijke wedkamp is, op met een gewichtigheid, die door geen modern sportbedrijf wordt geëvenaard. Het was een zeer oud gebruik, om op de plaats waar een beroemd tweegevecht gestreden was, een gedenksteen op te richten. Adam van Bremen kent er een op de grens van Holstein en Wagrië, waar eenmaal een Duits krijger de kampioen der Wenden gedood had[4]. De vijftiende eeuw stichtte nog dergelijke gedenktekens ter herinnering aan befaamde ridderlijke tweekampen. Bij Saint Omer herinnerde 'la Croix Pélerine' aan de kamp van Hautbourdin, bastaard van Saint Pol, met een Spaanse ridder tijdens de vermaarde Pas d'armes de la Pélerine. Nog een halve eeuw later ging Bayard vóór een tournooi dat kruis als in bedevaart vromelijk bezoeken[5]. De décors en de plunje, die gediend hadden bij de Pas d'armes de la Fontaine des Pleurs werden na afloop van het feest plechtig opgedragen aan Onze Lieve Vrouw van Boulogne en in de kerk opgehangen[6].

De middeleeuwse vechtsport onderscheidt zich, gelijk reeds aangeduid werd, van de Griekse en de moderne athletiek door haar veel geringer natuurlijkheid. Tot verhoging van de spanning van de kamp heeft zij de prikkel van aristocratische trots en eer, die van het romantisch-erotische en die van de kunstvaardige pronk. Zij is overladen met praal en versiering, gevuld met bonte fantasie. Het is behalve spel en lichaamsoefening nog bovendien toegepaste litteratuur. De wens en de droom van het dichtende hart zoeken een dramatische voorstelling, een gespeelde vervulling in het leven zelf. Het werkelijke leven was niet schoon

---

* O.a. verboden door de Lateraansynode van 1215; opnieuw door paus Nicolaas III in 1279; zie Raynaldus, Annales ecclesiastici III (= Baronius XXII) 1279 xvi–xx; Dionysii Cartusiani Opera t. XXXVI p. 206. Aan hen, die in het tournooi dodelijk getroffen worden, is zelfs de volledige kerkelijke bijstand ontzegd. Blijkbaar rook de kerk in het tournooi nog een heidense oorsprong.

genoeg, het was hard, wreed en vals; er was in de hof- en militaire carrière luttel plaats voor de sentimenten van moed-om-liefde, maar de ziel is er vol van, men wil ze beleven en schept zich een schoner leven van kostbaar spel. Het element van echte moed is voorzeker in het ridderlijke tournooi van niet geringer waarde dan in het pentathlon. Juist het uitgesproken erotisch karakter eiste bloedige hevigheid. In zijn motieven is het tournooi het naast verwant aan de wedstrijden van het oud-Indische epos; ook in het Mahâbhârata is de strijd om de vrouw de centrale gedachte.

De fantasie, waarmee het vechtspel werd aangekleed, was die van de Artur-romans, dat wil zeggen de kinderlijke verbeeldingen van het sprookje: het droomavontuur met zijn verschuiving der afmetingen in reuzen en dwergen, verbonden aan het sentimentalisme der hoofse liefde.

Voor een Pas d'armes der vijftiende eeuw wordt een fictief romantisch geval kunstig opgebouwd. Het middelpunt is een romandécor met een treffende naam: la Fontaine des pleurs, l'arbre Charlemagne. De bron wordt opzettelijk gebouwd[1]. Gedurende een geheel jaar zal een ongenoemde ridder ieder eerste van de maand voor de bron een tent spannen, waarin een dame zit (het is een beeld), die een eenhoorn houdt, welke drie schilden draagt. Elke ridder, die een der schilden aanraakt of door zijn heraut laat aanraken, verbindt zich tot een bepaalde tweekamp, waarvan de voorwaarden nauwkeurig worden omschreven in de uitvoerige 'chapitres', die tegelijk oproepingsbrief en reglement van de wedstrijd zijn[2]. Het aanraken der schilden moet te paard geschieden, waartoe de ridders steeds paarden ter beschikking zullen vinden.

Of wel: bij de Emprise du dragon houden vier ridders zich op een kruisweg op; geen dame mag die kruisweg voorbij zonder ridder, die voor haar twee lansen breekt, of zij moet pand geven[3]. Inderdaad is het kinderlijke pandverbeuren niet anders dan een lager vorm van hetzelfde overoude strijd- en minnespel. Hoe duidelijk getuigt van die verwantschap niet een voorschrift als dit artikel van de Chapitres de la Fontaine des pleurs: wie in de kamp ter aarde wordt geworpen moet een heel jaar een gouden armband dragen met een slot, totdat hij de dame vindt, die er het sleuteltje van heeft, en hem kan bevrijden, als hij haar zijn dienst opdraagt. Elders weer is het geval gebaseerd op een reus, dien een dwerg gevangen leidt, met een gouden boom erbij en een 'dame de l'isle celée', of op een 'noble chevalier esclave et serviteur à la belle géande à la blonde perruque, la plus grande du monde'[4]. De onbekendheid van de ridder is een vaste fictie; hij heet 'le blanc chevalier', 'le chevalier mesconnu', 'le chevalier à la pélerine', of wel hij treedt op als een held uit de roman en heet zwaanridder, of draagt het wapen van Lancelot, Tristan of Palamedes[5].

76

2. Onbekend Nederlands Meester, Jan zonder Vrees
(Antwerpen, Museum)

3. Copie naar Rogier van der Weyden, Philips de Goede
(Madrid, Koninklijk Paleis)

4. Rogier van der Weyden, Karel de Stoute
(Berlijn-Dahlem, Staatliche Museen)

5. De moord op Jan zonder Vrees op de brug van Montereau. Scène uit de kroniek van Monstrelet,
Zuid-Nederlands handschrift einde 15e eeuw
(*Universiteits-Bibliotheek, Leiden*)

6. Onbekend Nederlands Meester, omstreeks 1475, Ordekapittel van het Gulden Vlies
(Brussel, Koninklijke Bibliotheek, MS 9028)

7. Christine de Pisan biedt 'Le Livre du Chemin de long Estude' aan Koning Karel VI van Frankrijk
aan, Franse school begin 15e eeuw
(Chantilly, Musée Condé, MS 493/1668) Giraudon, Parijs

Zuid-Nederlands Meester, omstreeks 1456, Jean Wauquelin overhandigt 'Le Livre du Gouvernement des princes'
van Gilles de Rome aan Philips van Bourgondië
(Brussel, Koninklijke Bibliotheek, MS 9043)

9. Onbekend Frans Meester, omstreeks 1460, Miniatuur bij het gedicht 'Le Cuer d'Amours espris' *(Wenen, Nationalbibliothek, MS 2597) Oesterreichische Lichtbildstelle, Wenen*

Meestal wordt over het geval een uiterlijk waas van melancholie gespreid: la Fontaine des pleurs zegt het al in de naam; de schilden zijn wit, violet en zwart, alle bezaaid met witte tranen; men raakte ze aan uit medelijden met de 'Dame de pleurs'. Bij de Emprise du dragon komt koning René in rouwend zwart (wel mocht hij), om het afscheid van zijn dochter Margareta, die koningin van Engeland werd. Het paard is zwart, met een rouwdekkleed, de lans is zwart, het schild is sabel met zilveren tranen. Ook bij de Arbre Charlemagne zijn de schilden zwart en violet met gouden en zwarte tranen[1]. Niet altijd echter is het in de sombere toon gezet: een andermaal houdt de onverzadelijke schoonheidsvriend koning René de Joyeuse garde bij Saumur. Veertig dagen viert hij feest in het houten kasteel 'de la joyeuse garde' met zijn gemalin en dochter en met Jeanne de Laval, die zijn tweede echtgenoot zou worden. Voor haar is heimelijk het feest bereid. Het kasteel is opzettelijk gebouwd, geschilderd en getapisseerd; alles is in rood en wit. Bij zijn Pas d'armes de la bergère is alles gestoffeerd in herderstrant, de ridders en dames als herders en herderinnen met staf en doedelzak, allen in grijs met goud en zilver[2].

6

RIDDERORDEN EN RIDDERLIJKE GELOFTEN

Het grote spel van het schone leven als droom van edele moed en trouw had niet alleen die vorm van het kampgevecht ter beschikking. Er is een tweede vorm, even belangrijk: de ridderorde. Al zou het niet gemakkelijk vallen, een regelrecht verband te bewijzen, het kan voor niemand, die enigszins bekend is met de gebruiken van primitieve volken, twijfelachtig zijn, dat evenzeer de ridderorde als het tournooi en de ridderwijding zelf hun sterkste wortels hebben in heilige gebruiken van een verre voortijd. De ridderslag is een ethisch en sociaal uitgewerkte puberteitsritus, het aanleggen van de wapenen aan de jonge krijger. Het kampspel is als zodanig overoud, en eertijds vervuld van heilige betekenis. De ridderorde kan niet gescheiden worden van de mannenbonden der wilde volken.

Dit verband kan hier echter slechts als een onbewezen stelling vooropgesteld worden; het is hier niet te doen om een ethnologische hypothese te staven, maar om de ideeënwaarde van het vol-ontwikkelde ridderwezen voor ogen te brengen; en dat in die waarde nog iets van die primitieve elementen is overgebleven, wie zal het ontkennen?

Weliswaar is in de ridderorde het christelijk element van de voorstelling zo sterk, dat ook een verklaring uit louter kerkelijke en politische, zuiver middeleeuwse grondslagen opzichzelf overtuigend zou kunnen zijn, als men niet wist, dat algemeen verbreide, primitieve parallelen als verklaringsgrond daarachter stonden.

De eerste ridderorden, de drie grote van het Heilige land en de drie Spaanse, waren als een zuiverste belichaming van middeleeuwse geest ontsproten uit de verbinding van het monniks- en het ridderideaal, in de tijd toen de strijd tegen de Islam wonderlijke werkelijkheid was geworden. Zij waren gegroeid tot grote staatkundige en economische instellingen, ontzaglijke vermogenscomplexen en financiële machten. Hun politieke nuttigheid had zowel hun geestelijk karakter als het ridderspel-element op de achtergrond gedrongen, en hun economische verzadiging at weer hun politieke nuttigheid op. Toen de Tempeliers en de Johanniters bloeiden en nog in het Heilige land zelf werkten, had het ridderwezen een reële politische functie vervuld, en waren de ridderorden als 't ware standsorganisaties van grote betekenis geweest.

Doch in de veertiende en vijftiende eeuw was het ridderwezen enkel meer hogere levensvorm, en daarmee was in de jongere ridderorden het element van edel spel, dat in hun kern besloten lag, weer op de voorgrond gekomen. Niet dat zij enkel spel waren geworden. Als ideaal zijn zij nog altijd vervuld van hoog ethisch en politiek streven. Maar het is waan en droom, ijdele plannenmakerij. De merkwaardige idealist Philippe de Mézières ziet het heilmiddel der tijden in een nieuwe ridderorde, die hij de Ordre de la passion heeft genoemd[1]. Hij wil er alle standen in opnemen. Trouwens ook de grote ridderorden der kruistochten hadden zich reeds de deelneming van niet-edelen ten nutte gemaakt. De adel zal de grootmeester en de ridders leveren, de geestelijkheid de patriarch en zijn suffraganen, de poorters zullen broeders zijn en de landlieden en handwerkers servanten. Zo zal de orde een hechte samensmelting der standen zijn voor het grote doel der Turkenbestrijding. Er zullen vier geloften zijn. Twee zijn de oude, die monniken en geestelijke ridders deelden: armoede en gehoorzaamheid. Maar voor het volstrekte celibaat stelt Philippe de Mézières de echtelijke kuisheid in de plaats; hij wilde het huwelijk veroorloven om de praktische redenen, dat het Oosterse klimaat het eiste en dat de orde begeerlijker zou zijn. De vierde gelofte, aan vroegere orden onbekend, is summa perfectio, de hoogste individuele volmaking. Zo vloeiden hier in het bonte beeld van een ridderorde al de idealen ineen, van politieke plannenmakerij af tot het streven naar de verlossing toe.

In het woord 'Ordre' waren een menigte betekenissen, van de hoogste heiligheid tot het nuchterste groepsbesef, ongescheiden verenigd. Het beduidde zowel maatschappelijke stand als priesterwijding, monniks- en ridderorde. Dat inderdaad aan ordre in de betekenis van ridderorde nog iets van geestelijke waarde eigen was, blijkt uit het feit, dat men er ook het woord religion voor gebruikte, dat men allicht tot de kloosterorden beperkt zou wanen. Chastellain noemt het Gulden Vlies 'une religion', zoals hij 't ook een kloosterorde doet, en spreekt er altijd van in de toon van een heilig mysterie[2]. Olivier de la Marche spreekt van een Portugees als een 'chevalier de la religion de Avys'[3]. En niet alleen de eerbiedige sidderingen van de pompeuze Polonius Chastellain getuigen van de vrome inhoud van het Gulden Vlies; in het gehele ritueel der orde nemen kerkgang en mis een overwegende plaats in: de ridders zitten in kanunnikstoelen, de ernstige cultus van de afgestorven leden beweegt zich geheel in kerkelijke sfeer.

Geen wonder dus, dat het lidmaatschap van een ridderorde gevoeld wordt als

een sterke, heilige band. De ridders van de Sterorde van koning Jan II zijn verplicht, andere orden, waartoe zij mochten behoren, zo mogelijk prijs te geven[1].
De hertog van Bedford wil aan de jonge Philips van Bourgondië de orde van de
Kouseband opdringen, om hem daardoor vaster aan Engeland te binden, maar
de Bourgondiër begrijpt, dat hij dan voor altijd aan de Engelse koning gebonden
zal zijn, en weet de eer beleefd te ontgaan[2]. Wanneer dan ook later Karel de
Stoute de Kouseband wel aanneemt, en zelfs draagt, beschouwt Lodewijk XI dit
als een breuk van het verdrag van Péronne, dat de hertog verbood, zonder 's konings toestemming een verbond met Engeland aan te gaan[3]. Men kan de Engelse gewoonte, om buitenlandse orden niet aan te nemen, beschouwen als een traditionele rest van het besef, dat de orde verplicht tot trouw aan de vorst, die
haar schenkt.

Ondanks dat waas van heftigheid heeft men in de vorstelijke kringen der
veertiende en vijftiende eeuw toch wel het besef, dat al die fraai opgezette vormen van nieuwe ridderorden door velen als een ijdel vermaak werden beschouwd. Waartoe anders steeds weer die uitdrukkelijke verzekeringen, dat het
alles geschiedde terwille van hoge wijdstrekkende doeleinden? Philips van Bourgondië, de edele hertog, heeft zijn Toison d'or gesticht, zegt de rijmer Michault
Taillevent:

> *Non point pour jeu ne pour esbatement*
> *Mais à la fin que soit attribuée*
> *Loenge à Dieu trestout premierement*
> *Et aux bons gloire et haulte renommée*[4].

Ook Guillaume Fillastre betoogt in de aanhef van zijn werk over het Gulden
Vlies, de betekenis daarvan te zullen verklaren, opdat men bevinde, dat de orde
geen ijdelheid is of een zaak van weinig gewicht. Uw vader, spreekt hij Karel de
Stoute toe, 'n'a pas, comme dit est, en vain instituée ycelle ordre'[5].

Het was nodig, die hoge bedoelingen te accentueren, wilde het Gulden Vlies
die eerste plaats veroveren, die de hoogmoed van Philips begeerde. Want het
stichten van ridderorden was sedert het midden der veertiende eeuw een ware
mode geworden. Ieder vorst moest zijn orde hebben, zelfs aanzienlijke edelen
bleven niet achter. Daar is Boucicaut met zijn Ordre de la Dame blanche à l'escu
verd, ter verdediging van de hoofse minne en van verdrukte vrouwen. Daar is
koning Jan met zijn Chevaliers Nostre Dame de la Noble Maison (1351), gewoonlijk naar hun insigne de orde van de Ster genoemd. In het Edele Huis te
Saint Ouen bij Saint Denis hadden zij een 'table d'oneur', waaraan bij de plechtigheden moesten plaatsnemen de drie dapperste prinsen, de drie dapperste

baanroedsen (bannerets) en de drie dapperste ridders (bachelers). Daar is Pierre de Lusignan met de orde van het Zwaard, die van zijn leden een zuiver leven eiste en hun het zinrijk symbool omhing van een gouden keten, waarvan de letter S de schakels vormde, en zij beduidde 'silence'. Daar was Amedeus van Savoye, met de Annonciade, Louis de Bourbon met het Gouden Schild en met de Distel, Enguerrand de Coucy, die een keizerskroon gehoopt had, met de omgekeerde Kroon, Lodewijk van Orleans met het Stekelvarken, de Beierse hertogen van Holland-Henegouwen met hun Antonius-orde, het T-kruis met klokje, dat op tal van portretten de aandacht trekt[1]. De aard van voorname clubs, aan de ridderorden eigen, blijkt uit het reisverhaal van de Zwabische ridder Jörg von Ehingen. Alle vorsten en heren, wier land hij bezoekt, geven hem hun 'gesellschaft, ritterliche gesellschaft, ordensgesellschaft', gelijk hij de orden noemt[2].

De stichting van die orden geschiedde soms, om een belangrijke gebeurtenis te vieren, zoals voor Louis de Bourbon de terugkeer uit de Engelse krijgsgevangenschap, dan weer met een politieke bijbedoeling, zoals Orleans' Porc-epic, dat zijn stekels tegen Bourgondië keerde; soms overweegt het vrome karakter, dat altijd in acht genomen wordt, zeer sterk, zoals bij de stichting van een Sint-Joris-orde in Franche Comté, toen Philibert de Miolans met relieken van die heilige uit het Oosten terugkeerde; een enkele maal is de orde niet veel meer dan een gewone broederschap tot onderlinge bescherming, zoals die van de Hazewind, welke de edelen van het hertogdom Bar in 1416 stichtten.

De oorzaak, dat het Gulden Vlies boven alle opgang heeft gemaakt, is niet ver te zoeken. Het was de rijkdom der Bourgondiërs, die er achter zat. Misschien droeg er ook de bijzondere praal toe bij, waarmee de orde was uitgerust, en de gelukkige vinding van het symbool. Aanvankelijk was bij het Gulden Vlies alleen aan dat van Colchis gedacht. De vertelling van Jason was algemeen bekend: Froissart laat haar in een Pastourelle door een herder verhalen[3]. Maar aan Jason als fabelheld was een luchtje; hij had zijn trouw gebroken, en dit thema leende zich tot onaangename toespelingen op de politiek der Bourgondiërs jegens Frankrijk. Alain Chartier dichtte:

> *A Dieu et aux gens detestable,*
> *Est menterie et trahison,*
> *Pour ce n'est point mis à la table*
> *Des preux l'image de Jason,*
> *Qui pour emporter la toison*
> *De Colcos se veult parjurer.*
> *Larrecin ne se peult celer*[4].

Nu maakte Jean Germain, de geleerde bisschop van Chalons en kanselier der orde, Philips opmerkzaam op het vlies, dat Gideon spreidde en waar des hemels dauw op viel*. Het was een bijzonder gelukkige gedachte, want dit vlies van Gideon was een der treffendste symbolen van de bevruchting van Maria's schoot. Zo verdrong de bijbelse held de heiden als patroon van het Gulden Vlies, zodat Jacques du Clercq zelf kon beweren, dat Philips opzettelijk Jason niet gekozen had, omdat deze zijn trouw brak[1]. 'Gedeonis signa' noemt een lofdichter van Karel de Stoute de orde[2], maar anderen zoals de kroniekschrijver Theodericus Pauli blijven spreken van Vellus Jasonis. De opvolger van Jean Germain als kanselier der orde, bisschop Guillaume Fillastre, overtrof zijn voorganger en vond in de Heilige Schrift nog vier vliezen daarenboven; van Jacob, koning Mesa van Moab, Job en David**. Elk daarvan liet hij een deugd verbeelden, en aan elk der zes zou hij een boek wijden. Dit was ongetwijfeld 'overdoing it'; Fillastre liet de gevlekte schapen van Jacob als symbool van justitia figureren[3]; hij had eenvoudig alle plaatsen genomen, waar de Vulgaat het woord 'vellus' heeft, een merkwaardig staaltje van de gewilligheid der allegorie. Men vindt niet, dat zijn denkbeeld blijvend opgang heeft gemaakt.

Eén trek uit de gebruiken der orden verdient vermelding, omdat hij getuigt van het karakter van een primitief en heilig spel. Behalve de ridders telt een orde haar ambtenaren: de kanselier, de tresorier, de griffier, en voorts de wapenkoning met zijn staf van herauten en poursuivants. Deze laatste groep, meer in het bijzonder belast met het dienen van het edele ridderspel, draagt symbolische namen. In het Gulden Vlies heet de wapenkoning zelf Toison d'or, zo Jean Lefèvre de Saint Remy, zo nog Nicolaas de Hames, bekend van het Verbond der edelen in 1565. De herauten dragen algemeen de namen van huns meesters verschillende landen: Charolais, Zélande, Berry, Sicile, Oostenrijk. De eerste der poursuivants heet Fusil, naar de vuurslag in de ordeketen, het embleem van Philips de Goede. De anderen dragen namen van romantische klank als Montreal, of van deugden als Persévérance, of namen ontleend aan de allegorie van de *Roman de la rose*, als Humble Requeste, Doulce Pensée, Léal Poursuite. Engeland heeft tot de huidige dag zijn wapenkoningen Garter, Norroy, een pursuivant Rouge dragon, Schotland zijn wapenkoning Lyon, de pursuivant Unicorn enz. Bij de grote feesten worden zulke poursuivants plechtig door een besprenkeling met wijn met die namen gedoopt door de grootmeester der orde, of wel hij verandert hun namen bij hun verheffing tot hogere rang[4].

* Richteren 6.
** Gen. 30, 32; 4 Reg. (2 Kon.) 3, 4; Job 31, 20; Psalm 71, 6 (Statenvert. 72, 6 'nagras', waar Vulg. 'vellus' heeft).

De geloften, die der ridderorde oplegt, zijn slechts een vaste, collectieve vorm van de persoonlijke ridderlijke gelofte, om een of ander heldenstuk te volbrengen. Dit is wellicht het punt, waar men de grondslagen van het ridderideaal het best in hun samenhang ziet. Wie geneigd mocht zijn, het verband van ridderslag, tournooi en ridderorde met primitieve gebruiken voor een inval te houden, vindt bij de ridderlijke gelofte het barbaarse karakter zo aan de oppervlakte, dat geen twijfel mogelijk is. Het zijn echte survivals, waarvoor de paralellen te vinden zijn in het oud-Indische *vratam*, in het Nazireërschap der Joden, en het meest onmiddellijk wellicht in de gewoonten der Noormannen uit hun sagentijd.

Hier evenwel is niet het ethnologische vraagstuk aan de orde, maar de vraag, welke waarde die geloften hadden in het laat-middeleeuwse geestesleven zelf. Er zijn drie waarden mogelijk. De ridderlijke gelofte kan een godsdienstig-ethische betekenis hebben, die haar op één lijn stelt met geestelijke geloften; haar inhoud en bedoeling kan ook van romantisch-erotische aard zijn, en tenslotte kan de gelofte tot een hoofs spel zijn verzwakt, zonder veel meer betekenis dan vermaak. Inderdaad zijn al deze drie waarden nog ongescheiden aanwezig; het denkbeeld der gelofte schommelt tussen de hoogste levenswijding in dienst van het ernstigste ideaal en de ijdelste spot over het kostbare gezelschapsspel, dat met moed en liefde en staatsbelang zich maar wat vermaakt. Het spel-element overweegt; de geloften zijn goeddeels opluistering geworden van het hoffeest. Toch worden zij nog altijd verbonden aan de ernstigste oorlogsondernemingen: de inval van Eduard III in Frankrijk, het kruistochtplan van Philips de Goede.

Hier geldt hetzelfde als bij de tournooien: zo smakeloos en versleten als ons de opgemaakte romantiek der pas d'armes scheen, zo ijdel en leugenachtig schijnen ons die geloften 'van de fazant', 'van de pauw' of 'van de reiger'. Tenzij ook hier ons de passie zelf bewust is, die dit alles heeft vervuld. Het is de droom van het schone leven, zo goed als de feesten en de vormen van het Florentijnse leven van een Cosimo, een Lorenzo en Giuliano zulk een droom zijn geweest. Daar in Italië is hij bezonken in eeuwige schoonheid, hier is zijn betovering vervlogen met de mensen, die hem droomden.

De verbinding van ascese en erotiek, die ten grondslag ligt aan de fantasie van de held, die de maagd bevrijdt, of voor haar bloedt, het kernmotief van de tournooi-romantiek, vertoont zich in andere vorm en bijna nog onmiddellijker gedaante bij de ridderlijke gelofte. De ridder De la Tour Landry verhaalt in de lering aan zijn dochters van een zonderlinge orde van minnende edelen en vrouwen, die in zijn jeugd in Poitou en elders had bestaan. Zij noemden zich Galois et Galoises*, en hielden 'une ordonnance moult sauvaige', waarvan het voor-

* Van gale = réjouissance, galer = s'amuser, dus zoveel als pretmakers.

83

naamste was, dat zij in de zomer zich warm moesten kleden in pelzen en gevoerde kaproenen, en vuur in de schouw branden, terwijl zij in de winter niets mochten dragen dan een rok zonder bont, geen mantels of andere beschutting, geen hoed, handschoenen of mof, hoe 't ook vroor. 's Winters strooiden zij groene bladeren op de grond en verborgen de schoorsteen achter groene takken, en op hun bed mocht slechts een dunne deken zijn. Men kan in deze wonderlijke afdwaling, – zo zonderling, dat de schrijver haar kwalijk verzonnen kan hebben –, moeilijk iets anders zien dan een ascetische verhoging van de prikkel der liefde. Al is het geheel niet volkomen duidelijk en waarschijnlijk sterk overdreven, slechts een geest volstrekt vreemd aan elke ethnologische kennis zal dit alles voor een verzinsel van een keuvelende oude verklaren[1]. Het primitief karakter van de Galois en Galoises wordt nog geaccentueerd door hun regel, dat een echtgenoot de Galois, die bij hem te gast kwam, zijn gehele huis en zijn vrouw moest overlaten, om zelf naar zijn Galoise te gaan; deed hij het niet, dan strekte het hem tot grote schande. Velen van de orde waren volgens de ridder De la Tour Landry van koude gestorven: 'Si doubte moult que ces Galois et Galoises qui mourrurent en cest estat et en cestes amouretes furent martirs d'amours'[2].

Er zijn meer voorbeelden te noemen, die het primitief karakter van de ridderlijke gelofte verraden. Zo het gedicht, dat de geloften beschrijft, waartoe Robert van Artois de koning van Engeland, Eduard III, en zijn edelen uitlokte, ten einde de oorlog tegen Frankrijk te beginnen: *Le Vœu du Héron*. Het is een verhaal van geringe historische waarde, maar de geest van barbaarse woestheid, die er uit spreekt, is wel geschikt, om het wezen der ridderlijke gelofte te leren kennen.

De graaf van Salisbury zit bij het feestmaal aan de voeten van zijn dame. Als zijn beurt om een gelofte te doen, gekomen is, verzoekt hij de geliefde, om één vinger op zijn rechteroog te leggen. Wel twee, antwoordt zij, en drukt met twee vingers het rechteroog van den ridder toe. 'Belle, est-il bien clos?' vraagt deze. 'Oyl, certainement'. 'Welaan dan', zegt Salisbury, 'dan gelove ik aan God almachtig en zijn zoete Moeder, dit ook niet weer te openen, om geen smart of kwelling, eer ik in Frankrijk de brand gestoken heb in 's vijands land en de mannen van koning Philips bestreden':

> *Or aviegne qu'aviegne, car il n'est autrement.*
> *– Adonc osta son doit la puchelle au cors gent,*
> *Et li iex clos demeure, si que virent la gent*[3].

Bij Froissart kan men vernemen, hoe dit litteraire motief zich in de werkelijkheid weerspiegelde; Froissart vertelt, hoe hij inderdaad Engelse heren zag, die één oog met een lap bedekt hielden ter voldoening aan de gelofte, om slechts met één oog te zien, totdat zij dappere daden in Frankrijk hadden verricht[1].

De wildheid van een barbaars verleden spreekt in *Le Vœu du héron* uit de gelofte van Jehan de Faukemont; hij zal klooster noch altaar, zwangere vrouw noch
kind, vriend noch maag sparen, om koning Eduard te dienen. Tenslotte verzoekt
de koningin, Philippa van Henegouwen, haar gemaal, ook een gelofte te mogen
doen.

> *Adonc, dist la roine, ja sai bien, que piecha*
> *Que sui grosse d'enfant, que mon corps senti l'a.*
> *Encore n'a il gaires, qu'en mon corps se tourna.*
> *Et je voue et prometh a Dieu qui me créa...*
> *Que ja li fruis de moi de mon corps n'istera,*
> *Si m'en arès menée ou païs par de-là*
> *Pour avanchier le veu que vo corps voué a;*
> *Et s'il en voelh isir, quant besoins n'en sera,*
> *D'un grant coutel d'achier li miens corps s'ochira:*
> *Serai m'asme perdue et li fruis perira!*

Een huiverend stilzwijgen ontvangt de godslasterlijke gelofte. De dichter zegt
enkel:

> *Et quant li rois l'entent, moult forment l'en pensa,*
> *Et dist: certainement, nuls plus ne vouera.*

Bij de geloften der latere Middeleeuwen hebben haar en baard, overal immers de
dragers van magische potentie, nog altijd bijzondere betekenis. Benedictus XIII,
de paus van Avignon, en daar feitelijk opgesloten, zweert, ten teken van droefheid, zijn baard niet te laten scheren, aleer hij de vrijheid herkregen heeft[2]. Als
Lumey dezelfde gelofte doet met betrekking tot de wraak voor Egmond, hebben
wij te doen met een laatste uitloper ener zede, die in de verre voortijd heilige
betekenis had gehad.

De zin der gelofte is in de regel, dat men zich een onthouding oplegt als prikkel om het volbrengen der geloofde daad te verhaasten. Veelal is het een onthouding met betrekking tot de maaltijd. De eerste, die Philippe de Mézières als ridder opnam in zijn Chevalerie de la Passion, was een Pool, die in negen jaar niet
zittende gegeten of gedronken had[3]. Bertrand du Guesclin is zeer haastig met
zulke geloften. Daagt hem een Engels krijgsman uit, Bertrand verklaart, slechts
drie wijnsoepen te zullen gebruiken in naam der heilige Drieëenheid, totdat hij
de uitdager bestreden heeft. Een ander maal is het, dat hij geen vlees zal eten en
zich niet zal uitkleden, eer hij Montcontour heeft genomen. Of zelfs, dat hij niet
eten zal, eer hij met de Engelsen tot een treffen gekomen is[4].

De magische bedoeling, die aan zulk vasten ten grondslag ligt, was natuurlijk een edelman der veertiende eeuw niet meer bewust. Voor ons spreekt die ondergrond van magische betekenis vooral uit het veelvuldig gebruik van kluisters als teken van een gelofte. Op 1 januari 1415 doet hertog Jean de Bourbon, 'désirant eschiver oisiveté, pensant y acquérir bonne renommée et la grâce de la trèsbelle de qui nous sommes serviteurs', de gelofte om met zestien andere ridders en knapen gedurende twee jaar elke Zondag aan het linkerbeen een boei als van een gevangene te dragen, de ridders in goud, de knapen in zilver, totdat hij zestien ridders vindt, die het gezelschap willen bestrijden in een gevecht te voet 'à outrance'[1]. Jacques de Lalaing ontmoet te Antwerpen in 1445 een Siciliaanse ridder Jean de Boniface, die als 'chevalier aventureux' van het hof van Arragon gekomen is. Hij draagt aan het linkerbeen een ijzer, zoals de slaven het dragen, hangende aan een gouden keten, een 'emprise' ten teken dat hij vechten wou[2]. In de roman van de *Petit Jehan de Saintré* draagt de ridder Loiselench twee gouden ringen aan arm en been, elk aan een gouden keten, totdat hij een ridder vindt, die hem 'verlost' van zijn emprise[3]. Want zo heet het: 'délivrer'; men raakt het teken aan, als het gaat 'pour chevalerie'; men rukt het af, als het om 't leven gaat. – Reeds La Curne de Sainte Palaye heeft opgemerkt, dat bij de oude Chatten volgens Tacitus volkomen hetzelfde gebruik werd aangetroffen[4]. Ook de kluisters die boetelingen op hun bedevaart droegen, of die vrome asceten zichzelf aanlegden, zijn van de emprises der laat-middeleeuwse ridders niet te scheiden.

Wat de beroemde feestelijke geloften der vijftiende eeuw, met name de Vœux du Faisan bij het hoffeest van Philips de Goede te Rijsel in 1454, ter voorbereiding van de kruistocht, ons van dit alles nog te zien geven, is niet veel meer dan een fraaie hoofse vorm. Niet dat de spontane gewoonte, om in nood of sterke gemoedsbeweging een gelofte te doen, iets van haar kracht zou hebben verloren. Zij heeft zo diepe psychologische wortelen, dat zij aan beschaving noch geloof gebonden is. Doch de ridderlijke gelofte als cultuurvorm, als een tot levenstooi verheven zede, beleeft in die pralende buitensporigheid van het Bourgondische hof haar laatste fase.

Het thema van de handeling is nog altijd het onmiskenbaar overoude. Men doet de gelofte aan het feestmaal, en zweert bij een vogel, die opgedragen en later gegeten wordt. Ook de Noormannen kennen de rondgaande dronk met geloften bij offermaal, feestmaal en erfhuismaal; een der wijzen van gelofte is het aanraken van het everzwijn, dat levend wordt binnengebracht, eer men het opdist[5]. Zelfs deze vorm heeft zich in de Bourgondische tijd nog gehandhaafd: het is een levende fazant, die bij het beroemde feest te Rijsel dient[6]. De geloften worden afgelegd aan God en Onze Lieve Vrouw, aan de dames en aan de vogel. Het

schijnt niet gewaagd, te veronderstellen, dat de godheid hier niet de oorspronkelijke ontvanger der geloften is: inderdaad geloven velen alleen aan de dames en de
vogel[1]. In de onthoudingen, die men zich oplegt, is weinig afwisseling. De meeste hebben betrekking op eten en slapen. Deze ridder zal zaterdags niet in een bed
slapen, eer hij een Saraceen bevochten heeft, noch ook vijftien dagen achtereen in
dezelfde stad vertoeven. Een ander zal vrijdags geen dierlijk voedsel nuttigen,
eer hij de banier van de Grote Turk heeft aangetast. Weer een ander stapelt ascese op ascese; hij zal in het geheel geen harnas dragen, zaterdags geen wijn drinken, niet in een bed slapen, niet aan tafel zitten, en een harige pij dragen. Men om-
schrijft nauwkeurig de wijze, waarop men de geloofde heldendaad zal uitvoeren[2].

Hoeveel ernst is er in? Wanneer messire Philippe Pot de gelofte doet, op de
Turkentocht zijn rechterarm onbedekt te laten door enige wapenrusting, laat
de hertog onder de (schriftelijk geregistreerde) gelofte aantekenen: 'Ce n'est pas
le plaisir de mon très redoubté seigneur, que messire Phelippe Pot voise en sa
compaignie ou saint voyage qu'il a voué le bras désarmé; mais il est content qu'il
voist aveuc lui armé bien et soufisamment, ainsy qu'il appartient'[3]. Blijkbaar
werd er dus nog ernst en gevaar in gezien. Over de gelofte van de hertog zelf
heerst algemene aandoening[4].

Sommigen doen voorzichtig voorwaardelijke geloften, die tegelijk getuigen
van de ernstige bedoelingen en van het voldaan zijn met de schone schijn[5]. Soms
naderen de geloften reeds tot de 'philippine', die er een bleke rest van is[6]. Een
spottend element ontbreekt zelfs niet bij de grimmige *Vœu du héron*: immers
Robert van Artois biedt de koning, hier voorgesteld als minder belust op de
krijg, de reiger aan als de bangste der vogels. Als Eduard zijn gelofte heeft gedaan, lachen allen. Jan van Beaumont, wie de *Vœu du héron* de vroeger reeds vermelde woorden* in de mond legt, die met fijne spot het gepassioneerde karakter
onthullen van de geloften, bij de wijn en onder de ogen der vrouwen gedaan,
doet volgens een ander verhaal bij de reiger de cynische gelofte, dat hij die heer
zou dienen, van wie hij 't meest aan geld en goed te wachten had. Waarop de
Engelse heren lachten[7]. – Hoe moet, ondanks alle pompeuze gewichtigheid,
waarmee de *Vœux du faisan* werden opgenomen, de tafelstemming zijn geweest,
wanneer Jennet de Rebreviettes de gelofte kon doen, om, als hij niet vóór de
krijgstocht de gunsten van zijn dame deelachtig werd, bij de terugkeer uit het
Oosten de eerste vrouw of jonkvrouw te huwen, die twintig duizend kronen
heeft... 'se elle veult'[8]. Toch trekt diezelfde Rebreviettes de wereld in, om als
'povre escuier' avontuur te zoeken, en strijdt bij Ceuta en Granada tegen de
Moren.

* Hierboven p. 72.

Zo lacht de moede aristocratie om haar eigen ideaal. Wanneer zij met alle middelen van fantazie en kunstvaardigheid en rijkdom haar hartstochtelijke droom van het schone leven had getooid en gekleurd en tot plastische vorm gebracht, dan bezon zij zich, dat het leven toch eigenlijk niet zo schoon was, en lachte.

7

DE BETEKENIS VAN HET RIDDERIDEAAL
IN OORLOG EN STAATKUNDE

IJdele waan, die ridderheerlijkheid, mode en ceremonie, een fraai en leugenachtig spel! De werkelijke geschiedenis der laatste Middeleeuwen, zegt de historicus, die uit de acta de ontwikkeling van staat en bedrijf naspeurt, heeft met die
valse ridderlijke Renaissance weinig te maken; het was een oud vernis, dat reeds
afbladderde. De mannen die die geschiedenis maakten waren waarlijk geen
dromers, maar zeer berekenende, nuchtere staatslieden en kooplieden, 't zij vorsten, edelen, prelaten of burgers.

Zeker, dat waren zij ook. Maar de geschiedenis der beschaving heeft evenveel
te maken met de dromen van schoonheid en de waan des edelen levens als met
de cijfers van bevolking en belasting. Een onderzoeker, die de hedendaagse
maatschappij bestudeert uit de groei van banken en verkeer, uit de politieke en
militaire conflicten, zou aan het eind van zijn studiën kunnen zeggen: ik heb van
de muziek heel weinig gemerkt, die heeft blijkbaar in deze tijd weinig voor de
cultuur betekend.

Zo is het enigermate, wanneer men ons de geschiedenis der Middeleeuwen uit
de staatkundige en economische bescheiden beschrijft. Bovendien zou het kunnen zijn, dat het ridderideaal, zo gekunsteld en versleten als het was, op de zuiver staatkundige geschiedenis der laatste Middeleeuwen toch nog voortdurend
machtiger invloed had uitgeoefend, dan men zich gewoonlijk voorstelt.

De bekoring van de adellijke levensvorm was zo groot, dat ook de burgers
hem aannemen, waar zij kunnen. Wij stellen ons de Artevelde's voor als echte
mannen van de derde stand, fier op hun burgerlijkheid en hun eenvoud. Integendeel: Philips van Artevelde hield vorstelijke staat, hij liet alle dagen voor zijn
hôtel de speellieden blazen, als hij aan tafel ging, liet zich bedienen uit zilveren
vaatwerk, of hij de graaf van Vlaanderen was, ging gekleed in scharlaken en
'menu vair' als een hertog van Brabant of graaf van Henegouwen, reed uit als
een vorst, het ontrolde vaantje voor hem gedragen met zijn blazoen van sabel

met drie zilveren hoeden[1]. Wie schijnt ons moderner dan de geldmagnaat der vijftiende eeuw, Jacques Cœur, de voortreffelijke financier van Karel VII? Als men de levensbeschrijving van Jacques de Lalaing mag geloven, heeft de grote bankier hartelijk belang gesteld in het ouderwetse dolende-ridderschap van de Henegouwse held[2].

Alle hogere vormen van het burgerlijke leven van de nieuwere tijd berusten op navolging van adellijke levensvormen. Evengoed als het brood in het servet en het woord 'serviette' zelf hun herkomst hebben uit de middeleeuwse hof-staat[3], zijn de burgerlijkste bruiloftsaardigheden afstammelingen van de gran-dioze 'entremets' van Rijsel. Om de cultuurhistorische betekenis van het ridder-ideaal ten volle te begrijpen, zou men het moeten volgen in Shakespeare's en Molière's tijd tot aan de moderne gentleman.

Hier echter is het er om te doen, de werking van dat ideaal op de werkelijk-heid in de laatste Middeleeuwen zelf aan te wijzen. Lieten staatkunde en oorlog-voering zich inderdaad enigermate beheersen door ridderlijke voorstellingen? Ongetwijfeld, zo niet in haar deugden, dan toch in haar fouten. Zoals de tragi-sche vergissingen van de hedendaagse tijd voortspruiten uit de waan van het nationalisme en de cultuurhoogmoed, zo sproten die van de Middeleeuwen meer dan eens voort uit de chevalereske gedachte. Ligt niet het motief voor de schepping van de nieuwe Bourgondische staat, die grootste fout, die Frank-rijk kon begaan, in een ridderlijk moment? Koning Jan, het ridderlijke warhoofd, schenkt het hertogdom in 1363 aan de jonge zoon, die bij Poitiers naast hem stand had gehouden, toen de oudere vluchtte. Evenzo is de bewuste gedachte, die de latere antifranse politiek der Bourgondiërs voor de geesten der tijdgeno-ten moet rechtvaardigen: de wraak voor Montereau, de verdediging van ridder-lijke eer. Ik weet wel, men kan dat alles ook verklaren uit berekenende, zelfs vooruitziende politiek, maar dat neemt niet weg, dat het feit van 1363 voor de tijdgenoten deze waarde, deze beeldvorm had: ridderlijke moed, vorstelijk be-loond. Die Bourgondische staat in zijn snelle ontplooiing is een gebouw van po-litiek overleg en geslaagde nuchtere berekening. Maar wat men de Bourgondi-sche idee zou kunnen noemen, kleedt zich steeds in de vormen van het ridder-ideaal. De bijnamen der hertogen: het Sans peur, le Hardi, het Qui qu'en hongne, dat voor Philips door le Bon verdrongen werd, zijn alle opzettelijke vindingen van de hoflittérateurs, om de vorst te plaatsen onder de stralen van het ridder-lijke ideaal[4].

Daar was één groot politiek streven, dat onverbrekelijk verbonden was aan het ridderideaal: de kruistocht, Jeruzalem! Want Jeruzalem, zo heette nog altijd de gedachte, die als hoogste politieke idee alle vorsten van Europa voor ogen stond, en hen voor en na tot handelen dreef. Er was hier een zonderling contrast tussen het reële politieke belang en de politieke idee. Er bestond voor de Christenheid der veertiende en vijftiende eeuw een Oosterse kwestie van de uiterste urgentie: het afweren der Turken, die reeds Adrianopel genomen (1378) en het Servische rijk vernietigd hadden (1389). Op de Balkan lag het gevaar. Doch Europa's eerste en noodzakelijkste staatkunde kon zich nog niet losmaken van de kruistochtidee. Zij kon de Turkse kwestie slechts zien als een onderdeel van de grote heilige taak, waarin de voorvaders waren te kort geschoten: de bevrijding van Jeruzalem.

Bij deze gedachte nu stond het ridderlijk ideaal op de voorgrond; hier kon en moest het een bijzonder nadrukkelijke werking uitoefenen. Immers het godsdienstig gehalte van het ridderideaal vond hier zijn hoogste belofte, en de bevrijding van Jeruzalem kon niet anders zijn dan heilig, edel ridderwerk. Juist doordat nu het godsdienstig-ridderlijke ideaal zich bij het bepalen der Oosterse staatkunde in zo sterke mate deed gelden, kan tot zekere hoogte het geringe succes der Turkenbestrijding worden verklaard. De expedities, die bovenal nauwkeurige berekening en geduldige voorbereiding eisten, werden ontworpen en opgezet onder een hogere spanning, die niet leidde tot een rustige overweging van het bereikbare, maar tot een verromantisering van het plan, die ijdel kon zijn of noodlottig kon worden. De catastrofe van Nicopolis in 1396 had getoond, hoe gevaarlijk het was, een nuttige expeditie tegen een zeer strijdbare vijand op te zetten in de oude trant van een dier ridderlijke reizen naar Pruisen of Litauen, om wat arme heidenen dood te slaan. Wie zijn het, die de kruistochtplannen ontwerpen? De dromers als Philippe de Mézières, die er zijn leven aan wijdde, de politieke fantasten, zoals Philips de Goede het met al zijn sluwe berekening was.

Alle koningen hadden de bevrijding van Jeruzalem nog altijd tot een obligate levenstaak. In 1422 is Hendrik V van Engeland stervende. De jonge veroveraar van Rouen en Parijs wordt weggerukt midden uit het werk, waarmee hij Frankrijk in ellende had gestort. De geneesheren hebben hem aangezegd, dat hij geen twee uur meer heeft te leven; de biechtvader en andere geestelijken zijn verschenen, de zeven boetpsalmen worden gelezen. Als het woord klinkt: Benigne fac, Domine, in bona voluntate tua Sion, ut aedificentur muri Jerusalem[1], laat de koning stilhouden en zegt luide, dat het zijn voornemen was geweest, om na het herstellen van de vrede in Frankrijk Jeruzalem te gaan veroveren, 'se ce eust esté le plaisir de Dieu son créateur de le laisser vivre son aage'. En daarna laat hij de lezing der boetpsalmen voltooien, en sterft weldra[2].

De kruistocht was sedert lang ook een voorwendsel geworden om bijzondere opbrengsten te heffen; ook Philips de Goede heeft van die gelegenheid ruimschoots gebruik gemaakt. Doch enkel veinzerij uit winstbejag zal bij hem het plan toch niet zijn geweest[1]. Het schijnt een mengeling van ernstig streven en de toeleg, om door dit bij uitstek nuttige en tevens bij uitstek ridderlijke plan zich als de redder der Christenheid een glorie te verzekeren boven zijn meerderen in rang, de koningen van Frankrijk en Engeland. Le voyage de Turquie bleef een troefkaart, die niet werd uitgespeeld. Chastellain bevlijtigt zich om toch vooral te doen uitkomen, dat het de hertog wel ernst was, maar... er waren gewichtige bezwaren: de tijd was er nog niet rijp voor, de invloedrijke lieden schudden het hoofd, dat de vorst op zijn leeftijd nog zulk een gevaarlijke tocht zou ondernemen; zowel de landen als de dynastie zouden gevaar lopen. Terwijl de paus de kruisvaan zond, door Philips met eerbied ontvangen in den Haag en in plechtige processie ontplooid, terwijl bij het feest te Rijsel en daarna de geloften tot de reize verzameld werden, terwijl Joffroy de Toisy de Syrische havens onderzocht, Jean Chevrot, de bisschop van Doornik, de collecten leidde en Guillaume Fillastre zijn ganse uitrusting reeds klaar had, en er reeds schepen voor de tocht in beslag waren genomen, heerste er toch een vage verwachting, dat de tocht niet zou doorgaan[2]. Des hertogen eigen gelofte te Rijsel klonk dan ook wel zeer voorwaardelijk: hij zou gaan, mits de landen die God hem had toevertrouwd om te regeren, in vrede en veiligheid waren[3].

Uitvoerig voorbereide en luidruchtig aangekondigde krijgsexpedities, waar niets of zeer weinig van komt, schijnen overigens, ook afgescheiden van het kruistochtideaal, in deze tijd als politieke renommage in trek te zijn geweest: zo de Engelse kruistocht tegen Vlaanderen in 1383, de tocht van Philips de Stoute tegen Engeland in 1387, waartoe de prachtige vloot zeilree lag in de haven van Sluis, die van Karel VI tegen Italië in 1391.

Een zeer bijzondere vorm van ridderlijke fictie met het doel van politieke reclame was het altijd weer aangekondigde en nimmer verwezenlijkte vorstenduel. Ik heb vroeger elders uiteengezet, hoe de staatsgeschillen der vijftiende eeuw nog als een twist van partijen, een persoonlijke 'querelle' werden opgevat[4]. Men dient 'la querelle des Bourguignons'. Wat was natuurlijker, dan dat de vorsten het zelf gingen uitvechten, gelijk nu nog in het politieke spoorweggesprek wordt verzucht? – Inderdaad was deze oplossing, die zowel een primitief rechtsgevoel als de ridderlijke fantasie bevredigde, telkens aan de orde. Wanneer men leest van de uitvoerige toebereidselen tot die vorstelijke tweegevechten, vraagt men zich twijfelend af, of dit alles enkel een fraai spel van bewust veinzen is geweest, de zucht naar een schoon leven alweer, of wel dat de vorstelijke kampvechters werkelijk de strijd hebben verwacht. Zeker is het, dat de geschiedschrijvers van die tijd het even ernstig opnemen als de kamplustige vorsten zelf. Te Bordeaux was in 1283 alles gereed voor de tweekamp tussen Karel van Anjou en Peter van Arragon. In 1383 draagt Richard II aan zijn oom Jan van Lancaster op, om met de koning van Frankrijk over vrede te handelen, en als billijkste weg daartoe voor te stellen een tweegevecht van de beide koningen of wel van Richard met zijn drie ooms tegen Karel met de zijnen[1]. Monstrelet wijdt terstond in de aanvang van zijn kroniek een ruime plaats aan de uitdaging van koning Hendrik IV van Engeland door Lodewijk van Orleans[2]. Humphrey van Gloucester wordt in 1425 uitgedaagd door Philips de Goede, die er wel de man naar was, om dit staatsiethema met al de middelen van zijn rijkdom en prachtliefde uit te werken. In de uitdaging wordt duidelijk als motief vermeld: 'pour éviter effusion de sang chrestien et la destruction du peuple, dont en mon cuer ay compacion', 'que par mon corps sans plus ceste querelle soit menée à fin, sans y aler avant par voies de guerres, dont il convendroit mains gentilz hommes et aultres, tant de vostre ost comme du mien, finer leurs jours piteusement'[3]. Alles werd voor de strijd in gereedheid gebracht: het kostbare harnas en de prachtige klederen, die de hertog dragen zou, waren vervaardigd: er werd gewerkt aan tenten, standaarden en vanen, wapenrokken voor de herauten en poursuivants, alles bezaaid met de blazoenen van 's hertogen landen, met de vuurslag en het Sint-Andrieskruis. Philips was in training: 'tant en abstinence de sa bouche comme en prenant painne pour luy mettre en alainne'[4]. In zijn park te Hesdin oefende hij zich dagelijks onder leiding van ervaren vechtmeesters[5]. De rekeningen vermelden de kosten, aan dat alles besteed, en nog in 1460 was de kostbare tent, voor deze gelegenheid vervaardigd, te Rijsel te zien[6]. Maar van het gevecht kwam niets.

Dit belette niet, dat hij later in het geschil met de hertog van Saksen over Luxemburg, deze opnieuw kamp aanbood, en dat bij het feest van Rijsel, toen Philips bijna zestig jaar oud was, zijn kruisgelofte inhield, dat hij gaarne bereid was, de Grote Turk corps à corps te bestrijden, als deze dat verkoos[7]. Men vindt de weerklank van die hardnekkige kampliefde van Philips de Goede nog in een verhaaltje van Bandello, hoe hij eens met de grootste moeite ervan weerhouden zou zijn, een edelman, die op hem afgezonden was om hem te doden, in het krijt te bevechten[8].

De vorm handhaaft zich nog in de volle Italiaanse Renaissance. Francesco Gonzaga biedt kamp aan Cesare Borgia: met zwaard en dolk wil hij Italië van de gevreesde en gehate bevrijden. De bemiddeling van de koning van Frankrijk, Lodewijk XII, voorkomt het tweegevecht, en een roerende verzoening besluit het geval[9]. Zelfs Karel V heeft nog tot tweemaal toe in alle vorm aangeboden, de strijd met Frans I door een persoonlijk tweegevecht te beslechten, het eerst nadat Frans, uit de krijgsgevangenschap teruggekeerd, volgens de keizer zijn woord had gebroken, en opnieuw in 1536[1]. De uitdaging, die Karel Lodewijk van de Palts in 1674, wel niet aan Lodewijk XIV zelf, maar aan Turenne zond, sluit bij de reeks nog regelrecht aan.[2]

Een werkelijk tweegevecht, dat het vorstenduel zeer nabij kwam, had in 1397 plaats te Bourg en Bresse. Daar viel, door de hand van de ridder Gérard d'Estavayer, de beroemde ridder en dichter Othe de Grandson, een grand seigneur van zijn tijd, aangeklaagd van medeplichtigheid aan de moord op de 'rode graaf' Amedeus VII van Savoye. Estavayer streed hier als kampioen voor de steden van het Pays de Vaud. Het geval maakte veel gerucht[3].

De gerechtelijke zowel als de spontane tweekamp leefde juist in de Bourgondische landen en in het twistzieke Noorden van Frankrijk nog bijzonder sterk in zeden en denkwijze. Van hoog tot laag huldigde men hem als de beslissing bij uitnemendheid. Met het ridderideaal hadden deze begrippen op zich zelf weinig te maken; zij waren veel ouder. De ridderlijke beschaving gaf aan het tweegevecht een zeker fatsoen, maar ook buiten de kringen van de adel eert men de tweekamp. Als het geen edelen zijn, wie de strijd geldt, ziet men hem terstond in al de ruwheid van de tijd, en de ridders zelf genieten dubbel in het schouwspel, als hun code van eer er buiten kan blijven.

Niets is in dit opzicht merkwaardiger dan de verbazende belangstelling, door de edelen en door de geschiedschrijvers aan de dag gelegd voor een gerechtelijke kamp van twee burgers te Valenciennes in 1455[4]. Het was een grote zeldzaamheid; in geen honderd jaar was zoiets voorgekomen. Die van Valenciennes wilden het tot elke prijs laten doorgaan, want het betrof voor hen de handhaving van een oud privilege; maar de graaf van Charolais, die het bewind voerde tijdens Philips' afwezigheid in Duitsland, wilde het niet, en stelde de voltrekking van maand tot maand uit, terwijl de beide partijen, Jacotin Plouvier en Mahuot, als kostbare vechthanen werden vastgehouden. Zodra de oude hertog van zijn reis naar de keizer terug was, viel de beslissing, dat de strijd doorgaan zou. Philips wilde hem met alle geweld zelf zien; daartoe alleen koos hij van Brugge naar Leuven de weg over Valenciennes. Terwijl nu de ridderlijke geesten als Chastellain en La Marche bij hun beschrijvingen van de feestelijke Pas d'armes van ridders en edelen met alle inspanning van hun verbeelding geen enkele maal een realiteit kunnen schilderen, geven zij hier het scherpst geziene beeld. Hier komt de ruwe Vlaming, die Chastellain was, onder de prachtige houppelande van goud en rood granaatpatroon te voorschijn. Geen bijzonderheid ontgaat hem van de 'moult belle serimonie'; hij beschrijft nauwkeurig het krijt en de banken rondom. De arme slachtoffers hebben elk hun vechtmeester bij zich. Jacotin, als klager, treedt het eerst binnen, blootshoofds met kort geknipt haar en heel bleek. Hij is geheel genaaid in een kleding van corduwaanleder uit één stuk zonder iets daaronder. Na enige vrome kniebuigingen en begroeting van de hertog, die achter het traliewerk gezeten is, wachten de kampvechters het ogenblik af, zittende in twee met zwart beklede stoelen tegenover elkaar. De heren in het rond maken zacht hun opmerkingen over de kansen; alles wordt opgemerkt: Mahuot wordt asbleek, toen hij het evangelie kust! Dan komen twee knechten en wrijven de kampvechters van de hals tot de enkels in met vet. Bij Jacotin trekt het vet terstond in het leer, bij Mahuot niet: wie zou dat teken gunstig zijn? De handen worden met as gewreven; zij nemen suiker in de mond; dan brengt men hun de knotsen en de schilden, waarop heiligenfiguren staan geschilderd, die zij kussen. Zij dragen de schilden met de punt omhoog, en hebben in de hand 'une bannerolle de devocion', een strook met een vrome spreuk.

Mahuot, die klein was, begint het gevecht door met de punt van zijn schild zand te scheppen en het Jacotin in de ogen te werpen. Een woedend knotsgevecht volgt; het eindigt met de val van Mahuot; de ander werpt zich boven op hem, en wrijft hem het zand in mond en ogen, maar Mahuot krijgt een vinger van zijn vijand tussen zijn tanden. Om zich te bevrijden drukt deze hem de duim in de oogkassen, en ondanks zijn geroep om genade draait hij hem de armen naar achteren en springt op de rug, om hem te breken. Stervende schreeuwt Mahuot vergeefs om te mogen biechten; dan roept hij: 'O monseigneur de Bourgogne, je vous ay si bien servi en vostre guerre de Gand! O monseigneur, pour Dieu, je vous prie mercy, sauvez-moy la vie!'... Hier breekt het verhaal van Chastellain af; er zijn enige bladen weg; van anderen weten wij, hoe de halfdode Mahuot door de beul gehangen werd.

Zou Chastellain het besloten hebben met een edele ridderlijke bespiegeling, na deze ellendige gruwel met zoveel verve te hebben verteld? La Marche deed het: hij bericht ons van de schaamte, die toch achterna de adel beving, dat men dit had aangezien. En daarom, zegt de onverbeterlijke hofpoëet, liet God een ridderlijk tweegevecht volgen, dat onschadelijk afliep.

Het conflict tussen riddergeest en werkelijkheid vertoont zich het duidelijkst, waar het ridderideaal zich tracht te doen gelden te midden van de ernstige krijg. Hoezeer ook het ridderideaal vorm en kracht moge hebben gegeven aan de oorlogsmoed, het werkte toch in de regel op de krijgsvoering meer belemmerend dan bevorderend, daar het de eisen der strategie opofferde aan die der levensschoonheid. Herhaaldelijk stellen zich de beste aanvoerders, ja de koningen zelf, bloot aan de gevaren van een romantisch krijgsavontuur. Eduard II waagt zijn leven in een hachelijke aanslag op een konvooi van Spaanse schepen[1]. De ridders van koning Jan's orde van de Ster moeten zweren, dat zij in de slag nooit verder zullen vluchten dan vier 'arpents', anders hebben zij te sterven of zich over te geven, welke zonderlinge spelregel volgens Froissart terstond aan wel negentig het leven kostte[1]. Wanneer Hendrik V van Engeland in 1415 de Fransen tegemoet gaat vóór de slag bij Azincourt, trekt hij bij vergissing op een avond het dorp, dat zijn fouriers hem als nachtverblijf bestemd hadden, voorbij. Nu had de koning 'comme celuy qui gardoit le plus les cérimonies d'honneur très loable', juist te voren gelast, dat de ridders, op verkenning uit, hun wapenrok moesten afleggen, opdat zij, teruggaande, niet zouden vervallen in de schande van in strijdgewaad terug te wijken. Toen hij nu zelf in wapenrok te ver vooruit was gegaan, kon hij niet terug; hij overnachtte dus, waar hij gekomen was, en liet de voorhoede dienovereenkomstig opschikken[2].

Bij de beraadslaging over de grote Franse inval in Vlaanderen in 1382 verzet zich voortdurend ridderzin tegen krijgskunde. 'Se nous querons autres chemins que le droit', – voert men aan tegen de adviezen van Clisson en Coucy, om langs onverwachte omwegen te dringen, – 'nous ne monsterons pas que nous soions droites gens d'armes'[3]. Evenzo gaat het bij een inval van Fransen aan de Engelse kust bij Dartmouth in 1404. De ene aanvoerder, Guillaume du Châtel, wil de Engelsen in de flank vallen, daar deze zich door een gracht op het strand hebben beschut. Maar de sire de Jaille noemt de verdedigers een troep dorpers; het zou een schande zijn, voor zulke tegenstanders uit de weg te gaan; hij spoort de ander aan, niet te vrezen. Dat woord treft Du Châtel in het vlees: 'Dat zij verre van het edele hart van een Breton, dat hij vrezen zou; nu zal ik, ofschoon ik eer de dood voorzie dan de zege, de hachelijke fortuin beproeven'. Hij voegt er de gelofte aan toe, dat hij geen kwartier zal vragen, valt daarop aan, en sneuvelt zelf, terwijl zijn bende deerlijk wordt verslagen[4]. Bij de tocht naar Vlaanderen is er steeds groot gedrang, om in de voorhoede te komen; een ridder, die met de achterhoede wordt belast, stribbelt hardnekkig tegen[5].

De meest eigenlijke toepassing van het ridderideaal op de oorlog bestond in de afgesproken aristieën, 't zij van twee strijders of van gelijke groepen. Het befaamde Combat des Trente, dat in 1351 bij Ploërmel in Bretagne geleverd werd tussen dertig Fransen onder Beaumanoir en een groep van Engelsen, Duitsers en Bretons, is er het type van. Froissart vond het geweldig mooi, maar tekent toch tenslotte aan: 'Li aucun le tenoient à proèce, et li aucun à outrage et grant outrecuidance'[6]. Een tweegevecht van Guy de la Trémoïlle en de Engelse edelman Pierre de Courtenay in 1386, dat strekken zou om de superioriteit van Engelsen of Fransen te bewijzen, wordt door de Franse regenten Bourgondië en Berry verboden en nog op 't laatste ogenblik verhinderd[7]. De afkeuring van deze nutteloze vorm van dapperheidsbetoon wordt ook gedeeld door Le Jouvencel, van wie wij reeds vroeger in 't licht stelden, hoe bij hem de ridder plaats maakt voor de kapitein. Wanneer de hertog van Bedford een gevecht aanbiedt van twaalf tegen twaalf, laat de schrijver van *Le Jouvencel* de Franse aanvoerder antwoorden: er is een algemene spreekwijze, dat men niets moet doen op aanstichten van zijn vijand. Wij zijn hier, om hen uit hun stelling te verdrijven, en dat geeft ons werk genoeg. En de uitdaging wordt geweigerd. Elders laat hij Le Jouvencel een van zijn officieren zulk een wedkamp weigeren met de verklaring (waarop hij overigens tenslotte terugkomt), dat hij tot zo iets nooit verlof zou geven. Het zijn verboden dingen. Wie zulk een tweegevecht begeert, wil aan een ander iets ontnemen, namelijk zijn eer, om zich een ijdele glorie toe te kennen, die van geringe waarde is, terwijl hij intussen de dienst van zijn koning en van de publieke zaak verwaarloost[1].

Dat klinkt als een stem van de nieuwe tijd. Niettemin bleef de gewoonte van die tweegevechten tussen de fronten tot na de middeleeuwen voortduren. Uit de oorlogen om Italië kent men de 'Sfida di Barletta', de kamp tussen Bayard en Sotomayor in 1501, uit de tachtigjarige oorlog de strijd van Bréauté en Lekkerbeetje op de Vughtse heide in 1600 en van Lodewijk van de Kethulle tegen een grote Albanese ruiter voor Deventer in 1591.

Het krijgsbelang en de taktiek drongen meestal de ridderlijke opvattingen naar de achtergrond. De voorstelling, dat ook de veldslag zelf niet anders is dan een eerlijk afgesproken kamp om het recht, komt nog telkens naar voren, maar vindt zelden gehoor tegenover de eisen van het krijgsbeleid. Hendrik van Trastamara wil tot elke prijs zijn vijand in het open veld bevechten. Hij geeft vrijwillig zijn gunstige positie prijs, en verliest de slag bij Najera (of Navarrete, 1367). Een Engels leger stelt in 1333 de Schotten voor, om uit hun gunstige positie af te dalen in de vlakte, opdat men elkander kan bestrijden. Wanneer de koning van Frankrijk geen toegang vindt om Calais te ontzetten, stelt hij de Engelsen beleefd voor, ergens een slagveld te bepalen. Karel van Anjou laat de Rooms-koning Willem van Holland weten,

> *dat hi selve ende sine man*
> *recht tote Assche op der heiden*
> *sijns dre daghe wilde verbeiden*[*].

---

[*] Stoke III vs. 1387 vg. Andere voorbeelden van de afspraak van veldslagen op bepaalde tijd en plaats bij W. Erben, Kriegsgeschichte des Mittelalters (Beiheft 16 der Hist. Zschr.) 1929, p. 92 vg. Een weerklank van de oud-Noorse rechtsgewoonte, de kampplaats door pinnen of hazelaartakken te omheinen, klinkt nog in de Engelse term 'a pitched battle' voor een geregelde veldslag.

Willem van Henegouwen gaat nog verder: hij doet de Franse koning het voorstel, drie dagen wapenstilstand te houden, ten einde in die tijd een brug te bouwen, waardoor de legers elkaar kunnen bereiken om slag te leveren[1]. In al die gevallen wordt het ridderlijke aanbod geweigerd; het strategisch belang behield de overhand, ook bij Philips de Goede, toen hij een zware strijd te voeren had met zijn riddereer, omdat hem op één dag driemaal de veldslag is aangeboden, en hij die niet heeft aanvaard[2].

Er bleef, ook al moest voor de werkelijke belangen het ridderideaal zwichten, nog gelegenheid genoeg, om de oorlog fraai aan te kleden. Welk een bedwelming van fierheid moet er niet zijn uitgegaan van het bonte en pralende krijgsdecoratief zelf! In de nacht vóór Azincourt sterken de beide legers, in de duisternis tegenover elkaar gelegen, hun moed met de muziek der trompetten en bazuinen, en het wordt ernstig beklaagd, dat de Fransen er niet genoeg hadden 'pour eulx resjouyr', en daardoor in lager stemming bleven[3].

In het laatst der vijftiende eeuw komen de landsknechten met de grote trommels[4], een ontlening aan het Oosten. De trom met haar direkt hypnotische, onmuzikale werking beduidt treffend de overgang van het ridderlijke tijdperk naar het modern-militaire; zij is een element in de mechanisering van de krijg. Omstreeks 1400 is al de schone en half spelende suggestie van persoonlijke wedijver in roem en eer nog in volle fleur: door helmtekens en blazoenen, vanen en wapenkreten behoudt de strijd een individueel karakter en een element van sport. De gehele dag hoort men de kreten der verschillende heren uitroepen in een wedspel van hoogmoed[5]. Vóór en na het gevecht bezegelen de ridderslagen en de rangverhogingen het spel: ridders worden tot bannerets verheven door het afsnijden van de wimpel van hun vaantjes[6]. Het beroemde kamp van Karel de Stoute voor Neuss is ingericht met al de feestelijke praal van een hofstaatsie: sommigen hebben hun tent laten bouwen 'par plaisance' in de vorm van een kasteel, met galerijen en tuinen eromheen[7].

De krijgsbedrijven moesten bij de optekening worden gevat in het raam van ridderlijke opvattingen. Men wilde op technische gronden onderscheiden, wat een slag en wat een treffen was, want elk gevecht moest in de annalen van de roem zijn vaste plaats en naam hebben. Zo zegt Monstrelet: 'Si fut de ce jour en avant ceste besongne appellée la rencontre de Mons en Vimeu. Et ne fu déclairée à estre bataille, pour ce que les parties rencontrèrent l'un l'autre aventureusement, et qu'il n'y avoit comme nulles bannières desploiées'[8]. Hendrik V van Engeland doopt zijn grote overwinning, 'pour tant que toutes batailles doivent porter le nom de la prochaine forteresse où elles sont faictes', plechtig als de slag van Azincourt[9]. Het overnachten op het slagveld gold als het erkende teken der overwinning[10].

98

De persoonlijke dapperheid van de vorst in de slag heeft somtijds een bedenkelijk kunstmatig karakter. Froissart beschrijft een strijd van Eduard III tegen een Frans edelman bij Calais in termen, die zouden doen vermoeden, dat het geen bittere ernst was. 'Là se combati li rois à monsigneur Ustasse moult longuement et messires Ustasse à lui, et tant que il les faisoit moult plaisant veoir'. Tenslotte geeft de Fransman zich over, en wordt het geval besloten met een souper, dat de koning zijn gevangene aanbiedt[1]. – In het gevecht van Saint Richier laat Philips van Bourgondië wegens het gevaar zijn prachtige wapenrusting door een ander dragen, maar het heet, dat het is, om als een gewoon krijgsman zichzelf beter te beproeven[2]. Wanneer de jonge hertogen van Berry en Bretagne Karel de Stoute volgen in zijn guerre du bien public, dragen zij, naar aan Commines werd verteld, schijnharnassen van satijn met vergulde spijkertjes[3].

Overal steekt de leugen door de gaten van het ridderlijke staatsiekleed. De werkelijkheid verloochent voortdurend het ideaal. Vandaar dat het steeds meer zich terugtrekt in de sfeer van litteratuur, feest en spel; daar alleen was de illusie van het schone ridderlijke leven te handhaven; daar is men onder elkaar in de kaste, waarbinnen al die sentimenten enkel gelding hebben.

Het is verbazend, zoals de ridderlijkheid onmiddellijk in gebreke blijft, waar zij zou moeten gelden jegens niet-gelijkwaardigen. Zodra het lageren in stand betreft, ontbreekt elke behoefte aan ridderlijke hoogheid. De edele Chastellain heeft niet het geringste begrip voor de koppige burgereer van de rijke brouwer, die zijn dochter niet aan 's hertogen soldaat wil geven, en er lijf en goed aan waagt, om de hertog te weerstreven[4]. Froissart vertelt zonder een zweem van eerbied, hoe Karel VI het lijk van Philips van Artevelde wilde zien. 'Quand on l'eust regardé une espasse on le osta de là et fu pendus à un arbre. Velà le darraine fin de che Philippe d'Artevelle'[5]. De koning zou zich zelfs niet ontzien hebben, het lijk te schoppen, 'en le traitant de vilain'[6]. De gruwelijkste wreedheden van de edelen tegen de burgers van Gent in de oorlog van 1382, wanneer zij veertig graanschippers verminkt en met uitgestoken ogen naar de stad terugzenden, bekoelen Froissart geen ogenblik in zijn geestdrift voor de ridderij[7]. Chastellain, die zwelgt in de heldendaden van Jacques de Lalaing en zijns gelijken, vermeldt zonder enige sympathie die van een onbekende Gentse knaap, die alleen op Lalaing aanviel[8]. La Marche zegt althans naïef van heldenfeiten, door een Gentenaar uit het volk verricht, dat het van belang zou zijn geweest, als het 'un homme de bien' geweest was[9].

Op alle wijzen drong anders de werkelijkheid de negatie van het ridderlijke ideaal aan de geesten op. De veldheerskunst had sedert lang de tournooihouding opgegeven: de oorlog van de veertiende en vijftiende eeuw was er een van besluipen en verrassen, van strooptochten en raids. De Engelsen hadden het eerst het afstijgen van de ridders in de slag ingevoerd, en het werd aan Franse zijde overgenomen[1]. Eustache Deschamps meent spottend, dat het dient om het vluchten te beletten[2]. Op zee, zegt Froissart, is het ijselijk vechten, want daar kan men niet wijken en vluchten[3]. Buitengewoon naïef komt de ontoereikendheid der ridderlijke opvattingen als militair beginsel uit in het *Débat des hérauts d'armes de France et d'Angleterre*, een tractaat van omstreeks 1455, waarin in de vorm van een twistgesprek de voorrang van Frankrijk boven Engeland wordt betoogd. De Engelse heraut heeft de Franse gevraagd, waarom zijn koning niet een grote scheepsmacht onderhoudt, gelijk die van Engeland. Wel, antwoordt de Franse heraut, dat heeft hij niet nodig, en bovendien: de Franse adel houdt meer van de oorlog te land dan ter zee, om verschillende redenen: 'car il y a danger et perdicion de vie, et Dieu scet quelle pitié quant il fait une tourmente, et si est la malladie de la mer forte à endurer à plusieurs gens. Item, et la dure vie dont il faut vivre, qui n'est pas bien consonante à noblesse'[4]. Hoe gering van uitwerking ook nog, reeds kondigde het kanon de toekomstige veranderingen van de oorlog aan. Het was als een ironische symboliek, dat het puik der dolende ridders 'à la mode de Bourgogne', Jacques de Lalaing, gedood werd door een kanonschot[5].

Er was aan de adellijk-militaire carrière een financiële kant, die dikwijls zeer vrijmoedig wordt bekend. Elke bladzijde der laat-middeleeuwse krijgsgeschiedenis geeft te verstaan, hoezeer het daarbij aankwam op het maken van aanzienlijke gevangenen, terwille van de losprijs. Froissart verzuimt niet te vermelden, hoeveel de bedrijver van een geslaagde overrompeling bij de zaak verdiende[6]. Maar behalve direkte baten van de oorlog spelen ook de pensioenen en renten en gouverneursposten in het leven van de ridder een grote rol. Het vooruitkomen wordt grif als doel aanvaard. 'Je sui uns povres homs qui desire mon avancement', zegt Eustache de Ribeumont. Froissart vertelt zijn eindeloze faits divers van de ridderkrijg onder andere tot voorbeeld van de dapperen 'qui se désirent à avanchier par armes'[7]. Deschamps heeft een ballade, waarin de ridders, knapen en sergianten van het hof van Bourgondië staan te hunkeren naar de betaaldag, met het refrein:

Et quant venra le tresorier?[8]

Chastellain vindt het natuurlijk en gepast, dat iemand die naar aardse roem streeft, gierig en berekenend is, 'fort veillant et entendant à grand somme de deniers, soit en pensions, soit en rentes, soit en gouvernemens ou en pratiques'[9]. En inderdaad schijnt zelfs de edele Boucicaut, die alle ridders ten voorbeeld werd gesteld, van bijzondere geldzucht niet vrij te zijn geweest[1]. De nuchtere Commines begroot een edelman naar zijn salaris als 'ung gentilhomme de vingt escuz'[2].

Tussen al de luide verheerlijking van het ridderlijke leven en de ridderlijke krijg klinkt af en toe de bewuste negatie van het ridder-ideaal: soms nuchter, soms honend. De edelen zelf zagen bijwijlen de opgepoetste ellende en de valsheid van zulk een leven van krijg en tournooien[3]. Het is niet te verwonderen, dat de twee sarcastische geesten, die voor het ridderdom niets dan spot en minachting hadden, elkaar gevonden hebben: Lodewijk XI en Philippe de Commines. De beschrijving van de slag bij Montlhéry bij Commines is in haar nuchter realisme volkomen modern. Hier geen schone heldendaden, geen fictief dramatisch verloop, maar slechts het relaas van een voortdurend komen en gaan, een twijfelen en vrezen, steeds verteld met een licht sarcasme. Hij schijnt erin te genieten, als hij van smadelijk vluchten kan vertellen en van de moed, die terugkeert, als het gevaar geweken is. Hij gebruikt weinig het woord 'honneur', en behandelt de eer bijna als een noodzakelijk kwaad. 'Mon advis est que s'il eust voulu s'en aller ceste nuyt, il eust bien faict... Mais sans doubte, là où il avoit de l'honneur, il n'eust point voulu estre reprins de couardise'. Zelfs waar hij bloedige ontmoetingen verhaalt, zoekt men vergeefs de terminologie der ridderschap: het woord dapperheid of ridderlijkheid kent hij niet[4].

Zou het zijn Zeeuwse moeder Margaretha van Arnemuiden zijn geweest, van wie Commines zijn nuchtere geest had? Het schijnt immers wel, dat in Holland, ondanks de Henegouwse Willem IV, de ijdele avonturier, de riddergeest vroegtijdig aan het afsterven was, terwijl juist Henegouwen, waarmee het verenigd was, altijd het echte land van de ridderlijke adel is geweest. Bij het Combat des Trente was de beste aan Engelse zijde een zekere Crokart, een voormalige knecht van de heren van Arkel. Hij had in de oorlog groot fortuin gemaakt: wel 60.000 kronen en een stal met dertig paarden; daarbij had hij grote roep van dapperheid verworven, zodat de koning van Frankrijk hem ridderschap en een aanzienlijk huwelijk beloofde, als hij Frans wilde worden. Deze Crokart kwam met zijn roem en zijn rijkdom in Holland terug, en hield er grote staat; maar de Hollandse heren wisten nog wel, wie hij was, en namen geen notitie van hem, zodat hij terugkeerde naar het land, waar men ridderlijke faam beter waardeerde[5].

Wanneer Jan van Nevers zich gereedmaakt om de reis naar Turkije te ondernemen, waar hij Nicopolis zou vinden, laat Froissart hertog Albrecht van Beieren, de graaf van Holland, Zeeland en Henegouwen, tot zijn zoon Willem zeggen: 'Guillemme, puisque tu as la voulenté de voyagier et aler en Honguerie et en Turquie et quérir les armes sur gens et pays qui oncques riens ne nous fourfirent, ne nul article de raison tu n'y as d'y aler fors que pour la vayne gloire de ce monde, laisse Jean de Bourgoigne et nos cousins de France faire leurs emprises, et fay la tienne à par toy, et t'en va en Frise et conquiers nostre héritage'[1].

Van al de landen van Bourgondië was de adel van Holland bij de kruisgeloften van het feest te Rijsel verreweg het slechtst vertegenwoordigd. Toen na het feest nog meer geloften schriftelijk in de verschillende landen werden ingezameld, kwamen er uit Artois nog 27, uit Vlaanderen 54, uit Henegouwen 27 en uit Holland 4, en deze luidden nog zeer voorwaardelijk en voorzichtig. De Brederode's en Montfoort's beloofden gemeenschappelijke plaatsvervangers[2].

Het ridderdom zou niet het levensideaal van eeuwen zijn geweest, indien daarin niet hoge waarden aanwezig waren geweest voor de ontwikkeling der samenleving, indien het niet sociaal, ethisch en esthetisch noodzakelijk was geweest. Juist in de schone overdrijving had eenmaal de kracht van dit ideaal gelegen. Het is, alsof de middeleeuwse geest in zijn bloedige hartstochtelijkheid slechts te leiden was, door het ideaal veel te hoog te stellen: zo deed het de Kerk, zo deed het de ridderlijke gedachte. 'Without this violence of direction, which men and women have, without a spice of bigot and fanatic, no excitement, no efficiency. We aim above the mark to hit the mark. Every act hath some falsehood of exaggeration in it.'[3]

Doch naarmate een cultuurideaal meer gevuld is met de aanspraak op de hoogste deugden, is de disharmonie tussen levensvorm en werkelijkheid groter. Het ridderideaal met zijn nog half-religieuze inhoud kon slechts worden beleden door een tijd, die nog voor zeer sterke realiteiten de ogen kon sluiten, die vatbaar was voor de volstrekte illusie. De zich vernieuwende beschaving dwingt ertoe, dat uit de oude levensvorm de al te hoge aspiraties worden prijsgegeven. De ridder gaat over in de Franse gentilhomme der zeventiende eeuw, die nog wel een stel van stands- en eerbegrippen onderhoudt, maar zich niet meer uitgeeft voor een strijder voor het geloof, een verdediger van zwakken en verdrukten. Voor het Franse edelmanstype treedt dat van de gentleman in de plaats, regelrecht ontwikkeld uit de oude ridder, maar getemperd en verfijnd. Bij de opeenvolgende transformaties van het ideaal liet telkens een buitenste schaal, die leugen geworden was, los.

8

DE STILERING DER LIEFDE

Sedert de provençaalse troubadours der twaalfde eeuw het eerst de melodie van het onbevredigd verlangen hadden aangeheven, hadden de violen van het liefde-lied al hoger en hoger gezongen, totdat alleen Dante het instrument meer zuiver bespelen kon.

Het was een der gewichtigste wendingen van de middeleeuwse geest geweest, toen hij voor het eerst een liefdesideaal ontwikkelde met een negatieve grondtoon. De Oudheid had voorzeker ook het smachten en de smarten der liefde bezongen; maar was toch eigenlijk daar het smachten niet enkel gezien als het uitstel en de prikkel der zekere vervulling? En in het droef-eindend liefde-verhaal der Oudheid was niet de verijdeling van het verlangen het stemmings-moment, maar de wrede scheiding der reeds vereende gelieven door de dood, zoals bij Cephalus en Procris, bij Pyramus en Thisbe. De aandoening van droef-heid lag er niet in de erotische onbevredigdheid, maar in het treurig lotgeval. Eerst in de hoofse minne der troubadours is de onbevredigdheid zelf hoofdzaak geworden. Er was een erotische gedachtenvorm geschapen, die vatbaar was om een overvloed van ethisch gehalte in zich op te nemen, zonder daarom ooit het verband met de natuurlijke vrouwenliefde geheel op te geven. Uit de zinnelijke liefde zelf was voortgesproten de edele vrouwendienst zonder aanspraak op ver-vulling. Nu werd de liefde het veld, waarop men alle esthetische en zedelijke vol-making bloeien liet. De edele minnaar naar de theorie der hoofse min wordt door zijn liefde deugdzaam en rein. Het geestelijke element neemt in die lyriek steeds meer de overhand; tenslotte is de uitwerking der liefde een staat van heilige kennis en vroomheid: la vita nuova.

Toen moest een nieuwe wending komen. In de dolce stil nuovo van Dante en zijn tijdgenoten was een uiterste bereikt. Petrarca staat alweer weifelend tussen het ideaal der vergeestelijkte hoofse liefde en de nieuwe inspiratie der Oudheid. En van Petrarca naar Lorenzo de'Medici neemt in Italië het minnelied de weg terug naar de natuurlijke zinnelijkheid, die ook de bewonderde antieke modellen doordrong. Het kunstig uitgewerkte systeem der hoofse min was weder prijsgegeven.

In Frankrijk en de landen, die onder de ban van Frankrijk's geest stonden, was de wending anders gekomen. De ontwikkeling der erotische gedachte sedert de hoogste bloei der hoofse lyriek is er minder eenvoudig. De vormen van het systeem blijven van kracht maar vullen zich met andere geest. Daar had, nog voordat de *Vita nova* de eeuwige harmonie vond van een vergeestelijkte passie, de *Roman de la rose* nieuwe inhoud gegoten in de vormen der hoofse min. Ongeveer twee eeuwen lang heeft het werk van Guillaume de Lorris en Jean Clopinel (of Chopinel)[1] de Meun, begonnen vóór 1240 en vóór 1280 voltooid, niet alleen de vormen der aristocratische liefde volkomen beheerst, maar bovendien door zijn encyclopedische rijkdom aan uitweidingen op alle mogelijke gebieden de schatkamer opgeleverd, waaruit de beschaafde leken het levendste van hun geestelijke ontwikkeling putten. Het kan niet gewichtig genoeg worden geschat, dat aldus de heersende klasse van een gans tijdperk haar levenskennis en haar eruditie kreeg in het raam van een ars amandi. In geen andere tijd heeft zich het ideaal van wereldlijke beschaving zodanig geamalgameerd met dat der vrouwenliefde als in de twaalfde tot vijftiende eeuw. Alle christelijke en maatschappelijke deugden, alle volmaking van levensvormen waren door het systeem der min gevoegd in het kader der trouwe liefde. De erotische levensbeschouwing, 't zij in haar oudere zuiver hoofse vorm, 't zij in haar belichaming in de *Roman de la rose*, kan op één lijn gesteld worden met de gelijktijdige scholastiek. Beide vertegenwoordigen een grootste poging van de middeleeuwse geest, om onder één gezichtspunt alles wat des levens is te begrijpen.

In de bonte uitbeelding van de vormen der liefde concentreerde zich al het streven naar levensschoonheid. Wie die schoonheid zocht in eer en rang, zijn leven wilde tooien met praal en staatsie, kortom wie de schoonheid des levens in de hoogmoed zocht, zag zich altijd weer geplaatst voor het inzicht in de ijdelheid dier dingen. Maar in de liefde scheen, tenzij men afscheid had genomen van alle aardse geluk, het doel en het wezen de genieting der schoonheid zelve. Hier was geen levensschoonheid te scheppen uit edele vormen ter begeleiding van een hoge staat, hier woonde de diepste schoonheid en het hoogste geluk zelf, en wachtte slechts om versierd te worden met kleur en stijl. Elk ding van schoonheid, elke bloem en elke klank, kon dienst doen om de levensvorm der liefde op te bouwen.

Het streven naar de stilering der liefde was meer dan een ijdel spel. Het was de geweldigheid van de hartstocht zelf, die aan deze felle samenleving der late

Middeleeuwen gebood, het liefdeleven te verheffen tot een schoon spel van edele regels. Hier bovenal was op straffe van barbaarsheid de behoefte, om de aandoeningen te encadreren in vaste vormen. Onder de lagere standen was de beteugeling der ongebondenheid aan de Kerk overgelaten, die daarin slaagde zo goed en zo kwaad als een kerk dat vermag. In de aristocratie, die zich onafhankelijker voelde van de Kerk, omdat zij een stuk cultuur had buiten het kerkelijke, vormde zich in de veredelde erotiek zelf een rem op de teugelloosheid; litteratuur, mode en omgangsvormen oefenden er een normerende invloed op het liefdeleven uit.

Of althans, zij schiepen een schone schijn, waarnaar men waande te leven. Want in de grond bleef ook onder de hogere standen het liefdeleven bijster ruw. De dagelijkse zeden waren daarbij nog van een vrijmoedige onbeschaamdheid, die latere tijden verloren hebben. De hertog van Bourgondië laat voor het Engelse gezantschap, dat hij te Valenciennes verwacht, de badstoven der stad in orde maken 'pour eux et pour quiconque avoient de famille, voire bains estorés de tout ce qu'il faut au mestier de Vénus, à prendre par choix et par élection ce que on désiroit mieux, et tout aux frais du duc'[1]. De ingetogenheid van zijn zoon Karel de Stoute wordt hem door velen euvel geduid als voor een vorst niet passend[2]. Onder de mechanieke vermakelijkheden van de lusthof te Hesdin vermelden de rekeningen 'ung engien pour moullier les dames en marchant par dessoubz'[3].

Doch de grofheid is niet louter een tekortschieten aan het ideaal. Evengoed als de veredelde liefde had ook de ongebondenheid haar eigen stijl, en wel een zeer oude. Men kan hem de epithalamische stijl noemen. Op het gebied van de verbeeldingen der liefde erft een verfijnde samenleving als die der laatste Middeleeuwen zoveel overoude motieven, dat de erotische stijlen met elkaar wedijveren of zich onderling vermengen. Veel ouder wortels en een even vitale betekenis als de stijl der hoofse min had die primitieve vorm der erotiek, die de geslachtsgemeenschap zelf verheerlijkt, door de christelijke cultuur verdrongen uit zijn waarde van heilig mysterie, maar niettemin altijd even levend.

De gehele epithalamische toestel, met zijn onbeschaamde lach en zijn phallische symboliek, had eens deel uitgemaakt van de heilige riten zelf der bruiloftsviering. Huwelijksplechtigheid en bruiloftsfeest waren éénmaal ongescheiden geweest: één groot mysterie, dat zich concentreerde op de paring. Toen was de Kerk gekomen en had de heiligheid en het mysterie voor zich genomen, door ze te verleggen naar het sacrament der plechtige verbintenis. De accessoires van het mysterie, de stoet en het lied en de juichkreet, had zij overgelaten aan het bruiloftsfeest. Maar daar leefden zij nu, ontdaan van hun sacraal karakter, in des te wulpser ongebondenheid voort, en de Kerk was machteloos gebleven, die daar te keren. Geen kerkelijke zedigheid kon de heftige levenskreet van het Hymen o Hymenaee! dempen. Geen puriteinse zin heeft de schaamteloze publiciteit van de huwelijksnacht uit de zeden doen verdwijnen, immers onze zeventiende eeuw kent haar nog in volle fleur. Eerst het moderne individuele sentiment, dat in stilte en duister hullen wilde, wat van twee alleen was, heeft die zede gebroken.

Wanneer men zich herinnert, dat nog in 1641 bij de bruiloft van de jonge prins van Oranje met Maria van Engeland de practical jokes niet ontbraken, om de bruidegom, een knaap nog, de consummatie van het huwelijk quasi te beletten, dan verbaast men zich niet over de onbeschaamde uitgelatenheid, waarmee vorstelijke en adellijke huwelijken omstreeks 1400 plachten gevierd te worden. Het obsceen gegrinnik, waarmee Froissart de bruiloft van Karel VI met Isabeau van Beieren verhaalt, of het epithalamium, dat Deschamps aan Antonie van Bourgondië wijdde, kunnen als voorbeelden strekken[1]. De *Cent nouvelles nouvelles* vertellen als iets heel gewoons van een bruidspaar, dat met de vroegmis trouwt, en na een lichte maaltijd terstond te bed gaat[2]. Al de grappen, die hetzij bij de bruiloft of bij het liefdeleven in 't algemeen hoorden, werden ook voor het gezelschap van dames passend geacht. De *Cent nouvelles nouvelles* dienen zich aan, zij het met enige ironie, als 'glorieuse et édifiant euvre' als verhalen 'moult plaisants à raconter en toute bonne compagnie'. 'Noble homme Jean Régnier', een ernstig dichter, maakt een lascive ballade op verzoek van Madame de Bourgogne en al de dames en jufferen van haar hof[3].

Het is duidelijk, dat al deze dingen niet gevoeld zijn als tekortkomingen aan het hoge en stijve ideaal van eer en welvoeglijkheid. Er is hier een tegenstrijdigheid, die niet mag worden verklaard door de edele vormen en de grote mate van preutsheid, die de Middeleeuwen op ander gebied vertonen, als hypocrisie te beschouwen. Evenmin is de schaamteloosheid een saturnalisch uit de band springen. Nog onjuister zou het zijn, de epithalamische obsceniteiten als een teken van décadence, van aristocratische overbeschaving te beschouwen, zoals ten opzichte van onze zeventiende eeuw is geschied[4]. De dubbelzinnigheden, de obscene woordspelingen, de lascive verzwijgingen horen in de epithalamische stijl thuis; ze zijn er overoud. Zij worden begrijpelijk, als men ze beschouwt tegen hun ethnologische achtergrond: als de tot omgangsvormen verzwakte resten van het phallische symbolisme der primitieve cultuur. Als ontmunt mysterie derhalve. Wat eenmaal, toen de grenzen van spel en ernst nog niet door de cultuur heen waren getrokken, de heiligheid van het rituele verbonden had met de uitgelatenheid der levensvreugde, kon in een christelijke samenleving slechts meer gangbaarheid hebben als prikkelende luim en spot. Dwars tegen vroomheid en courtoisie in handhaafden zich in de bruiloftsgebruiken de sexuele verbeeldingen met al hun levende kracht.

Men kan, als men wil, het gehele komisch-erotische genre beschouwen als wilde loten uit de stam van het epithalamium: de vertelling, de klucht, het liedje. Doch het verband met die mogelijke oorsprong is lang verloren; het is een litteratuurgenre op zichzelf geworden; de komische werking is het zelfstandig doel geworden. Alleen de aard der komiek is nog altijd dezelfde als die van het epithalamium: zij berust doorgaans op de symbolische aanduiding der sexuele dingen, of de travesti der geslachtsliefde in de begrippen van enig maatschappelijk bedrijf. Bijna elk werk of ambacht leende zijn termen tot erotische allegorie, toen als altijd. Het ligt voor de hand, dat in de veertiende en vijftiende eeuw vooral het tournooi, de jacht en de muziek[1] er de stof toe leverden. De behandeling van liefdegevallen in de vormen van het rechtsgeding, zoals de *Arrestz d'amour*, hoort feitelijk niet onder de categorie der travesti. Doch er was een ander gebied, dat voor de inkleding van het erotische bijzonder geliefd was, en wel het kerkelijke. De uitdrukking van het sexuele in kerkelijke termen werd in de Middeleeuwen toegepast met een buitengewone vrijmoedigheid. In de *Cent nouvelles nouvelles* is het enkel het gebruik van woorden als bénir of confesser in obscene zin, of de woordspeling van saints en seins, die men niet moede werd te herhalen. Doch in verfijnder opvatting ontwikkelt zich de kerkelijk-erotische allegorie tot een litteraire vorm op zichzelf. Het is de dichterkring van de gevoelige Charles d'Orléans, die de droeve liefde verbeeldt onder de gedaante der kloosterlijke ascese, der liturgie en van het martelaarschap. Zij noemen zich Les amoureux de l'observance, naar de hervormde Franciscanen, kort te voren tot nieuwe strengheid verplicht. Het is als een ironische pendant van de strakke ernst van de dolce stil nuovo. De heiligschennende strekking wordt half geboet door de innigheid van het amoureuze sentiment.

> *Ce sont ici les dix commandemens,*
> *Vray Dieu d'amours...*

Zo ontwijdt hij de tien geboden. Of wel de eed op het evangelie:

> *Lors m'appella, et me fist les mains mettre*
> *Sur ung livre, en me faisant promettre*
> *Que feroye loyaument mon devoir*
> *Des points d'amour...*[2]

Hij zegt van een gestorven minnaar:

Et j'ay espoir que brief ou paradis
Des amoureux sera moult hault assis,
Comme martir et tres honnoré saint.

En van de eigen dode geliefde:

J'ay fait l'obseque de ma dame
Dedens le moustier amoureux,
Et le service pour son ame
A chanté Penser doloreux.
Mains sierges de soupirs piteux
Ont esté en son luminaire,
Aussi j'ay fait la tombe faire
De regrets...[1]

In het zuivere gedicht *L'amant rendu cordelier de l'observance d'amour*, dat de opneming van een troosteloze minnaar in het klooster van de martelaars der liefde
in den brede beschrijft, is al het zacht-komische effect, dat de kerkelijke travesti
beloofde, volkomen uitgewerkt. Is het niet, alsof de erotiek telkens weer, zelfs
op perverse wijze, met het heilige een aanraking moest zoeken, die zij lang te
voren verloren had?

De erotiek moest, om cultuur te zijn, tot elke prijs een stijl zoeken, een vorm
die haar bond, een uitdrukking, die haar bedekte. En zelfs waar zij die vorm ver-
smaadde en afdaalde van scabreuze allegorie tot de regelrechte en ongesluierde
behandeling van het geslachtsleven, blijkt zij haars ondanks toch nog gestileerd.
Het gehele genre, dat door een grove geest licht voor erotisch naturalisme gehouden wordt, dat, waar de mannen nimmer uitgeput en de vrouwen altijd willig zijn, is evengoed als de edelste hoofse min een romantische fictie. Wat anders
dan romantiek is de laffe verwaarlozing van alle natuurlijke en maatschappelijke
complicaties der liefde, de bemanteling van al het leugenachtige, het zelfzuchtige en het tragische in het geslachtsleven met de schone schijn van een ongestoord jolijt? Ook hier is het de grote cultuuraandrift: de zucht naar het schone
leven, de behoefte om het leven schoner te zien dan de werkelijkheid het bood,
en derhalve de forcering van het liefdeleven in de vorm van een fantastische
wens, maar thans door overdrijving naar de dierlijke kant. Ook hier een levensideaal: het ideaal der onkuisheid.

De werkelijkheid is te allen tijde slechter en ruwer geweest dan het verfijnd
litteraire liefdesideaal haar zag, maar ook zuiverder en ongetogener dan de platte
erotiek, die veelal als naturalistisch geldt, haar voorstelde. Eustache Deschamps,

10. Jan van Eyck, Giovanni Arnolfini en zijn vrouw
(Londen, National Gallery)

de brooddichter, pleegt in tal van komische balladen, waarin hij sprekend optreedt, zich tot de liederlijkste gemeenheid te verlagen. Maar hij is niet de werkelijke held van die obscene gevallen, en temidden ervan treft een teer versje,
waarin hij zijn dochter op de voortreffelijkheid van haar gestorven moeder wijst[1].

Als bron van litteratuur en cultuur moest het ganse epithalamische genre met
al zijn uitlopers en vertakkingen steeds op de tweede plaats blijven. Het heeft tot
thema de uiterste en volledige bevrediging zelve, het is direkte erotiek. Maar
datgene, wat tot levensvorm en levensversiering dienen kan, is de indirekte
erotiek, die tot thema heeft de mogelijkheid der bevrediging, de belofte, het
verlangen, het ontberen, de nadering van het geluk. Hier wordt de opperste bevrediging verschoven in het onuitgesprokene, omhuld met al de lichte sluiers der
verwachting. De indirekte erotiek is daardoor alleen reeds van veel langer adem,
bedekt een veel wijder levensveld. En zij kent de liefde niet alleen en majeur of
met het lachende masker, maar is ook in staat, de smarten der liefde te verwerken tot schoonheid, en heeft daardoor een oneindig hoger levenswaarde. Zij kan
in zich opnemen de ethische elementen van de trouw, de moed, de edele zachtmoedigheid, en zich zodoende verbinden met andere strevingen naar het ideale
dan naar dat der liefde alleen.

Geheel in overeenstemming met de algemene geest der latere Middeleeuwen,
die al het denken tot het uitvoerigste wilde verbeelden en in systeem brengen,
had nu de *Roman de la rose* aan de ganse erotische cultuur een vorm gegeven, zo
bont, zo wel-sluitend en zo rijk, dat hij was als een schat van profane liturgie,
leer en legende. En juist het tweeslachtige van de *Roman de la rose*, werk van twee
dichters van geheel verschillende aard en opvatting, maakte hem nog bruikbaar-
der als bijbelboek der erotische cultuur: men vond er teksten in voor verschillend gebruik.

Guillaume de Lorris, de eerste dichter, had nog het oude hoofse ideaal gehul-
digd. Van hem was de bekorende opzet en de blijde, zoete verbeelding van het
onderwerp. Het is het steeds gebruikte thema van een droom. De dichter ziet
zich vroeg in een meimorgen uitgegaan, om de nachtegaal en de leeuwerik te
horen. Zijn pad brengt hem langs een rivier tot de muur van de geheimzinnige
tuin der liefde. Op die muur ziet hij de beeltenissen geschilderd van Haat, Verraad, Dorperheid, Hebzucht, Gierigheid, Nijd, Droefgeestigheid, Ouderdom,
Kwezelarij (Papelardie) en Armoede: de antihoofse eigenschappen. Maar Dame
Oiseuse (Ledigheid), de vriendin van Déduit (Vermaak), opent hem de poort.
Daarbinnen leidt Liesse (Blijheid) de dans. De Liefdegod danst er met Schoonheid in de rei, waarin Rijkdom, Mildheid, Vrijmoedigheid (Franchise), Hoofsheid (Courtoisie) en Jeugd delen. Terwijl de dichter bij de Narcissusfontein ver-

zonken is in bewondering van de rozeknop, die hij daar ontwaart, schiet de Lief-degod hem met zijn pijlen: Beauté, Simplesse, Courtoisie, Compagnie en Beau-Semblant. De dichter verklaart zich Liefde's dienstman (homme lige), Amour sluit hem het hart met een sleutel, en ontvouwt hem liefde's geboden, liefde's euvelen (maux) en haar goed (biens). De laatste heten Esperance, Doux-penser, Doux-Parler, Doux-Regard.

Bel-Accueil, de zoon van Courtoisie, noodt hem tot de rozen, maar dan ko-men de bewakers van de roos: Danger, Male-Bouche, Peur en Honte, en verdrij-ven hem. Nu begint de verwikkeling. Raison daalt van haar hoge toren, om de minnaar te belezen. Ami troost hem. Venus spant haar kunsten tegen Chasteté; Franchise en Pitié brengen hem naar Bel-Accueil terug, die hem toestaat, de roos te kussen. Maar Male-Bouche vertelt het, Jalousie komt aanlopen, en nu wordt om de rozen een sterke muur gebouwd. Bel-Accueil wordt in een toren opgesloten. Danger en zijn gezellen bewaken de poorten. Met een klacht van de minnaar eindigde het werk van Guillaume de Lorris.

Toen is Jean de Meun gekomen, vrij wat later waarschijnlijk, en heeft het werk voortgezet met een veel omvangrijker vervolg en slot. Het verder verloop van de handeling, de aanval en vermeestering van het kasteel der rozen door Amour met al zijn bondgenoten, de hoofse deugden, maar ook Bien Celer, Faux-Sem-blant, verdrinkt bijna in de vloed van uitweidingen, beschouwingen, verhalen, waarmee de tweede dichter het werk tot een ware encyclopedie heeft gemaakt. Maar wat vooral van gewicht is: hier sprak een geest, zo onbevangen, zo scep-tisch-koel en cynisch-wreed, als de Middeleeuwen zelden hebben opgeleverd, daarbij een hanteerder der Franse taal als weinigen. De naïeve, lichte idealiteit van Guillaume de Lorris werd overschaduwd door de ontkennende geest van Jean de Meun, die niet aan spoken en tovenaars en ook niet aan trouwe liefde en vrouwelijke eerbaarheid geloofde, die voor pathologische problemen oog had, die aan Venus, Nature en Genius de stoutste verdediging van zinnelijke levens-drang in de mond legde.

Wanneer Amor vreest met zijn leger de nederlaag te zullen lijden, zendt hij Franchise en Doux-Regard naar Venus, zijn moeder, die aan de oproep gehoor geeft, en op haar duivenwagen te hulp komt. Als Amor haar de staat van zaken meedeelt, zweert zij, geen kuisheid ooit meer bij enige vrouw te zullen laten, en spoort Amor aan, dezelfde eed ten aanzien van de mannen te doen, en het ganse leger zweert mede.

Intussen is Nature in haar smidse bezig met haar werk, het onderhouden der soorten, haar eeuwige worsteling tegen de Dood. Zij beklaagt zich bitter, dat van al de schepselen alleen de mens haar geboden overtreedt, en zich onthoudt van de voortteling. Op haar last begeeft zich Genius, haar priester, na de lange biecht, waarin Nature hem haar werken ontvouwt, naar het leger der Liefde, om daar Nature's vloek te slingeren over de versmaders van haar geboden. Amor dost Genius uit met een kazuifel, een ring, een staf en een mijter; Venus geeft hem schaterlachende een brandende kaars in de hand, 'qui ne fu pas de cire vierge'.

De excommunicatie wordt ingeleid door de verwerping der maagdelijkheid in een drieste symboliek, die uitloopt op een wonderlijk mysticisme. De hel voor hen, die de geboden der natuur en der liefde niet in acht nemen, voor de anderen de bebloemde weide, waar de Zoon der Maagd zijn blanke schaapjes hoedt, die daar in eeuwige geneuchte de bloemen en het kruid grazen, dat daar onverderfelijk bloeit.

Wanneer Genius in de veste de kaars geslingerd heeft, wier vlam de ganse wereld ontsteekt, begint de eindstrijd om de toren. Ook Venus zelf slingert haar fakkel; dan vluchten Honte en Peur, en Bel-Accueil staat de minnaar toe, de roos te plukken.

Hier was derhalve met volle bewustheid het sexuele motief opnieuw in het middelpunt geplaatst, en het was omkleed met zulk een kunstig mysterie, ja met zoveel heiligheid, dat een groter uitdaging aan het kerkelijk levensideaal niet mogelijk was. In zijn volkomen heidense strekking kan men de *Roman de la rose* als een schrede naar de Renaissance beschouwen. In de uiterlijke vorm is hij schijnbaar echt middeleeuws. Immers wat is middeleeuwser dan de tot het uiterste doorgevoerde personificatie der gemoedsaandoeningen en omstandigheden der liefde? De figuren van de *Roman de la rose*: Bel-Accueil, Doux-Regard, Faux-Semblant, Male-Bouche, Danger, Honte, Peur, staan op één lijn met de echt-middeleeuwse verbeeldingen van de deugden en zonden in menselijke gedaante: allegorieën of iets meer dan dat, half-geloofde mythologemen. Doch waar is de grens tussen deze voorstellingen en de herleefde nimfen, saters en geesten der Renaissance? Ze zijn aan een andere sfeer ontleend, maar hun verbeeldingswaarde is dezelfde, en de aankleding van de figuren der *Rose* doet dikwijls denken aan de fantastisch bebloemde gestalten van Botticelli.

Hier was dan de liefdedroom verbeeld in een vorm, tegelijk gekunsteld en gepassioneerd. De uitvoerige allegorie bevredigde alle eisen der middeleeuwse verbeelding. Zonder de personificaties had de geest de gemoedsbewegingen niet kunnen uitdrukken en navoelen. Al de bonte kleur en elegante lijn van dat onvergelijkelijke poppenspel was nodig, om een begrippenstelsel der liefde te vormen, waarmee men elkander begreep. Men hanteerde de figuren van Danger, Nouvel-Penser, Male-Bouche als de gangbare termen van een wetenschappelijke psychologie. Het grondthema hield de hartstocht levend. Want voor de bleke dienst van een getrouwde dame, die door de troubadours als onbereikbaar voorwerp van smachtende verering in de wolken was geschoven, was nu weer het natuurlijkste erotische motief in de plaats gesteld: de hevige prikkel van het geheim der maagdelijkheid, gesymboliseerd als de roos, en die te winnen met kunst en volharding.

In theorie was de liefde van de *Roman de la rose* hoofs en edel gebleven. De tuin der levensvreugde is slechts voor uitverkorenen, en door liefde toegankelijk. Wie hem betreden wil, moet vrij zijn van haat, trouweloosheid, dorperheid, hebzucht, gierigheid, nijd, ouderdom, huichelarij. Doch de positieve deugden, die hij daartegenover moet stellen, tonen, dat het ideaal niet meer ethisch, als in de hoofse minne, maar enkel aristocratisch is. Het zijn: onbezorgdheid, vatbaarheid voor vermaak, blijde zin, liefde, schoonheid, rijkdom, mildheid, vrije zin (franchise) en courtoisie. Het zijn niet meer evenzoveel veredelingen van de persoon door de afstraling der geliefde, maar deugdelijke middelen om haar te winnen. En het is niet meer de, zij het ook valse, verering der vrouw, die het werk bezielt, maar, althans bij de tweede dichter Jean Clopinel, de wrede verachting voor haar zwakheid, de verachting, die in het zinnelijk karakter dezer liefde zelf haar oorsprong heeft.

Ondanks zijn grote heerschappij over de geesten had de *Roman de la rose* toch de oudere opvatting der liefde niet geheel kunnen verdringen. Naast de verheerlijking van de flirt handhaafde zich ook de voorstelling van de zuivere, ridderlijke, trouwe en zelfverzakende liefde, want deze was een essentieel onderdeel van het ridderlijke levensideaal. Het was een hoofse twistvraag geworden in die bonte kring van weelderig-aristocratisch leven rondom de Franse koning en zijn ooms van Berry en Bourgondië, welke opvatting der liefde voor de ware edelman de voorkeur verdiende; die van de echte courtoisie met haar smachtende trouw en eerbare dienst aan één dame, of die van de *Roman de la rose*, waar de trouw slechts het middel was in dienst der jacht op de vrouw. De edele ridder Boucicaut had zich met zijn tochtgenoten op een reis naar het Oosten in 1388 tot de pleitbezorger der ridderlijke trouw gemaakt, en met het dichten van het *Livre des cent ballades* zich de tijd gekort. De beslissing tussen flirt en trouw wordt er de beaux-esprits van het hof voorgelegd.

Uit een dieper ernst welde het woord, waarmee enige jaren later Christine de Pisan zich in de strijd waagde. Deze moedige verdedigster van vrouweneer en vrouwenrechten liet de liefdegod spreken in een dichterlijke brief, die de klacht der vrouwen behelsde tegen al het bedrog en al de smaad der mannen[1]. Zij wees de leer van de *Roman de la rose* met verontwaardiging van de hand. Sommigen vielen haar bij, maar het werk van Jean de Meun had nog altijd een schaar van hartstochtelijke vereerders en verdedigers. Er volgde een litteraire strijd, waarin tal van voor- en tegenstanders het woord namen. En geen geringe voorstanders waren het, die de *Rose* hoog hielden. Vele knappe, wetenschappelijke, doorgeleerde mannen, – verzekerde de proost van Rijsel, Jean de Montreuil –, stelden de *Roman de la rose* zo hoog, dat zij hem bijna een eredienst wijdden (pæne ut colerent), en dat zij liever hun hemd zouden missen dan dat boek[1].

Het is voor ons niet gemakkelijk, de geestes- en gemoedssfeer te begrijpen, waaruit de verdediging voortkwam. Want het waren geen wufte hofjonkers, maar ernstige hoge ambtenaren, ten dele zelfs geestelijken, zoals de genoemde proost van Rijsel Jean de Montreuil, secretaris van de dauphin, later van de hertog van Bourgondië, die er met zijn vrienden Gontier en Pierre Col in dichterlijke en Latijnse brieven over correspondeerde, en anderen aanspoorde, om toch de verdediging van Jean de Meun op zich te nemen. Het eigenaardigste is, dat deze kring, die zich aldus kampioen stelde voor dat bonte, wulpse middeleeuwse werk, dezelfde is, waar de eerste kiemen van het Franse humanisme gekweekt werden. Jean de Montreuil is de schrijver van een groot aantal Ciceroniaanse brieven vol humanistenwendingen, humanistenretoriek en humanistenijdelheid. Hij en zijn vrienden Gontier en Pierre Col staan in briefwisseling met de ernstige reformgezinde theoloog Nicolaas de Clemanges[2].

Het was Jean de Montreuil zeker ernst met zijn litterair standpunt. Hoe meer ik, – schrijft hij aan een ongenoemd rechtsgeleerde, die de Roman bestreden had, – het gewicht der mysteriën en de mysteriën van het gewicht van dat diepe en beroemde werk van meester Jean de Meun doorvors, hoe meer ik mij verbaas over uwe afkeuring. – Tot zijn laatste snik zal hij het verdedigen, en er zijn er velen, zoals hij, die met geschrift, met stem en hand die zaak zullen dienen[3].

En als om te bewijzen, dat er in die strijd over de *Roman de la rose* toch meer stak dan een stuk uit het grote gezelschapsspel van het hofleven, nam tenslotte een man het woord, die wat hij sprak, terwille van de hoogste zedelijkheid en zuiverste leer sprak, de beroemde theoloog en kanselier der Parijse universiteit Jean Gerson. Uit zijn boekvertrek, des avonds 18 mei 1402, dateerde hij een tractaat tegen de *Roman de la rose*[4]. Het is een antwoord op de bestrijding van een vorig schrijven van Gerson door Pierre Col[5], en ook dit was niet het eerste geschrift, dat Gerson aan de Roman wijdde; het boek scheen hem de gevaarlijkste pest, de bron van alle onzedelijkheid; hij wilde het bij elke gelegenheid bestrijden. Herhaaldelijk trekt hij te velde tegen de verderfelijke invloed 'du vicieux romant de la rose'[6]. Als hij er een exemplaar van had, – zegt hij –, dat het enige was, en duizend pond waard, dan zou hij het liever verbranden, dan het te verkopen om in het licht te worden gegeven.

Gerson ontleende de vorm van zijn betoog aan de tegenstander zelf: een allegorisch visioen. Op een morgen ontwakende voelt hij zijn hart hem ontvlieden, 'moyennant les plumes et les eles de diverses pensees, d'un lieu en autre jusques a la court saincte de crestienté'. Daar ontmoet het Justice, Conscience en Sapience, en hoort, hoe Chasteté de Fol amoureux, dat is Jean de Meun, aanklaagt, die haar van de aarde met al haar volgelingen verbannen heeft. Haar 'bonnes gardes' zijn juist de boze figuren van de roman: 'Honte, Paour et Dangier le bon portier, qui ne oseroit ne daigneroit ottroyer neïs un vilain baisier ou dissolu regart ou ris attraiant ou parole legiere'. Een reeks van verwijten slingert Kuisheid de Fol amoureux tegen. 'Il gette partout feu plus ardant et plus puant que feu gregeois ou de souffre'. Hij laat door de vermaledijde oude vrouw leren, 'comment toutes jeunes filles doivent vendre leurs corps tost et chierement sans paour et sans vergoigne, et qu'elles ne tiengnent compte de decevoir ou parjurer'. Hij hoont het huwelijk en het kloosterleven; hij richt al de fantazie op de vleselijke lusten, en wat het ergste is, hij laat door Venus, zelfs door Dame Raison de begrippen van het Paradijs en de christelijke mysteriën vermengen met die van het zingenot.

Inderdaad, daar school het gevaar. Het grote werk met zijn vereniging van zinnelijkheid, honend cynisme en elegant symbolisme wekte in de geesten een sensueel mysticisme, dat de ernstige theoloog een afgrond van zondigheid moest schijnen. Wat had niet Gerson's tegenstander, Pierre Col, durven beweren![*] Alleen de Fol amoureux zelf kan over de waarde van die dolle passie oordelen; wie haar niet kent, ziet haar slechts in een spiegel en een raadsel. Hij leende dus voor de aardse liefde het heilige woord van de brief aan de Corinthen, om van haar te spreken, zoals de mysticus het van zijn ekstase doet! Hij waagde het, te verklaren, dat Salomo's hooglied tot lof van Pharao's dochter is gedicht. Zij die het boek van de *Rose* hebben gesmaad, hebben voor Baal hun knieën gebogen. De Natuur wil niet, dat één man één vrouw genoeg zij, en de Genius der Natuur is God. Ja, hij durft Lucas II 23 misbruiken, om uit het Evangelie zelf te bewijzen, dat eertijds de vrouwelijke geslachtsorganen, de roos van de roman, heilig zijn geweest. En vol vertrouwen in al die blasfemie roept hij de verdedigers van het werk op, een turbe van getuigen, en dreigt Gerson, dat deze zelf vervallen zal in een zinneloze liefde, zoals het andere godgeleerden vóór hem is gebeurd.

Het gezag van de *Roman de la rose* is door Gerson's aanval niet getaand. In 1444

---

[*] Volgens Gerson. De brief van Pierre Col is bewaard in een hs. der Bibl. nationale, mss. français 1563 f. 183.

biedt een kanunnik van Lisieux, Estienne Legris, aan Jean Lebègue, griffier van de rekenkamer te Parijs, een *Répertoire du roman de la rose* van zijn hand[1]. Nog in het laatst der vijftiende eeuw kan Jean Molinet verklaren, dat de uitspraken van de *Rose* gangbaar waren als algemene spreekwoorden[2]. Hij voelt zich geroepen, om van de gehele roman een moraliserende commentaar te geven, waar de bron uit het begin van dit gedicht tot symbool van de doop wordt, de nachtegaal, die tot de liefde roept, de stem van predikers en godgeleerden, en de roos Jezus zelf. Clément Marot heeft nog een modernisering van het werk gegeven, en zelfs Ronsard bedient zich nog van de allegorische figuren Belacueil, Fausdanger enz.[3].

Terwijl de deftige geletterden hun pennestrijd voerden, vond de aristocratie in die strijd een welkome aanleiding tot feestelijke conversatie en pompeus vermaak. Boucicaut, geprezen door Christine de Pisan om zijn hooghouden van het oude ideaal van ridderlijke trouw in de liefde, vond wellicht in haar woord weer de aanleiding tot het stichten van zijn Ordre de l'écu verd à la dame blanche, ter verdediging van verdrukte vrouwen. Maar hij kon niet wedijveren met de hertog van Bourgondië, en zijn orde werd terstond in de schaduw gesteld door de groots opgezette Cour d'amours, die op 14 februari 1401 werd opgericht in het hôtel d'Artois te Parijs. Het was een luisterrijk aangekleed litterair salon. Philips de Stoute, hertog van Bourgondië, de oude berekenende staatsman, wiens gedachten men niet bij deze zaken zou vermoeden, had met Lodewijk van Bourbon de koning verzocht, het liefdehof in te stellen tot afleiding tijdens de pestepidemie, die te Parijs heerste, 'pour passer partie du tempz plus gracieusement et affin de trouver esveil de nouvelle joye'[4]. Het liefdehof was gegrond op de deugden van nederigheid en trouw, 'à l'onneur, loenge et recommandacion et service de toutes dames et damoiselles'. De talrijke leden waren getooid met de wijdluftigste titels: de beide oprichters en Karel VI waren Grands conservateurs; onder de Conservateurs waren Jan zonder Vrees, zijn broeder Antonie van Brabant, zijn jonge zoon Philips. Er is een Prince d'amour: Pierre de Hauteville, een Henegouwer; er zijn Ministres, Auditeurs, Chevaliers d'honneur, Conseillers, Chevaliers trésoriers, Grands Veneurs, Ecuyers d'amour, Maîtres des requêtes, Secrétaires; kortom de gehele toestel van hofhouding en regering is er nagebootst. Men vindt er naast prinsen en prelaten ook burgers en lagere geestelijken. Werkzaamheid en ceremonieel waren nauwkeurig geregeld. Het heeft veel van een gewone rederijkerskamer. De leden kregen refereinen op, om te behandelen in al de geijkte versvormen: 'ballades couronnées ou chapelées', chansons, sirventois, complaintes, rondeaux, lais, virelais enz. Er zouden debatten worden gehouden 'en forme d'amoureux procès, pour différentes opinions soustenir'. De dames zouden de prijzen uitreiken, en het was verboden om verzen te maken, die de eer van het vrouwelijk geslacht aantastten.

Hoe geweldig Bourgondisch is die pompeuze en statige opzet, die ernstige vormen voor een gracieus vermaak. Het is opmerkelijk, doch verklaarbaar, dat het hof het strenge ideaal van de edele trouw beleed. Doch als men zou verwachten, dat nu ook de zevenhonderd leden, die bekend zijn uit de ongeveer vijftien jaren, dat men van het bestaan van het gezelschap verneemt, allen als Boucicaut de oprechte medestanders van Christine de Pisan, de vijanden dus van de *Roman de la rose* zijn geweest, komt men in strijd met de feiten. Wat men van de zeden van Antonie van Brabant en andere hoge heren weet, maakt hen weinig geschikt tot verdedigers van vrouweneer. Een der leden, een zekere Regnault d'Azincourt, is de aanlegger van een mislukte schaking van een jonge kramersweduwe, in grote stijl, met twintig paarden en een priester[1]. Een ander lid, de graaf van Tonnerre, staat schuldig aan een dergelijk vergrijp. En als om afdoende te bewijzen, dat het alles slechts een schoon gezelschapsspel was: de bestrijders van Christine de Pisan zelf in de letterkundige twist over de *Roman de la rose* vindt men onder de leden: Jean de Montreuil, Gontier en Pierre Col[2].

9

DE OMGANGSVORMEN DER LIEFDE

Het is uit de litteratuur, dat men de liefdevormen van de tijd moet leren kennen, maar het is in het leven zelf, dat men ze zich moet voorstellen. Er was een heel stelsel van geijkte vormen, om een jong leven van aristocratische omgang mee te vullen. Wat al tekens en figuren der liefde, die de latere eeuwen gaandeweg hebben prijsgegeven. In plaats van Amor alleen had men de ganse zonderling persoonlijke mythologie van de *Roman de la rose*. Zonder twijfel immers hebben Bel-Accueil, Doux-Penser, Faux-Semblant en de rest ook buiten de direkte litteratuurprodukten in de verbeelding geleefd. Dan was er al de tedere betekenis der kleuren in kleding, bloemen en sieraad. De kleurensymboliek, die nu nog niet geheel vergeten is, nam in het amoureuze leven der Middeleeuwen een gewichtige plaats in. Wie haar niet voldoende kende, vond een handleiding in *Le blason des couleurs*, omstreeks 1458 geschreven door de heraut Sicilië[1], in de zestiende eeuw overgebracht in verzen, en door Rabelais bespot, niet zozeer uit verachting voor het onderwerp, als misschien omdat hij er zelf over dacht te schrijven[2].

Wanneer Guillaume de Machaut voor het eerst zijn onbekende geliefde ziet, is hij verrukt, dat zij bij een wit kleed een kaproen draagt van hemelsblauwe stof met groene papegaaien, want groen is de kleur der nieuwe liefde en blauw van de trouw. Later, als het hooggetij van zijn dichterliefde voorbij is, droomt hij, dat haar beeltenis, die boven zijn bed hangt, het hoofd afwendt, en geheel in het groen gekleed is, 'qui nouvelleté signifie'. Hij dicht een verwijtende ballade:

> *En lieu de bleu, dame, vous vestez vert*[3].

De ringen, de sluiers, al de kleinoden en geschenken der liefde hadden hun bijzondere functie, met hun geheimzinnige deviezen en emblemen, dikwijls in de gekunsteldste rebussen ontaard. De dauphin trekt in 1414 ten strijde met een standaard, waarop in goud een K, een zwaan (cygne) en een L, dat beduidde de naam van een hofdame van zijn moeder Isabeau, die la Cassinelle werd genoemd[1]. Rabelais bespot nog een eeuw later de 'glorieux de court et transporteurs de noms', die in hun deviezen 'espoir' door een 'sphere', 'peine' door 'pennes d'oiseaux', 'melancholie' door een akelei (ancholie) aanduiden[2].

Dan waren er de amoureuze vernuftspelletjes, zoals Le Roi qui ne ment, Le chastel d'amours, Ventes d'amour, Jeux à vendre. Het meisje noemt de naam van een bloem of iets anders; de jongeling moet er op rijmen met een compliment:

Je vous vens la passerose.
– Belle, dire ne vous ose
Comment Amours vers vous me tire.
Si l'apercevez tout sanz dire[3].

Het Chastel d'amours was zulk een vraag- en antwoordspel, gebaseerd op de figuren van de *Roman de la rose*:

Du chastel d'Amours vous demant:
Dites le premier fondement!
– Amer loyaument.

Or me nommez le mestre mur
Qui joli le font, fort et seur!
– Celer sagement.

Dites moy qui sont li crenel,
Les fenestres et li carrel!
– Regart atraiant.

Amis, nommez moy le portier!
– Dangier mauparlant.

Qui est la clef qui le puet deffermer?
– Prier courtoisement[4].

Een grote plaats in de hoofse conversatie werd sinds de dagen der troubadours ingenomen door de casuïstiek der liefde. Het was als 't ware de veredeling van de nieuwsgierigheid en kwaadsprekerij tot een litteraire vorm. Naast 'beaulx livres, dits, ballades' wordt de maaltijd aan het hof van Lodewijk van Orleans opgeluisterd door 'demandes gracieuses'[5]. Men legt ze vooral de dichter ter beslissing voor. Een gezelschap dames en heren komt bij Machaut met een reeks 'partures d'amours et de ses aventures'[6]. Hij had in zijn *Jugement d'amour* de stelling verdedigd, dat de dame, die door de dood haar minnaar verliest, minder te beklagen is dan de minnaar ener trouweloze liefde. Elk liefdegeval werd op die wijze naar strenge normen gediscuteerd. – 'Beau sire, wat zoudt ge liever willen: dat men kwaad sprak van uw geliefde en gij haar goed bevondt, of dat men goed van haar sprak en gij haar slecht vondt?' – Waarop overeenkomstig het hoge formele eerbegrip en de dure plicht van de minnaar om voor de uiterlijke eer der geliefde te waken, het antwoord luiden moest: 'Dame, j'aroie plus chier que j'en oïsse bien dire et y trouvasse mal'. – Wanneer een dame door haar eerste minnaar wordt veronachtzaamd, handelt zij dan trouweloos, door een tweede te nemen, die oprechter is? Mag een ridder, die elke hoop heeft opgegeven, zijn dame te zien, daar een jaloerse echtgenoot haar opgesloten houdt, zich eindelijk tot een nieuwe liefde wenden? Wanneer een ridder zich van zijn geliefde keert tot een vrouw van hoog aanzien, en daarop, teruggewezen, opnieuw haar genade inroept, laat haar eer haar dan toe, hem te vergeven?[1] Van deze casuïstiek is het maar een schrede naar de behandeling der liefdevragen geheel in procesvorm, zoals Martial d'Auvergne ze geeft in de *Arrestz d'amour*.

Al deze omgangsvormen der liefde kennen wij slechts uit hun neerslag in de litteratuur. Zij hoorden thuis in het werkelijk leven. De code van hoofse begrippen, regels en vormen diende niet uitsluitend, om er versjes mee te maken, maar om ze toe te passen in het aristocratische leven, of althans in de conversatie. Het is evenwel heel moeilijk, om door de sluier der poëzie heen het leven van de tijd te zien. Want ook waar een werkelijke liefde zo nauwkeurig mogelijk wordt beschreven, is het toch van uit de waan van het geijkte ideaal, met de technische toestel der gangbare liefdesbegrippen, in de stilering van het litteraire geval. Zo is het met het, al te lange, relaas van een dichterliefde tussen een oude poëet en een veertiende-eeuwse Marianne, *Le livre du Voir-Dit*[2] (d.w.z. Ware geschiedenis) van Guillaume de Machaut*. Hij moet ongeveer zestig jaar oud zijn geweest, toen de ongeveer achttienjarige Peronnelle d'Armentières**, uit een aanzienlijk geslacht in Champagne, hem in 1362 haar eerste rondel zond, waarin zij de onbekende beroemde dichter haar hart aanbood, terwijl zij hem liet verzoeken, een dichterlijke liefdescorrespondentie met haar te beginnen. De arme dichter, ziekelijk, aan één oog blind, geplaagd door de jicht, is onmiddellijk in vlam. Hij beantwoordt haar rondel, en een wisseling van brieven en gedichten begint. Peronnelle is trots op haar litteraire verbintenis; zij maakt er aanvankelijk geen geheim van. Zij wil, dat hij hun ganse liefde naar waarheid zal te boek stellen, met inlassing van hun brieven en gedichten. Hij volbrengt die taak met vreugde;

---

* De hypothese, dat er geen reële liefdesgeschiedenis aan het werk van Machaut ten grondslag zou liggen (aldus Hanf, Zeitschr. f. Rom. Phil. XXII, p. 145), mist elke grond.
** Een kasteel bij Château Thierry.

'je feray, à vostre gloire et loenge, chose dont il sera bon memoire'[1]. 'Et, mon très-dour cuer, – schrijft hij haar –, vous estes courrecié de ce que nous avons si tart commencié? (hoe had zij eerder gekund?) par Dieu aussi suis-je (met meer reden); mais ves-cy le remede: menons si bonne vie que nous porrons, en lieu et en temps, que nous recompensons le temps que nous avons perdu; et qu'on parle de nos amours jusques à cent ans cy après, et tout bien et en toute honneur; car s'il y avoit mal, vous le celeriés à Dieu, se vous poviés.'[2]

Wat er met een eerbare liefde bestaanbaar was, leert het verhaal, waarmee Machaut de brieven aaneenrijgt. Hij krijgt, op zijn verzoek, haar geschilderd portret, dat hij eer bewijst als zijn God op aarde. Vol angst over zijn eigen gebreken gaat hij de eerste samenkomst tegemoet, en zijn geluk is uitbundig, wanneer zijn voorkomen de jonge geliefde niet afschrikt. Zij legt zich onder een kerseboom in zijn schoot te slapen, of kwansuis te slapen. Zij schenkt hem groter gunsten. Een pelgrimage naar Saint Denis en de Foire du Lendit geeft de gelegenheid, om enige dagen te zamen te zijn. Op een middag is het gezelschap doodmoe van de drukte en de zomerhitte; het was midden juni. Zij vinden in de overvolle stad een onderkomen bij een man, die hun een kamer met twee bedden afstaat. Op het ene legt zich in de donker gemaakte kamer ter middagrust Peronnelle's schoonzuster, op het andere zij zelf met haar kamenier. Zij dringt de schuchtere dichter, om zich tussen haar beiden te leggen; hij ligt doodstil uit vrees van haar te storen, en als zij ontwaakt, beveelt zij hem, haar te kussen. Als het einde van het reisje nadert, en zij zijn droefheid bespeurt, staat zij hem toe, haar tot afscheid te komen wekken. En ofschoon hij ook bij die gelegenheid blijft spreken van 'onneur' en 'onnesté', is het bij zijn vrij onomwonden verhaal niet duidelijk, wat zij hem nog geweigerd kan hebben. Zij geeft hem het gouden sleuteltje van haar eer, haar schat, om die zorgvuldig te behoeden, maar het moet wel opgevat worden als haar eerbaarheid voor de mensen, wat er nog te bewaren viel[3].

Meer geluk was de dichter niet weggelegd, en bij gebrek aan verdere lotgevallen vult hij de tweede helft van zijn boek met eindeloze verhalen uit de mythologie. Tenslotte bericht zij hem, dat hun verhouding een einde moet nemen, blijkbaar wegens haar huwelijk. Maar hij besluit, haar altijd te blijven liefhebben en vereren, en na hun beider dood zal zijn geest aan God verzoeken, om haar ziel in glorie nog te blijven noemen: Toute-belle[4].

Zowel voor de zeden als voor de sentimenten leert ons *Le Voir-Dit* meer dan de meeste liefdesliteratuur van de tijd. Vooreerst de buitengewone vrijheid, die zich dit jonge meisje veroorloven kon, zonder aanstoot te geven. Dan de naïeve onverstoorbaarheid, waarmee alles, tot het intiemste, zich afspeelt in tegenwoordigheid van anderen, 't zij de schoonzuster, de kamenier of de secretaris. Bij het samenzijn onder de kerseboom verzint deze laatste zelfs een bevallige list: terwijl zij sluimert, legt hij een groen blad op Peronnelle's mond, en zegt tot Machaut, dat hij dat blad moet kussen. Als deze het eindelijk waagt, trekt de secretaris het blad weg, zodat hij even haar mond aanraakt*. Even opmerkelijk is het samengaan van liefdes- en godsdienstplichten. Het feit, dat Machaut als kanunnik van de kerk van Reims tot de geestelijke stand behoorde, moet niet al te zwaar worden opgevat. De lagere wijdingen, die voor het kanunnikschap voldoende waren, brachten in die tijd de eis van het celibaat niet gebiedend mede. Ook Petrarca was kanunnik. Dat een bedevaart gekozen wordt, om elkaar te ontmoeten, is ook niets buitengewoons. De bedevaarten waren zeer in trek voor liefdesavonturen. Maar de pelgrimage wordt desondanks met ernst verricht, 'très devotement'[1]. Bij een vorig samenzijn horen zij samen de mis, hij achter haar gezeten:

> ...*Quant on dist: Agnus dei,*
> *Foy que je doy à Saint Crepais,*
> *Doucement me donna la pais,*
> *Entre deux pilers du moustier,*
> *Et j'en avoie bien mestier,*
> *Car mes cuers amoureus estoit*
> *Troublés, quant si tost se partoit*[2].

De paix was het bordje, dat rondging om gekust te worden ter vervanging van de vredeskus van mond tot mond**. Hier is natuurlijk de bedoeling, dat Peronnelle hem haar eigen lippen bood. Hij wacht haar in de tuin onder het zeggen van zijn getijden. Bij het aangaan van een novene (een negendaagse verrichting van bepaalde gebeden) doet hij, als hij de kerk binnentreedt, binnensmonds de gelofte, dat hij ieder van die dagen een nieuw gedicht op de liefste zou maken, wat hem niet belet, van de grote devotie te spreken, waarmee hij bad[3].

Men moet bij dit alles niet denken aan een frivole of profane bedoeling; Guillaume de Machaut is tenslotte een ernstig en hooggestemd dichter. Het is de ons haast onbegrijpelijke onbevangenheid, waarmee in de dagen vóór Trente de geloofsverrichtingen door het dagelijkse leven heen waren gevlochten. Wij zullen er spoedig meer van moeten zeggen.

Het sentiment, dat uit de brieven en de beschrijving van dit historisch liefde-

---

* De kus met een blad ter isolering komt meer voor: vgl. Le grand garde derrière, str. 6, W. G. C. Bijvanck, Un poète inconnu de la société de François Villon, Paris, Champion, 1891, p. 27. Vergelijk onze uitdrukking: hij neemt geen blad voor de mond.
** Zie hierboven p. 41.

geval spreekt, is week, zoet, een weinig ziekelijk. De uitdrukking der gevoelens blijft gewikkeld in de lange omhaal van raisonnerende bespiegeling en de aankleding met allegorische verbeeldingen en dromen. Er is iets roerends in de innigheid, waardoor de grijze dichter, de heerlijkheid van zijn geluk en de voortreffelijkheid van Toute-belle beschrijvende, zich niet bewust wordt, dat zij toch eigenlijk met hem en met haar eigen hart maar heeft gespeeld.

Uit ongeveer dezelfde tijd als Machaut's *Voir-Dit* stamt een ander werk, dat in zeker opzicht als tegenhanger zou kunnen dienen: *Le livre du chevalier de La Tour Landry pour l'enseignement de ses filles*[1]. Het is een geschrift uit adellijke kring evenals de roman van Machaut en Peronnelle d'Armentières; speelde deze in Champagne en in en om Parijs, de ridder de La Tour Landry verplaatst ons naar Anjou en Poitou. Doch hier geen oude dichter, die zelf bemint, maar een vrij prozaïsche vader, die herinneringen uit zijn jonge jaren, anecdoten en verhalen ten beste geeft 'pour mes filles aprandre à roumancier'. Wij zouden zeggen: om haar de beschaafde vormen in liefdeszaken te leren. Die lering valt echter in het geheel niet romantisch uit. De strekking der exempelen en vermaningen, die de zorgvuldige edelman zijn dochters voorhoudt, is veeleer, haar te waarschuwen voor de gevaren van romantische flirt. Past op voor die welbespraakte lieden, die altijd klaar staan met 'faulx regars longs et pensifs et petits soupirs et de merveilleuses contenances affectées et ont plus de paroles à main que autres gens'[2]. Weest niet te toeschietelijk. Hij was als jongeling eens door zijn vader op een kasteel gebracht, om met het oog op een gewenste verloving kennis te maken met de dochter. Het meisje had hem bijzonder vriendelijk ontvangen. Om te ervaren, wat er in haar was, sprak hij met haar over allerlei dingen. Het gesprek kwam op gevangenen, en de jonker maakte een deftig compliment: 'Ma demoiselle, il vaudroit mieulx cheoir à estre vostre prisonnier que à tout plain d'autres, et pense que vostre prison ne seroit pas si dure comme celle des Angloys. – Si me respondit qu'elle avoyt vue nagaires cel qu'elle vouldroit bien qu'il feust son prisonnier. Et lors je luy demanday se elle luy feroit male prison, et elle me dit que nennil et qu'elle le tandroit ainsi chier comme son propre corps, et je lui dis que celui estoit bien eureux d'avoir si doulce et si noble prison. Que vous dirai-je? Elle avoit assez de langaige et lui sambloit bien, selon ses parolles, qu'elle savoit assez, et si avoit l'ueil bien vif et legier.' Bij het afscheid vroeg zij hem wel twee of drie maal, om spoedig weerom te komen, alsof zij hem al lang gekend had. 'Et quant nous fumes partis, mon seigneur de père me dist: 'Que te samble de celle que tu as veue. Dy m'en ton avis'.' Maar haar al te gerede aanmoediging had hem elke lust tot een nadere kennismaking benomen. 'Mon seigneur, elle me samble belle et bonne, maiz je ne luy seray jà plus de près que je suis, si vous plaist.' Van de verloving kwam niets, en de ridder vond natuurlijk reden, daar later geen berouw van te hebben[1]. Dergelijke stukjes zó uit het leven opgetekende herinnering, die ons doen zien, hoe de zeden zich paarden aan het ideaal, zijn ongelukkig in de eeuwen, waarvan hier sprake is, nog uitermate zeldzaam. Had de ridder de la Tour Landry ons maar wat meer uit zijn eigen leven verteld. Het meeste zijn ook bij hem bespiegelingen van algemene aard. Hij denkt voor zijn dochters in de eerste plaats aan een goed huwelijk. En het huwelijk had met de liefde weinig te maken. Hij geeft een breedvoerig 'debat' tussen hemzelf en zijn vrouw over het geoorloofde der liefde, 'le fait d'amer par amours'. Hij meent, dat een meisje in zekere gevallen wel in ere kan beminnen, bijvoorbeeld 'en esperance de mariage'. De vrouw is daar tegen. Een meisje moet liever in het geheel niet verliefd worden, ook niet op haar verloofde. Het houdt haar maar af van de ware vroomheid. 'Car j'ay ouy dire à plusieurs, qui avoient esté amoureuses en leur juenesce, que, quant elles estoient à l'église, que la pensée et la merencolie* leur faisoit plus souvent penser à ces estrois pensiers et deliz de leurs amours que ou (au) service de Dieu**, et est l'art d'amours de telle nature que quant l'en (on) est plus au divin office, c'est tant comme le prestre tient nostre seigneur sur l'autel, lors leur venoit plus de menus pensiers'[2]. – Deze diepe zielkundige observatie konden Machaut en Peronnelle beamen. Doch overigens welk een verschil in opvatting tussen de dichter en de ridder! Hoe nu met deze austeriteit weer te rijmen, dat de vader zijn dochters ter lering herhaaldelijk vertelsels opdist, die om hun scabreuze inhoud in de *Cent nouvelles nouvelles* niet misplaatst zouden zijn geweest?

Juist het gering verband van de schone vormen van het hoofse liefdesideaal met de realiteit van verloving en huwelijk maakte, dat het element van spel, van conversatie, van litterair vermaak in alles wat het verfijnde liefdeleven betrof, zich te ongehinderder kon ontplooien. Het ideaal der liefde, de schone fictie van trouw en opoffering had geen plaats in de zeer materiële overleggingen, waarmee een huwelijk, en bovenal een adellijk huwelijk, tot stand kwam. Het kon slechts worden beleefd in de gedaante van een bekorend of hartverheffend spel. Het tournooi gaf dat spel der romantische liefde in zijn heroïeke vorm. De pastorale idee leverde de idyllische vorm ertoe.

---

* Zie boven p. 28.
** De zin is geheel onlogisch (pensée... fait penser... à pensiers) en loopt niet rond; vat op: nergens zo dikwijls, als in de kerk.

10

HET IDYLLISCHE LEVENSBEELD

De ridderlijke levensvorm was al te zwaar beladen met idealen van schoonheid, deugd en nuttigheid. Bezag men hem met nuchtere werkelijkheidszin, zoals Commines, dan leek al die hooggeroemde chevalerie zo nutteloos en onecht, een opgemaakte vertoning, een belachelijk anachronisme: de werkelijke roerselen, die de mensen deden handelen en het lot van staten en gemeenschappen bepaalden, lagen er buiten. Was de sociale bruikbaarheid van het ridderlijk ideaal uiterst zwak geworden, nog zwakker stond het met de deugdverwezenlijking, de ethische zijde, die immers ook door het ridderideaal werd gepretendeerd. Van een waarlijk geestelijk streven uit gezien was al dat edele leven louter zonde en ijdelheid. Doch zelfs van het louter esthetische gezichtspunt schoot het ideaal te kort: zelfs de schoonheid van die levensvorm was aan alle kanten open voor ontkenning. Al mocht het ridderlijke leven soms burgers begeerlijk schijnen, uit de adel zelf kwam de grote moeheid en onvoldaanheid voort. Het schone spel van het hoofse leven was zo bont, zo vals, zo druk. Weg uit die moeizaam opgezette levenskunst naar veilige eenvoud en rust.

Er waren dan twee wegen van het ridderlijk ideaal af: die naar het werkelijke, actieve leven en de moderne geest van onderzoek, en die naar de wereldverzaking. Maar deze laatste weg splitste zich als de Y van Pythagoras in tweeën: de hoofdlijn was die van het echte geestelijk leven, de zijlijn hield de rand van de wereld met haar genietingen. De zucht naar het schone leven was zo sterk, dat ook waar de ijdelheid en verwerpelijkheid van het hof- en strijdleven was erkend, nog een uitweg open scheen naar aardse levensschoonheid, naar een nog zoeter en lichter droom. De oude illusie van het herdersleven straalde nog altijd als een belofte van natuurlijk geluk met al de glans, waarmee zij sinds Theocritus geschenen had. De grote bevrediging scheen mogelijk zonder strijd, door een vlucht, weg van de wedijver vol haat en nijd om ijdele eer en rang, weg van de drukkende, overladen weelde en staatsie en van de wrede, gevaarlijke krijg.

124

De lof van het eenvoudig leven was een thema, dat de middeleeuwse litteratuur reeds van de Oudheid had meegekregen. Het is niet identisch met de pastorale; men heeft te doen met een positieve en een negatieve uiting van hetzelfde sentiment. In de pastorale verbeeldt zich de positieve tegenstelling van het hoofse leven; de negatieve uiting is de hofvlucht, de lof der aurea mediocritas, de verloochening van het aristocratische levensideaal, hoe en waar men het dan ook ontvlieden wil: in studie, in eenzame rust, in arbeid. Doch de beide motieven vloeien voortdurend ineen. Op het thema van de misère van het hofleven hadden reeds in de twaalfde eeuw Johannes van Salisbury en Walter Mapes hun tractaten *De nugis curialium* geschreven. In het veertiende-eeuwse Frankrijk had het zijn klassieke uitdrukking gekregen in een gedicht van Philippe de Vitri, bisschop van Meaux, musicus en poëet beide, door Petrarca geprezen: *Le Dit de Franc Gontier*[1]. De versmelting met de pastorale is hier volkomen.

> *Soubz feuille vert, sur herbe delitable*
> *Lez ru bruiant et prez clere fontaine*
> *Trouvay fichee une borde portable,*
> *Ilec mengeoit Gontier o dame Helayne*
> *Fromage frais, laict, burre fromaigee,*
> *Craime, matton, pomme, nois, prune, poire,*
> *Aulx et oignons, escaillongne froyee*
> *Sur crouste bise, au gros sel, pour mieulx boire.*

Na de maaltijd kussen zij elkander 'et bouche et nez, polie et bien barbue'; vervolgens gaat Gontier in het bos een boom hakken, terwijl dame Helayne aan het wassen gaat.

> *J'oy Gontier en abatant son arbre*
> *Dieu mercier de sa vie seüre:*
> *'Ne sçay – dit-il – que sont pilliers de marbre,*
> *Pommeaux luisans, murs vestus de paincture;*
> *Je n'ay paour de traïson tissue*
> *Soubz beau semblant, ne qu'empoisonné soye*
> *En vaisseau d'or. Je n'ay la teste nue*
> *Devant thirant, ne genoil qui s'i ploye.*
> *Verge d'ussier jamais ne me deboute,*
> *Car jusques la ne m'esprent convoitise,*
> *Ambicion, ne lescherie gloute.*
> *Labour me paist en joieuse franchise;*

Moult j'ame Helayne et elle moy sans faille,
Et c'est assez. De tombel n'avons cure'.
Lors je dy: 'Las! serf de court ne vault maille,
Mais Franc Gontier vault en or jame pure'.

Dat bleef voor de volgende geslachten de klassieke uitdrukking van het ideaal des eenvoudigen levens, met zijn veiligheid en onafhankelijkheid, met de geneugten van matigheid, gezondheid, arbeid en natuurlijke, onverwikkelde liefde in het huwelijk.

Eustache Deschamps zong de lof van het eenvoudige leven en de afkeer van het hof in tal van balladen na. Hij geeft onder andere één trouwe nabootsing van *Franc Gontier*:

En retournant d'une court souveraine
Ou j'avoie longuement sejourné,
En un bosquet, dessus une fontaine
Trouvay Robin le franc, enchapelé,
Chapeauls de flours avoit cilz afublé
Dessus son chief, et Marion sa drue...[1]

Hij breidt het thema uit met de bespotting van krijgsmansleven en ridderschap. In sobere ernst beklaagt hij de ellende en wreedheid van de oorlog: geen slechter stand dan die van de krijgsman: de zeven hoofdzonden van zijn dagelijks werk, hebzucht en ijdele roemzucht zijn het wezen van de krijg.

...Je vueil mener d'or en avant
Estat moien, c'est mon oppinion,
Guerre laissier et vivre en labourant:
Guerre mener n'est que dampnacion[2].

Of wel hij verwenst spottend degeen, die hem zou willen uitdagen, of laat zich door zijn dame het duel, dat men hem om haar opdringt, uitdrukkelijk verbieden[3]. Doch meestal is het het thema der aurea mediocritas op zichzelf.

...Je ne requier à Dieu fors qu'il me doint
En ce monde lui servir et loer,
Vivre pour moy, cote entiere ou pourpoint,
Aucun cheval pour mon labour porter,
Et que je puisse mon estat gouverner
Moiennement, et grace, sanz envie,
Sanz trop avoir et sanz pain demander,
Car au jour d'ui est la plus seure vie[4].

Roemzucht en winstbejag brengen niets dan ellende, de arme is tevreden en gelukkig, en leeft ongestoord en lang:

> *…Un ouvrier et uns povres chartons*
> *Va mauvestuz, deschirez et deschaulx,*
> *Mais en ouvrant prant en gré ses travaulx*
> *Et liement fait son euvre fenir.*
> *Par nuit dort bien; pour ce uns telz cueurs loiaulx*
> *Voit quatre roys et leur regne fenir*[1].

De gedachte, dat de eenvoudige werker vier koningen overleeft, beviel de dichter zo goed, dat hij haar herhaaldelijk te pas bracht[2].

De uitgever van Deschamps' poëzie, Gaston Raynaud, neemt aan, dat al de gedichten van deze strekking[3], veelal onder de beste die Deschamps maakte, zijn toe te schrijven aan zijn laatste tijd, toen hij, ontzet van zijn ambten, verlaten en teleurgesteld, de ijdelheid van het hofleven zou hebben begrepen[4]. Een inkeer zou het dus zijn. Zou het niet veeleer een reactie, een moeheidsverschijnsel zijn? De adel zelf, midden in zijn leven van jagende hartstocht en overdaad, heeft, stel ik mij voor, deze produkten begeerd en genoten van zijn brooddichter, die een andermaal zijn gaven prostitueerde, om hun grofste lachlust te bevredigen.

De kring, waar men dat thema der misprijzing van het hofleven cultiveerde, is die van het vroegste Franse humanisme omstreeks 1400, nauw verbonden aan de reformpartij der grote conciliën. Pierre d'Ailly zelf, de grote theoloog en kerkpoliticus, dicht als pendant bij *Franc Gontier* het beeld van de tiran in zijn slavenleven vol van vrezen[5]. Zijn geestverwanten gebruiken de nieuw opgefriste Latijnse briefvorm ertoe: zo Nicolaas de Clemanges[6], zo zijn correspondent Jean de Montreuil[7]. Tot die kring behoorde de Milanees Ambrosius de Miliis, secretaris van de hertog van Orleans, die aan Gontier Col een litteraire brief schreef, waarin een hoveling zijn vriend waarschuwt voor de intrede in de hofdienst[8]. Deze brief, zelf in vergetelheid geraakt, werd vertaald door, of kwam althans in vertaling onder de titel *Le Curial* op naam van Alain Chartier, de befaamde hofdichter[9]. *Le Curial* werd weer in het Latijn overgebracht door de humanist Robert Gaguin[10].

In de vorm van een allegorisch gedicht, trant *Roman de la rose*, behandelde zekere Charles de Rochefort het thema. Zijn *L'abuzé en court* kwam op naam van koning René[11]. Jean Meschinot dicht als al zijn voorgangers:

> *La cour est une mer, dont sourt*
> *Vagues d'orgueil, d'envie orages…*

Ire esmeut debats et outrages,
Qui les nefs jettent souvent bas;
Traison y fait son personnage.
Nage aultre part pour tes ebats[1].

Nog in de zestiende eeuw had het oude thema zijn bekoring niet verloren[2].

Veiligheid, rust en onafhankelijkheid, dat zijn de goede dingen, waarom men het hof wil ontvlieden voor het eenvoudig leven in arbeid en matigheid, temidden der natuur. Dat is de negatieve kant van het ideaal. Doch de positieve kant is niet zozeer de vreugde aan arbeid en eenvoud zelf als wel het welbehagen aan de natuurlijke liefde.

De pastorale is in haar wezenlijkste betekenis iets meer dan een litterair genre. Het is niet te doen om de beschrijving van het herdersleven met zijn eenvoudige en natuurlijke geneugten, maar om het naleven ervan. Het is een Imitatio. Er was een fictie, dat in het herdersleven de ongestoorde natuurlijkheid der liefde verwezenlijkt was. Daarheen wou men vlieden, zo niet in werkelijkheid, dan in droom. Telkens weer heeft het herdersideaal moeten dienen als geneesmiddel om de geesten te bevrijden uit de kramp van een opgeschroefde dogmatisering en formalisering der liefde. Men snakte naar verlossing uit de knellende begrippen van ridderlijke trouw en dienst, uit de bonte toestel der allegorie. En ook uit de ruwheid, de baatzucht en de maatschappelijke zonden van het liefdeleven der werkelijkheid. Een gemakkelijk bevredigde, eenvoudige liefde, temidden van onschuldig natuurgenot. Dat scheen het deel van Robin en Marion, van Gontier en Helayne. Zij waren de gelukkigen, de benijdbaren; de veelgesmade dorper wordt op zijn beurt het ideaal.

De late Middeleeuwen evenwel zijn nog zo echt aristocratisch en zo weerloos tegenover een schone waan, dat de geestdrift voor het natuurleven nog niet leiden kan tot een krachtig realisme, maar in haar toepassing beperkt blijft tot een gekunstelde versiering der hoofse zeden. Wanneer de adel der vijftiende eeuw herder en herderin speelt, dan is het gehalte van echte natuurverering en bewondering van eenvoud en arbeid nog heel zwak. Wanneer Marie Antoinette drie eeuwen later melkt en karnt in Trianon, dan is het ideaal reeds gevuld met de ernst van de fisiocraten: natuur en arbeid zijn reeds de grote slapende godheden van de tijd geworden; toch maakt de aristocratische cultuur er nog spel van. Wanneer omstreeks 1870 de Russische intellectuele jeugd zich onder het volk begeeft, om zelf als boeren voor de boeren te leven, dan is het ideaal bittere ernst geworden. En ook toen bleek de verwezenlijking een waan.

Er was één poëtische vorm, die de overgang vertegenwoordigt tussen de eigenlijke pastorale en de werkelijkheid, namelijk de Pastourelle, het korte gedicht, dat het gemakkelijk avontuur van de ridder met het landmeisje bezingt. Daar vond de directe erotiek een frisse, elegante vorm, die haar boven het platte verhief en toch al de bekoring van het natuurlijke behield. Men zou er sommige schetsen van Guy de Maupassant mee kunnen vergelijken.

Werkelijk pastoraal is echter het sentiment eerst, als ook de minnaar zelf zich als herder denkt. Daarmee verzinkt elke aanraking met de werkelijkheid. Alle elementen der hoofse liefdesopvatting worden eenvoudig getransponeerd in het herderlijke; een zonnig droomland hult het verlangen in een waas van fluitspel en vogelgeschal. Het is een blij geluid; ook de droefheden der liefde: het smachten en klagen, het leed van de verlatene, worden opgenomen in die zoete toon. In de pastorale vindt telkens weer de erotiek de aanraking terug met het natuurgenot, dat haar onmisbaar was. Zo wordt de pastorale het veld, waarop zich de litteraire uitdrukking van het natuurgevoel ontwikkelt. Aanvankelijk is het haar nog niet te doen om het beschrijven van natuurschoonheid, maar om het onmiddellijk welbehagen aan zon en zomer, schaduw en fris water, bloemen en vogels. Natuurobservatie en schildering komen eerst in de tweede plaats; de hoofdbedoeling blijft de liefdedroom; als bijprodukt levert de herderlijke poëzie allerlei bevallig realisme. De schildering van het landleven in een gedicht als *Le dit de la pastoure* van Christine de Pisan opent een genre.

Eenmaal als hoofs ideaal opgenomen, wordt de herderij een masker. Alles laat zich dossen in de herderlijke travesti. De fantasiesferen van de pastorale en van de ridderlijke romantiek vermengen zich. Een tournooi wordt opgevoerd in de aankleding van een herderspel. Koning René houdt zijn Pas d'armes de la bergère.

De tijdgenoten schijnen toch werkelijk in deze vertoning iets echts gezien te hebben; Chastellain geeft koning René's herdersleven een plaats onder de Merveilles du monde:

> *J'ai un roi de Cécille*
> *Vu devenir berger*
> *Et sa femme gentille*
> *De ce mesme mestier,*
> *Portant la pannetière,*
> *La houlette et chappeau,*
> *Logeans sur la bruyère*
> *Auprès de leur trouppeau*[1].

Een andermaal moet de pastorale dienen, om de lasterlijkste politieke satire een dichterlijk kleed te verlenen. Geen zonderlinger gewrocht dan het lange herdersdicht *Le Pastoralet**. Een partijganger der Bourgondiërs heeft in dit aanminnig gewaad de moord op Lodewijk van Orleans behandeld, om de misdaad van Jan zonder Vrees te verontschuldigen en de bourgondische partijhaat te luchten. Léonet is Jan's herdersnaam, Tristifer die van Orleans; de fantasie van dans en bloementooi is wonderlijk volgehouden; zelfs de slag van Azincourt wordt in pastorale aankleding beschreven[1].

Bij de hoffeesten ontbreekt nooit het pastorale element. Het leende zich uitstekend voor de maskerades, die als entremets de feestmaaltijden opluisterden, en het was bovendien bijzonder geschikt voor politieke allegorie. Het beeld van de vorst als herder en het volk als zijn kudde was reeds van een andere zijde de geest binnengekomen: de kerkvaders hadden geleerd, dat de oorsprong van de staat lag in een herderschap. Als herders hadden de aartsvaders geleefd; het rechte overheidsambt, zo goed het wereldlijke als het geestelijke, was geen heersen maar een hoeden.

> *Seigneur, tu es de Dieu bergier;*
> *Gardes ses bestes loyaument,*
> *Mets les en champ ou en vergier,*
> *Mais ne les perds aucunement,*
> *Pour ta peine auras bon paiement*
> *En bien le gardant, et se non,*
> *A male heure reçus ce nom*[2].

In deze verzen uit Jean Meschinot's *Lunettes des princes* is geen sprake van eigenlijk pastorale voorstelling. Maar zodra men zo iets zichtbaar ging vertonen, vloeide het daarmee vanzelf ineen. Een entremets bij het bruiloftsfeest van Brugge in 1468 verheerlijkte de vroege vorstinnen als de 'nobles bergieres qui par cy devant ont esté pastoures et gardes des brebis de pardeça'**. Een spel te Valenciennes bij de terugkomst van Margareta van Oostenrijk uit Frankrijk in 1493 vertoonde, hoe het land herstelt van zijn verwoesting 'le tout en bergerie'[3]. Wij

---

* Le Pastoralet, ed. Kervyn de Lettenhove, (Chron. rel. à l'hist. de Belg. sous la dom. des ducs de Bourg.) II p. 573. In deze vermenging van pastorale vorm en politieke bedoeling heeft de dichter van Le Pastoralet zijn parallel in niemand minder dan Ariosto, die zijn enige pastorale compositie wijdt aan de verdediging van zijn beschermer, de kardinaal Ippolito d'Este, in verband met de samenzwering van Albertino Boschetti (1506). De zaak van de kardinaal was nauwelijks beter dan die van Jan zonder Vrees, en de houding van Ariosto nauwelijks sympathieker dan die van de onbekende Bourguignon. Zie G. Bertoni, L'orlando furioso e la rinascenza a Ferrara, Modena 1919, p. 42. 247.
** La Marche, III p. 135, 137; vgl. Molinot, Recollection des merveilles over de gevangenschap van Maximiliaan te Brugge: 'Les moutons detenterent En son parc le bergier', Faictz et dictz, f. 208 vso.

kennen allen de politieke pastorale in de *Leeuwendalers*. De voorstelling van de vorst als herder klinkt ook in het *Wilhelmus*:

> *...Oirlof mijn arme schapen*
> *Die sijt in grooter noot,*
> *Uw herder sal niet slapen,*
> *Al sijt gij nu verstroyt.*

Zelfs in de echte oorlog speelt men met de pastorale verbeelding. De bombardes van Karel de Stoute voor Granson heten 'le berger et la bergière'. Wanneer de Fransen honend zeggen, dat de Vlamingen slechts herders zijn en onbekwaam tot het krijgshandwerk, trekt Philips van Ravestein met vierentwintig edelen te velde, uitgedost als herder, met herderstaf en broodkorfje[1].

Bij de voorstelling der herders van Bethlehem in de mysteriespelen vloeiden haast vanzelf pastorale motieven in, alleen verbood hier de heiligheid van het onderwerp elk accent op de liefde, en hadden de herders hier op te treden zonder herderinnen[2].

Evenals de trouwe ridderlijke liefde tegenover de opvattingen van de *Roman de la rose* de stof leverde tot een elegante litteraire twist, zo werd ook het herdersideaal het onderwerp van zulk een strijd. Ook hier proefde men de leugen te sterk op de tong, en moest men haar bespotten. Hoe weinig geleek het hyperbolisch gekunstelde overdadig bonte leven van de laat-middeleeuwse aristocratie op het ideaal van eenvoud, vrijheid en zorgeloos trouwe liefde temidden der natuur! Op het thema van Philippe de Vitri's Franc Gontier, type van de goudeneeuwse eenvoud, had men eindeloos gevarieerd. Iedereen verklaarde te hongeren naar Franc Gontier's maal op het gras onder 't lommer met dame Helayne, zijn menu van kaas, boter, room, appelen, uien en bruin brood, zijn lustig houthakkerswerk, zijn vrijheidszin en onbezorgdheid:

> *Mon pain est bon; ne faut que nulz me veste;*
> *L'eaue est saine qu'à boire sui enclin,*
> *Je ne doubte ne tirant ne venin*[3].

Soms viel men wel eens even uit de rol. Dezelfde Eustache Deschamps, die het leven van Robin en Marion en de lof van de natuurlijke eenvoud en het werkzaam leven herhaaldelijk bezingt, betreurt het, dat het hof danst bij de cornemuse, 'cet instrument des hommes bestiaulx'[4]. Maar het vereiste de veel dieper gevoeligheid en scherpe skepsis van François Villon, om al de onwaarheid van die schone levensdroom te zien. Er ligt een onbarmhartige bespotting in de ballade *Les contrediz Franc Gontier*. Cynisch stelt Villon tegenover de zorgeloosheid van die ideale buitenman met zijn maal van uien 'qui causent fort alaine' en zijn liefde onder de rozen het gemak van de vette kanunnik, die de zorgeloosheid en de liefde geniet in een wel behangen kamer met een haardvuur, goede wijn en een zacht bed. Het bruine brood en het water van Franc Gontier? 'Tous les oyseaulx d'ici en Babiloine' zouden Villon geen morgen bij zulk een kost kunnen houden[1].

Evenals de schone droom van riddermoed moesten ook de andere vormen, waarin het liefdeleven cultuur wilde worden, als onecht en leugenachtig worden verzaakt. Noch het dwepende ideaal van edele, kuise riddertrouw, noch de wreed-verfijnde wellust van de *Roman de la rose*, noch de zoete, gemakkelijke fantazie der pastorale, konden bestaan voor de storm van het leven zelf. Die storm blies van alle kanten. Van het geestelijk leven uit klinkt de vervloeking van alles wat der liefde is, als de zonde, die de wereld verderft. Onder in de schitterende kelk van de *Roman de la rose* ziet de moralist al de bittere droesem. 'Vanwaar, – roept Gerson uit – vanwaar de bastaarden, vanwaar de kindermoorden, de afdrijvingen, vanwaar de haat en de vergiftiging van echtgenoten?'[2]

Van de kant der vrouwen zelf klinkt een andere aanklacht. Al die conventionele vormen der liefde zijn mannenwerk. Ook waar zij in geïdealiseerde vormen gegoten is, blijft die ganse erotische cultuur door en door mannelijk-zelfzuchtig. Wat is de altijd herhaalde smaad tegen het huwelijk en over de zwakheden van de vrouw: haar ontrouw en haar ijdelheid, anders dan de dekmantel der mannelijke zelfzucht? Op al die smaad antwoord ik enkel, zegt Christine de Pisan: het zijn niet de vrouwen, die de boeken gemaakt hebben[3].

Er zijn inderdaad noch in de erotische, noch in de vrome litteratuur der Middeleeuwen veel sporen te ontdekken van echt medelijden met de vrouw, met haar zwakheid en de gevaren en smarten, die haar de liefde bereidt. Het medelijden had zich geformaliseerd in het fictieve ridderlijke ideaal van de bevrijding der maagd, waar het eigenlijk enkel sensuele prikkeling en zelfvoldoening was. Nadat de schrijver van de *Quinze joyes de mariage* al de zwakheden der vrouwen in een mat en fijn gekleurde satire heeft opgesomd, biedt hij wel aan, om nu ook de verongelijking der vrouwen te beschrijven[4], maar hij doet het niet. Om een tere, vrouwelijke stemming uitgedrukt te vinden, moet men het Christine zelf vragen, zoals in haar versje dat begint:

> *Doulce chose est que mariage,*
> *Je le puis bien par moy prouver...*[5]

Doch hoe zwak klinkt het geluid van een enkele vrouw tegen dat koor van hoon, waarin de platte bandeloosheid instemde met de zedepreek. Want er is maar een geringe afstand tussen de homiletische vrouwenverachting en de ruwe ontkenning der ideale liefde door de prozaïsche zinnelijkheid, door de wijsheid van de bittertafel.

Het schone spel van de liefde als levensvorm bleef gespeeld in de ridderlijke trant, in de herderlijke en in de kunstige opzet van de rozen-allegorie, en al klonk van alle kanten de verloochening van al die conventie, toch behielden die vormen hun levens- en cultuurwaarde tot lang na de Middeleeuwen. Want de vormen, waarin het ideaal der liefde zich nu eenmaal hullen moet, zijn maar enkele voor alle tijden.

I I

HET BEELD VAN DE DOOD

Geen tijd heeft de doodsgedachte met zoveel nadruk voortdurend aan allen opgedrongen als de vijftiende eeuw. Zonder ophouden klinkt door het leven de roep van het memento mori. In zijn Levensrichtsnoer voor de edelman vermaant Dionysius de Kartuizer: 'En wanneer hij zich te bed legt, bedenke hij, dat, gelijk hij nu zichzelven neerlegt in het bed, spoedig zo zijn lichaam door anderen in het graf zal worden gelegd'[1]. Het geloof had ook vroeger de bestendige gedachte aan de dood met ernst ingeprent, doch de vrome traktaten der eerdere Middeleeuwen bereikten enkel hen, die toch reeds van de wereld gescheiden waren. Eerst sedert door de opkomst der bedelorden de volksprediking groot was geworden, zwol die vermaning aan tot een dreigend koor, dat met fugatische hevigheid door de wereld klonk. Tegen het laatst der Middeleeuwen voegde zich bij het woord van de prediker een nieuwe vorm van afbeelding. De houtsnee vond haar weg naar alle kringen. Deze beide massale uitdrukkingsmiddelen, de preek en de prent, konden de doodsgedachte slechts weergeven in een zeer eenvoudige, direkte en levendige voorstelling, scherp en fel. Alles wat de kloosterling van vroeger tijden over de dood gemediteerd had, verdichtte zich nu tot een uiterst primitief, populair en lapidair doodsbeeld, en in die gedaante wordt in woord en figuur de gedachte aan de menigte voorgehouden. Dat doodsbeeld heeft uit het grote gedachtencomplex, dat zich om het sterven weeft, eigenlijk slechts één element kunnen opnemen: het besef der vergankelijkheid. Het is, alsof de laat-middeleeuwse geest de dood onder geen ander aspect heeft weten te zien dan enkel dat der vergankelijkheid.

Drie thema's waren het, die de melodie leverden voor die nooit volzongen klacht over het einde van alle aardse heerlijkheid. Daar was vooreerst het motief: waar zijn allen gebleven, die vroeger de wereld vulden met hun heerlijkheid? Dan was er het motief van de huiverende aanschouwing der verrotting van al wat eenmaal menselijke schoonheid was. Tenslotte het motief van de dodendans, de dood de mensen met zich sleurende uit elk bedrijf, uit elke leeftijd.

134

Vergeleken bij de twee laatste motieven met hun beklemmend afgrijzen was het motief: waar is alle vroegere heerlijkheid gebleven? slechts een lichte, elegische verzuchting. Het is overoud en over de ganse wereld van Christendom en Islam verbreid. Het stamt reeds uit het Griekse heidendom; kerkvaders kennen het; men vindt het bij Hafiz; Byron gebruikt het nog[1]. In de latere Middeleeuwen evenwel beleeft het een tijdperk van zeer bijzondere geliefdheid. Men vindt het aangeheven in de zware rijmende hexameters van de Cluniacenser monnik Bernard van Morlay omstreeks 1140:

> *Est ubi gloria nunc Babylonia? nunc ubi dirus*
> *Nabugodonosor, et Darii vigor, illeque Cyrus?*
> *Qualiter orbita viribus incita* praeterierunt,*
> *Fama relinquitur, illaque figitur, hi putruerunt.*
> *Nunc ubi curia, pompaque Julia? Caesar abisti!*
> *Te truculentior, orbe potentior ipse fuisti.*
>
> . . . .
>
> *Nunc ubi Marius atque Fabricius inscius auri?*
> *Mors ubi nobilis et memorabilis actio Pauli?*
> *Diva phillippica vox ubi coelica nunc Ciceronis?*
> *Pax ubi civibus atque rebellibus ira Catonis?*
> *Nunc ubi Regulus? aut ubi Romulus, aut ubi Remus?*
> *Stat rosa pristina nomine, nomina nuda tenemus[2].*

Het klinkt opnieuw, minder schools, in verzen, die ondanks hun kortere bouw toch nog de dreun van de rijmende hexameter behouden hebben, in de Franciscaanse poëzie der dertiende eeuw. Jacopone van Todi, de joculator Domini, is naar alle waarschijnlijkheid de dichter geweest van de strofen, die onder de titel *Cur mundus militat sub vana gloria* de regels bevatten:

> *Dic ubi Salomon, olim tam nobilis*
> *Vel Sampson ubi est, dux invincibilis,*
> *Et pulcher Absalon, vultu mirabilis,*
> *Aut dulcis Jonathas, multum amabilis?*
> *Quo Cesar abiit, celsus imperio?*
> *Quo Dives splendidus totus in prandio?*
> *Dic ubi Tullius, clarus eloquio,*
> *Vel Aristoteles, summus ingenio?[3]*

* Hier leest de uitgave 'orbita viribus inscita', wat geen zin geeft. Door te lezen 'incita' krijgt men metrum en zin in orde, het betekent dan 'als een wiel met kracht in beweging gezet'. Deze verbetering verstrekte mij Dr. Hans Paret te Berlijn.

Deschamps heeft hetzelfde thema verscheiden malen berijmd: Gerson brengt het te pas in een preek, Dionysius de Kartuizer in het tractaat over de Vier uitersten. Chastellain spint het uit in een lang gedicht *Le Miroir de mort*, om van anderen te zwijgen[1]. Villon weet er een nieuw accent in te leggen: dat van zachte weemoed, in de *Ballade des dames du temps jadis* met het refrein:

Mais où sont les neiges d'antan?[2]

En vervolgens sprenkelt hij het met ironie in de ballade der heren, waar tussen de koningen, pausen, vorsten van zijn tijd hem invalt:

Helas! et le bon roy d'Espaigne
Duquel je ne sçay pas le nom?[3]

Dat zou de brave hoveling Olivier de la Marche zich niet veroorloofd hebben, waar hij in zijn *Parement et triumphe des dames* al de gestorven vorstinnen van zijn tijd op het bekende thema beklaagt.

Wat is er over van al die menselijke schoonheid en heerlijkheid? Herinnering, een naam. Maar de weemoed van die gedachte is niet genoeg om de behoefte aan scherpe huivering voor de dood te bevredigen. Dus houdt de tijd zich de spiegel voor van een zichtbaarder verschrikking, de vergankelijkheid op korte termijn: de verrotting van het lijk.

De geest van de wereldverzakende middeleeuwer had altijd reeds gaarne verwijld bij stof en wormen: in de kerkelijke tractaten over de verachting der wereld waren al de verschrikkingen der ontbinding reeds opgeroepen. Maar de uitwerking van de détails dier voorstelling komt later. Eerst tegen het einde der veertiende eeuw maakt de beeldende kunst zich van dit motief meester[4]; er was een zekere graad van realistisch uitdrukkingsvermogen nodig, om het in sculptuur of schilderij treffend te verwerken, en dat vermogen was omstreeks 1400 bereikt. Tegelijkertijd verbreidt zich het motief van de kerkelijke litteratuur naar die van het volk. Tot diep in de zestiende eeuw ziet men aan de graftekens de afschuwelijk gevarieerde voorstellingen van het naakte lijk, rottend of verschrompeld, met de krampachtige handen en voeten en de gapende mond, met de kronkelende wormen in het ingewand. Bij die vreselijkheid wil de gedachte altijd weer stilstaan. Is het niet vreemd, dat zij zich nooit één schrede verder waagt, om te zien, hoe ook die rottenis zelf weer vergaat, en aarde en bloemen wordt?

Is het een werkelijk vrome gedachte, die zich zo verstrikt in de afkeer van de aardse zijde des doods? Of is het de reactie van een allerhevigste zinnelijkheid, die slechts zó uit haar bedwelming van levensdrift ontwaken kan? Is het de levensbangheid, die de tijd zo sterk doortrekt, de stemming van teleurgesteldheid en ontmoediging, die neigen wil naar de ware overgave van wie volstreden en gewonnen heeft, maar die toch nog zo dicht staat bij al wat aardse hartstocht is? Al die gevoelsmomenten zijn in deze uiting van de doodsgedachte ongescheiden verenigd.

Levensbangheid: het verloochenen van de schoonheid en het geluk, omdat er rampen en smart mee verbonden zijn. Er is een buitengewone gelijkenis tussen de oud-Indische, met name de Boeddhistische, en de Christelijk-middeleeuwse uitdrukking van dat sentiment. Ook daar altijd weer die afschuw van ouderdom, ziekte en dood, ook daar de dik opgelegde kleuren der verrotting. De monnik meende het zo goed te hebben gezegd, als hij de oppervlakkigheid van het lichamelijk schoon aanwees. 'De schoonheid des lichaams bestaat alleen in de huid. Want als de mensen zagen, wat onder de huid is, zoals de lynx in Boeotië gezegd wordt het inwendige te zien, zouden zij walgen van het zien der vrouwen. Die bevalligheid bestaat in slijm en bloed, in vocht en gal. Als toch iemand bedenkt, wat er in de neusgaten, en wat er in de keel en wat er in de buik verborgen is, zal hij steeds vuil vinden. En als wij zelfs niet met de vingertoppen slijm of drek kunnen aanraken, hoe kunnen wij dan begeren, de drekbuidel zelf te omhelzen?'[1]

Het moedeloze refrein van de verachting der wereld was reeds lang vastgelegd in menig tractaat, maar bovenal in dat van Innocentius III, *De contemptu mundi*, hetwelk eerst tegen het laatst der Middeleeuwen zijn grootste verbreidheid schijnt te hebben gekregen. Wonderlijk, die machtigste en voorspoedigste staatsman op de stoel van Petrus, in zoveel aardse zaken en belangen gemengd en opgaand, en tevens in zijn eerdere jaren de auteur van deze levensverguizing. 'Concipit mulier cum immunditia et fetore, parit cum tristitia et dolore, nutrit cum angustia et labore, custodit cum instantia et timore[2]'. 'De vrouw ontvangt met onreinheid en stank, zij baart met droefheid en smart, zij zoogt met benauwenis en zwoegen, zij verzorgt met angst en vrees.' Hadden dan de vreugden van het moederschap geen waarde? – 'Quis unquam vel unicam diem totam duxit in sua delectatione jucundam... quem denique visus vel auditus vel aliquis ictus non offenderit?' 'Wie heeft ooit ook maar één enkele dag geheel en al aangenaam in genieting doorgebracht... zonder dat hem enige aanblik, enig geluid of enige stoot beledigde?'[3] Was het christelijke wijsheid of het pruilen van een bedorven kind?

Er is zonder twijfel in dat alles een geest van ontzaglijk materialisme, die de gedachte aan het einde van schoonheid niet kon verdragen zonder aan die schoonheid zelf te vertwijfelen. En let wel, hoe (althans in de litteratuur, niet zozeer in de beeldende kunst) in het bijzonder het vrouwenschoon beklaagd wordt. Er is hier nauwelijks een grens tussen de godsdienstige vermaning om aan de dood en aan de vergankelijkheid van het aardse te denken, en de spijt van de oude minnares over het verval der schoonheid, die zij niet meer geven kan.

Ziehier eerst een voorbeeld, waar de stichtelijke vermaning nog op de voorgrond staat. In het Celestijnenklooster te Avignon bevond zich vóór de Revolutie een schildering, die de overlevering aan de kunstrijke stichter koning René zelf toeschreef. Zij stelde een rechtopstaand vrouwenlijk voor, met een sierlijk kapsel, gehuld in haar lijkwade; de wormen verteerden het lichaam. De eerste strofen van het onderschrift luidden:

> Une fois sur toute femme belle
> Mais par la mort suis devenue telle.
> Ma chair estoit très belle, fraische et tendre,
> Or est-elle toute tournée en cendre.
> Mon corps estoit très plaisant et très gent,
> Je me souloye souvent vestir de soye,
> Or en droict fault que toute nue je soye.
> Fourrée estois de gris et de menu vair,
> En grand palais me logeois à mon vueil,
> Or suis logiée en ce petit cercueil.
> Ma chambre estoit de beaux tapis ornée,
> Or est d'aragnes ma fosse environnée*.

Dat deze vermaningen hun werking niet misten, bewijst de legende, die zich daaraan verder gesponnen had, hoe de koninklijke kunstenaar zelf, die levens- en schoonheidsminnaar bij uitnemendheid, zijn geliefde drie dagen na de teraardebestelling in het graf zou hebben gezien, en toen geschilderd.

De stemming verandert reeds een weinig in de richting van wereldse zinnelijkheid, wanneer de waarschuwing voor de vergankelijkheid niet aan het gruwelijk lijk van een ander wordt gedemonstreerd, maar de levenden gewezen worden op hun eigen lichaam, nu nog schoon, maar spoedig voor de wormen. Olivier de la Marche besluit zijn stichtelijk allegorisch gedicht over de vrouwenkleding *Le parement et triumphe des dames* met de Dood, die aan alle schoonheid en ijdelheid de spiegel voorhoudt:

> Ces doulx regards, ces yeulx faiz pour plaisance,
> Pensez y bien, ils perdront leur clarté,
> Nez et sourcilz, la bouche d'eloquence
> Se pourriront...[1]

---

* Œuvres du roi René, ed. Quatrebarbes, I p. cl. Na de 5e en de 8e regel schijnt een vers te ontbreken; waarschijnlijk rijmde op 'menu vair' 'mangé des vers' of iets dergelijks.

Toch is dit nog een eerlijk memento mori. Maar het gaat onmerkbaar over in een spijtig, werelds en zelfzuchtig beklag over de nadelen van de ouderdom:

> *Se vous vivez le droit cours de nature*
> *Dont LX ans est pour ung bien grant nombre,*
> *Vostre beaulté changera en laydure,*
> *Vostre santé en maladie obscure,*
> *Et ne ferez en ce monde que encombre.*
> *Se fille avez, vous luy serez ung umbre,*
> *Celle sera requise et demandée,*
> *Et de chascun la mère habandonnée*[1].

Alle vrome, stichtelijke zin is verre, als Villon de balladen dicht, waarin 'la belle heaulmière', eens een befaamde Parijse courtisane, haar vroeger onweerstaanbare bekoorlijkheden vergelijkt met het droevig verval van haar oude lichaam.

> *Qu'est devenu ce front poly,*
> *Ces cheveulx blons, sourcils voultiz,*
> *Grant entroeil, le regart joly,*
> *Dont prenoie les plus soubtilz;*
> *Ce beau nez droit, grant ne petiz,*
> *Ces petites joinctes oreilles,*
> *Menton fourchu, cler vis traictiz*
> *Et ces belles levres vermeilles?*
>
> . . . .
>
> *Le front ridé, les cheveux gris,*
> *Les sourcilz cheuz, les yeulx estains...*[2]

De hevige afschuw van de ontbinding van het aardse lichaam heeft zijn tegenkant in de hoge waarde, die men toekent aan het onbedorven blijven van de lijken van sommige heiligen, zoals Sint Rosa van Viterbo. Het is een van de kostbaarste heerlijkheden van Maria, dat haar lichaam voor de ontbinding op aarde gespaard is gebleven door haar hemelvaart[3]. Wat hierin spreekt, is in de grond een materialistische geest, die zich niet kon losmaken van de gedachte aan het lichaam. Het is dezelfde geest, die zich openbaart in de bijzondere zorg, waarmee sommige lijken behandeld werden. Er bestond een gewoonte, om terstond na de dood de trekken van het aangezicht van een aanzienlijke gestorvene bij te schilderen, opdat vóór de begrafenis geen bederf zichtbaar zou zijn[4]. Het lijk van een prediker van de ketterse secte der Turlupins, die te Parijs in de gevangenis vóór het vonnis gestorven was, wordt veertien dagen in een vat met kalk bewaard, om het tezamen met een levende ketterse te kunnen verbranden[1]. Algemeen verbreid is het gebruik geweest, om lijken van aanzienlijken, die ver van hun woonplaats gestorven waren, in stukken te snijden en zolang te koken, tot het vlees van de beenderen losliet, waarop deze gereinigd en in een koffer verzonden werden, om plechtig te worden bijgezet, terwijl het ingewand en het afkooksel ter plaatse werden begraven. In de twaalfde en dertiende eeuw is het zeer in zwang, en geschiedt het met bisschoppen zowel als met tal van koningen[2]. In 1299, en opnieuw in 1300, wordt het door paus Bonifacius VIII ten strengste verboden als een 'detestandæ feritatis abusus, quem ex quodam more horribili nonnulli fideles improvide prosequuntur'. Niettemin werd nog in de veertiende eeuw somtijds pauselijke vrijstelling van het verbod gegeven, en in de vijftiende is het gebruik bij de Engelsen in Frankrijk nog in ere. De lijken van Edward van York en Michael de la Pole, graaf van Suffolk, de aanzienlijkste Engelse gevallenen bij Azincourt, worden op deze wijze behandeld[3]. Het geschiedt met Hendrik V zelf, met William Glasdale, die bij het ontzet van Orleans door Jeanne d'Arc verdrinkt, met een neef van Sir John Fastolfe, die in 1435 bij het beleg van Saint Denis sneuvelt[4].

De figuur van de Dood zelf kwam sinds eeuwen voor in plastische en letterkundige voorstelling van meer dan één gedaante: als apocalyptische ruiter, over een hoop ter aarde liggende mensen heenstormend, als megaera met vleermuisvlerken neerstrijkend, zoals in het Campo santo te Pisa, als geraamte met de zeis, of met pijl en boog, soms rijdend op een door ossen getrokken wagen, ook wel op een os of koe zelve*. Doch aan de verpersoonlijkte gestalte van de Dood had de fantasie niet genoeg.

In de veertiende eeuw komt het wonderlijke woord macabre op, of gelijk het oorspronkelijk luidde: Macabré. 'Je fis de Macabré la dance', zegt de dichter Jean Le Fèvre in 1376. Het is een eigennaam, wat dan ook de veelbetwiste etymologie van het woord moge zijn[5]. Eerst veel later is uit la Danse macabre het adjectief geabstraheerd, dat voor ons een betekenisnuance verkregen heeft, zo scherp en eigen, dat wij met het woord macabre de gehele laat-middeleeuwse visie van de dood kunnen markeren. De macabre opvatting van de dood is in onze tijd nog voornamelijk te vinden op dorpskerkhoven, waar men er in rijm

---

* Zie daarover Konrad Burdach, Der Ackermann aus Böhmen, S. 243–249 (Vom Mittelalter zur Reformation, III 1, 1917). Geheel ten onrechte leidt A. de Laborde, Origine de la représentation de la Mort chevauchant un bœuf (Comptes rendus de l'Acad. des inscr. et belles lettres, 1923, p. 100 113) deze voorstelling af uit het gedicht van Pierre Michault, La danse des aveugles, daar zij reeds voorkomt in het Missale van Amiens van 1323 (K.B. te 's-Gravenhage) en ook in de 'Ackermann', omstreeks 1400.

en figuur de nagalm van hoort. In het einde der Middeleeuwen is zij een grote cultuurgedachte geweest. Er raakte in de voorstelling van de dood een nieuw, aangrijpend fantastisch element gemengd, een rilling, die opkwam uit het bewustzijnsgebied van ijzige spokenvrees en klamme schrik. De alles-beheersende godsdienstige gedachte zette haar aanstonds om in moraal, herleidde haar tot memento mori, maar maakte gaarne gebruik van al de huiveringwekkende suggestie, die het spectrale karakter der voorstelling meebracht.

Rondom de Dodendans groeperen zich enige verwante voorstellingen in verband met de dood, eveneens geschikt om tot verschrikking en vermaning te dienen. De sproke van de Drie doden en de drie levenden gaat aan de Dodendans vooraf[1]. Reeds in de dertiende eeuw komt zij op in de Franse litteratuur: drie jonge edellieden ontmoeten plotseling drie afzichtelijke doden, die hen wijzen op hun voormalige aardse grootheid en op het spoedig einde, dat hun, de levenden, wacht. De aangrijpende figuren in het Campo santo van Pisa vormen de oudste voorstelling van het thema in de grote kunst: het beeldhouwwerk aan het portaal van de kerk der Innocents te Parijs, waar de hertog van Berry in 1408 het onderwerp liet afbeelden, is verloren. Maar miniatuur en houtsnee maken het in de vijftiende eeuw tot gemeen goed, en ook als muurschildering is het zeer verbreid.

De voorstelling van de drie doden en de drie levenden vormt de schakel tussen het afzichtelijke beeld der verrotting en de gedachte, door de Dodendans verbeeld, hoe voor de dood allen gelijk zijn. De kunsthistorische ontwikkeling van het gegeven kome hier slechts even ter sprake. Ook van de Dodendans schijnt Frankrijk het land van herkomst. Doch hoe is hij ontstaan? Als een werkelijk gespeelde vertoning, of als afbeelding? Het is bekend, dat de these van Emile Mâle, die de uitwerking der motieven in de beeldende kunst der vijftiende eeuw beschouwde als in de regel ontleend aan het zien van dramatische vertoningen, in haar algemeenheid niet voor de kritiek bestand is gebleken. Maar ten opzichte van de Dodendans zou het kunnen zijn, dat men op die verwerping een uitzondering moest maken; dat hier inderdaad de vertoning aan de afbeelding is voorafgegaan. In ieder geval, 't zij vroeger of later, de Dodendans werd gespeeld evengoed als geschilderd of in prent gebracht. De hertog van Bourgondië laat hem in 1449 opvoeren in zijn hôtel te Brugge[2]. Hadden wij enig denkbeeld van de uitmonstering van zulk een spel: de kleuren, de bewegingen, het glijden van licht en schaduwen over de dansenden, wij zouden nog beter de ernstige verschrikking begrijpen, die de Dodendans over de gemoederen bracht, dan het ons de houtsneden van Guyot Marchant en van Holbein doen.

De houtsneden, waarmee de Parijse drukker Guyot Marchant in 1485 de eerste uitgave van de *Danse macabre* versierde, waren zo goed als zeker ontleend aan de beroemdste aller Dodendansen, die welke in het jaar 1424 als muurschildering in de galerij van het kerkhof der Innocents te Parijs was aangebracht, terwijl de verzen onder die muurschildering, in de uitgaven van 1485 bewaard, misschien weer berusten op het verloren gedicht van Jean Le Fèvre, die op zijn beurt waarschijnlijk een Latijns origineel heeft gevolgd. Hoe het zij, de Dodendans van het kerkhof der Innocents, in de zeventiende eeuw door afbraak van de galerij verdwenen, is de meest populaire verbeelding van de dood geweest, die de Middeleeuwen hebben gekend. Duizenden hebben dag in dag uit op de zonderlinge en macabere plaats van samenkomst, die het kerkhof der Innocents was, de eenvoudige figuren aanschouwd en de bevattelijke verzen, waarvan elke couplet met een bekend spreekwoord eindigde, gelezen, zich getroost over de gelijkheid in de dood en gehuiverd voor het einde. Nergens kon die aapachtige dood zo op zijn plaats zijn, die grinnikend, met de passen van een oude stijve dansmeester, de paus, de keizer, de edelman, de dagloner, de monnik, het kleine kind, de zot en al de andere beroepen en standen uitnodigend meetrekt. De houtsneden van 1485 geven waarschijnlijk van de indruk der vermaarde muurschildering slechts zeer weinig weder: reeds de klederdracht der figuren getuigt, dat zij geen getrouwe kopie van het werk van 1424 zijn geweest. Om zich enigermate een voorstelling te vormen van het effect van de Dodendans der Innocents zal men eer moeten zien naar die uit de kerk van La Chaise-Dieu[1], waar het spookachtige nog verhoogd wordt door de halfvoltooide staat der schildering.

Het lijk, dat veertig maal terugkeert, om de levende te halen, is eigenlijk nog niet de Dood, maar de dode. De verzen noemen de figuur Le mort (bij de dodendans der vrouwen La morte); het is een danse des morts, niet de la Mort*. Het is ook hier niet een geraamte, maar een nog niet geheel ontvleesd lichaam met de gespleten holle buik. Eerst omstreeks 1500 wordt de figuur van de grote danser een geraamte, zoals wij het van Holbein kennen. Inmiddels heeft zich dan tevens de voorstelling van een vage dode dubbelganger gecondenseerd tot die van de Dood als actieve, persoonlijke levenseindiger. 'Yo so la Muerte cierta á todas criaturas' begint de indrukwekkende Spaanse dodendans uit het laatst der vijftiende eeuw[2]. In de oudere dodendans is de onvermoeide danser nog de levende zelf, zoals hij zijn zal in de naaste toekomst, een angstwekkende verdubbeling van zijn persoon, het beeld, dat hij in de spiegel ziet; niet, zoals sommigen wil-

---

* Door de onderzoekingen van Huet t.a.p. is waarschijnlijk gemaakt, dat een reidans van doden het oorspronkelijke motief is geweest, waartoe Goethe in zijn Totentanz onbewust terugkeerde.

len, een vroeger gestorvene van gelijke stand of waardigheid. Juist dit: gij zijt het zelf, gaf aan de dodendans zijn huiveringwekkendste kracht.

Ook in het fresco, dat de gewelfde overhuiving sierde van het grafmonument van koning René en zijn gemalin Isabella in de kathedraal van Angers, was het feitelijk nog de koning zelf, die was voorgesteld. Men zag er een skelet (of zal ook dit eêr een lijk zijn geweest?) in een lange mantel, zittend op een gouden troon, dat met de voeten mijters, kronen, wereldbol en boeken wegschopt. Het hoofd was op de dorre hand geleund, die een wankelende kroon zocht te steunen[1].

De oorspronkelijke dodendans gaf enkel mannen te zien. De bedoeling, om aan de vermaning over de vergankelijkheid en ijdelheid van het aardse tegelijk de les der maatschappelijke gelijkheid te verbinden, bracht uit de aard der zaak de mannen, als de dragers der maatschappelijke beroepen en waardigheden, op de voorgrond. De dodendans was niet alleen een vroom vermaan, maar ook een sociale satire, en er is in de begeleidende verzen een zwakke ironie. Nu gaf echter dezelfde Guyot Marchant als vervolg op zijn uitgave een dodendans der vrouwen, waarvoor Martial d'Auvergne de verzen maakte. De onbekende tekenaar der houtsneden bleef achter bij het model, dat hem de eerdere uitgave leverde: hij zelf vond enkel de hideuse figuur van het rif, om welks schedel nog schaarse vrouwenharen zwieren. In de tekst van de dodendans der vrouwen nu treedt terstond dat sensuele element weer op, dat ook het thema doortrok van het beklag over schoonheid, die verrotting wordt. Hoe kan het ook anders? Er waren geen veertig beroepen en waardigheden van vrouwen te vermelden; met de voornaamste standen, als koningin, edelvrouw enz., enkele geestelijke functies of staten als abdis, non en een paar bedrijven als koopvrouw, baker enz. was de voorraad uitgeput. De rest kon slechts worden aangevuld door de vrouw te beschouwen in de verschillende staten van haar vrouwenleven zelf: als maagd, geliefde, bruid, jonggetrouwde, zwangere. En zo is het ook hier weer de klacht om verdwenen of nooit genoten vreugde en schoonheid, die de toon van het memento mori schriller doet klinken.

Eén beeld ontbrak nog in de verschrikkende verbeelding van het sterven: dat van het doodsuur zelf. De schrik voor die stonde kon de geest niet levendiger worden ingeprent dan door te herinneren aan Lazarus: deze had na zijn herrijzenis, heette het, niet anders gekend dan jammerlijk afgrijzen voor de dood, die hij reeds eens geleden had. En als de rechtvaardige zo moest vrezen, hoe dan de zondaar![2] De voorstelling van de doodsstrijd was de eerste der Vier uitersten, Quattuor hominum novissima, die het den mens goed was staag te overdenken: dood, jongste gericht, hel en hemel. Als zodanig reikt zij in het gebied van de hiernamaalsvoorstellingen. Hier komt voorlopig alleen de voorstelling van het lichamelijke sterven zelf ter sprake. Nauw verwant met het thema der Vier uitersten is de Ars moriendi, een schepping der vijftiende eeuw, die evenals de Dodendans door boekdruk en houtsnede verder werkte dan enige vrome gedachte tevoren. Zij behandelt de verzoekingen, vijf in getal, waarmee de duivel de stervende belaagt: de twijfel aan het geloof, de wanhoop over zijn zonden, de gehechtheid aan zijn aardse goederen, vertwijfeling over zijn eigen lijden, eindelijk de hoogmoed over eigen deugd. Telkens komt een engel de lagen van Satan afweren met zijn troost. De beschrijving van de doodsstrijd zelf was oude stof der geestelijke litteratuur; men herkent er steeds weer hetzelfde model in[1].

Chastellain heeft in zijn *Miroir de Mort** al de hier besproken motieven saamgevat. Hij begint met het aangrijpende verhaal, dat zelfs in de heftige wijdlopigheid, deze schrijver eigen, zijn werking niet mist, hoe zijn stervende geliefde hem bij zich riep en met gebroken stem zeide:

> *Mon amy, regardez ma face.*
> *Voyez que fait dolante mort*
> *Et ne l'oubliez désormais;*
> *C'est celle qu'aimiez si fort;*
> *Et ce corps vostre, vil et ort,*
> *Vous perderez pour un jamais;*
> *Ce sera puant entremais*
> *A la terre et à la vermine:*
> *Dure mort toute beauté fine.*

Daarop maakt de dichter een Spiegel des doods. Eerst werkt hij het thema: Waar zijn nu de groten der aarde? uit; veel te lang, enigszins schoolmeesterachtig, zonder iets van de luchtige weemoed van Villon. Dan volgt iets als een eerste opzet van een dodendans, maar zonder kracht of verbeelding. Tenslotte berijmt hij de Ars moriendi. Hier is zijn beschrijving van de doodsstrijd:

> *Il n'a membre ne facture*
> *Qui ne sente sa pourreture,*
> *Avant que l'esperit soit hors,*
> *Le coeur qui veult crevier au corps*
> *Haulce et soulième la poitrine*
> *Qui se veult joindre à son eschine.*
> *– La face est tainte et apalie,*
> *Et les yeux treilliés en la teste.*

* Œuvres, VI p. 49, zie hierboven p. 136.

La parolle luy est faillie,
Car la langue au palais se lie.
Le poulx tressault et sy halette.

. . . .

Les os desjoindent à tous lez;
Il n'a nerf qu'au rompre ne tende[1].

Villon besluit dat alles in een half couplet, veel aangrijpender[2]. Toch herkent men het gemeenschappelijk voorbeeld.

La mort le fait fremir, pallir,
Le nez courber, les vaines tendre,
Le col enfler, la chair mollir,
Joinctes et nerfs croistre et estendre.

En dan weer die sensuele gedachte, die telkens door al deze voorstellingen van verschrikking heen loopt:

Corps femenin, qui tant est tendre,
Poly, souef, si precieux,
Te fauldra il ces maulx attendre?
Oy, ou tout vif aller es cieulx.

Nergens was alles wat den dood voor ogen riep zo treffend bijeen als op het kerkhof der Innocents te Parijs. Daar genoot de geest de huivering van het macabere in haar volste maat. Alles werkte mee, om aan deze plek de sombere heiligheid en bonte griezeligheid te geven, die de late Middeleeuwen zo hevig begeerden. Reeds de heiligen, aan wie de kerk en het kerkhof gewijd waren, de Onnozele kinderen, die in de plaats van Christus geslacht waren, brachten door hun beklagenswaardig martelaarschap die wrede roering en bloedige vertedering aan, waarin de tijd zwelgde. Juist in deze eeuw kwam de verering der Onnozele kinderen sterk op de voorgrond. Men bezat meer dan één reliek van de knaapjes van Bethlehem: Lodewijk XI schonk aan de hun gewijde kerk te Parijs 'un Innocent entier', besloten in een grote kristallen schrijn[3]. Het kerkhof was de plaats, waar men liever rustte dan ergens anders. Een bisschop van Parijs liet een weinig aarde van het kerkhof der Innocents in zijn graf leggen, daar hij er niet begraven kon worden[4]. Arm en rijk lag er dooreen, en niet voor lang, want zo druk was het gebruik der begraafplaats, waarop twintig parochiën het recht van begraven hadden, dat na verloop van enige tijd de beenderen werden opgegraven en de stenen verkocht. Het heette, dat een lichaam er in negen dagen tot op de beenderen verging[5]. Schedels en beenderen werden dan opgestapeld in de kne-

145

kelzolders boven de zuilengang, die het kerkhof aan drie zijden omringde: bij duizenden lagen zij daar open en bloot voor het gezicht, en preekten de les van gelijkheid*. Onder de arcaden was in de schildering en de verzen van de Dodendans diezelfde les te zien en te lezen. Voor het maken van de 'beaux charniers' had onder andere de edele Boucicaut geld gegeven[1]. Aan het portaal der kerk had de hertog van Berry, die daar rusten wilde, de voorstelling van de drie doden en de drie levenden laten beeldhouwen. Later, in de zestiende eeuw, verrees op het kerkhof nog de grote Dood, die in het Louvre eenzaam de enige rest uitmaakt van al wat daar bijeen was.

Deze plek nu was voor de Parijzenaars der vijftiende eeuw als een luguber Palais royal van 1789. Temidden van het voortdurende begraven en weer opgraven was het er een wandelplaats en een verenigingspunt. Men vond er winkeltjes bij de knekelhuizen en lichte vrouwen onder de arcaden. Een ingemetselde kluizenares aan de zijde der kerk ontbrak niet. Soms kwam een bedelmonnik preken op de plaats, die zelf een preek in middeleeuwse stijl was. Soms verzamelde er zich een processie van kinderen: 12500 in getal, zegt de burger van Parijs, allen met kaarsen, die een Innocent naar de Notre Dame en weer terug droegen. Zelfs feesten werden er gegeven[2]. Zozeer was het huiveringwekkende weer alledaags geworden.

In de zucht tot direkte verbeelding van de dood, waarbij al het onverbeeldbare moest worden prijsgegeven, werden alleen de grovere aspecten van de dood in het bewustzijn gedrongen. In de macabere visie van de dood ontbreekt zo goed als al het tere, al het elegische. En in de grond is het een zeer aards, zelfzuchtig gezicht op de dood. Het is niet de rouw om het gemis van geliefden, maar de spijt om de eigen komende dood, enkel gezien als onheil en verschrikking. Daar is geen gedachte in aan de dood als trooster, aan het einde van lijden, aan de begeerde rust, de vervulde of de afgebroken taak, geen tedere herinnering, geen berusting. Niets van de 'divine depth of sorrow'. Slechts een enkele maal klinkt er een weker accent. In de dodendans spreekt de dode de dagloner aan:

> *Laboureur qui en soing et painne*
> *Avez vescu tout vostre temps,*
> *Morir fault, c'est chose certainne,*
> *Reculer n'y vault ne contens.*
> *De mort devez estre contens*
> *Car de grant soussy vous delivre...*

* Zulk een galerij vol schedels en dijbeenderen is nog te zien in een 17e-eeuwse aanbouw van de kerk te Trégastel in Bretagne.

Maar de dagloner beklaagt toch het leven, waarvan hij dikwijls het eind heeft gewenst.

Martial d'Auvergne laat in zijn dodendans der vrouwen het kleine meisje tot haar moeder roepen: bewaar toch goed mijn pop, mijn bikkels en mijn mooie jurk. De aandoenlijke accenten van het kinderleven zijn in de litteratuur der late Middeleeuwen uitermate zeldzaam; er was geen plaats voor in de gewichtige stijfheid van de grote stijl. Noch de kerkelijke noch de wereldlijke litteratuur kennen eigenlijk het kind. Wanneer Antoine de la Salle in *Le Reconfort*[1] een edelvrouw wil troosten over het verlies van haar zoontje, weet hij niet anders te geven dan het verhaal van een knaap, die nog wreder zijn jonge leven verloor, als gijzelaar omgebracht. Als overwinning der smart kan hij haar niet anders bieden dan de leer, om aan niets wat aards is te hechten. Maar dan laat hij volgen, wat wij kennen als het volkssprookje van het doodshemdje: het gestorven kindje, dat zijn moeder komt vragen om niet langer te schreien, opdat zijn doodshemdje kan drogen. En het is opeens een veel inniger geluid dan het in duizend tonen gezongen memento mori. Zouden niet volksverhaal en volkslied in die eeuwen allerlei sentimenten hebben bewaard, die de litteratuur nauwelijks kent?

De kerkelijke gedachte der late Middeleeuwen kent alleen de twee uitersten: de klacht om de vergankelijkheid, om het einde van macht, eer en genot, om het vergaan van schoonheid, en de jubel om de geredde ziel in haar zaligheid. Alles wat daartussen ligt, blijft onuitgesproken. In de doorgevoerde verbeelding van de dodendans en het ijselijke rif versteent de levende aandoening.

12

DE VERBEELDING VAN AL HET HEILIGE

De doodsvoorstelling kan gelden als voorbeeld van het laat-middeleeuwse denk-
leven in het algemeen: het is als een uitvloeien, een verzanden van de gedachte
in het beeld. De ganse inhoud van het gedachtenleven wil uitgedrukt worden in
verbeeldingen: al het goud wordt aangemunt in kleine, dunne schijven. Er is een
teugelloze behoefte, om al het heilige te verbeelden, om elke voorstelling van
godsdienstige aard een afgeronde vorm te geven, zodat zij als een scherp afge-
drukt prentje in het brein staat. Door die neiging tot beeldvorming is al wat
heilig is voortdurend blootgesteld aan het gevaar om star te worden of te ver-
uiterlijken.

Het gehele proces van de ontwikkeling der uiterlijke volksvroomheid in de
latere Middeleeuwen kan niet bondiger worden uitgedrukt dan in de volgende
woorden van Jacob Burckhardt uit zijn *Weltgeschichtliche Betrachtungen*. 'Eine
mächtige Religion entfaltet sich in alle Dinge des Lebens hinein und färbt auf
jede Regung des Geistes, auf jedes Element der Kultur ab. Freilich reagieren
dann diese Dinge mit der Zeit wieder auf die Religion; ja deren eigentlicher
Kern kann erstickt werden von den Vorstellungs- und Bilderkreisen, die sie
einst in ihren Bereich gezogen hat. Das 'Heiligen aller Lebensbeziehungen' hat
seine schicksalsvolle Seite.' En verderop: 'Nun ist aber keine Religion jemals
ganz unabhängig von der Kultur der betreffenden Völker und Zeiten gewesen.
Gerade, wenn sie sehr souverän mit Hilfe buchstäblich gefasster heiliger Urkun-
den herrscht und scheinbar Alles sich nach ihr richtet, wenn sie sich 'mit dem
ganzen Leben verflicht', wird dieses Leben am unfehlbarsten auch auf sie ein-
wirken, sich auch mit ihr verflechten. Sie hat dann später an solchen innigen
Verflechtungen mit der Kultur keinen Nutzen mehr, sondern lauter Gefahren;
aber gleichwohl wird eine Religion immer so handeln, so lange sie wirklich
lebenskräftig ist'[1].

Het leven der middeleeuwse christenheid is in al zijn betrekkingen doortrokken, geheel verzadigd met godsdienstige voorstellingen. Daar is geen ding en geen handeling, waarin niet voortdurend de betrekking tot Christus en het geloof wordt gelegd. Alles is ingesteld op een religieuze opvatting van alle dingen, en er is een ontzaglijke ontplooiing van innig geloof. Maar in die oververzadigde atmosfeer kan de religieuze spanning, de daadwerkelijke transcendentie, het uittreden uit het hier-en-dit, niet steeds aanwezig zijn. Blijft die spanning uit, dan verdooft alles, wat bestemd was om het godsbesef te wekken tot een schrikwekkende alledaagse onheiligheid, tot een verbazende deeszijdigheid in geenzijdige vormen. Zelfs bij een sublieme heilige als Heinrich Suso, bij wie de religieuze spanning misschien geen ogenblik tekort schoot, wordt toch voor ons niet meer middeleeuws gevoel de afstand van het verhevene tot het ridicule gering. Subliem, wanneer hij, gelijk de ridder Boucicaut het om der wille van een aardse geliefde deed, alle vrouwen eer bewijst om Maria, en voor een arme terzijde in het slijk treedt. Hij volgt de gebruiken der aardse min, en viert op de jaarsdag en de Meidag zijn liefde voor de Wijsheid, zijn bruid, met een krans en een liedje. Hoort hij een minneliedje, dan past hij het terstond toe op zijn Wijsheid. Maar wat van het volgende? Aan tafel placht Suso, als hij een appel at, die in vieren te snijden: drie partjes at hij in naam der Drieëenheid en het vierde at hij 'in der minne, als diu himelsch muter irem zarten kindlein Jesus ein epfelli gab zu essen', en daarom at hij dat vierde partje met de schil, want kleine jongens eten appels ongeschild. En enige dagen na Kerstmis, – dus als het Jezuskind nog te klein was om appels te eten, zal de bedoeling zijn, – at hij dat vierde partje niet, maar offerde het aan Maria, om het aan haar zoon te geven. Zijn dronk nam hij in vijf teugen, om de vijf wonden des Heren, maar omdat uit Christus' zijde bloed en water vloeide, nam hij de vijfde teug dubbel*. – Ziedaar het 'Heiligen aller Lebensbeziehungen' in zijn uiterste doorvoering.

Afgezien voorlopig van de graad van innigheid, en enkel beschouwd als godsdienstige vormen, is er in de vroomheid der late Middeleeuwen zeer veel, wat zich voordoet als woekering van het godsdienstig leven, mits men dat begrip niet opvat van een protestants-dogmatisch standpunt. Er was, afgezien van de kwalitatieve veranderingen die zij meebrachten, in de Kerk een kwantitatieve vermeerdering van gebruiken en begrippen ontstaan, die de ernstige godgeleerden met schrik vervulde. Het is niet zozeer tegen de onvroomheid of bijgelovigheid van al het nieuwe, dat zich opdrong, als tegen de overlading van het geloof

---

* Heinrich Seuse, Leben, ed. Bihlmeyer, Deutsche Schriften, 1907, p. 24, 25. – Vgl. hiermee John Tiptoft, graaf van Worcester, Eduard IV's bloedige handlanger, tevens een vroege humanist, die de beul verzoekt, hem ter ere van de heilige Drieëenheid met drie slagen te onthoofden. C. Scofield, Edward IV, I p. 547.

op-zich-zelf, dat de reformgeest der vijftiende eeuw zich keert. De tekens der immer bereide goddelijke genade waren altijd meer geworden; naast de sacramenten bloeiden aan alle zijden de benedicties; van de relieken kwam men tot de amuletten; de kracht van het gebed werd geformaliseerd in de rozenkransen, de bonte galerij der heiligen kreeg altijd meer kleur en leven. En al ijverde de theologie voor een goede onderscheiding van sacramenten en sacramentaliën, welk middel was er, om het volk te weerhouden, op al dat magische en bonte hun hoop en geloof te vestigen? Gerson had te Auxerre iemand ontmoet, die beweerde, dat het Dwazenfeest, waarmee in kerken en kloosters de wintermaand gevierd werd, even geheiligd was als dat van Mariae ontvangenis[1]. Nicolas de Clemanges schreef een tractaat tegen het instellen en vieren van nieuwe feesten: er waren er van die nieuwe, verklaarde hij, waarbij ongeveer de gehele liturgie van apocriefe aard was, en met instemming gewaagt hij van de bisschop van Auxerre, die de meeste feestdagen had afgeschaft[2]. Pierre d'Ailly richt zich in zijn geschrift *De reformatione*[3] tegen de voortdurende vermeerdering van kerken, feesten, heiligen, rustdagen, tegen de overvloed van beelden en schilderijen, de al te grote uitvoerigheid van de dienst, het opnemen van apocriefe geschriften in de liturgie der feesten, tegen de invoering van nieuwe hymnen en gebeden of andere willekeurige nieuwigheden, tegen de al te strenge vermeerdering van vigiliën, gebeden, vasten, onthoudingen. Er was een neiging, om aan elk punt uit de verering van de Moeder Gods een speciale dienst te verbinden. Er waren bijzondere missen, later door de Kerk afgeschaft, van Maria's vroomheid, van haar zeven smarten, van alle Mariafeesten tezamen, van haar zusters Maria Jacobi en Maria Salome, van de engel Gabriel, van al de heiligen, die de geslachtsboom des Heren uitmaakten[4]. De verering van de Kruisweg, van de Vijf Wonden, het Angeluskleppen 's avonds en 's morgens stammen alle uit het laatst der Middeleeuwen. Verder zijn er teveel kloosterorden, zegt d'Ailly, en dit leidt tot verscheidenheid van gebruiken, tot afzondering en hoogmoed, tot ijdele verheffing van de éne geestelijke staat boven de andere. Vooral de bedelorden wil hij beperken. Hun toestand is schadelijk voor de leprozenhuizen en hospitalen en voor de andere echte armen en ellendige behoeftigen, wie het recht en de ware titel des bedelens toekomt[5]. Hij wil de prekende kwestierders van de aflaat uit de kerk verbannen, die haar bezoedelen met hun leugens en haar belachelijk maken[6]. Waar moet het heen met de voortdurende stichting van nieuwe vrouwenconventen zonder voldoende middelen?

Men ziet, het is meer tegen het kwantitatieve euvel, dat Pierre d'Ailly te velde trekt, dan tegen het kwalitatieve. Hij trekt, met uitzondering van zijn schimp tegen de aflaatpreek, niet uitdrukkelijk de vroomheid en heiligheid van al die praktijken in twijfel; hem bezwaart hun ongebreideld aangroeien als zodanig; hij ziet de Kerk verstikken onder die last van bijzonderheden. Toen Alanus de Rupe zijn nieuwe broederschap van de rozenkrans propageert, richt zich het verzet, dat hij ontmoette, ook meer tegen de nieuwigheid op zichzelf dan tegen de inhoud ervan. Vertrouwend op de werking van zulk een grootse gebedsgemeenschap, als Alanus zich voorstelde, meenden de tegenstanders, zou het volk de voorgeschreven penitenties, de geestelijkheid de kanonieke getijden verwaarlozen. De parochiekerken zouden leeglopen, als de broederschap enkel in de kerken der Franciscanen en Dominicanen vergaderde. Uit de bijeenkomsten konden licht partijzucht en samenzweringen voortkomen. En ten slotte verwijt men hem ook: het zijn droombeelden, fantasieën en oudewijvenpraatjes, die de broederschap voor grote en wonderlijke openbaringen verkoopt[1].

De bijna mechanische wijze, waarop de heilige gebruiken zich neigden te vermenigvuldigen, wanneer geen strenge autoriteit besnoeiend ingreep, heeft een karakteristiek voorbeeld in de wekelijkse verering der Onnozele kinderen. Aan de herdenking van de Bethlehemse kindermoord op 28 december verbond zich evenzeer allerlei half-heidens midwinter-bijgeloof als sentimentele aandoening over de gruwel van dit martelaarschap; de dag gold als een ongeluksdag. En nu plachten velen gedurende het hele jaar de weekdag, waarop het laatst Onnozele kinderen gevallen was, als een ongeluksdag te ontzien. Men mocht die dag geen werk beginnen, geen tocht aanvaarden. De dag heette eenvoudig 'les Innocents' evenals het feest zelf. Lodewijk XI nam dit gebruik nauwgezet in acht. De kroning van Eduard IV werd nog eens overgedaan, omdat men haar eerst op de ongelukkigste dag der week had verricht. René van Lotharingen moest van een gevecht afzien, omdat zijn landsknechten weigerden, op grond dat het de weekdag van Onnozele kinderen was[2].

Johannes Gerson neemt uit dit gebruik de aanleiding tot een traktaat tegen het bijgeloof in het algemeen en dit in het bijzonder[3]. Hij is een dergenen geweest, die het gevaar van die woekering der godsdienstige denkbeelden voor het kerkelijk leven duidelijk hebben gezien. Met zijn scherpe, ietwat nuchtere geest ziet hij ook iets van de zielkundige grond voor het opkomen van al die denkbeelden. Zij spruiten voort 'ex sola hominum phantasiatione et melacholica imaginatione'; het is een bederf van de verbeeldingskracht; deze berust op een inwendig hersenletsel, en dit weer op duivelse begoocheling. Zo krijgt de duivel toch nog zijn deel.

Het is een proces van voortdurende herleiding van het oneindige tot eindigheden, een uiteenvalling van het wonder in atomen. Aan elk heiligste mysterie hecht zich, als een korst van schelpen aan een schip, een aangroeisel van uiterlijke geloofselementen, die het ontwijden. De ontzaglijke doordrongenheid van het wonder der eucharistie plant zich aan de oppervlakte voort in het nuchterste en materieelste bijgeloof; bijvoorbeeld dat men op de dag, waarop men de mis gehoord heeft, niet blind kan worden of een beroerte krijgen, dat men gedurende de tijd, dat men de mis hoort, niet ouder wordt[1]. De Kerk heeft er voortdurend tegen te waken, dat God niet al te zeer op aarde wordt gebracht. Zij verklaart het ketters, te beweren, dat Petrus, Johannes en Jacobus bij Christus' transfiguratie het goddelijk wezen even klaar hadden gezien, als zij het nu doen in de hemel[2]. Het was godslastering, dat een der navolgsters van Jeanne d'Arc beweerde, God gezien te hebben in een lang wit kleed met een rood overkleed[3]. Doch kon het volk het helpen, dat het niet de fijne onderscheidingen wist te maken, die de theologie voorschreef, waar de Kerk zoveel bonte stof aan de verbeelding bood?

Gerson zelf hield zich niet vrij van het euvel, dat hij bestreed. Hij verheft zijn stem tegen de ijdele nieuwsgierigheid[4], en bedoelt daarmee de geest van onderzoek, die de natuur wil leren kennen in haar uiterste geheimen. Maar hij zelf wroet met onbescheiden nieuwsgierigheid in de kleinste uiterlijke bijzonderheden der heilige dingen. Zijn bijzondere verering voor de heilige Joseph, voor wiens feest hij op allerlei wijzen werkt, maakt hem benieuwd, om alles van Joseph te weten. Hij verdiept zich in al de bijzonderheden van diens huwelijk met Maria, hun samenleven, zijn onthouding, hoe hij haar zwangerschap leerde kennen, hoe oud hij was. Van de karikatuur, die de kunst van Joseph dreigde te maken: de oude slovende man, zoals Deschamps hem beklaagde en Broederlam hem schilderde, wil Gerson niet weten: Joseph was nog geen vijftig jaar, zegt hij[5]. Elders veroorlooft hij zich een bespiegeling over de lichamelijke samenstelling van Johannes de Doper: 'semen igitur materiale ex qua corpus compaginandum erat, nec durum nimis nec rursus fluidum abundantius fuit'[6]. De beroemde volksprediker Olivier Maillard placht zijn gehoor na de inleiding te onthalen op 'une belle question théologale', bijvoorbeeld, of de Maagd zo actief had meegewerkt tot de ontvangenis van Christus, dat zij waarlijk Moeder Gods mocht heten; of het lichaam van Christus as zou zijn geworden, indien de opstanding niet tussenbeide gekomen ware[7]. De strijdvraag over Maria's onbevlekte ontvangenis, waarin de Dominicanen tegen de wassende volksbehoefte in, die de Maagd van aanvang af vrij van de erfzonde wilde zien, de ontkennende partij hielden, veroorzaakte een vermenging van theologische en embryologische bespiegeling, die ons weinig stichtelijk voorkomt. En zo hardnekkig overtuigd waren de ernstige godgeleerden van het gewicht hunner argumenten, dat zij zich niet ontzagen, het dispuut in preken voor het grote publiek te brengen[8]. Als zo de geest van de ernstigsten was gericht, hoe kon het dan anders, of over een groot levensgebied moest zich door die voortgezette uitwerking in bijzonderheden al het heilige oplossen in een alledaagsheid, waaruit men zich slechts bij vlagen tot de huivering over het wonder verhief?

De gemeenzaamheid, waarmee men in het dagelijks leven met God handelde, moet van twee kanten worden bezien. Eensdeels spreekt uit die gemeenzaamheid de volstrekte vastheid en de onmiddellijkheid van het geloof. Doch waar die gemeenzaamheid eenmaal in de zeden geworteld is, daar schept zij het gevaar, dat de onvromen (die er altijd zijn) of ook de vromen in ogenblikken van onvoldoende religieuze spanning, door die gewoonte van gemeenzaamheid het geloof voortdurend meer of minder bewust en opzettelijk profaneren. Het is juist het innigste mysterie, de eucharistie, dat aan dit gevaar is blootgesteld. Er is onder de ontroeringen van het katholiek geloof zeker geen sterker en inniger dan het besef van de onmiddellijke en wezenlijke tegenwoordigheid Gods in de gewijde hostie. In de Middeleeuwen zo goed als nu is het de centrale godsdienstige aandoening. Maar in de Middeleeuwen met hun naïve onbeschroomdheid gemeenzaam over het heiligste te spreken, wordt het aanleiding tot een spraakgebruik, dat somtijds profaan kan schijnen. Een reiziger stijgt even af, en gaat een dorpskerk binnen 'pour veoir Dieu en passant'. Van een priester, die met de hostie op een ezel zijns weegs gaat, heet het: 'un Dieu sur un asne'[1]. Van een vrouw op het ziekbed wordt gezegd: 'Sy cuidoit transir de la mort, et se fist apporter beau sire Dieux'[2]. 'Veoir Dieu' was de gangbare term voor het zien heffen van de hostie[3]. In al deze gevallen is niet het spraakgebruik op zichzelf profaan, maar het wordt het, als de bedoeling onvroom is, of als het gedachteloos gebezigd wordt, met andere woorden, zodra de smaak van het wonder uitbleef. Welk een ontwijding bracht dan zulk een spraakgebruik mede! Dan was het maar een kleine val tot gedachteloze gemeenzaamheden als het spreekwoord: 'Laissez faire à Dieu, qui est homme d'aage'[4], of Froissart's: 'et li prie à mains jointes, pour si hault homme que Diex est'[5]. Een geval, waar men duidelijk ziet, hoe de term 'Dieu' voor de hostie het godsgeloof zelf contamineren kon, is het volgende. De bisschop van Coutances draagt een mis op in de kerk van Saint Denis. Toen hij het lichaam des Heren gaat heffen, vermaant men Hugues Aubriot, de prévôt van Parijs, die de kapel rondwandelde, waar de mis gevierd werd, om te aanbidden. Maar Hugues, een bekend esprit fort, antwoordt met een vloek, dat hij niet geloofde in de God van zo'n bisschop, die aan het hof woonde[6].

Zonder de geringste spottende bedoeling kon de gemeenzaamheid met al het heilige en de zucht tot verbeelden ervan leiden tot vormen, die ons onbeschaamdheden zouden kunnen schijnen. Men bezat Mariabeeldjes, die een variant opleveren van het oud-Hollands drinkvaatwerk, dat Hansje in de kelder genoemd werd. Het was een klein gouden beeldje, rijk met edelstenen versierd, waarvan de buik open kon, waarbinnen men de Drieëenheid zag. De schatkamer der Bourgondische hertogen bevatte er zo een*; Gerson zag een dergelijk bij de Carmelieten te Parijs. Hij keurt zulke beeldjes af, maar niet wegens de onvroomheid van zulk een grove voorstelling van het wonder, doch om de ketterij, die erin gelegen was, de gehele Drieëenheid als de vrucht van Maria's schoot voor te stellen**.

Het gehele leven was zo doortrokken van godsdienst, dat de afstand tussen het aardse en het geestelijke ieder ogenblik dreigde te loor te gaan. Wordt aan de ene kant alles van het gewone leven in de heilige ogenblikken opgetrokken in wijding, aan de andere kant wordt het heilige voortdurend in de sfeer van het alledaagse gehouden door zijn onoplosbare vermenging met het dagelijks leven. Hierboven werd gesproken van het kerkhof der Innocents te Parijs, die afzichtelijke kermis des doods met de doodsbeenderen al rondom opgetast en uitgestald. Kan men zich iets vreselijkers denken dan het leven van de kluizenares, ingemetseld tegen de kerkmuur op die plaats der verschrikking? Maar lees nu, hoe de tijdgenoten erover spreken: de recluses woonden er in een keurig nieuw huisje, zij werden ingemetseld met een mooie preek, zij kregen van de koning een bezoldiging van acht pond 's jaars in acht termijnen[1]. Alles alsof het gewone hofjesjuffrouwen waren. Waar blijft het religieuze pathos? Waar blijft het, als er een aflaat wordt verbonden aan de gewoonste huiselijke werkzaamheden: het aanmaken van de oven, het melken van een koe, het uitboenen van een pot[2]. Bij een verloting te Bergen-op-Zoom in 1518 waren naast elkaar 'costelijke prijsen' en aflaten te winnen[3]. Bij de vorstelijke intochten prijkten op de hoeken der straten afwisselend met de zinrijke vertoningen, dikwijls van heidense naaktheid, de kostbare reliekschrijnen der stad op altaren, bediend door prelaten en den vorst om eerbiedig te kussen aangeboden[4].

Die ogenschijnlijke ongescheidenheid van de religieuze en de wereldlijke sfeer

---

* Laborde, II p. 264 no. 4238, Inventaris van 1420; ib. II p. 10 no. 77, Inventaris van Karel de Stoute, waar wel sprake zal zijn van hetzelfde exemplaar. De stadsbibliotheek te Amiens bezit een houten Mariabeeldje, Spaans werk uit het einde der 16e eeuw, met een rechthoekige nis waarin het Jezuskind in ivoor. Zie G. H. Luquet, Représentation par transparence de la grossese dans l'art chrétien, Revue archéologique, t. XIX, 1924, 143.
** Gerson, Opera, III p. 947. Men vindt zijn afkeurend woord in de Franse tekst, uit een kerstpreek, bij Didron, Iconographie chrétienne, 1843, p. 582, waar eveneens getuigd wordt, dat deze ketterij inderdaad insloop. In een daar aangehaald gebed luidt het van Maria: 'quant pour les pêcheurs se voust en vous herbergier le Père, le Filz et le Seint-Esprit... par quoy vous estes la chambre de toute la Trinité'.

wordt het levendigst uitgedrukt door het overbekende feit, dat de wereldlijke melodie steeds onveranderd dienen kan voor de kerkelijke zang en omgekeerd. Guillaume Dufay componeert zijn missen op thema's van wereldlijke liederen als 'Tant je me déduis, Se la face ay pale, L'omme armé'.

Er is een voortdurend wisselverkeer tussen de godsdienstige en de wereldlijke terminologie. Zonder aanstoot ontleent men de uitdrukking voor aardse dingen aan de godsdienst en omgekeerd. Boven de ingang van de Rekenkamer te Rijsel prijkte een vers, dat aan iedereen herinnerde, hoe hij eenmaal rekenschap zou hebben af te leggen van zijn hemelse gaven, voor God:

> Lors ouvrira, au son de buysine
> Sa générale et grant chambre des comptes[1].

Omgekeerd heette het in de plechtige oproep tot een tournooi, alsof het een plechtigheid met aflaat was:

> Oez, oez, l'oneur et la louenge
> Et des armes grantdisime pardon[2].

Het was toeval, dat in het woord 'mistère' mysterium en ministerium waren dooreengelopen, maar deze homonymie kon niet anders dan de verzwakking van het mysteriebesef in het dagelijks spraakgebruik bevorderen: alles heette mistère, bijvoorbeeld de eenhoren, de schilden en de pop, die bij de Pas d'armes de la fontaine des pleurs gebruikt waren[3].

. Als directe tegenkant van de godsdienstige symboliek, het duiden van alle aardse dingen en aardse geschiedenis als zinnebeeld en prefiguratie van het goddelijke, vindt men omgekeerd vorstenhulde gebracht in godsdienstige metafoor. Zodra het ontzag voor aardse majesteit de middeleeuwen aanvat, dient hem de taal der heilige aanbidding voor de uitdrukking van zijn gevoel. De vorstendienaars der vijftiende eeuw staan hier voor geen profanatie. In het pleidooi om de moord van Lodewijk van Orleans laat de pleiter de geest van de vermoorde vorst tot zijn zoon spreken: aanschouw mijn wonden, waarvan er vijf in het bijzonder wreed en dodelijk waren[4]. Hij ziet het slachtoffer dus als Christus. De bisschop van Chalons schroomt op zijn beurt niet, Jan zonder Vrees, die door de wraak om Orleans viel, met het Lam Gods te vergelijken[5]. Molinet vergelijkt keizer Frederik, die zijn zoon Maximiliaan zendt, om met Maria van Bourgondië te trouwen, met God Vader, die de Zoon op aarde zendt, en spaart geen vrome taal tot uitwerking van het geval. Wanneer later Frederik en Maximiliaan met de jonge Philips de Schone te Brussel binnenkomen, laat Molinet de Brusselaars wenend zeggen: 'Véez-ci figure de la Trinité, le Père, le Fils et Saincte Esprit'.

Of wel hij biedt zijn bloemenkrans aan Maria van Bourgondië als waardig beeld van Onze Lieve Vrouw, 'behoudens de maagdelijkheid'[1].

'Niet dat ik de vorsten wil vergoden', zegt deze aartshoveling[2]. Misschien **is** het inderdaad meer holheid en frase dan werkelijk gevoelde adulatie, maar het bewijst daarom niet minder de depreciatie van de heilige voorstellingen door hun dagelijks gebruik. Trouwens wat zal men de hofpoëtaster verwijten, als Gerson zelf aan de vorstelijke hoorders van zijn preken speciale beschermengelen toekent van een hoger hiërarchie en ambt dan die van andere mensen?*

In de toepassing van godsdienstige termen op de liefde, waarvan reeds eerder sprake was, heeft men natuurlijk met heel iets anders te doen. Hier is een element van werkelijke onvroomheid en spot, dat in het zoëven behandelde spraakgebruik niet aanwezig was; beide zijn slechts verwant, in zoverre zij voortspruiten uit de grote gemeenzaamheid met het heilige. De schrijver van *Les Quinze joyes de mariage* kiest die titel in navolging der vreugden van Maria[3]. Van de voorstelling der liefde als een vrome observantie is hierboven gesproken. Van ernstiger betekenis nog is het, wanneer de verdediger van de *Roman de la rose* met heilige termen noemt 'partes corporis inhonestas et peccata immunda atque turpia'[4]. Hier is wel degelijk iets van die gevaarlijke toenadering tussen het godsdienstige en het erotische voelen, die de Kerk in deze vorm hevig vreesde. Niets geeft wellicht die toenadering zo levendig te zien als de Antwerpse Madonna, aan Fouquet toegeschreven, voorheen in het koor der Lieve Vrouwenkerk te Melun als diptiek verenigd met het luik, dat de stichter Etienne Chevalier, tresorier des konings, met de heilige Stephanus vertoont, thans te Berlijn. Een oude traditie, in de zeventiende eeuw door de oudheidkundige Denis Godefroy opgetekend, wil, dat de Madonna de trekken van Agnes Sorel weergeeft, de koninklijke maîtresse, voor wie Chevalier zijn hartstocht niet verborg. Het is inderdaad, bij al de grote hoedanigheden der schildering, een modepop, die wij voor ons zien, met het gebombeerde kaalgeschoren voorhoofd, de wijd uiteenstaande kogelronde borsten, het hoge dunne middel. De bizarrerie van de hermetische gelaatsuitdrukking, de stijve rode en blauwe engelen, die haar omringen, alles werkt mee, om aan het schilderij een waas van décadente goddeloosheid te geven, waarbij de forse, sobere voorstelling van de stichter en zijn heilige op het andere luik wonderlijk afsteekt. Godefroy zag op het blauw fluweel ener brede lijst de naamletter E in parelen, telkens verbonden door liefdestrikken (lacs d'amour) uit goud- en zilverdraad[5]. Ligt niet in het geheel een

---

* Gerson, Oratio ad regem Franciae, Opera, IV p. 662. Overigens bevindt zich Gerson hiermede op de bodem van Sint Thomas' leer over de engelen; iedere engel vormt wat op aarde een soort zou heten, vgl. E. Gilson, Le Thomisme, p. 158.

11. Claes Sluter, Mozes, omstreeks 1400
(Dijon) *Giraudon, Parijs*

12. Onbekend Meester, eerste helft van de 15e eeuw, Lysbet van Duvenvoorde
(*'s Gravenhage, Mauritshuis*)

13. Onbekend Bovenrijns Meester, omstreeks 1420, Drie Dames
(Parijs, Louvre) Giraudon, Parijs

14. Meester van het Utrechts Marialeven, omstreeks 1415
(Uppsala, Universiteitsbibliotek)

15. Rogier van der Weyden, De Kanselier Rolin
(Beaune, Hospitaal) J. E. Bulloz, Parijs

16. Jan van Eyck, Portret van een onbekende
(Londen, National Gallery)

17. Toegeschreven aan Jean Fouquet, Portret van een geestelijke
(New York, coll. Lord Duveen)

18. Toegeschreven aan Rogier van der Weyden, Portret van een jonge vrouw
(Londen, British Museum)

19. Hugo van der Goes, Portinari-Altaar, detail linker zijluik
(Florence, Uffizi) Alinari, Florence

blasfemische vrijmoedigheid met het heilige, die door geen Renaissancegeest te overtreffen was?

De oneerbiedigheid van het dagelijkse kerkelijk leven was schier zonder grenzen. De muzikale vorm van het motet, gebouwd op het beginsel van verschillende teksten dooreen gezongen, ontaardde er toe, dat men de zonderlingste combinaties niet ontzag, zodat in de dienst de woorden der profane liederen, die tot thema strekten, als: *baisez-moi, rouges nez,* tussen de liturgische tekst door werden gezongen[1]. David van Bourgondië, de bastaard van Philips de Goede, houdt zijn intrede als bisschop van Utrecht temidden van een krijgsgevolg van enkel edelen, waarmee zijn broeder de bastaard van Bourgondië hem uit Amersfoort is komen afhalen. De nieuwe bisschop zelf is geheel geharnast, 'comme seroit un conquéreur de païs, prince séculier', zegt Chastellain met blijkbare misprijzing; zo rijdt hij naar de dom, en gaat er binnen in een processie met vanen en kruisen, om voor het hoogaltaar te bidden[2]. Naast deze Bourgondische hovaardij de gemoedelijke onbeschaamdheid van Rudolf Agricola's vader, de pastoor van Baflo, die op de dag, dat hij tot abt van Selwert was gekozen, het bericht kreeg, dat hem uit zijn bijzit een zoon geboren was, en zeide: 'Heden ben ik tweemaal vader geworden: moge Gods zegen er op rusten'[3].

De tijdgenoten beschouwden de toenemende oneerbiedigheid jegens de Kerk als een achteruitgang der zeden van de jongste tijd.

> *On souloit estre ou temps passé*
> *En l'église benignement*
> *A genoux en humilité*
> *Delez l'autel moult closement,*
> *Tou nu le chief piteusement,*
> *Maiz au jour d'uy, si come beste,*
> *On vient à l'autel bien souvent*
> *Chaperon et chapel en teste*[4].

Op de feestdagen, klaagt Nicolaas van Clemanges, gaan maar weinigen naar de mis. Zij horen die niet tot het einde aan, en vergenoegen zich, even het wijwater aan te raken, door een kniebuiging Onze Lieve Vrouw te groeten, of een heiligenbeeld te kussen. Hebben zij de hostie zien heffen, dan beroemen zij er zich op als een grote weldaad aan Christus. De metten en de vesper leest de priester meestal met zijn helper alleen[5]. – De heer van het dorp en patronaatsheer der kerk laat de priester kalm wachten met de mis, tot hij en zijn vrouw zijn opgestaan en zich gekleed hebben[6].

De heilige feesten, de Kerstnacht zelf, worden in ongebondenheid doorge-

157

bracht, met kaartspelen, vloeken en schandelijke taal; vermaant men het volk, dan beroept het er zich op, dat de grote heren, de klerken en prelaten het ongestraft doen[1]. Op de vigiliën der feestdagen wordt in de kerken zelf met losbandige liederen gedanst; priesters geven het voorbeeld, om die nachtwaken door te brengen met dobbelspel en vloeken[2]. Dit zijn alles getuigenissen van moralisten, geneigd om al te zwart te zien wellicht. Doch de documenten bevestigen meer dan eens die duistere blik. De raad van Straatsburg schonk jaarlijks 1100 liter wijn voor hen, die in het Munster de Sint Adolfsnacht 'wakend en in gebed' doorbrachten[3]. Een stedelijk magistraat beklaagt zich bij Dionysius de Kartuizer, dat de jaarlijkse processie, in zijn stad met een heilige relikwie verricht, de aanleiding was tot tal van onbetamelijkheden en drinkgelagen. Hoe daar een einde aan te maken? De magistraat zelf zou er niet gemakkelijk van te overtuigen zijn, want de processie bracht de stad voordeel aan; zij bracht volk in de stad, dat er moest overnachten, eten en drinken. En het was nu eenmaal zo gewoonte. Dionysius kende het euvel; hij wist, hoe tuchteloos men bij processies optrad, pratende, lachende, onbeschaamd rondkijkende, belust op drinken en ruw vermaak[4]. Zijn verzuchting past wonderwel bij de optocht der Gentenaren naar de kermis van Houthem met de schrijn van Sint Lieven. Vroeger, zegt Chastellain, plachten de notablen het heilig lichaam te dragen 'en grande et haute solemnité et révérence', maar nu is het 'une multitude de respaille et de garçonnaille mauvaise'; zij dragen hem schreeuwend en joelend, zingend en dansend, onder honderd potsen, en allen zijn dronken. Zij zijn gewapend bovendien, en veroorloven zich overal waar zij langs komen de grootste losbandigheid; alles schijnt die dag aan hen overgeleverd onder voorwendsel van hun heilige last[5].

De kerkgang is een belangrijk element in het gezelschapsleven. Men komt er pronken in zijn fraaiste dos, men komt er wedijveren in rang en deftigheid, en in hoofse vormen en beleefdheid. Vroeger is al vermeld*, hoe het kussen van het 'paesbord', 'la paix', de vaste aanleiding was tot de meest storende beleefdheidsstrijd. Als er een jonkertje binnenkomt, staat mevrouw op en kust hem op de mond, terwijl de priester de hostie wijdt en het volk te bidden ligt[6]. Praten en rondwandelen onder de mis moeten zeer gewoon zijn geweest[7]. Het gebruik van de kerk als plaats van samenkomst, waar de jongelieden naar de meisjes komen kijken, is zo algemeen, dat enkel de moralisten er zich over ergeren. De jeugd komt zelden in de Kerk, roept Nicolaas van Clemanges uit[8], dan om de vrouwen te zien, die er haar hovaardige kapsels en haar décolleté komen vertonen. De eerbare Christine de Pisan dicht zonder ergernis:

* Hierboven p. 41.

Se souvent vais ou moustier,
C'est tout pour veoir la belle
Fresche com rose nouvelle[1]*.

Het bleef niet bij de kleine liefdediensten, waartoe de dienst de vrijer gelegenheid gaf: de beminde het wijwater te geven, haar de 'paix' te reiken, een kaarsje voor haar aan te steken en naast haar te knielen, niet bij wat tekens en lonkjes[2]. In de kerk zelf komen de lichtekooien haar afspraken zoeken[3]. In de kerken zelf en op heiligendagen zijn ontuchtige prentjes te koop, die de jeugd bederven; en geen preken helpt tegen het kwaad[4]. Meer dan eens wordt de kerk en het altaar door ontuchtige daden bezoedeld[5].

Evenzeer als het gewone kerkbezoek was de bedevaart de aanleiding tot allerlei vermaak en vooral tot verliefde besognes. Zij worden in de litteratuur dikwijls als gewone plezierreisjes behandeld. De ridder de La Tour-Landry, die het ernstig meent met zijn onderricht aan zijn dochters in goede en deugdzame manieren, spreekt van vermaaklievende dames, die gaarne naar tournooien en pelgrimages gaan, en vertelt waarschuwende exempelen van vrouwen, die een bedevaart ondernamen als voorwendsel tot een samenkomst met de geliefde. 'Et pour ce a cy bon exemple comment l'on ne doit pas aler aux sains voiaiges pour nulle folle plaisance'[6]. Juist zo beschouwt ze Nicolaas van Clemanges: men gaat op feestdagen naar verafgelegen kerken van heiligen ter beevaart, minder om zijn gelofte te lossen dan om des te vrijer af te dwalen. Het is een bron van velerlei misdrijven; daar bij de heilige plaatsen zijn steeds de verfoeilijke koppelaarsters aanwezig, om de meisjes te verlokken[7]. Het is het gewone geval in de *Quinze joyes de mariage*: de jonge vrouw wil wel eens een verzetje, en bepraat haar man, dat het kind ziek is, omdat zij de bedevaart nog niet heeft volbracht, waartoe zij in 't kraambed de gelofte deed[8]. De voorbereiding tot het huwelijk van Karel VI met Isabella van Beieren wordt ingeleid met een pelgrimage[9]. Geen wonder, dat de ernstige mannen der moderne devotie in de bedevaarten weinig nut zien. Die vele bedevaarten doen, worden zelden heilig, zegt Thomas a Kempis, en Frederik van Heilo wijdt aan de zaak een afzonderlijk traktaat *Contra peregrinantes*[10].

In al deze ontwijdingen van het geloof door de onbeschaamde vermenging met het zondige leven ligt meer naieve gemeenzaamheid met de godsdienst dan regelrechte onvroomheid. Enkel een samenleving, die geheel doortrokken is van het godsdienstige, en die het geloof als iets vanzelfsprekends aanvaardt, kent al deze excessen en ontaarding. Het waren dezelfde mensen, die de dagelijkse

* Vgl. hierboven p. 121.

sleur van een half verliederlijkte godsdienstpraktijk volgden, en die dan plotseling onder het vlammende woord van een prekende bedelmonnik vatbaar waren voor de uitersten van heilige ontroering.

Zelfs een botte zonde als het vloeken komt enkel op uit een sterk geloof. Want in zijn oorsprong als bewuste eed is de vloek het teken van een tot in de nietigste dingen aanwezig besef van de tegenwoordigheid van het goddelijke. Alleen het besef van waarlijk de hemel te tarten geeft aan de vloek zijn zondige bekoring. Eerst waar elk besef van te zweren en elke vrees voor de vervulling van de vloek geweken is, verslapt het vloeken tot de eentonige ruwheid van later tijden. In het laatst der Middeleeuwen heeft het nog die prikkel van driestheid en hoogmoed, die het maakt tot een adellijke sport. 'Wat, – zegt de edelman tot de boer –: je geeft je ziel aan de duivel, en je verloochent God, terwijl je geen edelman bent?'[1] Deschamps constateert, dat het vloeken reeds afdaalt tot de geringe lieden:

Si chetif n'y a qui ne die:
Je renie Dieu et sa mère[2].

Men wedijvert in pittige en nieuw gevonden vloeken; wie het liederlijkste te vloeken weet, wordt als meester geëerd[3]. Eerst vloekte men, zegt Deschamps, overal in Frankrijk op zijn Gascons en Engels, daarna op zijn Bretons, en nu op zijn Bourgondisch. Hij rijmt twee balladen aaneen van de gebruikelijke vloeken, om ze tenslotte tot vrome zin te wenden. En de Bourgondische vloek: 'Je renie Dieu', is de ergste van allen[4]; men verzacht hem tot 'Je renie de bottes'. De Bourgondiërs hadden de naam van aartsvloekers; trouwens Frankrijk in het algemeen, klaagt Gerson, lijdt, zo christelijk als het is, meer dan andere landen onder die afschuwelijke zonde, die de oorzaak is van pestilentie, oorlogen en hongersnood[5]. Zelfs de monniken doen met bastaardvloeken mee[6]. Hij wil, dat alle autoriteiten en alle standen door scherpe verordeningen en lichte straffen, die dan ook werkelijk uitgevoerd kunnen worden, het kwaad helpen uitroeien. En inderdaad verscheen in 1397 een koninklijke ordonnantie, die de oude verordeningen tegen het vloeken van 1269 en 1347 hernieuwde; niet met lichte en uitvoerbare straffen evenwel, maar met de oude bedreigingen van lippen kloven en tong afsnijden, waaruit de heilige verontwaardiging over de godslastering sprak. In het register, dat de ordonnantie bevat, staat er aan de rand bij aangetekend: 'Al deze vloeken zijn heden ten dage, 1411, overal in het rijk zeer algemeen in gebruik, zonder enige straf'[7]. Pierre d'Ailly dringt bij het concilie van Constanz[8] opnieuw met nadruk aan op de bestrijding van het kwaad.

Gerson kent de beide uitersten, waartussen de zonde van het vloeken zich beweegt. Hij kende uit zijn ervaring als biechtvader de jongelieden, die onbedorven, eenvoudig en kuis, gekweld werden door een scherpe verzoeking, om woorden van godverloochening en godslastering te spreken. Hij beveelt hun aan, om zich niet geheel aan de beschouwingen van God en zijn heiligen over te geven; zij zijn er niet sterk genoeg toe[1]. Hij kent ook de gewoontevloekers, zoals de Bourgondiërs, wier daad, hoe verfoeilijk ook, toch niet de schuld van meinedigheid bevat, daar er in het geheel geen bedoeling is om te zweren[2].

Het punt, waar de gewoonte om de dingen van het geloof lichtvaardig te behandelen, overgaat in bewuste ongodsdienstigheid, is niet te bepalen. Er is zonder twijfel in het laatst der Middeleeuwen een sterke neiging om de vroomheid en de vromen te bespotten. Men is gaarne esprit fort, en spreekt tegen het geloof bij wijze van scherts*. De novellisten doen frivool en onverschillig, zoals in het verhaal der *Cent nouvelles nouvelles*, waar de pastoor zijn hond in gewijde aarde begraaft, en hem toespreekt: 'mon bon chien, à qui Dieu pardoint'. De hond gaat dan ook 'tout droit au paradis des chiens'[3]. Men heeft een grote afkeer van gehuichelde of beuzelachtige vroomheid: het woord 'papelard' ligt hun in de mond bestorven. Het veelgebruikte spreekwoord: 'De jeune angelot vieux diable' of in fraai schoollatijn: 'Angelicus juvenis senibus sathanizat in annis' is Gerson een doorn in het oog. Zo bederft men de jeugd, zegt hij: men prijst in de kinderen een onbeschaamd gelaat, vuile taal en vloeken, onkuisheid in blik en gebaar. Maar, zegt hij: ik zie niet, wat er van de jongeling, die de duivel speelt, te hopen valt in de grijsheid[4].

Onder de geestelijken en godgeleerden zelf onderscheidt Gerson een groep van onwetende praters en ruziemakers, wie elk gesprek over de godsdienst een last en een fabel is; alles wat hun wordt meegedeeld van verschijningen en openbaringen, verwerpen zij met groot gelach en verontwaardiging. Anderen vallen in het andere uiterste, en nemen alle inbeeldingen van ijlhoofdige mensen, dromen en wonderlijke gedachten van zieken en krankzinnigen, als openbaringen aan[5]. Het volk weet tussen die uitersten het juiste midden niet te bewaren: zij geloven alles, wat zieners en waarzeggers voorspellen, maar, komt een ernstig geestelijke die dikwijls echte revelaties heeft gehad, eens bedrogen uit, dan beschimpen de wereldse lieden allen, die van geestelijke wandel zijn, noemen hem een bedrieger en een 'papelard', en willen voortaan naar geen geestelijke meer luisteren, die zij voor boosaardige huichelaars houden[6].

In de meeste gevallen van de zo luid beklaagde onvroomheid heeft men te doen met het plotseling uitblijven van de religieuze spanning in een met gods-

---

* Gerson, Contra foedam tentationem blasphemiæ, Opera III p. 246: hi qui audacter contra fidem loquuntur in forma joci etc.

dienstige inhoud en vormen oververzadigd gedachtenleven. Door de hele Middeleeuwen heen vindt men talrijke gevallen van spontaan ongeloof[1], waarbij niet te denken valt aan een afwijking van de kerkleer op grond van theologische bespiegeling, maar enkel aan een onmiddellijke reactie. Al betekent het niet veel, wanneer dichters of geschiedschrijvers, de enorme zonden van hun tijd ziende, uitriepen: men gelooft niet meer aan hemel en hel[2], bij meer dan een was het latente ongeloof bewust en vast geworden, zo zelfs dat het algemeen bekend was, en zij er zelf voor uitkwamen. 'Beaux seigneurs, – zegt de kapitein Bétisac tot zijn makkers[3], – je ay regardé à mes besonges et en ma conscience je tiens grandement Dieu avoir courrouchié, car jà de long temps j'ay erré contre la foy, et ne puis croire qu'il soit riens de la Trinité, ne que le Fils de Dieu se daignast tant abaissier que il venist des chieulx descendre en corps humain de femme, et croy et dy que, quant nous morons, que il n'est riens de âme... J'ay tenu celle oppinion depuis que j'eus congnoissance, et la tenray jusques à la fin.' – Hugues Aubriot, prévôt van Parijs, is een allervurigst papenhater; hij gelooft niet aan het altaarsacrament, spot ermee, houdt geen Pasen, gaat niet te biecht[4]. Jacques du Clercq verhaalt verschillende gevallen van edelen, die hun ongeloof toonden, en geheel bij kennis de laatste sacramenten weigerden[5]. Jean de Montreuil, proost van Rijsel, schrijft aan een van zijn geleerde vrienden, meer in de luchtige trant van een verlichte humanist dan als een waarlijk vrome: 'Ge kent onze vriend Ambrosius de Miliis; ge hebt dikwijls gehoord, hoe hij van de godsdienst, van het geloof, van de Heilige Schrift en van alle kerkelijke voorschriften dacht, zó namelijk, dat Epicurus er katholiek bij moest heten. Welnu, deze man is thans geheel bekeerd'. Maar hij werd dan ook tevoren toch geduld in die kring van vroege humanisten vol vrome zin[6].

Aan de ene zijde van deze spontane gevallen van ongeloof staat het litteraire paganisme der Renaissance en het beschaafde en behoedzame Epicurisme, dat reeds in de dertiende eeuw, naar Averroës genoemd, in zo wijde kringen had gebloeid. Aan de andere zijde staat de hartstochtelijke negatie bij de arme, onwetende ketters, die allen, hoe zij ook heten, Turlupins of Broeders van de vrije geest, de grenzen van de godsverering naar het pantheïsme hadden overschreden. Doch deze verschijnselen moeten in een later verband ter sprake komen. Voorlopig hebben wij nog te blijven in de sfeer van de uiterlijke geloofsverbeelding en de uiterlijke vormen en gebruiken.

Voor het dagelijks besef van de grote hoop maakte de aanwezigheid van een zichtbaar beeld het intellectueel bewijs van de waarheid van het afgebeelde volkomen overbodig. Tussen hetgeen men in kleur en vorm afgebeeld voor zich zag: de personen der Drieëenheid, de vlammende hel, de talloze heiligen, en het geloven daaraan was geen plaats voor een vraag: zou het waar zijn? Al die voorstellingen werden onmiddellijk *als* verbeeldingen tot geloof; zij stonden in de geest vast omlijnd en bont gekleurd, met al de realiteit, die de Kerk in het geloof eisen kon, en nog wat daarenboven.

Doch waar het geloof direkt berust op een beeldvoorstelling, kan het nauwelijks kwalitatieve onderscheidingen maken tussen de aard en de graad van heiligheid der verschillende geloofselementen. Het ene beeld is zo reëel en zo ontzagbaar als het andere, en dat men God te aanbidden heeft en de heiligen slechts te vereren, leert de afbeelding zelf niet, als niet de Kerk met haar lering er voortdurend toe vermaant. Nergens dreigde de overwoekering van de vrome gedachte door de bonte verbeelding zo aanhoudend en zo sterk als op het gebied der heiligenverering.

Het strenge standpunt van de Kerk was zuiver en hoog genoeg. Gegeven de voorstelling van het persoonlijk voortbestaan, was de verering der heiligen natuurlijk en zonder bedenking. Het is geoorloofd, hun lof en eer toe te kennen 'per imitationem et reductionem ad Deum'. Op dezelfde wijze mag men ook verering schenken aan beelden, relieken, heilige plaatsen en aan God gewijde dingen, voorzover het ten slotte leidt tot verering van God zelf[1]. Ook de technische onderscheiding van de heilige en de gewone gezalige en de normering van het instituut der heiligheid door de officiële canonisatie hadden, schoon een bedenkelijke formalisering, toch niets wat tegen de geest van het Christendom streed. De Kerk bleef zich bewust van de oorspronkelijke gelijkwaardigheid van heiligheid en zaligheid, en van het ontoereikende der heiligverklaring. 'Het is te geloven – zegt Gerson – dat er oneindig meer heiligen gestorven zijn en dagelijks sterven, dan zij die gecanoniseerd zijn'[2]. De geoorloofdheid der beelden zelf, tegenover de uitdrukkelijke woorden van het tweede gebod, werd betoogd met het beroep, dat vóór de menswording van Christus het verbod noodzakelijk was geweest, omdat God toen enkel geest was, maar dat Christus de oude wet had opgeheven door en wegens zijn komst op aarde. Aan de rest van het tweede gebod: 'Non adorabis ea neque coles', wenste de Kerk onvoorwaardelijk vast te houden. 'Wij aanbidden de beelden niet, doch brengen eer en adoratie aan de afgebeelde, dat wil zeggen aan God, of aan zijn heilige, wiens beeld het is.'[3] De beelden dienen alleen, om aan de eenvoudigen, die de Schrift niet kennen, te tonen, wat zij moeten geloven[4]. Zij zijn de boeken der onwetenden[5]: men kent die gedachte uit het gebed aan Maria, dat Villon voor zijn moeder maakte:

Femme je suis pourette et ancienne,
Qui riens ne sçai; oncques lettre ne leuz;
Au moustier voy dont suis paroissienne
Paradis paint, où sont harpes et luz,
Et ung enfer où dampnez sont boulluz:
L'ung me fait paour, l'autre joye et liesse...[1]

Dat door het openleggen van het boek der bonte beelden aan de dolende geest evenveel stof tot afwijking van de leer werd geboden, als de persoonlijke schrift-verklaring kon meebrengen, heeft de Kerk nimmer verontrust. Zij heeft altijd licht geoordeeld over de zonde van hen, die uit onwetendheid en eenvoudigheid tot aanbidding der beelden vervielen. Het is hun reeds genoeg, zegt Gerson, als zij maar de bedoeling hebben om te doen, zoals de Kerk doet in het eren der beelden[2].

De zuiver dogmenhistorische vraag, in hoeverre de Kerk haar verbod van directe verering of zelfs aanbidding der heiligen, niet als voorbidders maar als bewerkers van het gevraagde, altijd zuiver heeft weten te handhaven, kan hier blijven rusten. De cultuurhistorische vraag is, in hoeverre zij erin slaagde, het volk daarvan af te houden, met andere woorden welke realiteit, welke voorstellingswaarde de heiligen hadden in het laat-middeleeuwse volksbesef. En hier is maar één antwoord mogelijk: de heiligen waren zo wezenlijke, zo materiële en zo gemeenzame figuren in het alledaagse geloofsleven, dat zich aan hen al de meer oppervlakkige en zinnelijke godsdienstige impulsen verbonden. Terwijl de innigste gemoedsbewegingen uitstroomden naar Christus en Maria, kristalliseerde zich in de heiligenverering een hele schat van gemoedelijk, naief en alledaags godsdienstig leven. Alles werkt mede, om aan de populaire heiligen een wezenlijkheid voor de geest te geven, die hen voortdurend midden in het leven bracht. De volksverbeelding heeft hen vast: zij hebben hun bekende gedaante en hun attributen, men kent hun ijselijke martelie en hun verbazende wonderen. Zij gaan gekleed en uitgerust als het volk zelf. Men kon mijnheer Sint Rochus of Sint Jacob iedere dag in levende pestlijders of pelgrims ontmoeten. Het zou van belang zijn, na te gaan, tot hoe lang de klederdracht der heiligen de mode van de dag heeft meegemaakt. Zeker die der gehele vijftiende eeuw. Maar waar is het punt, waarop de kerkelijke kunst hen onttrekt aan de levende volksverbeelding, door hen te hullen in retorische drapering? Het is niet alleen een kwestie van Renaissancegevoel voor historisch kostuum; het is, dat de volksverbeelding zelf hen begint los te laten, of althans zich niet meer kan doen gelden in de kerkelijke kunst. Tijdens de Contrareformatie zijn de heiligen veel treden hoger geklommen, naar de Kerk het wilde: weg uit de aanraking met het volksleven.

De lijfelijkheid, die de heiligen reeds hadden door de afbeelding, werd nog buitengewoon verhoogd doordat de Kerk van oudsher de verering van hun lichamelijke overblijfselen had toegestaan en aangemoedigd. Het kon niet anders, of van dit hechten aan de stof moest een materialiserende invloed op het geloof uitgaan, die somtijds tot verbazingwekkende uitersten leidde. Waar het relieken geldt, vreest het sterke geloof der Middeleeuwen voor geen ontnuchtering of ontwijding. Het volk in de bergen van Umbrië omstreeks het jaar 1000 wilde de kluizenaar Sint Romuald doodslaan, om toch zijn gebeente niet te verliezen. De monniken van Fossanuova, waar Thomas van Aquino gestorven was, hebben, uit vrees dat hun de kostbare reliek zou ontgaan, het lijk van de edele meester letterlijk ingemaakt: van het hoofd ontdaan, gekookt, geprepareerd[1]. Toen de heilige Elisabeth van Thüringen boven aarde stond, kwam een schaar van devoten niet alleen stukken snijden of scheuren van de doeken, waarmee haar gelaat omwikkeld was; men sneed de haren en nagels af, ja zelfs stukken van de oren en de tepels van de borsten[2]. Ter gelegenheid van een plechtig feest deelt Karel VI ribben uit van zijn voorvader, de heilige Lodewijk: aan Pierre d'Ailly, aan zijn ooms van Berry en Bourgondië, en aan de prelaten een been om te verdelen, waartoe deze dan ook overgaan na de maaltijd[3].

Hoe levend en hoe lijfelijk nu ook de voorstelling der heiligen was, niettemin treden zij betrekkelijk weinig op in de sfeer van de bovennatuurlijke beleving. Het gehele gebied van geestenzienerij, tekenen, verschijningen en spooksels staat grotendeels gescheiden van de verbeeldingssfeer der heiligenverering. Er zijn natuurlijk uitzonderingen. Bij het best gestaafde voorbeeld van een heiligenvizioen: de aartsengel Michael, Sint Catharina en Sint Margareta, die Jeanne d'Arc verschijnen en raden, schijnt zich in Jeanne's geest de interpretatie van hetgeen zij beleefde eerst geleidelijk voltrokken te hebben, misschien zelfs eerst onder de verhoren tijdens haar proces. Aanvankelijk spreekt zij enkel van haar 'Conseil', zonder daaraan een naam te geven; eerst later duidt zij het met de bepaalde heiligenfiguren[4]. Waar de heiligen zichzelf vertonen, heeft men in de regel te doen met enigszins litterair uitgewerkte of geïnterpreteerde gezichten. Wanneer aan de jonge herder te Frankenthal bij Bamberg in 1446 de veertien heilige noodhelpers verschijnen, dan ziet hij deze, die toch in de ikonografie zulke markante figuren waren, niet met hun sprekende attributen, maar als veertien engelkindertjes, onderling geheel gelijk; zij *zeggen*, dat zij de veertien noodhelpers zijn. De fantasmagorie van het directe volksgeloof is gevuld met engelen en duivelen, geesten van afgestorvenen en witte wijven, maar niet met heiligen. Slechts bij uitzondering speelt in het echte, niet litterair of theologisch aangeklede bijgeloof de heilige een rol. Sint Bertulf doet het te Gent. Als er iets ernstigs gaat gebeuren, klopt hij tegen zijn kist in de Sint Pieters abdij 'moult dru et moult fort'. Het gaat soms gepaard met een lichte aardbeving, en verschrikt de stad zo, dat zij met grote ommegangen het onbekende onheil zoekt te keren[1]. In het algemeen echter hecht zich de klamme vrees aan de slechts vaag verbeelde figuren, die niet met vaste attributen, bekende trekken en gezellig bonte kledij in de kerken uitgehouwen en geschilderd stonden, maar met een ongezien schrikgelaat in een nevelige wade rondwaarden, of in louter hemelglans zich vertoonden, of in monsterlijk verschietende wanvormen uit de schuilhoeken van het brein opdoken.

Dit behoeft niet te verbazen. Juist doordat de heilige zo exacte vorm had aangenomen, zoveel verbeeldingsstof had aangetrokken en rondom zich gekristalliseerd, miste hij de huiveringwekkende geheimzinnigheid. De vrees voor het bovennatuurlijke ligt in de onbepaaldheid der voorstelling, in de verwachting, dat iets plotseling zich in een nieuwe, nooit ontwaarde schrikwekkendheid zou kunnen vertonen. Zodra de voorstelling wordt omlijnd en bepaald, ontstaat een gevoel van verzekerdheid en gemeenzaamheid. De heiligen met hun welbekende figuren hadden het geruststellende van een politieagent in een grote vreemde stad. De heiligenverering en vooral de heiligenverbeelding schiep als 't ware een neutrale zône van gemoedelijk rustig geloof tussen de verrukkingen van het God-schouwen en de zoete huiveringen van de Christusliefde enerzijds, en anderzijds de gruwelijke fantasmen van de duivelvrees en de heksenwaan. Men zou de stelling kunnen wagen, dat de heiligenverering, door veel zaligheidsgevoel en veel angsten af te leiden en te herleiden tot gemeenzame verbeelding, een zeer hygiënische tempering heeft opgeleverd voor de wild uitschietende geest der Middeleeuwen.

Door die volkomen ver-beelding heeft de heiligenverering haar plaats aan de buitenkant van het geloofsleven. Zij gaat mee op de stroom van het alledaagse denken, en verliest daarin soms haar waardigheid. Karakteristiek is in dit opzicht de laat-middeleeuwse Joseph-verering. Men kan haar beschouwen als een gevolg en een terugslag van de hartstochtelijke Maria-verering. De onbescheiden belangstelling voor de stiefvader is als 't ware de tegenkant van al de liefde en verheerlijking, die de maagdelijke Moeder gold. Naarmate Maria hoger steeg, werd Joseph meer karikatuur. De beeldende kunst gaf hem reeds een type, dat bedenkelijk dicht naderde tot dat van de lompe, bespotte boer. Zo ziet men hem op Melchior Broederlam's tweeluik te Dijon. Maar in de beeldende kunst bleef het ontwijdendste onuitgedrukt. Welk een naïve nuchterheid vertoont de

Joseph-opvatting van Eustache Deschamps die hierin toch volstrekt niet als een onvrome spotter te beschouwen is. Joseph, die Gods Moeder dienen mocht en haar zoon opvoeden, men zou menen, dat geen sterveling hoger begenadigd is geweest. Deschamps gelieft hem te zien als het type van de slovende, beklagenswaardige huisvader:

> *Vous qui servez a femme et a enfans*
> *Aiez Joseph toudis en remembrance;*
> *Femme servit toujours tristes, dolans,*
> *Et Jhesu Crist garda en son enfance;*
> *A piè trotoit, son fardel sur sa lance;*
> *En plusieurs lieux est figuré ainsi,*
> *Lez un mulet, pour leur faire plaisance,*
> *Et si n'ot oncq feste en ce monde ci*[1].

Was het enkel, om huisvaders in zorgen met een edel voorbeeld te troosten, dan zou het nog gaan, wat er ook aan waardigheid der voorstelling ontbrak. Maar Deschamps bedoelt Joseph regelrecht als afschrikkend voorbeeld om zich toch niet met een gezin te belasten:

> *Qu'ot Joseph de povreté*
> *De durté,*
> *De maleurté,*
> *Quant Dieux nasqui?*
> *Maintefois l'a comporté*
> *Et monté*
> *Par bonté*
> *Avec sa mère autressi,*
> *Sur sa mule les ravi:*
> *Je le vi*
> *Paint ainsi;*
> *En Egipte en est alé.*
> *Le bonhomme est painturé*
> *Tout lassé,*
> *Et troussé,*
> *D'une cote et d'un barry:*
> *Un baston au coul posé,*
> *Vieil, usé*
> *Et rusé.*

167

Feste n'a en ce monde cy,
Mais de lui
Va le cri:
C'est Joseph le rassoté[1].

Hier ziet men voor ogen, hoe uit de gemeenzame afbeelding een gemeenzame opvatting groeide, die elke heiligheid schond. Joseph bleef in de volksverbeelding een half-komische figuur; nog dr. Johannes Eck moest erop aandringen, dat men hem in het kerstspel of in het geheel niet, of althans op betamelijker wijze zou voorstellen, en hem geen pap zou laten koken, 'ne ecclesia Dei irrideatur'[2]. Tegen deze onwaardige woekeringen was de beweging van Gerson voor een passende Joseph-verering gericht, die tot zijn opneming in de liturgie met voorrang boven alle andere heiligen leidde[3]. Wij zagen echter boven reeds, hoe ook Gerson's ernstig streven hem niet vrijhoudt van die onbescheiden curiositas, die aan het onderwerp van Joseph's huwelijk haast onvermijdelijk verbonden scheen. Voor een nuchtere geest (en Gerson, ondanks zijn voorliefde voor de mystiek, was in veel opzichten een nuchtere geest) mengden zich altijd weer in de beschouwing van Maria's huwelijk overwegingen van zeer aardse inhoud. De ridder de La Tour-Landry, ook een type van nuchter welmenend geloof, ziet het geval onder dit licht. 'Dieux voulst que elle epousast le saint homme Joseph qui estoit vieulx et preudomme; car Dieu voulst naistre soubz umbre de mariage pour obéir à la loy qui lors couroit, *pour eschever les paroles du monde*'[4]. –

Een onuitgegeven werk der vijftiende eeuw verbeeldt het mystisch huwelijk der ziel met de hemelse bruidegom in de termen van een burgerlijke vrijaadje. Jezus, de bruidegom, zegt tot God Vader: 'S'il te plaist, je me mariray et auray grant foueson d'enfans et de famille'. De Vader maakt bezwaren, want de keuze des Zoons is gevallen op een zwarte Ethiopische; hier speelt het woord van het Hooglied onder: 'Nigra sum sed formosa'. Het zou een mésalliance zijn en een oneer voor de familie. De engel, die als hijlikmaker optreedt, doet een goed woord voor de bruid. 'Combien que ceste fille soit noire, neanmoins elle est gracieuse, et a belle composicion de corps et de membres, et est bien habile pour porter fouezon d'enfans'. De Vader antwoordt: 'Mon cher fils m'a dit qu'elle est noire et brunete. Certes je vueil que son espouse soit jeune, courtoise, jolye, gracieuse et belle et qu'elle ait beaux membres'. Nu prijst de engel haar aangezicht en al haar leden, dat zijn de deugden der ziel. De Vader geeft zich gewonnen, en spreekt tot de Zoon:

Prens la, car elle est plaisant
Pour bien amer son doulx amant;
Or prens de nos biens largement,
Et luy en donne habondamment[1].

Aan de ernst en de stichtelijke bedoeling van dit werk valt geen ogenblik te twijfelen. Het is enkel een bewijs, tot welke triviale voorstellingen de onbeteugelde uitwerking der verbeelding leiden kon.

Iedere heiligenfiguur had door haar welbepaald, direkt sprekend beeld een individueel karakter[2], in tegenstelling met de engelen, die met uitzondering der drie aartsengelen volkomen onverbeeld bleven. De individualiteit der heiligen werd nog versterkt door de speciale functie, die aan verscheiden hunner toekwam: tot deze wendde men zich in een bepaalde nood, tot gene om genezing ener bepaalde ziekte. Veelal had een trek uit de legende of een attribuut van het beeld de aanleiding gegeven tot die specialisering, zoals bijvoorbeeld als Sinte Apollonia tegen kiespijn werd aangeroepen, wie zelf in haar martelie de kiezen waren uitgetrokken. Was eenmaal de goedgunstige taak der heiligen zo verbijzonderd, dan kon het niet uitblijven, of er kwam in hun verering een half mechanisch element. Hoorde eenmaal de genezing der pest tot het ambtsgebied van Sint Rochus, dan werd bijna onvermijdelijk de actie van de heilige in deze te direkt opgevat, en liep de ganse, door de Kerk gevorderde, gedachtenschakel, dat de heilige door zijn voorbidding bij God de genezing wrocht, gevaar om uit te vallen. Met name was dit het geval bij de verering der veertien (soms ook vijf, acht, tien of vijftien) Noodhelpers, die in het laatst der Middeleeuwen zo sterk op de voorgrond kwam. Sint Barbara en Sint Christophorus, de meest afgebeelde van allen, horen ertoe. Aan deze veertien had God naar de voorstelling van het volksgeloof toegestaan, dat hun aanroeping iedereen zou vermogen te redden uit onmiddellijk dreigend gevaar.

Ilz sont cinq sains, en la genealogie,
Et cinq sainctes, a qui Dieux octria
Benignement a la fin de leur vie,
Que quiconques de cuer les requerra
En tous perilz, que Dieux essaucera
Leurs prieres, pour quelconque mesaise.
Saiges est donc qui ces cinq servira,
Jorges, Denis, Christofle, Gille et Blaise[3].

169

Voor het volksbesef moest krachtens deze delegatie der almacht en de ogenblik-
kelijkheid der werking elke gedachte aan de louter voorsprekende functie der
heiligen geheel wegvallen: de Noodhelpers waren de procuratiehouders der godheid geworden. Verschillende missalen uit het einde der Middeleeuwen, die het
officie der veertien Noodhelpers behelzen, spreken het bindend karakter van
hun tussenkomst duidelijk uit: 'Deus qui electos sanctos tuos Georgium etc.
etc. specialibus privilegiis prae cunctis aliis decorasti, ut omnes, qui in necessi-
tatibus suis eorum implorant auxilium, secundum promissionem tuae gratiae
petitionis suae salutarem consequantur effectum'[1]. Vandaar dat de Kerk na
Trente de mis der veertien Noodhelpers als zodanig verboden heeft, vanwege
het gevaar, dat het geloof hier zich als aan een talisman zou hechten[2]. Inderdaad
gold reeds het dagelijks aanschouwen van een geschilderde of gebeeldhouwde
Christophorus als genoegzame behoeding voor een noodlottig einde[3].

Vraagt men, wat de aanleiding kan zijn geweest, dat juist deze veertien zulk
een compagnie des heils zijn gaan vormen, dan valt het op, dat allen in hun beeltenis iets sensationeels hadden, dat de verbeelding prikkelde. Achatius zag men
met een doornenkroon, Aegidius met een hinde, Sint Joris met de draak, Blasius
in een hol met wilde dieren, Christoffel als een reus, Cyriacus met een duivel aan
een ketting, Dionysius met zijn hoofd in de arm, Erasmus in zijn marteling met
de windas, die hem de darmen uittrekt, Eustatius met het kruisdragend hert,
Pantaleon als geneesheer, met een leeuw, Vitus in een ketel, Sint Barbara met
haar toren, Catharina met het rad en het zwaard, Margareta met een draak*.
Het zou niet onmogelijk zijn, dat de bijzondere opmerkzaamheid voor deze
veertien van het treffende in hun beeld haar uitgangspunt had genomen.

Tal van heiligennamen waren verbonden geraakt aan bepaalde ziekten, zoals
Sint Antonie aan verschillende vurige huidziekten, Sint Maurus aan de jicht,
Sint Sebastiaan, Sint Rochus, Sint Aegidius, Sint Christoffel, Sint Valentijn en
Sint Adriaan aan de pest. Hier school nog een ander gevaar voor ontaarding van
het volksgeloof. Het euvel heette naar de heilige: Sint Antonies vuur, 'mal de
Saint Maur' en talloze dergelijke. De heilige stond dus bij het denken aan de
ziekte van aanvang af op de voorgrond der gedachte. Dat denken was geladen
met heftige gemoedsbeweging, met vrees en afschuw, vooral waar het de pest
gold. De pestheiligen werden in de vijftiende eeuw druk vereerd: met officiën in
de kerken, met processies, met broederschappen, een geestelijke ziekteverzeke-
ring als 't ware. Hoe licht kon nu het sterke besef van Gods toorn, dat door iedere epidemie werd gewekt, overslaan op de heilige, die de voorstelling in beslag

* In de zoëven aangehaalde ballade van Deschamps ook Martha, die de Tarasque te
Tarascon vernietigde.

nam. Niet Gods ondoorgrondelijke rechtvaardigheid heeft de ziekte veroorzaakt, maar de toorn van de heilige is het, die haar zendt en verzoening eist. Wanneer hij ze geneest, waarom zal hij haar dan ook niet veroorzaken? Zo was een heidense verplaatsing van het geloof uit de religieus-ethische in de magische sfeer gegeven, waarvoor de Kerk enkel in zoverre aansprakelijk kon worden gesteld, als zij er niet genoeg rekening mee hield, hoe haar zuivere leer vertroebelde in een onwetende geest.

De getuigenissen voor de aanwezigheid van deze voorstelling onder het volk zijn menigvuldig genoeg, om elke twijfel uit te sluiten, of in de kringen der onwetenden zijn soms werkelijk de heiligen als veroorzakers der ziekte beschouwd. 'Que Saint Antoine me arde', is een gewone vloek; 'Saint Antoine arde le tripot, Saint Antoine arde la monture!'[1] verwensingen, waarin de heilige geheel als een boze vuurdemon fungeert.

> *Saint Anthoine me vent trop chier*
> *Son mal, le feu ou corps me boute,*

laat Deschamps de door huidziekte geplaagde bedelaar zeggen, en de jichtige voegt hij toe: als ge niet lopen kunt, welnu dan spaart ge weggeld uit:

> *Saint Mor ne te fera fremir*[2].

Robert Gaguin, volstrekt geen bestrijder der heiligenverering als zodanig, beschrijft in een hoongedicht *De validorum per Franciam mendicantium varia astucia* de bedelaars aldus: 'Deze valt ter aarde, terwijl hij stinkend speeksel opgeeft, en bazelt, dat dit het wonderwerk van Sint Jan is. Anderen worden door Sint Fiacrius, de kluizenaar, met puisten gekweld; gij, o Damianus, belemmert de waterlozing. Sint Antonie brandt hun de gewrichten met jammerlijk vuur, Sint Pius maakt hen kreupel en lam'*.

Over ditzelfde volksgeloof spot Erasmus, als hij Theotimus op de vraag van Philecous, of de heiligen dan in de hemel slechter zijn dan op aarde, laat antwoorden: 'Ja, de heiligen in de hemel regerende, willen niet beledigd worden. Wie was er zachtaardiger dan Cornelius, wie zachtmoediger dan Antonius, wie geduldiger dan Johannes de Doper, toen zij leefden? Maar nu, welke vreselijke ziekten zenden zij, als zij niet naar behoren vereerd worden!'[3] Rabelais beweert, dat volkspredikers zelf de gemeente Sint Sebastiaan voorhielden als veroorzaker

---

* Rob. Gaguini Epistole et Orationes, ed. Thuasne, II p. 176. In een Noordbrabants dorp, omstreeks 1900, heette zekere kreupele, ter onderscheiding van naamgenoten, 'met den Pius-poot'.

van de pest, en Sint Eutropius (wegens de assonantie met ydropique) als die der waterzucht[1]. Ook Henri Estienne gewaagt van zulk een geloof[2].

De gevoels- en gedachteninhoud van de heiligenverering was voor zulk een groot deel vastgelegd in de kleuren en vormen der beelden, dat de onmiddellijk esthetische opvatting voortdurend dreigde de religieuze gedachte op te heffen. Tussen het aanschouwen van de glans van het goud, van de pijnlijke getrouwe weergave van de stoffen der kledij, van de vrome blik der ogen, en de levende voorstelling van de heilige in het bewustzijn, was nauwelijks meer plaats voor de overdenking, wàt de Kerk toestond en wàt zij verbood, die heerlijke wezens aan hulde en innigheid te bieden. De heiligen leefden in de geest des volks als goden. Wanneer dat gevaar voor de volksvroomheid gevreesd wordt door de angstvallig rechtgelovige kringen der Windesheimers, verbaast het ons niet. Doch wel sprekend is het, wanneer die gedachte plotseling opgaat aan een geest als Eustache Deschamps, de oppervlakkige, banale hofdichter, die juist in zijn begrensdheid zulk een voortreffelijke spiegel is van het gewone geestesleven van zijn tijd.

> Ne faictes pas les dieux d'argent,
> D'or, de fust, de pierre ou d'arain,
> Qui font ydolatrer la gent...
> Car l'ouvrage est forme plaisant;
> Leur painture dont je me plain,
> La beauté de l'or reluisant,
> Font croire à maint peuple incertain
> Que ce soient dieu pour certain,
> Et servent par pensées foles
> Telz ymages qui font caroles
> Es moustiers où trop en mettons;
> C'est tresmal fait: a brief paroles,
> Telz simulacres n'aourons.
>
> . . . .
>
> Prince, un Dieu croions seulement
> Et aourons parfaictement
> Aux champs, partout, car c'est raisons,
> Non pas faulz dieux, fer n'ayment,
> Pierres qui n'ont entendement:
> Telz simulacres n'aourons[3].

Zou het niet op te vatten zijn als een onbewuste reactie tegen de heiligenverering, wanneer in de late Middeleeuwen zo sterk geijverd wordt voor de verering van de beschermengel? In de heiligenverering was het levende geloof veel
te veel gekristalliseerd; men had behoefte aan een meer liquide staat van het ver-
eringsgevoel en het beschermingsbesef. Dat kon zich hechten aan de nauwelijks
verbeelde engelfiguur, terugkeren tot de onmiddellijkheid van het bovennatuurlijke. Het is alweer Gerson, de nauwgezette ijveraar voor zuiverheid in het geloof, die de verering van de beschermengel herhaaldelijk aanbeveelt[1]. Doch ook
hier dreigt alweer die zucht tot uitwerking der bijzonderheden, die het vrome
gehalte der verering slechts schaden kon. De 'studiositas theologorum', zegt
Gerson, stelt aangaande de engelen allerlei vragen: of zij ons ooit verlaten, of zij
van te voren weten of wij uitverkoren zijn of verdoemd zullen worden, of
Christus een beschermengel had, en Maria, of de Antichrist er een hebben zal.
Of onze goede engel tot onze ziel kan spreken zonder de beelden van fantasmen,
of zij de aanspoorders zijn tot het goede, gelijk de duivelen tot het kwade. Of zij
onze gedachten zien. Wat hun getal is. Die studiositas, besluit Gerson, blijve
de godgeleerden overgelaten, maar elke curiositas zij verre van allen, die zich
meer moeten bevlijtigen tot devotie dan tot subtiele bespiegeling[2].

De Hervorming heeft een eeuw later de heiligenverering bijna weerloos gevonden, terwijl zij tegen het heksen- en duivelgeloof zelfs geen aanval deed, ja
niet doen wilde, daar het haar zelf nog bevangen hield. Was dit niet, doordat de
heiligenverering voor een groot deel tot caput mortuum geworden was, doordat bijna alles wat de gedachtensfeer der heiligenverering betrof, in het beeld,
de legende, het gebed zo volkomen was uitgedrukt, dat er geen huiverend ontzag meer achter stond? De heiligenverering had haar wortels in het onverbeelde
en onzegbare verloren, wortels, die maar al te sterk waren in de demonologische
gedachtensfeer[3]. En wanneer de Contrareformatie een gezuiverde heiligenverering gaat kweken, moet zij de geest bewerken met het snoeimes der strengere
tucht, om de al te weelderige woekeringen der volksverbeelding af te snijden.

13

TYPEN VAN GODSDIENSTIG LEVEN

Het volk leefde gewoonlijk in de sleur van een geheel veruiterlijkte godsdienst bij een zeer vast geloof, dat wel angsten en verrukkingen bracht, maar de ongeleerde geen vragen en geestelijke strijd oplegde, zoals het Protestantisme zou doen. De gemoedelijke oneerbiedigheid en nuchterheid van alle dag werd afgewisseld door de innigste ontroeringen van hartstochtelijke vroomheid, die telkens spasmodisch het volk aangrijpen. Men moet die voortdurende tegenstelling van sterke en zwakke religieuze spanning niet willen begrijpen, door de kudde te scheiden in vromen en wereldlingen, alsof een deel van het volk blijvend hoog godsdienstig leefde, terwijl de anderen slechts uiterlijk vroom waren. Onze voorstelling van het laat-middeleeuwse Noord-Nederlandse en Nederduitse piëtisme zou ons licht op een dwaalspoor kunnen brengen. In de moderne devotie der Fraterhuizen en Windesheimers hadden zich inderdaad piëtistische kringen uit het wereldse leven afgezonderd; bij hen was de religieuze spanning blijvend genormaliseerd; zij vormden als vromen bij uitstek een tegenstelling tot de grote hoop. Doch Frankrijk en de Zuidelijke Nederlanden hebben dat verschijnsel in de vorm van een georganiseerde beweging nauwelijks gekend. Toch hebben daar de stemmingen, die aan de moderne devotie ten grondslag lagen, evengoed hun werking gehad als in het stille land van de IJsel. Doch daar in het Zuiden kwam het niet tot zulk een afscheiding; de hoge devotie bleef er deel van het algemene godsdienstleven; zij openbaarde zich er bij ogenblikken, heviger en korter. Het is het verschil, dat tot de huidige dag Romaanse volken van de Noordelijke scheidt: de Zuidelijken nemen een tegenstrijdigheid minder zwaar, voelen minder de eis, er de volle consequentie uit te trekken, kunnen gemakkelijker de gemeenzaam spottende houding van het dagelijks leven verbinden met de hoge exaltatie van het begenadigde ogenblik.

De geringschatting voor de geestelijkheid, die als onderstroming door de hele middeleeuwse cultuur heenloopt naast de hoge verering voor de priesterstand, is ten dele te verklaren uit de verwereldlijking der hogere geestelijkheid en de verregaande declassering der lagere, en ten dele uit oude heidense instinkten. Het onvolkomen gekerstende volksgemoed had nooit geheel de afkeer afgelegd van de man, die niet vechten mocht en kuis moest leven. De ridderlijke hoogmoed, geworteld in dapperheid en liefde, stiet evenzeer als het ruwe volksbesef het geestelijk ideaal van zich. De ontaarding der geestelijken zelf deed de rest, en zo hadden hogere en lagere standen zich reeds eeuwen verlustigd in de figuur van de onkuise monnik en de smullende vette paap. Een latente haat tegen de geestelijkheid was altijd aanwezig. Hoe heftiger een prediker uitvoer tegen de zonden van zijn eigen stand, hoe liever het volk hem hoorde[1]. Zodra de preker, zegt Bernardinus van Siena, tegen de geestelijken te velde trekt, vergeten de hoorders de rest; er is geen beter middel, om de aandacht gaande te houden, als het volk slaperig wordt of het te warm of te koud krijgt. Dan wordt alles terstond wakker en welgemoed[2]. Terwijl aan de ene kant de hevige godsdienstige beroering door de reizende volksprekers in de veertiende en vijftiende eeuw uitgaat van een herleving der bedelorden, zijn het aan de andere kant juist de bedelmonniken, wier verbastering hen tot het gewone voorwerp van spot en verachting maakt. De onwaardige priester der novellenlitteratuur, die als een armzalige loondienaar voor drie groten de mis leest, of bij wie men als biechtvader geabonneerd is 'pour absoudre du tout', pleegt een bedelmonnik te zijn[3]. De overigens zeer vrome Molinet geeft aan de gangbare verguizing der bedelorden uiting in een nieuwjaarswens:

> *Prions Dieu que les Jacobins*
> *Puissent manger les Augustins,*
> *Et les Carmes soient pendus*
> *Des cordes des Frères Menus*[4].

Het dogmatische armoede-begrip, zoals het in de bedelorden belichaamd was, voldeed de geest niet meer. Tegenover de symbolisch-formele Armoede als geestelijke idee begon men de sociaal-reële ellende te zien. Het is in Engeland, vroeger dan andere landen open voor een economisch aspect op de dingen, dat zich tegen het laatst der veertiende eeuw die nieuwe kijk, die zich reeds lang te voren aankondigt, duidelijk openbaart. De dichter van dat wonderlijk droom- en nevelachtige gedicht *The Vision concerning Piers the Plowman* heeft het eerst de slovende, zwoegende menigten gezien, en vol haat tegen de bedelmonniken, tegen de luien, de verkwisters en de geveinsde gebrekkigen, validi mendicantes, die landplaag der Middeleeuwen, de heiligheid van de arbeid geprezen. Doch ook in de kringen der hoge theologie ontziet iemand als Pierre d'Ailly zich niet, om tegenover de mendicanten de 'vere pauperes', de echte armen, te stellen, en het is geen toeval, dat de verernstiging van het geloof bij de moderne devoten hen in zekere tegenstelling tot de bedelorden bracht.

Alles wat men van het alledaagse godsdienstig leven van de tijd verneemt, spreekt voortdurend van de afwisseling tussen haast tegengestelde uitersten. De smaad en de haat tegen priesters en monniken is toch slechts de tegenkant van een algemene en diepgaande gehechtheid en verering. Evenzo wisselt naïeve uiterlijkheid in de opvatting der godsdienstplichten met overmaat van innigheid. Er is in 1437, na de terugkeer van de Franse koning in zijn hoofdstad, een zeer plechtige lijkdienst voor de ziel van de graaf van Armagnac, het slachtoffer, met wiens moord de nu verleden troebele jaren begonnen waren. Het volk stroomt erheen, maar is zeer teleurgesteld, toen er geen uitdeling van geld gehouden wordt. Want wel vier duizend lieden, zegt de burger van Parijs gemoedelijk, gingen erheen, die niet gegaan zouden zijn, als zij niet gedacht hadden, dat er iets gegeven zou worden. 'Et le maudirent qui avant prièrent pour lui'[1]. Toch is het dezelfde bevolking van Parijs, die met een vloed van tranen de talrijke processies aanschouwt en ineenkrimpt onder het woord van een reizende prediker. Ghillebert de Lannoy zag te Rotterdam een oproer stillen door een priester die het Corpus Domini ophief[2].

De grote tegenstrijdigheid en de sterke spanningsovergangen vertonen zich in het godsdienstig leven van de beschaafde enkele zo goed als in dat der onwetende massa. Het is altijd weer met een slag, dat de godsdienstige verheldering komt, altijd weer de flauwere herhaling van wat Franciscus onderging, toen hij opeens de woorden van het Evangelie hoorde als een onmiddellijk bevel. Een ridder hoort het doopformulier lezen, gelijk hij het misschien twintig keer had gehoord; maar plotseling dringt nu de volle heiligheid en wonderlijke werkdadigheid van die woorden tot hem door, en hij neemt zich voor, om voortaan alleen door de herinnering aan de doop de duivel te verjagen, zonder het kruisteken te maken[3]. – Le Jouvencel zal een kampgevecht bijwonen; de partijen staan gereed, om op de hostie hun goed recht te bezweren. Opeens doorgrondt de ridder de peilloze noodzakelijkheid, dat een dier beide eden vals moet zijn, dat een van beiden zich verdoemen gaat, en zegt: zweert niet, vecht alleen om de inzet van vijfhonderd schilden, zonder een eed te doen[4].

De vroomheid van de hoogaanzienlijken met hun zware levensballast van wijdlopige praal en felle geneugten heeft juist daardoor zeer dikwijls het spasmodische, dat ook de volksvroomheid kenmerkt. Karel V van Frankrijk laat dikwijls op het opwindendste ogenblik de jacht in de steek, om naar de mis te gaan[5]. De jonge Anne de Bourgogne, gemalin van Bedford, de Engelse regent in het veroverde Frankrijk, ergert de ene keer de burgers van Parijs, door in woeste rit een processie met slijk te bespatten. Maar een andermaal verlaat zij te middernacht de bonte zwijmel van een hoffeest, om bij de Celestijnen metten te horen. En haar droeve jonge dood beloopt zij door de ziekte, die zij opdeed bij het bezoeken van de arme kranken in het Hôtel Dieu[1].

Tot in raadselachtige uitersten voltrekt zich de tegenstelling van vroomheid en zonde in een figuur als Lodewijk van Orleans, onder al de grote dienaren van weelde en genot de hartstochtelijkste wereldling. Hij is zelfs overgegeven aan toverkunsten, en weigert er zich van te bekeren[2]. Dezelfde Orleans is niettemin zo devoot, dat hij zijn cel heeft bij de Celestijnen in het gemene dormter; hij deelt er het kloosterlijk leven, hoort er metten te middernacht, en soms vijf of zes missen per dag[3]. – Gruwelijk is die verbinding van godsdienstigheid en misdaad bij Gilles de Rais, die temidden van zijn kindermoorden te Machecoul een dienst sticht ter ere der Onnozele kinderkens, voor het heil van zijn ziel, en verbaasd is, als zijn rechters hem voorhouden, dat hij een ketter is. Al is het met minder scharlaken zonden dat de vroomheid bij anderen gepaard gaat, het type van de devote wereldling vertonen velen: de barbaarse Gaston Phébus, graaf van Foix, de frivole koning René, de verfijnde Charles d'Orléans. Jan van Beieren, de hardvochtige en heerszuchtige, komt vermomd Lidwina van Schiedam spreken over de staat van zijn ziel[4]. Jean Coustain, de ontrouwe dienaar van Philips de Goede, een goddeloze, die nauwelijks mis hoorde en nimmer aalmoes gaf, keert zich onder beulshanden tot God in zijn ruw Bourgondisch patois met een hartstochtelijke aanroeping[5].

Philips de Goede zelf is een der treffendste voorbeelden van die verbinding van vroomheid met wereldse zin. De man van de overdadige feesten en de talrijke bastaarden, van de sluwe politieke berekening, de geweldige trots en toorn, is van een ernstige devotie. Hij pleegt tot lang na de mis in zijn bidvertrek te blijven. Hij vast vier dagen in de week met water en brood, en bovendien op alle vigiliën van Onze Lieve Vrouw en de apostelen. Somtijds heeft hij om vier uur na de middag nog niets gegeten. Hij geeft veel aalmoezen, en in het geheim. Even heimelijk liet hij voor ieder van zijn lieden, die gestorven was, zielmissen lezen, naar een vast tarief: 400 à 500 voor een baron, 300 voor een ridder, 200 voor een edelman, 100 voor een 'varlet'[6]. Na de verrassing van Luxemburg blijft hij zo lang na de mis verdiept in zijn getijden en daarna in bijzondere dankgebeden, dat zijn gevolg, dat hem te paard afwacht, want de strijd was nog niet afgelopen, ongeduldig wordt: de hertog kon het een andermaal wel inhalen, om al die paternosters te zeggen. Men waarschuwt hem, dat er gevaar dreigt, als hij langer toeft. Maar Philips antwoordt enkel: 'Si Dieu m'a donné victoire, il la me gardera'[7].

Er is in dat alles geen schijnheiligheid of ijdele bigotterie te zoeken, maar een spanning tussen twee geestelijke polen, die in de moderne geest nauwelijks meer bestaanbaar is. Het is het volstrekte dualisme in de opvatting van de zondige wereld tegenover het rijk Gods, dat deze mogelijkheid toelaat. In de middeleeuwse geest zijn alle hogere en zuiverder sentimenten geabsorbeerd in religie, terwijl de natuurlijke, zinnelijke aandriften, bewust verworpen, zinken moeten tot een niveau van zondig geachte wereldzin. In het middeleeuwse bewustzijn vormen zich als 't ware twee levensopvattingen naast elkander: de vrome, ascetische opvatting heeft alle zedelijke gevoelens tot zich getrokken: des te bandelozer wreekt zich de wereldzin, geheel aan de duivel overgelaten. Overheerst een van beide geheel, dan ziet men de heilige of de teugelloze zondaar; maar in de regel houden zij elkaar in wankel evenwicht met wijde doorslag, en ziet men de hartstochtelijke mensen, wier rood bloeiende zonden bij wijlen hun overstortende vroomheid des te heviger doen uitbarsten.

Wanneer men een middeleeuws dichter de vroomste lofdichten ziet maken naast allerlei profanering en obsceniteit, zoals het zovelen doen: Deschamps, Antoine de la Salle, Jean Molinet, dan is er nog minder aanleiding dan bij een moderne dichter, om die produkten over hypothetische tijdperken van wereldzin en inkeer te verdelen. De tegenstrijdigheid, die ons bijna onbegrijpelijk is, moet worden aanvaard.

Er komen zonderlinge vermengingen voor van de bizarre prachtliefde van de tijd met strenge devotie. Het is niet alleen in de overlading van het geloof met schilderkunst, edelsmeedkunst en sculptuur, dat zich de ongebreidelde behoefte uit, om alles van het leven en van de gedachte bont te versieren en te verbeelden. In de aankleding van het geestelijk leven zelf dringt somtijds die honger naar kleur en schittering door. Broeder Thomas vaart heftig uit tegen alle weelde en overdaad, maar het eigen getimmerte, vanwaar hij spreekt, is door het volk behangen met de rijkste tapisserieën, die men krijgen kon[1]. Philippe de Mézières is het volkomenste type van die prachtlievende vroomheid. Hij heeft voor de orde van de Passie, die hij stichten wilde, alles wat kledij betreft, haarfijn vastgesteld. Het is als een feest van kleuren, dat hij zich droomt. De ridders zullen al naar hun rang in 't rood, in 't groen, scharlaken of hemelsblauw gaan; de grootmeester in 't wit; wit zullen ook de feestgewaden zijn. Het kruis zal rood zijn, de gordels van leer of van zijde met hoornen gesp en verguld koperen versiering. De laarzen zullen zwart zijn en de kaproen rood. Ook het ordekleed der broeders, servanten, klerken en vrouwen wordt nauwkeurig beschreven[2]. – Van die orde kwam niets; Philippe de Mézières bleef zijn leven lang de grote kruistochtfantast en plannenmaker. Maar hij vond te Parijs in het klooster der Celes-

178

tijnen de plaats, die hem bevredigen kon: zo streng de orde was, zo schitterend van goud en edele stenen waren kerk en klooster, een mausoleum van vorsten en vorstinnen[1]. Christine de Pisan achtte de kerk volmaakt van schoonheid. Mézières vertoefde er als leek, deelde in het strenge leven der kloosterlingen en bleef toch in het verkeer met de grote heren en schone geesten van zijn dagen, een mondain-artistieke tegenhanger van Gerard Groote. Hierheen trok hij ook zijn vorstelijke vriend Orleans, die er de inkeer van zijn woeste leven en ook zijn vroege rustplaats vond. Het is zeker geen toeval, dat de twee prachtlievenden, Lodewijk van Orleans en zijn oom Philips de Stoute van Bourgondië, beiden de plaats voor de ontplooiing van hun kunstliefde zochten in het huis van de strengste kloosterorden, waar het contrast van het leven der monniken de pracht nog sterker deed schitteren: Orleans bij de Celestijnen, Bourgondië bij de Kartuizers van Champmol bij Dijon.

De oude koning René ontdekte op de jacht in de buurt van Angers een kluizenaar: een priester, die zijn prebende had opgegeven en van zwart brood en veldvruchten leefde. De koning was getroffen door zijn strenge deugd, en liet voor hem een kluis en een kapelletje bouwen. Voor zichzelf voegde hij daar een tuin en een bescheiden buitenhuis aan toe, dat hij met schilderwerk en allegorieën versieren liet. Dikwijls wandelde hij daarheen, om in 'son cher ermitage de Reculée' met zijn kunstenaars en geleerden te keuvelen[2]. Is het middeleeuws, is het Renaissance, of is het niet achttiende-eeuws?

Een hertog van Savoye wordt met zes ridders van zijn Orde van Sint Mauritius kluizenaar met vergulde ceintuur, rode muts, gouden kruis en goede wijn[*].

Het is maar één stap van die pracht in devotie tot de uitingen van hyperbolische nederigheid, die zelf ook vol vertoon zijn. Olivier de la Marche bewaarde uit zijn jongensjaren de herinnering aan de intocht van koning Jacques de Bourbon van Napels, die op aandrang van Sainte Colette de wereld had vaarwel gezegd. De koning, armzalig gekleed, liet zich dragen in een mestbak, 'telle sans aultre difference que les civieres en quoy l'on porte les fiens et les ordures communement'. Daar achteraan volgde een keurige hofstoet. 'Et ouys racompter et dire, – zegt La Marche vol bewondering, – que en toutes les villes où il venoit, il faisoit semblables entrées par humilité'[3].

---

[*] De vorstelijke kluizenarij in het kasteel Ripaille (bij Thonon aan het meer van Genève) heeft al in de tijd zelf veel opzien gebaard, en tot overdreven geruchten aanleiding gegeven, die op den duur tot de lasterlijkste voorstelling uitgroeiden. Het was Amedeus VIII, de latere tegenpaus Felix V, met zijn begeving van de wereld ongetwijfeld diepe ernst. Max Bruchet, Le château de Ripaille, Paris, 1907, toont aan, dat 'faire ripaille' met de naam van het kasteel niets te maken heeft, doch gaat wellicht wat ver, door zelfs een nuchtere vermelding als bij Monstrelet, V p. 112, als laster te verwerpen.

Van een niet zó schilderachtige nederigheid zijn de door veel heilige voorbeelden aanbevolen voorschriften voor een begrafenis, die al het nietswaardige van de gestorvene treffend verbeelden moet. De heilige Pierre Thomas, de boezemvriend en geestelijke meester van Philippe de Mézières, laat, als hij de dood voelt naderen, zich hullen in een zak, een touw om de hals binden en op de grond leggen. Hij werkt daarmee het voorbeeld uit van Sint Franciscus, die zich immers ook in het sterven op de grond liet leggen. Begraaft mij, zegt Pierre Thomas, in de ingang van het koor, opdat alle mensen moeten trappen op mijn lijk, ja zelfs de geiten en de honden, als het kan[1]. – Mézières, de bewonderende leerling, wil weer de meester overtreffen in fantastische nederigheid. Hem zal men in de laatste ure een zware ijzeren keten om de hals leggen. Zodra hij de geest heeft gegeven, zal men hem naakt bij de voeten naar het koor sleuren; daar zal hij blijven liggen, tot men hem in het graf legt, de armen in kruisvorm uitgestrekt, met drie touwen aan een plank gebonden, die de plaats inneemt van de kostbaar versierde kist, waarop men misschien zijn ijdele wereldse wapen zou hebben geschilderd, 'se Dieu l'eust tant hay qu'il fust mors ès cours des princes de ce monde'. De plank, bedekt met twee ellen canevas of ruw zwart linnen, zal op dezelfde wijze naar de groeve gesleept worden, waarin 'het kreng van de arme pelgrim' naakt als het is, in gestort zal worden. Er zal een klein grafteken worden opgericht. En men moet niemand waarschuwen dan zijn goede vriend in God, Martin, en de uitvoerders van zijn laatste wil.

Het spreekt bijna vanzelf, dat deze geest van protocol en ceremonie, plannenmaker en uitwerker van bijzonderheden, ook een maker van vele testamenten is geweest. In de latere is van deze beschikking van 1392 geen sprake meer, en toen Mézières in 1405 stierf, kreeg hij een gewone begrafenis in het ordekleed van zijn geliefde Celestijnen, en twee grafschriften, waarschijnlijk van hem zelf[2].

In het ideaal van heiligheid, men zou bijna kunnen zeggen: het romantisme der heiligheid, heeft de vijftiende eeuw nog niets gebracht, wat de nieuwe tijd aankondigt. De Renaissance zelf heeft het ideaal der heiligheid niet veranderd. Terzijde van de grote stromingen, die de beschaving in nieuwe beddingen stortten, blijft het heiligenideaal, zo na als voor de grote crisis, wat het altijd geweest was. De heilige is tijdloos als de mysticus. De heiligentypen der Contrareformatie zijn dezelfde als die der late Middeleeuwen, en deze verschillen door geen essentiële trek van die der vroegere Middeleeuwen. In het ene als in het andere tijdperk zijn het de grote heiligen van het brandende woord en de gloeiend gesmede daad: hier Ignatius de Loyola, Franciscus Xaverius, Karel Borromeus, daar Bernardino van Siena, Vincentius Ferrer, Johannes Capistrano. Daarnaast de stille in godsliefde verdwaasden, die naderen tot het Moslimse en Boeddhistische heiligentype, als Aloysius Gonzaga in de zestiende eeuw, Franciscus de Paula, Colette, Pieter van Luxemburg in de vijftiende en veertiende. Tussen die beide typen in al de figuren, die van beide uitersten wat hebben, ja zelfs somtijds de eigenschappen ervan in de hoogste macht verenigen.

Het romantisme der heiligheid zou men gelijkwaardig naast het romantisme der ridderschap kunnen stellen, ermee bedoelende: de behoefte, om zekere ideale verbeeldingen van een bepaalde levensvorm in een mens verwezenlijkt te zien of te scheppen in litteratuur. Het is opmerkelijk, dat dit romantisme der heiligheid zich te allen tijde veel meer vermeit in de fantastisch prikkelende uitersten van nederigheid en onthouding, dan in de grote daden ter verheffing van godsdienstige cultuur. Men wordt niet heilig om zijn kerkelijk-sociale verdiensten, al zijn die nog zo groot, maar om zijn wonderlijke vroomheid. De grote energeten erlangen enkel dan de roep van heiligheid, wanneer hun daden gedrenkt zijn in de schijn van een bovennatuurlijk leven; niet Nicolaas van Cusa, wel zijn medestander Dionysius de Kartuizer*.

Het is hier nu vooral van gewicht, op te merken, hoe de kringen der verfijnde pronkcultuur, dezelfde, die het ridderideaal bleven huldigen en kweken tot over de grens der Middeleeuwen heen, tegenover het heiligenideaal hebben gestaan. Hun aanrakingen daarmee zijn uit den aard niet zo talrijk, maar zij ontbreken niet. Nog enkele malen hebben de vorstelijke kringen zelf in deze tijd een heilige opgeleverd. Een van hen is Charles de Blois, oom van de ons bekende Jan van Blois van Gouda en Schoonhoven. Hij was door zijn moeder uit het huis van Valois gesproten, en door zijn huwelijk met de erfgename van Bretagne, Jeanne de Penthièvre, belast met een troonstrijd, die het beste deel van zijn leven heeft gevuld. Hem was als huwelijksvoorwaarde gesteld, dat hij het wapen en de kreet van het hertogdom zou aannemen. Hij vindt een andere pretendent, Jean de Montfort, tegenover zich, en de strijd om Bretagne valt samen met het begin van de honderdjarige oorlog; de verdediging van Montfort's aanspraken is een der verwikkelingen, die Eduard III in Frankrijk brengen. De graaf van Blois aanvaardt zijn strijd ridderlijk, en vecht als de beste aanvoerders van zijn tijd. Gevangengenomen in 1347, kort voor het beleg van Calais, blijft hij tot 1356 in Engeland. Eerst in 1362 kan hij de strijd om het hertogdom hervatten, om daarin de dood te vinden bij Aurai in 1364, dapper vechtende naast Bertrand du Guesclin en Beaumanoir.

Deze krijgsheld, wiens uiterlijke levensloop in niets afwijkt van die van zovele vorstelijke pretendenten en aanvoerders uit die tijd, had van der jeugd af een

---

* Het is in dit verband van geen belang, of de Kerk de personen in kwestie heilig of slechts zalig heeft verklaard.

leven van strenge ascese geleid. Als knaap wordt hij door zijn vader van de stichtelijke boeken afgehouden, die voor iemand van zijn toekomst niet passend schenen. Hij slaapt naast het bed van zijn gemalin op de vloer op stro. Men vindt bij zijn krijgsmansdood het haren kleed onder zijn wapenrusting. Hij biecht iedere avond, eer hij te bed gaat, zeggend, dat geen christen in zonde moest inslapen. Tijdens zijn gevangenschap te Londen pleegt hij de kerkhoven binnen te gaan, om er geknield de psalm de profundis op te zeggen. De Bretonse schildknaap, die hij verzoekt, de responsen te zeggen, weigert het; neen, zegt hij, daar liggen zij, die mijn ouders en vrienden gedood en hun huizen verbrand hebben.

Na zijn bevrijding wil hij barrevoets over het besneeuwde land van La Roche-Derrien, waar hij indertijd gevangen was gemaakt, naar de schrijn van Sint Yves, de vereerde beschermheilige van Bretagne, wiens leven hij in zijn gevangenschap beschreven had, te Tréguier. Het volk verneemt het en bestrooit zijn weg met stro en dekens, maar de graaf van Blois kiest een andere weg, en loopt zich de voeten stuk, zodat hij in vijftien weken niet gaan kon[1]. Terstond na zijn dood stellen zijn vorstelijke verwanten, onder wie zijn schoonzoon Lodewijk van Anjou, een poging in het werk, om hem heilig te doen verklaren. Te Angers heeft in 1371 het proces plaats, dat tot zijn zaligspreking leidt.

Deze Charles de Blois zou, als men Froissart mag vertrouwen, een bastaard gehad hebben. 'Là fu occis en bon couvenant li dis messires Charles de Blois, le viaire sus ses ennemis, et uns siens filz bastars qui s'appeloit messires Jehans de Blois, et pluiseur aultre chevalier et escuier de Bretagne'[2]. Vreemd, omdat Charles de Blois niet een bekeerde was, maar een enthousiast der zelfkastijding van jongsaf. Men kan aannemen, dat Froissart zich vergist heeft, of dat de veertiende eeuw tegenstrijdigheden toeliet, die ons uitgesloten konden schijnen.

Voor zulk een vraag stelt ons het leven van een andere hoogadellijke heilige uit die tijd, Pierre de Luxembourg, niet. Deze telg van het Luxemburgse gravengeslacht, dat in de veertiende eeuw zowel in het Duitse rijk als aan de hoven van Frankrijk en Bourgondië zulk een aanzienlijke plaats innam, is een treffend voorbeeld van wat William James 'the under-witted saint' noemt[3]: de enge geest, die slechts in een angstvallig afgesloten wereldje van vrome gedachten kan leven. Hij was in 1369 geboren, niet lang dus vóór zijn vader Guy in de strijd tussen Brabant en Gelre bij Baesweiler (1371) sneuvelde. Zijn geestelijke geschiedenis voer alweer naar het klooster der Celestijnen te Parijs, waar hij reeds als achtjarige knaap verkeert met Philippe de Mézières. Hij wordt als kind reeds overladen met kerkelijke waardigheden: eerst verscheiden kanunnikschappen, dan, als hij vijftien jaar is, het bisdom Metz, daarna het kardinaalschap. Nog geen achttien jaar oud, sterft hij in 1387, en terstond wordt te Avignon moeite gedaan voor zijn canonizatie. De gewichtigste autoriteiten worden er voor gespannen: de koning van Frankrijk doet er het verzoek toe, het wordt gesteund door het domkapittel van Parijs en de Universiteit. In het proces, dat in 1389 plaats heeft, treden de grootste heren van Frankrijk als getuigen op: Pierre's broeder André de Luxembourg, Louis de Bourbon, Enguerrand de Coucy. Door de nalatigheid van de Avignonse paus bleef weliswaar de heiligverklaring achterwege (in 1527 had de zaligverklaring plaats), maar de verering, die het aanzoek kon rechtvaardigen, was reeds lang erkend, en ging ongestoord voort. Op de plek te Avignon, waar het lichaam van Pieter van Luxemburg begraven lag, en vanwaar dagelijks de treffendste wonderen werden gemeld, stichtte de koning een klooster der Celestijnen, in navolging van het Parijse, dat in die dagen het geliefkoosde heiligdom der vorstelijke kringen was. De hertogen van Orleans, Berry en Bourgondië kwamen er voor de koning de eerste steen leggen[1]. Piere Salmon vertelt, hoe hij enige jaren later in de kapel van de heilige de mis hoorde[2].

Het beeld, dat de getuigen in het canonizatieproces van deze vroeggestorven prinselijke asceet geven, heeft iets jammerlijks. Pieter van Luxemburg is een uit zijn kracht gegroeide, teringachtige jongen, die als kind reeds niet anders kent dan de ernst van een angstvallig streng geloof. Hij berispt zijn broertje, als deze lacht, want men leest wel, dat onze Heer geweend heeft, maar niet, dat hij ooit gelachen heeft. 'Douls, courtois et debonnaire – noemt Froissart hem – vierge de son corps, moult large aumosnier. Le plus du jour et de la nuit il estoit en oroisons. En toute sa vye il n'y ot fors humilité'[3]. In den beginne tracht zijn adellijke omgeving hem van zijn plannen van wereldverzaking af te brengen. Wanneer hij ervan spreekt, om te gaan zwerven en prediken, krijgt hij ten antwoord: je bent veel te lang: iedereen zou je terstond herkennen. En je zoudt niet tegen de kou kunnen. En preken voor de kruistocht, hoe zou je dat kunnen? – Een ogenblik is het, alsof wij even de ondergrond van die kleine starre geest zien. 'Je vois bien – zegt Pieter – qu'on me veut faire venir de bonne voye à la malvaise: certes, certes, si je m'y mets, je feray tant que tout le monde parlera de moy.' Heer, – antwoordt meester Jean de Marche, zijn biechtvader, – er is niemand, die wil, dat ge kwaad zult doen, enkel goed.

Het is duidelijk, dat de hoge verwanten, toen de ascetische neigingen van de knaap onuitroeibaar bleken, bewondering en trots over het geval zijn gaan voelen. Een heilige, en zulk een jonge heilige, uit en in hun midden! Men ziet de arme ziekelijke jongen, onder het gewicht van zijn kerkelijke hoogwaardigheid, te midden van de overdadige praal en het hoogmoedig hofleven van Berry en

Bourgondië, hijzelf ontoonbaar van vuil en ongedierte, altijd bezig met zijn armzalige kleine zonden. Het biechten zelf was bij hem als tot een slechte gewoonte
geworden. Iedere dag schreef hij zijn zonden op een lijstje, en als hij het op een
reis of tocht niet had kunnen doen, haalde hij het achterna met uren lang schrijven in. Men zag hem er 's nachts aan schrijven, of bij de kaars zijn lijstjes lezen.
Dan stond hij midden in de nacht op, om bij een zijner kapelaans te biechten.
Soms klopte hij vergeefs aan hun slaapvertrekken; zij hielden zich doof. Vond hij
gehoor, dan las hij de zonden van zijn papiertjes af. Van twee of driemaal per
week werd het in zijn laatste dagen tweemaal per dag; de biechtvader mocht
niet meer van zijn zijde weg. En toen hij aan de tering eindelijk gestorven was,
na te hebben verzocht om van de armen begraven te worden, vond men een hele
kist vol van de ceeltjes, waarop de zonden van dit kleine leven dag aan dag waren neergekrabbeld*.

De wens om in het koningshuis zelf onder de onmiddellijke voorouders een
heilige te hebben, gaf in 1518 Louise van Savoye, de moeder van Frans I, aanleiding om de bisschop van Angoulême te bewegen tot een onderzoek met het oog
op zaligspreking van Jean d'Angoulême. Jan van Orleans, of van Angoulême, was
de jongere broeder van Karel, de dichter, en de grootvader van Frans I. Hij had
van zijn twaalfde tot zijn vijfenveertigste jaar in Engelse gevangenschap geleefd,
en later op zijn slot Cognac tot zijn dood in 1467 een vroom en teruggetrokken
leven geleid. Hij heeft niet alleen, gelijk andere vorsten, boeken verzameld, maar
ze ook gelezen; hij maakte voor zich een register op Chaucer's Canterbury Tales,
vervaardigde vrome gedichten, schreef recepten af, en schijnt van een tamelijk
nuchtere vroomheid te zijn geweest. Van hem staat het volkomen vast, dat hij
zijn bastaard van Angoulême heeft gehad, want de brief van wettiging is bewaard. De pogingen tot zaligverklaring zijn tot in de zeventiende eeuw voortgezet, doch zonder tot het doel te leiden[1].

Er is nog een geval, dat ons de verhouding van hofkringen en heiligheid enigermate doet kennen: het verblijf van Saint François de Paule aan het hof van
Lodewijk XI. Het zonderlinge vroomheidstype van de koning is zo bekend, dat
het hier niet uitvoerig behoeft te worden behandeld. Lodewijk, 'qui achetois la
grace de Dieu et de la Vierge Marie à plus grans deniers que oncques ne fist roy'[2].
vertoont al de hoedanigheden van het onmiddelijkste en nuchterste fetichisme.

---

* Acta Sanctorum Julii, t. I p. 486–628. Prof. Wensinck heeft mij erop opmerkzaam gemaakt,
dat deze gewoonte, om dagelijks zijn zonden te noteren, door zeer oude traditie geheiligd
was; dat zij reeds beschreven wordt door Johannes Climacus (c. 600), Scala Paradisi, ed.
Raderus, Paris, 1633, p. 65, dat zij ook in de Islam bekend is, bij Ghazâlî, en dat zij nog
wordt aanbevolen door Ignatius van Loyola in de Exercitia spiritualia.

In zijn reliekenverering, zijn hartstocht voor pelgrimages en processies schijnt elke hogere wijding, elke zweem van eerbiedige reserve te ontbreken. Hij solt met de heilige voorwerpen, als waren het enkel dure huismiddeltjes. Het kruis van Saint Laud te Angers moet expresselijk naar Nantes komen, om er een eed op te laten doen[1], want een eed op het kruis van Saint Laud gold Lodewijk meer dan enige andere eed. Wanneer de connétable de Saint Pol, in 's konings tegenwoordigheid geroepen, hem verzoekt, op het kruis van Saint Laud hem zijn veiligheid te bezweren, antwoordt de koning: iedere andere eed, maar deze niet[2]. Bij het naderen van het zo buitensporig door hem gevreesde einde worden hem van alle kanten de kostbaarste relieken toegezonden: de paus zendt onder meer het corporale van Sint Pieter zelf; zelfs de Grote Turk biedt een verzameling relieken, die nog te Constantinopel waren. Op het buffet naast 's konings ziekbed staat la Sainte Ampoule zelf, uit Reims gehaald, waar zij nimmer vandaan was geweest; sommigen zeiden, dat de koning de wonderdadigheid van het heilige zalfvat zelfs wilde beproeven tot een zalving van zijn ganse lichaam[3]. Het zijn godsdienstige trekken zoals men ze vindt bij de Merovingische koningen.

Er is nauwelijks een grens waar te nemen tussen Lodewijk's verzamelwoede, waar het vreemde dieren geldt: rendieren, elanden, en waar het kostbare relieken geldt. Hij correspondeert met Lorenzo de'Medici over de ring van Sint Zanobi, een plaatselijk-Florentijnse heilige, en over een 'agnus Dei', dat wil zeggen het plantaardige groeisel, ook wel agnus scythicus genoemd, dat als een wonderdadige rariteit werd aangezien[4]. In de wonderlijke huishouding van het kasteel Plessis lès Tours in Lodewijk's laatste dagen vond men vrome voorbidders en muzikanten bont dooreen. 'Oudit temps le roy fist venir grant nombre et grant quantité de joueurs de bas et doulx instrumens, qu'il fist loger à Saint-Cosme près Tours, où illec ilz se assemblerent jusques au nombre de six vingtz, entre lesquelz y vint pluseurs bergiers du pays de Poictou. Qui souvent jouerent devant le logis du roy, mais ilz ne le veoyent pas, affin que ausdiz instrumens le roy y prensist plaisir et passetemps et pour le garder de dormir. Et d'un autre costé y fist aussy venir grant nombre de bigotz, bigottes et gens de devocion comme hermites et sainctes créatures, pour sans cesser prier à Dieu qu'il permist qu'il ne mourust point et qu'il le laissast encores vivre.'[5]

Ook Saint François de Paule, de Calabrische heremiet, die de nederigheid der Minderbroeders overtroefde door de stichting der Minimen, is in letterlijke zin het voorwerp van Lodewijk's verzamelwoede. Het was met de uitgesproken bedoeling, dat de heilige door zijn voorbidding 's konings leven zal verlengen, dat deze in zijn laatste ziekte diens tegenwoordigheid begeerde[6]. Nadat verschillende zendingen aan de koning van Napels niet hebben gebaat, weet de koning

185

zich door een diplomatiek optreden bij de paus de overkomst van de wonderman, zeer tegen diens zin, te verzekeren. Een adellijk geleide haalt hem af uit Italië[1]. Is hij eenmaal aangekomen, dan voelt Lodewijk zich toch nog niet zeker, 'omdat hij reeds door verscheidenen onder de schaduw van heiligheid bedrogen was', en laat op aanstoken van zijn lijfarts de man Gods bespieden en op allerlei wijzen zijn deugd beproeven*. De heilige bestaat al die proeven voortreffelijk. Zijn ascese is van de meest barbaarse soort, herinnerend aan zijn tiende-eeuwse landgenoten Sint Nilus en Sint Romuald. Hij vlucht, als hij vrouwen ziet. Hij had sedert zijn jongelingsjaren nooit een geldstuk aangeraakt. Hij slaapt meest staande of leunende; hij scheert nimmer haar noch baard. Hij eet nimmer enig dierlijk voedsel, en laat zich enkel wortels geven[2]. Nog in zijn laatste maanden schrijft de koning persoonlijk, om de geschikte kost voor zijn zeldzame heilige te bekomen: 'Monsieur de Genas, je vous prie de m'envoyer des citrons et des oranges douces et des poires muscadelles et des pastenargues, et c'est pour le saint homme qui ne mange ny chair ny poisson; et vous me ferés ung fort grant plaisir'**. Hij noemt hem nooit anders dan 'le saint homme', zodat zelfs Commines, die de heilige herhaaldelijk zag, diens naam nooit schijnt te hebben geweten[3]. Maar 'saint homme' noemden hem ook degenen, die spotten over de komst van deze zonderlinge gast, of die zijn heiligheid niet vertrouwden, zoals 's konings lijfarts Jacques Coitier. Uit de mededelingen van Commines spreekt een nuchter voorbehoud. 'Il est encores vif – besluit hij – par quoy se pourroit bien changer ou en myeulx ou en pis, par quoy me tays, pour ce que plusieurs se mocquoient de la venue de ce hermite, qu'ilz appelloient, 'sainct homme'.'[4] Toch getuigt Commines zelf, nooit iemand te hebben gezien 'de si saincte vie, ne où il semblast myeulx que le Saint Esprit parlast par sa bouche'. En de geleerde theologen uit Parijs, Jean Standonck en Jean Quentin, uitgezonden om met de heilige man te spreken naar aanleiding van het verzoek tot stichting van een convent der Minimen te Parijs, komen onder de diepste indruk van zijn persoon, en keren genezen van hun tegenkanting terug[5].

De belangstelling van de Bourgondische hertogen voor de heiligen van hun dagen is van een minder zelfzuchtige aard dan die van Lodewijk XI voor Sint Franciscus de Paula. Het is opmerkelijk, hoe meer dan een van de grote visionairen en buitensporige asceten geregeld optreedt als bemiddelaar en raadgever in politieke zaken. Het is het geval met Sint Colette en met de zalige Dionysius

---

* Sed volens caute atque astute agere, propterea quod a pluribus fuisset sub umbra sanctitatis deceptus, decrevit variis modis experiri virtutem servi Dei, Acta Sanctorum, l. c.
** Lettres, X p. 124, 29 juni 1483. Aangezien pastinaken iets zeer gewoons is, mag men gissen, dat de koning veeleer 'pastèques', watermeloenen, heeft bedoeld.

van Ryckel of de Kartuizer. Colette werd door het huis van Bourgondië met bijzondere onderscheiding behandeld; Philips de Goede en zijn moeder Margareta van Beieren kenden haar persoonlijk, en wonnen haar raad in. Zij geeft haar bemiddeling in verwikkelingen tussen de huizen van Frankrijk, Savoye en Bourgondië. Het zijn Karel de Stoute, Maria en Maximiliaan, Margareta van Oostenrijk, die steeds blijven aandringen op haar heiligverklaring[1]. Veel belangrijker nog is de rol, die Dionysius de Kartuizer gespeeld heeft in het openbare leven van zijn tijd. Ook hij is in herhaalde relaties met het huis van Bourgondië, en treedt op als raadgever van Philips de Goede. Samen met de kardinaal Nicolaas van Cusa, die hij op diens beroemde reis door het Duitse rijk begeleidt en ter zijde staat, wordt hij in 1451 te Brussel door de hertog ontvangen. Dionysius, altijd beklemd door het gevoel, dat het de Kerk en christenheid slecht gaat en dat grote onheilen naderen, vraagt in een vizioen: Heer, zullen de Turken in Rome komen? Hij maant de hertog tot de kruistocht[2]. De 'inclytus devotus ac optimus princeps et dux', aan wie hij zijn traktaat over het vorstelijk leven en bestuur opdraagt, kan haast niemand anders wezen dan Philips. Karel de Stoute werkte met Dionysius samen voor de stichting van de Kartuize te 's-Hertogenbosch, ter ere van Sinte Sophia van Constantinopel, door de hertog niet onbegrijpelijk voor een vrouwelijke heilige gehouden, terwijl het inderdaad de Eeuwige Wijsheid was[3]. Hertog Arnold van Gelre vraagt Dionysius raad in de strijd met zijn zoon Adolf[4].

Niet enkel vorsten, ook tal van edelen, geestelijken en burgers bestormen zonder ophouden zijn cel te Roermond om raad; hij geeft voortdurend talloze oplossingen van moeilijkheden, twijfelingen en gewetensvragen.

Dionysius de Kartuizer is het volledigste type van de machtige godsdienstige enthousiast, dat de laatste Middeleeuwen hebben opgeleverd. Het is een onbegrijpelijk energisch leven; hij verenigt de vervoeringen van de grote mystieken, de wildste ascese, de voortdurende gezichten en revelaties van de geestenziener met een schier onafzienbare werkzaamheid als theologisch schrijver en praktisch geestelijk raadsman. Hij staat even na aan de grote mystici als aan de praktische Windesheimers, aan Brugman, voor wie hij zijn beroemde handleiding voor het christelijk leven schrijft[5], als aan Nicolaas van Cusa, aan de heksenvervolgers[6] als aan de geestdriftigen voor een zuivering der Kerk. Zijn arbeidskracht moet onverwoestbaar zijn geweest. Zijn geschriften vullen 45 kwarto delen. Het is alsof de gehele middeleeuwse theologie nog eens uit hem terugstroomt. 'Qui Dionysium legit, nihil non legit', heette het onder de theologen der zestiende eeuw. Hij behandelt evengoed de diepste vragen van wijsgerige aard, als dat hij voor een oude leek, broer Willem, op diens verzoek schrijft over de wederkerige herkenning der zielen in het hiernamaals. Hij zal het zo eenvoudig mogelijk zeggen, belooft hij, en broer Willem kan het in het Diets laten overbrengen[1]. In een eindeloze vloed van eenvoudig uitgedrukte gedachten geeft hij alles, wat de grote voorgangers gedacht hadden, terug. Het is echt laat werk: samenvattend, concluderend, niet nieuw scheppend. De citaten van Bernard van Clairvaux of Hugo van Sint Victor schitteren als juwelen op het effen kleed van Dionysius' proza. Al zijn werken werden door hem zelf geschreven, nagezien, verbeterd, gerubriceerd en geïllumineerd, totdat hij in het eind zijns levens welbedacht met schrijven ophoudt: 'Ad securae taciturnitatis portum me transferre intendo', – ik wil mij thans begeven naar de haven van een veilig stilzwijgen[2].

Rust kent hij nict. Hij zegt dagelijks bijna het gehele souter op; minstens de helft is noodzakelijk, verklaart hij. Onder alle bezigheid, bij het aan- en uitkleden, bidt hij. Na de metten als de anderen weer ter ruste gaan, blijft hij wakker. Hij is sterk en groot, en kan alles van zijn lichaam vergen: Ik heb een ijzeren hoofd en een koperen maag, zegt hij. Zonder walging, ja bij voorkeur, gebruikt hij bedorven spijzen: boter met wurmen, kersen door slakken aangevreten; dit soort ongedierte heeft niets van dodelijk venijn, zegt hij, men kan ze gerust eten. Te zoute haring hangt hij op, tot ze rot: ik eet liever stinkende dan zoute dingen[3].

Al de denkarbeid van de diepste theologische beschouwing en uitdrukking verricht hij niet in een onbewogen evenwichtig geleerdenleven, maar onder de voortdurende schokken van een geest, die vatbaar is voor elke heftige aandoening van het bovennatuurlijke. Als jongen staat hij 's nachts in het maanlicht op, menend, dat het tijd is om naar school te gaan[4]. Hij is een stotteraar; 'Taterbek' scheldt hem een duivel, die hij uitdrijven wil. Hij ziet de kamer van de stervende vrouwe van Vlodrop vol duivelen; zij slaan hem de stok uit de hand. Niemand heeft de vreselijke benauwing der 'vier utersten' zo ondergaan als hij; de hevige aanval der duivelen bij het sterven is een herhaald onderwerp van zijn preken. Hij verkeert voortdurend met afgestorvenen. Of hem dikwijls geesten van afgestorvenen verschijnen, vraagt hem een broeder. O, honderden en honderden malen, antwoordt hij. Hij herkent zijn vader in het vagevuur, en verwerft diens bevrijding. Zijn verschijningen, openbaringen en gezichten vervullen hem zonder ophouden, maar hij spreekt er niet dan met tegenzin van. Hij schaamt zich voor de ekstasen, die hem door allerlei uiterlijke aanleidingen geworden: vooral door muziek, soms te midden van een adellijk gezelschap, dat naar zijn wijsheid en vermaningen luistert. Onder de eernamen der grote theologen is de zijne die van Doctor ecstaticus.

Men mene niet, dat een grote figuur als Dionysius de Kartuizer aan de ver-

20. Jean Fouquet, Tweeluik van Melun, rechterpaneel, omstreeks 1450
(Antwerpen, Museum) Copyright A.C.L. Brussel

denking en spot ontkwam, die de zonderlinge wonderman van Lodewijk XI troffen; ook hij heeft voortdurend te kampen met de smaad en de verguizing der wereld. De geest van de vijftiende eeuw staat in een wankel evenwicht tegenover de opperste uitingen van het middeleeuws geloof.

14

GODSDIENSTIGE AANDOENING
EN GODSDIENSTIGE VERBEELDING

Van de tijd af, dat de zoet-lyrische mystiek van Bernard van Clairvaux in de twaalfde eeuw de fuga geopend had van bloeiende vertedering over het lijden Christi, was de geest in steeds stijgende mate vervuld van de smeltende aandoening over de passie; hij was doortrokken en verzadigd geworden van Christus en het kruis. In de vroegste kindsheid werd het beeld van de gekruisigde in het teer gemoed geplant zo groot en zo donker, dat het alle aandoeningen overschaduwde met zijn ernst. Toen Jean Gerson een kind was, ging zijn vader met uitgestrekte armen tegen de muur staan, en zeide: 'zie, mijn jongen, zo is uw God gekruisigd en gestorven, die u gemaakt heeft en verlost heeft. Dit beeld bleef de knaap bij tot in zijn grijsheid, groeiende met het groeien der jaren, en hij zegende er nog die vrome vader om, nadat deze juist op kruisverheffingsdag gestorven was'[1]. – Colette hoorde als kind van vier jaar haar moeder iedere dag schreien en zuchten in gebed over het lijden, mee lijdende over de smaad, de slagen en de pijnigingen. Met zulk een hevigheid zette zich die herinnering in haar overgevoelig gemoed, dat zij haar leven lang iedere dag op het-uur der kruisiging een allerheftigste benauwing en hartepijn voelde, en bij het lezen van het lijden meer leed dan enige vrouw in barensnood[2]. – Een prediker bleef somtijds voor zijn gehoor een kwartier lang zwijgend in kruishouding staan[3].

Zo overvuld van Christus was de geest, dat bij de geringste uiterlijke overeenkomst van enige handeling of gedachte met 's Heren leven of lijden de Christustoon onmiddellijk ging klinken. Een arme non, die brandhout aandraagt voor de keuken, verbeeldt zich, dat zij daarmee het kruis draagt: enkel de voorstelling hout dragen is genoeg, om de handeling te drenken in de lichtschijn van de opperste daad van liefde. Het blinde vrouwtje, dat de was doet, neemt tobbe en washok voor kribbe en stal[4]. Maar evengoed een uitwerking van die overvolheid met godsdienstige inhoud is het profanerende overvloeien van vorstenhulde in religieuze verbeelding: de vergelijking van Lodewijk XI met Jezus, van de keizer met zoon en kleinzoon met de Drieëenheid.*

De vijftiende eeuw vertoont de sterke godsdienstige aandoenlijkheid in een dubbele vorm. Zij openbaart zich eensdeels in de heftige beroeringen, die van tijd tot tijd het gehele volk aangrepen, als een reizend prediker met zijn woord alle geestelijke brandstof ontvlammen deed als takkenbossen. Dat is de krampachtige uiting, hartstochtelijk, geweldig, doch spoedig weer uitgesnikt. Daarnaast is door sommigen de aandoenlijkheid blijvend in een stille bedding geleid, genormaliseerd tot een nieuwe levensvorm, die der innigheid. Het is de piëtistische kring van hen, die zichzelven in het bewustzijn van vernieuwers te zijn, moderne devoten, dat wil zeggen hedendaagse vromen, hebben genoemd. Als gereglementeerde beweging beperkt zich de moderne devotie tot de Noordelijke Nederlanden en het Nederduitse gebied, doch de geest, die haar het aanzijn gaf, vindt men in Frankrijk evengoed.

Van de geweldige werking der predikatie is maar weinig als blijvend element in de geestelijke cultuur overgegaan. Wij weten, welk een ontzaglijke indruk de predikers maakten**, maar de ontroering, die van hen uitging, na te voelen, is ons niet gegeven. Uit de geschreven overlevering der preken komt zij niet tot ons; en hoe kon het ook? Reeds tot de tijdgenoten sprak de geschreven preek niet meer. Velen, die Vincent Ferrer hoorden, en nu zijn preken lezen, zegt diens levensbeschrijver, verzekeren, dat zij nauwelijks een schaduw krijgen van dat wat uit zijn eigen mond weerklonk***. En geen wonder. Wat wij uit de gedrukte sermoenen van Vincent Ferrer of Olivier Maillard leren kennen[1], is nauwelijks meer dan de stof hunner welsprekendheid, ontdaan van al de oratorische gloed en in zijn verdeling in ten eerste, ten zevende enz. schijnbaar nuchter. Wij weten, dat hetgeen het volk roerde, altijd weer geweest is de aangrijpende schildering van de verschrikkingen der hel, het dreunend dreigen met de straf der zonde, al de lyrische uitstortingen over de passie en de godsliefde. Wij weten, met welke middelen de predikers werkten: geen effekt was te grof, geen overgang van lachen naar wenen te groot, geen onmatige uitzetting der stem te kras[2]. Maar wij kunnen de schokken, die zij daarmee teweegbrachten, toch eigenlijk alleen bevroeden uit het altijd weer gelijksoortig verhaal, hoe stad met stad streed om de toezegging van een preekbeurt, hoe magistraat en volk de

---

* Zie boven p. 155.
** Zie boven p. 4 vg.
*** Acta Sanctorum Aprilis, t. I p. 195. – Het beeld, dat Hefele t.a.p. van de prediking in Italië geeft, kan in veel opzichten ook op de Frans-sprekende landen toepasselijk worden geacht.

predikers inhaalden met een staatsie, zoals men ze een vorst gaf, hoe de prediker soms moest ophouden om het luid geween der schare. Terwijl Vincent Ferrer preekt, werden eens twee terdoodveroordeelden voorbij gebracht, een man en een vrouw, op weg naar de terechtstelling. Vincent verzocht, het beulswerk op te schorten; hij borg de slachtoffers zolang onder zijn spreekgestoelte, en preekte over hun zonden. Na de preek vond men hen er niet meer, doch enkel wat beenderen, en het volk geloofde niet anders, dan dat het woord van de heilige man de zondaars had verbrand en tevens gered[1].

De krampachtige aandoening der massa onder het woord van de predikers is telkens weer vervlogen zonder in de geschreven overlevering zich te hebben kunnen vastleggen. Des te beter kennen wij de 'innicheit' der moderne devoten. Als in elke piëtistische kring gaf hier de godsdienst niet enkel de levensvorm maar ook de gezelligheidsvorm: het knusse geestelijk verkeer in stille intimiteit van eenvoudige mannetjes en vrouwtjes, wier grote hemel zich welfde boven een minuskuul wereldje, waar al het sterke ruisen van de tijd aan voorbij streek. De vrienden bewonderden in Thomas a Kempis zijn onkunde van de gewone wereldse dingen; een prior van Windesheim droeg als eervolle bijnaam Jan Ik-weet-niet. Zij kunnen geen andere wereld gebruiken dan een vereenvoudigde; zij zuiveren haar door het slechte buiten hun sfeer te sluiten*. Binnen de enge sfeer leven zij in de vreugde van een sentimentele genegenheid voor elkander: de blik van de een is zonder ophouden op de ander geslagen, om alle tekens van genade op te merken; elkaar bezoeken is hun vermaak[2]. Vandaar hun bijzondere neiging tot de levensbeschrijving, waaraan wij de nauwkeurige kennis van deze geestelijke staat te danken hebben.

In haar Nederlandse gereglementeerde vorm had de moderne devotie een vaste conventie van vroom leven geschapen. Men kende de devoten aan hun afgemeten stille bewegingen, hun gebogen gang, sommigen aan de tot een lach geplooide gezichten of de opzettelijk gelapte nieuwe kleren**. En niet het minst aan hun overvloedige tranen. 'Devotio est quaedam cordis teneritudo, qua quis in pias faciliter resolvitur lacrimas'. – De devotie is een zekere tederheid des harten, waardoor iemand gemakkelijk smelt in vrome tranen. Men moet God bidden om 'de dagelijkse doop der tranen', zij zijn de vleugelen van het gebed, of naar Sint Bernard's woord de wijn der engelen. Men moet zich aan de genade der loffelijke tranen geven, zich ertoe voorbereiden en aanzetten, het gehele jaar

---

* James, l. c. p. 348: 'For sensitiveness and narrowness, when they occur together, as they often do, require above all things a simplified world to dwell in'; cf. p. 353[1].
** Deze laatste gewoonte bestaat, naar mij de heer W. P. A. Smit meedeelde, onder de doopsgezinde boeren van Giethoorn nog.

door, maar vooral in de Vasten, opdat men met de psalmist zeggen moge: 'Fuerunt mihi lacrimae meae panes die ac nocte'. Soms komen zij zo gewillig, dat wij bidden met snikken en huilen ('ita ut suspiriose ac cum rugitu oremus'), maar wanneer zij niet vanzelve komen, moet men ze niet bovenmatig uitpersen, en zich vergenoegen met de tranen des harten. En in tegenwoordigheid van anderen moet men de tekenen van een buitengewone geestelijke devotie naar vermogen vermijden[1].

Vincent Ferrer stortte, zo dikwijls hij de hostie wijdde, zoveel tranen, dat bijna allen mee weenden, en er soms een weeklagen ontstond als van een dodenklacht. Het wenen was hem zo zoet, dat hij node zijn tranen staakte[2].

In Frankrijk ontbreekt de bijzondere normalisering der nieuwe vroomheid in een bepaalde nieuwe vorm als de Nederlandse Fraterhuizen en de congregatie van Windesheim. De verwante geesten in Frankrijk blijven of geheel in de wereld, of zij treden in bestaande orden, waar dan de nieuwe devotie de doorvoering van een strenger observatie teweegbrengt. Als algemene houding van wijde burgerkringen is het verschijnsel er niet bekend. Misschien droeg daartoe bij, dat de Franse vroomheid een hartstochtelijker, spasmodischer karakter had dan de Nederlandse, lichter tot geëxaspereerde vormen verviel en ook lichter weer vervaagde. Tegen het einde der Middeleeuwen worden bezoekers der Noordelijke Nederlanden uit Zuidelijker landen meer dan eens getroffen door de ernstige en algemene vroomheid, die zij er onder het volk als iets bijzonders opmerken[3].

De Nederlandse devoten hadden in het algemeen de aanrakingen laten varen met de intensieve mystiek, uit welker voorbereidende stadiën hun levensvorm was opgebloeid. Daarmee hadden zij ook het gevaar voor fantastische afdwalingen tot ketterij grotendeels bezworen. De Nederlandse moderne devotie was gehoorzaam en rechtgelovig, praktisch zedelijk en soms zelfs nuchter. Het Franse devote type daarentegen schijnt een veel grotere slingerwijdte te hebben gehad: het raakt telkens de extravagante geloofsverschijnselen.

Toen de Groningse Dominicaan Mattheus Grabow naar Constanz was getogen, om daar op het Concilie al de grieven van de bedelorden tegen de nieuwe broeders des gemeenen levens te luchten, en zo mogelijk hun veroordeling te verwerven[4], is het de grote leider der algemene kerkelijke politiek, Johannes Gerson, zelf geweest, in wie de belaagde volgelingen van Geert Groote hun verdediger vonden. Gerson was alleszins bevoegd om te beoordelen, of men hier te doen had met een uiting van echte vroomheid en een geoorloofde vorm van organisatie daarvan. Want het onderscheiden van echte vroomheid van overdreven geloofsuitingen is een der onderwerpen, die zijn geest voortdurend hebben beziggehouden. Gerson was een voorzichtige, nauwgezette academische geest, eerlijk, zuiver en welmenend, met die ietwat angstvallige zorg voor de goede vorm, die in een fijne geest, uit bescheiden omstandigheden tot een werkelijk aristocratische houding gegroeid, dikwijls nog de afkomst verraadt. Daarbij was hij een psycholoog en iemand met stijlgevoel. Stijlgevoel en rechtzinnigheid nu zijn ten nauwste verwant. Geen wonder dus, dat de uitingen van het geloofsleven van zijn dagen herhaaldelijk zijn argwaan en bezorgdheid wekten. Nu is het merkwaardig, hoe de typen van vroomheid, die hij afkeurt als overdreven en gevaarlijk, ons levendig herinneren aan de moderne devoten, die hij verdedigd had. Toch is dit zeer verklaarbaar. Zijn Franse schapen misten de veilige schaapskooi, de discipline en organisatie, die de al te vurigen vanzelf binnen de perken hield van hetgeen de Kerk dulden kon.

Gerson ziet overal de gevaren van de populaire devotie. Hij vindt het verkeerd, dat de mystiek op straat wordt gebracht[1]. De wereld, zegt hij, is in dit laatste tijdperk kort voor haar einde als een ijlhoofdige grijsaard, ten prooi aan allerlei fantazieën, droomgezichten en illusies, die menigeen van de waarheid afbrengen[2]. Velen geven zich zonder behoorlijke leiding over aan al te strenge vasten, al te gerekte nachtwaken, te overvloedige tranen, waarmee zij hun brein troebel maken. Zij luisteren naar geen vermaan tot matiging. Laat hen oppassen, want zij kunnen licht vervallen in begoochelingen des duivels. Te Atrecht had hij nog kort geleden een vrouw en moeder bezocht, die tegen de zin van haar echtgenoot door haar volstrekt vasten, twee tot vier dagen achtereen, veler bewondering wekte. Hij had met haar gesproken, haar ernstig beproefd, en bevonden, dat haar onthouding louter hoogmoedige en ijdele halsstarrigheid was. Want na zulk een vasten at zij met onverzadelijke vraatzucht; als reden voor haar zelfkastijding gaf zij niets anders op, dan dat zij onwaardig was om brood te eten. Haar uiterlijk verried hem reeds de naderende waanzin[3]. Een ander vrouwtje, een epileptica, wier eksterogen staken, zo dikwijls er een ziel ter helle voer, die de zonden aan het voorhoofd zag, en beweerde, dagelijks drie zielen te redden, bekende onder bedreiging met de tortuur, dat zij zich zo gedroeg, omdat het haar broodwinning was[4].

Gerson achtte de vizioenen en revelaties van de jongste tijd, die overal gelezen werden, niet veel waard. Zelfs die van befaamde heiligen als Brigitta van Zweden en Catharina van Siena verloochent hij[5]. Hij had er zoveel gehoord, die hem het vertrouwen benamen. Velen verklaarden, dat hun geopenbaard was, dat zij paus zouden worden; een geleerd man had het zelfs eigenhandig beschreven en met bewijzen gestaafd. Een ander was eerst overtuigd geweest, dat hij paus zou worden, maar daarna, dat hij de Antichrist of althans diens voorloper zou zijn, waarom hij had omgegaan met de gedachte zich het leven te benemen, om de christenheid niet zulk een onheil aan te doen[1]. – Niets is zo gevaarlijk, zegt Gerson, als een onkundige devotie. Wanneer de arme vromen horen, dat Maria's geest zich verblijdde in haren God, dan trachten zij ook zich te verblijden, en stellen zich van allerlei voor, nu met minnen, nu met vrezen; daarbij zien zij allerlei beelden, die zij niet kunnen onderscheiden van de waarheid en die zij allen voor wonder houden en voor het bewijs van hun voortreffelijke devotie[2]. Maar dit was juist hetgeen de moderne devotie aanbeval. 'Soe wie hem in desen artikel mit herten ende mit al sinen crachten den liden ons Heren innichlic geliken ende gheconformieren wil, die sal hem selven pinen, druckich ende wemoedich te maken. Ende is hij in enighen teghenwoordighen druc, die sel hi mitter druckelicheit Christi verenighen ende begheren mit hem te deilen.'[3]

Het schouwende leven heeft grote gevaren, zegt Gerson; velen zijn er zwaarmoedig of gek van geworden[4]. Hij weet, hoe licht een te aanhoudend vasten tot waanzin of hallucinaties leidt; hij weet ook, welk een rol het vasten speelt in de praktijken der toverij[5]. Waar moest een man met zulk een scherpe blik voor het psychologische moment in de uitingen van het geloof de grens trekken tussen het heilige en geoorloofde en het verwerpelijke? Hij voelde zelf, dat enkel zijn rechtzinnigheid hem hier nog niet genoeg gaf; het was gemakkelijk genoeg, om als geschoold godgeleerde overal de staf te breken, waar van het dogma klaarblijkelijk werd afgeweken. Maar daarnaast stonden al de gevallen, waar de ethische beoordeling der uitingen van vroomheid hem het richtsnoer moest zijn, waar zijn gevoel voor maat en goede smaak hem het vonnis moest ingeven. Er is geen deugd, zegt Gerson, die in deze ellendige tijden van het schisma meer uit het oog wordt verloren dan de Discretio[6].

Was reeds voor Jean Gerson het dogmatische criterium niet meer het enige, dat de doorslag gaf ter onderscheiding van ware en valse vroomheid, des te eer vallen voor òns de typen van godsdienstige aandoening niet meer samen volgens de lijnen van hun orthodoxie of ketterij, maar volgens hun psychologische aard. Ook het volk van de tijd zelf zag de dogmatische lijnen niet. Het hoorde de ketterse broer Thomas met evenveel stichting als de heilige Vincent Ferrer, het schold de heilige Colette en haar volgelingen voor Begarden en hypocriten[7] – Colette vertoont al de eigenschappen van wat James de theopatische toestand noemt[8], wortelend op een bodem van de pijnlijkste overgevoeligheid. Zij kan geen vuur zien of de gloed ervan verdragen, behalve kaarsen. Zij is ontzettend bang voor vliegen, slakken, mieren, voor stank en onreinheid. Zij heeft dezelfde rabide afschuw van de sexualiteit, die later de heilige Aloysius Gonzaga vertoont, zodat zij enkel maagden in haar congregatie wil hebben, niet houdt van getrouwde heiligen, en het betreurt, dat haar moeder met haar vader in tweede huwelijk was getrouwd[1]. Deze hartstocht voor de zuiverste maagdelijkheid werd door de Kerk nog altijd als stichtelijk en navolgenswaard geprezen. Hij was ongevaarlijk, zolang hij beleden werd in de vorm van een persoonlijk afgrijzen van al het sexuele. Doch datzelfde sentiment werd in een andere vorm gevaarlijk voor de Kerk en bijgevolg voor de persoon, die het beleed: wanneer deze namelijk niet meer als de slak de horens introk, om zich veilig op te sluiten in een eigen sfeer van reinheid, maar ook de toepassing van die zucht naar kuisheid wilde zien op het kerkelijk en maatschappelijk leven der anderen. Steeds weer, als het streven naar die zuiverheid revolutionaire vormen aannam en zich uitte in heftige aanklachten tegen de onkuisheid der priesters en de losbandigheid der monniken, heeft de middeleeuwse Kerk het moeten verloochenen, omdat zij wist, niet bij machte te zijn, het euvel te keren. Jean de Varennes boette zijn consequentie in een ellendige kerker, waar de aartsbisschop van Reims hem had doen opsluiten. Deze Jean de Varennes was een geleerd theoloog en befaamd prediker, die aan het pauselijke hof te Avignon als kapelaan van de jeugdige kardinaal van Luxemburg zelf beschikt scheen voor een mijter of kardinaalshoed, toen hij plotseling van al zijn beneficiën afstand deed, behalve een kanunnikschap van Notre Dame te Reims, zijn staat opgaf, en uit Avignon naar zijn geboorteland terugging, waar hij te Saint Lié een heilig leven begon te leiden en te preken. 'Et avoit moult grant hantise de poeuple qui le venoient veir de tous pays pour la simple vie très-noble et moult honneste que il menoit'. Men vond, dat hij wel paus kon worden; men noemde hem 'le saint homme de S. Lié'; velen zochten zijn hand of zijn kleed aan te raken om de wonderdadigheid van zijn persoon; sommigen hielden hem voor een godsgezant of een goddelijk wezen zelf. Heel Frankrijk sprak een tijdlang van niets anders[2].

Maar niet iedereen geloofde aan de oprechtheid van zijn bedoelingen; er waren er ook, die van 'le fou de Saint Lié' spraken, of hem verdachten, langs deze opzienbarende weg de hoge geestelijke waardigheden te willen bereiken, die hem waren ontgaan. Bij deze Jean de Varennes nu zien wij, gelijk bij vele vroegeren, hoe de hartstocht voor geslachtelijke zuiverheid zich omzet in revolutionaire zin. Hij reduceert als 't ware al de grieven over de ontaarding der Kerk tot dat ene euvel: de onkuisheid, en predikt uit die ene hete verontwaardiging verzet en opstand tegen de kerkelijke autoriteiten, in de eerste plaats tegen de aartsbisschop van Reims. 'Au loup, au loup' riep hij de schare toe, en deze begreep al te goed, wie die wolf was en riep willig terug: 'Hahay, aus leus, mes bones genz, aus leus'. De ganse moed van zijn overtuiging had Jean de Varennes, naar het schijnt, niet: hij had nooit gezegd, dat hij de aartsbisschop bedoelde, aldus zijn verdediging uit de kerker; hij placht enkel het spreekwoord te zeggen: 'qui est tigneus, il ne doit pas oster son chaperon', – wie een zeer hoofd heeft, moet zijn muts niet afnemen[1]. Hoever hij ook gegaan moge zijn, zijn hoorders verstonden in zijn prediking de oude leer, die zo dikwijls gedreigd had, het kerkelijk leven te ontwrichten: de sacramenten van een priester, die in onkuisheid leeft, zijn ongeldig, de hostie, die hij wijdt, is niet dan brood, zijn doopsel en zijn absolutie zijn waardeloos. Dit was bij Jean de Varennes slechts een deel van een extremistisch kuisheidsprogram in het algemeen: de priesters mogen zelfs niet wonen met een zuster of een oude van dagen; aan het huwelijk zijn 22 of 23 zonden verbonden; men moest de echtbrekers straffen naar de leer van het Oude Verbond; Christus zelf zou, indien hij zekerheid had gehad omtrent haar schuld, bevolen hebben, de overspelige te stenigen; er was geen kuise vrouw in Frankrijk; er kon geen bastaard iets goeds doen of zalig worden[2].

Tegen die ingrijpende vorm van afkeer van de onkuisheid heeft de Kerk zich steeds uit zelfbehoud moeten verzetten: werd eenmaal de twijfel gewekt aan de geldigheid der sacramenten van onwaardige priesters, dan kwam het gehele kerkelijke leven op losse schroeven te staan. Gerson stelt Jean de Varennes naast Johannes Hus als een, die met oorspronkelijk goede bedoelingen door zijn ijver op het dwaalspoor is geleid[3].

De Kerk is aan de andere kant in het algemeen uiterst toegefelijk geweest op een ander gebied: in het dulden van de hoogst zinnelijke verbeeldingen der godsliefde. De nauwgezette kanselier van de Parijse universiteit evenwel heeft ook daar het gevaar gevoeld en ervoor gewaarschuwd.

Hij kende het uit zijn grote zielkundige ervaring, hij kende het van verschillende zijden, als dogmatisch en als zedelijk gevaar. 'De dag zou mij niet genoeg zijn, zegt hij, als ik de talloze waanzinnigheden wilde opsommen van de minnenden, de zinnelozen: amantium, immo et amentium'[4]. Ja, hij wist het bij ondervinding: 'Amor spiritualis facile labitur in nudum carnalem amorem'[5]. – De geestelijke liefde vervalt gemakkelijk tot bloot vleselijke liefde. Want wie zou het anders zijn dan Gerson zelf, die man, die hij kende, die uit loffelijke devotie een gemeenzame vriendschap in de Heer had gekweekt met een geestelijke zuster: 'aanvankelijk ontbrak het vuur van enige vleselijkheid, maar gaandeweg wies uit de geregelde omgang een liefde, die niet geheel en al meer in God was, zodat hij zich niet meer kon weerhouden, haar te bezoeken, of in haar afwezigheid aan haar te denken. Nog vermoedde hij niets zondigs, geen duivels bedrog, totdat een langere afwezigheid hem tot het inzicht bracht van het gevaar, dat God nog ter juister tijd van hem had gewend'[6]. Hij was voortaan 'un homme averti' en trok er profijt van. Zijn gehele traktaat *De diversis diaboli tentationibus*[7]

197

is als een scherpe analyse van de geestesstaat, die ook die van de Nederlandse moderne devoten was. Het is vooral de 'dulcedo Dei', de 'zueticheit' der Windesheimers, welke Gerson wantrouwt. De duivel, zegt hij, boezemt de mensen somtijds een onmetelijke en wonderlijke zoetheid (dulcedo) in, op de wijze van en gelijkende op devotie, opdat de mens in het genieten van die zoetheid (suavitas) zijn enig doel zoeke, en God enkel meer wil beminnen en volgen, om die genieting te erlangen[1]. En elders[2], van dezelfde dulcedo Dei: velen heeft de al te sterke kweking van dergelijke gevoelens bedrogen: zij hebben de razernijen van hun hart als het voelen Gods omhelsd en jammerlijk gedwaald. Het leidt tot allerlei streven: sommigen trachten een staat te bereiken van volkomen gevoelloosheid of passiviteit, waarin slechts God door hen handelt, of een mystische kennis en vereniging met God, waarin Hij niet meer onder enig begrip des zijns, des waren of des goeden wordt opgevat. – Hier liggen ook Gerson's bezwaren tegen Ruusbroec, aan wiens eenvoudigheid hij niet gelooft, wie hij de mening van zijn *Chierheit der gheesteliker brulocht* verwijt, dat de volmaakte ziel, God schouwende, Hem niet enkel ziet door de klaarheid, die de goddelijke essentie is, maar dat zij zelve de goddelijke klaarheid is[3].

Het gevoel van de volstrekte vernietiging der individualiteit, dat de mystieken van alle tijden gesmaakt hebben, kon de voorstander van een matige, ouderwetse, Bernardijnse mystiek, als Gerson was, niet gedogen. Een zieneres had hem verteld, dat haar geest in het schouwen Gods vernietigd was geworden met een werkelijke vernietiging en daarna opnieuw geschapen. Hoe weet ge dat? had hij haar gevraagd. Zij had het zelf ondervonden, was haar antwoord. De logische absurditeit dier verklaring is voor de intellectuele kanselier het triomfantelijk bewijs, hoe verwerpelijk zulk een gevoelen was[4]. Het was gevaarlijk, zulke gewaarwordingen in een gedachte uit te drukken; de Kerk kon ze enkel dulden in de vorm van een beeld: het hart van Catharina van Siena was veranderd in het hart van Christus. Maar Marguerite Porete uit Henegouwen, van de Broeders van de vrije geest, die ook haar ziel in God vernietigd waande, was in 1310 te Parijs verbrand*.

Het grote gevaar van het zelfvernietigingsgevoel lag in de conclusie, waartoe evenzeer de Indische als sommige christelijke mystieken kwamen, dat de volmaakte schouwende en minnende ziel niet meer zondigen kan. Immers, opgegaan in God, heeft zij geen wil meer; slechts het goddelijk willen is gebleven, en waarin zij ook de vleselijke neigingen volgen, daarin is geen zonde meer[5]. Tal

---

* Hetzelfde gevoel bij een moderne: 'I committed myself to Him in the profoundest belief that my individuality was going to be destroyed, that he would take all from me, and I was willing', James, l. c. p. 223.

van armen en onwetenden waren door zulke leringen verleid tot een leven van de vreselijkste ongebondenheid, zoals de secte der Begarden, de Broeders van de vrije geest, der Turlupijnen te zien hadden gegeven. Telkens als Gerson van de gevaren der uitgelaten godsminne spreekt, komt hem het waarschuwend voorbeeld van die secten in de gedachte[1]. Toch is men hier voortdurend vlak bij de kringen der devoten. De Windesheimer Hendrik van Herp beschuldigt zijn eigen geestverwanten van geestelijk overspel[2]. Er lagen in deze sfeer duivelse valstrikken tot de meest perverse goddeloosheid. Gerson vertelt van een aanzienlijk man, die aan een Kartuizer had bekend, dat hem een doodzonde, en hij noemde met name die der onkuisheid, de minne Gods niet belemmerde, maar hem integendeel ontvlamde om de goddelijke zoetheid nog inniger te prijzen en te begeren[3].

De Kerk waakte, zodra de smeltende aandoeningen van de mystiek zich omzetten in geformuleerde overtuigingen of in toepassing op het maatschappelijk leven. Zolang het bleef bij louter hartstochtelijke verbeeldingen van symbolische aard, liet zij ook het meest exuberante toe. Johannes Brugman kon ongestraft al de eigenschappen van de dronkaard, die zich zelf vergeet, geen gevaar ziet, niet toornig wordt om bespotting, alles weggeeft, toepassen op Jezus' menswording: 'O en was hi niet wael droncken, doe hem die mynne dwanck, dat hi quam van den oversten hemel in dit nederste dal der eerden ?' In de hemel gaat hij rond, 'schyncken ende tappen met vollen toyten' aan de profeten, 'ende sij droncken, dat sij borsten, ende daer spranck David met sijnre herpen voer der tafelen, recht of hij mijns heren dwaes waer'[4].

De groteske Brugman niet alleen, ook de zuivere Ruusbroec geniet de godsminne onder het beeld der dronkenschap. Naast dat der dronkenschap staat het beeld van de honger. Mogelijk lag voor beide de aanleiding in het bijbelwoord: 'qui edunt me, adhuc esurient, et qui bibunt me, adhuc sitient'[5], dat, door Sapientia gesproken, als woord des Heren werd geduid. De voorstelling van 's mensen geest, geteisterd door een eeuwige honger naar God, was dus gegeven. 'Hier beghint een ewich honger, die nemmermeer vervult en wert, dat es een inwendich ghieren ende crighen der minnender cracht ende dies ghescapens geestes in een ongescapen goet... Dit sijn die armste liede die leven; want si sijn ghierich ende gulsich ende si hebben den mengherael (verklaring: 'dat is die vraet of den ghier of den heeten onversadeliken hongher'). Wat si eten ende drinken, si en werden nemmermeer sat in deser wijs, want dese honger es ewich... Al gave God desen mensche alle die gaven die alle heylighen hebben... sonder hem selven, nochtan bleve die gapende ghier des gheests hongherich ende onghesaedt'. – Doch evenals het beeld der dronkenschap is ook dat van de honger voor omkering vatbaar: 'Sijn (Christus') hongher is sonder mate groet; hi verteert ons al uut te gronde; want hi is een ghierich slockaert ende heeft den mengerael: hi verteert dat merch uut onsen benen. Nochtan gonnen wijs hem wale, ende soe wijs hem meer ghonnen, soe wij hem bat smaken. Ende wat hi op ons teert, hi en mach niet vervult werden, want hi heeft den mengerael ende sijn honger is sonder mate: ende al sijn wi arm, hi en achtes niet, want hi en wilt ons niet laten. Ierstwerf bereyt hi sine spise, ende verbernt in minnen al onse sonden ende ghebreken. Ende alse wi dan ghesuvert sijn ende in minnen ghebraden, soe gaept hi alse die ghier diet al verslocken wilt... Mochten wi sien die ghierighe ghelost (lust) die Christus heeft tote onser saliheit, wi en mochten ons niet onthouden wi en souden hem in die kele vlieghen. Al verteert ons Jhesus te male in hem, daer vore gheeft hi ons hem selven, ende hi gheeft ons gheesteliken hongher ende dorst sijns te ghesmaken met ewigher lost. Hi gheeft ons gheesteliken honger, ende onser herteliker liefde sijn lichame in spisen. Ende alse wi dien in ons eten ende teren met ynnigher devocien, soe vloyet uut sinen lichame sijn gloriose heete bloet in onse nature ende in alle onse aderen... Siet, aldus selen wi altoes eten ende werden gheten, ende met minnen op ende neder-gaen, ende dit is onse leven in der ewicheit.'[1]

Een kleine schrede, en men is van deze hoogste vervoeringen der mystiek weer bij een plat symbolisme. 'Vous le mangerés, – zegt van de eucharistie *Le livre de crainte amoureuse* van Jean Berthelemy –, rôti au feu, bien cuit, non points ars ou brulé. Car ainsi l'aigneau de Pasques entre deux feux de bois ou de charbon estoit cuit convenablement et roty, ainsi le doulx Jésus, le jour du Vendredi sacré, fut en la broche de la digne croix mis, attachié, et lié entre les deux feux de tres angoisseuse mort et passion, et de tres ardentes charité et amour qu'il avoit à nos ames et à nostre salut, il fut comme roty et langoureusement cuit pour nous saulver'[2].

De beelden van de dronkenschap en de honger zijn op zichzelf reeds een weer-legging van de mening, dat elk godsdienstig zaligheidsgevoel erotisch geïnter-preteerd zou moeten worden[3]. Het instromen van de goddelijke invloed wordt evengoed als een drinken of een gebaad-worden ondergaan. Een Diepenveense devote voelt zich geheel overstort met het bloed van Christus en bezwijmt[4]. De bloedfantazie, voortdurend door het geloof aan de transsubstantiatie levend gehouden en geprikkeld, uit zich in de bedwelmendste uitersten van rode gloed. De wonden van Jezus, zegt Bonaventura, zijn de bloedrode bloemen van ons zoete en bloeiende paradijs, waarover de ziel als een vlinder zweven moet, dan aan deze dan aan gene drinkende. Door de zijwond moet zij binnendringen tot het hart zelf. Tegelijk stroomt het bloed als beken in het paradijs. Al het rode en warme bloed van alle wonden is door Suso's mond in zijn hart en ziel gevloeid[1]. Catharina van Siena is een der heiligen, die uit de zijwond van Christus gedronken hebben, gelijk het anderen ten deel viel, de melk van Maria's borsten te proeven: Sint Bernard, Heinrich Suso, Alain de la Roche.

Alain de la Roche, in het Latijn Alanus de Rupe, bij zijn Nederlandse vrienden Van der Klip geheten, kan als een der meest markante typen gelden van de Franse, meer fantastische devotie en van de ultra-concrete geloofsverbeelding der laatste Middeleeuwen. Omstreeks 1428 in Bretagne geboren, heeft hij als Dominicaan hoofdzakelijk in het Noorden van Frankrijk en in de Nederlanden gewerkt. Hij is te Zwolle bij de Fraters, met wie hij levendige betrekkingen onderhield, in 1475 gestorven. Zijn voornaamste werk was het ijveren voor het gebruik van de rozenkrans, waartoe hij een gebedsbroederschap over de gehele wereld stichtte, aan welke hij het bidden voorschreef van vaste stelsels van Ave's, door Pater's afgewisseld. In het werk van deze visionair, hoofdzakelijk preken en beschrijvingen van zijn gezichten[2], treft het sterk sexuele van zijn verbeeldingen, doch tegelijk het ontbreken van die toon van gloeiende passie, die de sexuele verbeelding van het heilige rechtvaardigen kon. De zinnelijke uitdrukking der smeltende godsminne is hier louter procédé geworden. Er is niets van de overstromende innigheid, die de honger-, dorst-, bloed- en liefde-fantazieën van de grote mystieken verheft. In de meditaties over elk van Maria's lichaamsdelen, die hij aanbeveelt, in de nauwkeurige beschrijving van zijn herhaalde laving met de melk van Maria, in de symbolische systematiek, waarbij hij elk der woorden van het Onze Vader het bruidsbed van een der deugden noemt, spreekt een geest op zijn laatst, het verval van de hooggekleurde vroomheid der latere Middeleeuwen tot een uitgebloeide vorm.

Ook in de duivelenfantazie had het sexuele element een plaats: Alain de la Roche ziet de beesten der zonde met afschuwelijke teeldelen, waaruit een vurige en zwavelige stortvloed breekt, die met zijn smook de aarde verduistert; hij ziet de meretrix apostasiae, die de afvalligen verslindt, weer uitbraakt en uitscheidt, weer verslindt, hen als een moeder kust en koestert, hen telkens opnieuw baart uit haar schoot[3].

Daar lag de tegenkant van de 'zueticheit' der devoten. Als onvermijdelijk complement van de zoete hemelse fantazie borg de geest een zwarte poel van hellevoorstellingen, die eveneens hun uitdrukking vonden in de gloeiende taal der aardse zinnelijkheid. Het is zo vreemd niet, dat er verbindingen zijn aan te wijzen tussen de stille kringen der Windesheimers en het duisterste wat de Middeleeuwen tegen haar einde hebben voortgebracht: de heksenwaan, dan uitgegroeid tot dat noodlottige sluitende systeem van theologische ijver en rechterlijke strengheid. Alanus de Rupe vormt zulk een schakel. Hij, de gaarne geziene gast van de Zwolse fraters, was ook de leermeester van zijn ordebroeder Jakob Sprenger, die niet alleen met Heinrich Institoris de Heksenhamer geschreven heeft, maar ook in Duitsland de ijverige bevorderaar is geweest van Alanus' broederschap van de rozenkrans.

15

HET SYMBOLISME UITGEBLOEID

Het bewogen geloof van die tijd wilde zich altijd onmiddellijk omzetten in bonte en gloeiende verbeelding. De geest meende het wonder te hebben begrepen, wanneer hij het voor ogen zag. De behoefte, om het onuitsprekelijke onder zichtbare tekenen te aanbidden, schiep steeds nieuwe figuren. In de veertiende eeuw zijn het kruis en het lam niet meer genoeg, om aan de overstromende liefde voor Jezus een zichtbaar object te geven: de verering van de naam Jezus voegt zich daaraan toe, en dreigt zelfs bij sommigen de kruisverering in de schaduw te stellen. Heinrich Suso tatoeëert zich de naam Jezus op de hartstreek, en vergelijkt het met de beeltenis ener geliefde, die de minnaar in zijn kleed genaaid draagt. Hij zendt doekjes, waarop de zoete naam geborduurd staat, aan zijn geestelijke kinderen[1]. – Als Bernardino van Siena een geweldige preek besloten heeft, ontsteekt hij twee kaarsen en vertoont een bord van een el groot, waarop in goud op blauw de naam Jezus te midden van stralen; 'het volk dat de kerk vult, ligt op de knieën, allen tezamen huilend en schreiend van zoete aandoening en tedere liefde tot Jezus'[2]. Vele andere Franciscanen, en ook predikers van andere orden, volgden het na: Dionysius de Kartuizer wordt met zulk een naambord in de hoogopgeheven handen afgebeeld. De zonnestralen als helmteken boven het wapen van Genève worden uit deze verering afgeleid[3]. Zij scheen de kerkelijke autoriteiten bedenkelijk; men sprak van bijgeloof en idolatrie, er ontstonden tumulten voor en tegen het gebruik. Bernardino werd voor de curie gedaagd, en paus Martinus V verbood de gewoonte[4]. Doch in een andere vorm vond weldra de behoefte, om de Heer zichtbaar te aanbidden, gewettigde bevrediging; de monstrans stelde de gewijde hostie zelf tot aanbidding ten toon. In plaats van de torenvorm, die zij bij haar eerste opkomen in de veertiende eeuw had, kreeg de monstrans weldra die van de stralende zon, symbool der goddelijke liefde. Ook hier had de Kerk aanvankelijk nog bedenkingen gekoesterd; het gebruik der monstrans was enkel gedurende de week van het sacramentsfeest toegestaan.

De overmaat van verbeeldingen, waarin de uitbloeiende middeleeuwse gedachte bijna alles had opgelost, zou louter wilde fantasmagorie zijn geweest, wanneer niet bijna elke figuur, elk beeld, zijn plaats had gehad in het grote, alles omvattende denksysteem van het symbolisme.

Er was geen grote waarheid, die de middeleeuwse geest stelliger wist, dan die van het woord aan de Corinthen: 'Videmus nunc per speculum in aenigmate, tunc autem facie ad faciem'; 'Want wij zien nu door een spiegel in een duistere rede, maar alsdan zullen wij zien aangezicht tot aangezicht'. – Zij hebben nooit vergeten, dat elk ding absurd zou zijn, als zijn betekenis uitgeput was in zijn onmiddellijke functie en verschijningsvormen, dat alle dingen met een heel stuk reiken in de wereld aan de andere kant. Dat weten is ook ons als ongeformuleerd gevoel nog op ieder ogenblik gemeenzaam, wanneer het geluid van de regen op de bladeren of het schijnsel van de lamp over de tafel even doordringt tot een dieper perceptie dan die van de praktische denk- en handelszin. Het kan zich voordoen als een ziekelijke oppressie, zodat de dingen zwanger schijnen van een dreigende persoonlijke bedoeling of van een raadsel, dat men kennen moet en niet kennen kan. Het kan ook, en zal vaker, ons vullen met de rustige en sterkende verzekerdheid, dat ook ons eigen leven deel heeft aan die geheime zin der wereld. En hoe meer dat gevoel zich verdicht tot de huivering voor het Ene, waarvan alle dingen uitstromen, hoe lichter het van de zekerheid van enkele klare ogenblikken zal overgaan tot een blijvend aanwezig levensgevoel, of zelfs een geformuleerde overtuiging. 'By cultivating the continuous sense of our connection with the power that made things as they are, we are tempered more towardly for their reception. The outward face of nature need not alter, but the expressions of meaning in it alter. It was dead and is alive again. It is like the difference between looking on a person without love, or upon the same person with love... When we see all things in God, and refer all things to him, we read in common matters superior expressions of meaning'[1].

Dit is de gevoelsgrond, waarop het symbolisme opgroeit. Bij God bestaat niets ledigs of zonder betekenis: 'nihil vacuum neque sine signo apud Deum'[2]. Zodra God verbeeld was, moest ook al wat van Hem uitging en in Hem zijn zin had, stollen of kristalliseren tot geformuleerde gedachten. En zo ontstaat die grootse en edele verbeelding van de wereld als één groot symbolisch verband, een kathedraal van ideeën, de allerrijkst ritmische en polyfone uitdrukking van al het denkbare.

De symbolische denkorde staat zelfstandig en opzichzelf gelijkwaardig naast de genetische. De laatste: het begrijpen van de wereld als ontwikkeling, was de Middeleeuwen niet zó vreemd, als men het wel eens voorstelt. Doch het voortkomen van één ding uit het andere werd nog alleen gezien onder de naieve figuur van direkte voortteling of van vertakking, en nog alleen toegepast volgens logische deductie, op de dingen van de geest. Die werden gaarne gezien in de geleding van genealogieën of van bomen met vertakkingen: een 'arbor de origine juris et legum' rangschikte alles van het recht in het beeld van een wijdgespreide boom. Enkel deductief toegepast behield de ontwikkelingsgedachte iets schematisch, willekeurigs en onvruchtbaars.

Het symbolisme is, van het standpunt van het causale denken beschouwd, als een geestelijke kortsluiting. De gedachte zoekt het verband tussen twee dingen niet langs de verborgen windingen van hun oorzakelijke samenhang, maar vindt het plotseling door een overspringen, niet als een verband van oorzaak en gevolg, maar als een van betekenis en doel. De overtuiging van zulk een verband kan ontstaan, zodra twee dingen één essentiële eigenschap gemeen hebben, die te betrekken is op iets van algemene waarde. Of met andere woorden: elke associatie op grond van enigerlei gelijkheid kan zich onmiddellijk omzetten in het besef van een wezenlijk en mystisch verband. Dit kan van psychologisch gezichtspunt een zeer povere geestesfunctie schijnen. En van etnologisch gezichtspunt kan men het bovendien een zeer primitieve geestesfunctie noemen. Het primitieve denken kenmerkt zich door een zwakheid van de waarneming der identiteitsgrenzen tussen de dingen; het incorporeert in de voorstelling van een bepaald ding alles wat daarmee door gelijkenis of toebehoren in enig verband staat. De symboliserende functie hangt daarmede ten nauwste samen.

Het symbolisme verliest evenwel die schijn van willekeurigheid en onvoldragenheid, zodra men zich er rekenschap van geeft, dat het onverbrekelijk verbonden is met die opvatting van het bestaande, welke in de Middeleeuwen realisme heette, en die wij, eigenlijk minder treffend, platonisch idealisme noemen.

Alleen dan heeft de symbolische gelijkstelling op grond van gemeenschappelijke kenmerken zin, wanneer die kenmerken het wezenlijke aan de dingen zijn, wanneer de eigenschappen, die het symbool en het gesymboliseerde gemeen hebben, waarlijk als essentiën beschouwd worden. Rozen wit en rood bloeien tussen doornen. De middeleeuwse geest ziet terstond een symbolische betekenis: maagden en martelaars stralen in heerlijkheid tussen hun vervolgers. Hoe komt de gelijkstelling tot stand? Doordat de hoedanigheden dezelfde zijn: de schoonheid, teerheid, zuiverheid, de bloedroodheid der rozen zijn ook die der maagden en martelaars. Doch dit verband is alleen dan waarlijk zinrijk en vol van mystische betekenis, wanneer in het verbindende lid, in de hoedanigheid dus, het wezen der beide termen van het symbolisme ligt opgesloten, met andere woorden, wanneer de roodheid en de witheid niet gelden als louter benamingen voor physisch onderscheid op kwantitatieve grondslag, maar gezien worden als realiën, wezenlijkheden. Ook òns denken vermag nog elk ogenblik ze zo te zien[1], als het maar even terugkeert tot de wijsheid van de wilde, het kind, de dichter en de mysticus, voor wie de natuurlijke gesteldheid der dingen ligt opgesloten in hun algemene hoedanigheid. De hoedanigheid is hun watheid, de kern van hun zijn. Schoonheid, teerheid, witheid, essentiën zijnde, zijn eenheden: alles wat schoon, teer, wit is, moet in wezen samenhangen, heeft dezelfde bestaansgrond, dezelfde betekenis (be-tekenis) voor God.

Zo is er een onverbrekelijk verband tussen symbolisme en realisme (in de middeleeuwse zin).

Men moet hier niet teveel denken aan de strijd over de universalia. Zeker, het realisme, dat de 'universalia ante res' verklaarde, dat aan de algemene begrippen wezen en preëxistentie toekende, is geen alleenheerser geweest op het gebied van het middeleeuwse denken. Er zijn ook nominalisten geweest: ook het 'universalia post rem' heeft zijn voorstanders gehad. Doch de stelling is niet te gewaagd, dat het radicale nominalisme nooit anders dan tegenstroming, reactie, oppositie is geweest, en dat het jongere, gematigde nominalisme enkel zekere filosofische bezwaren tegen een extreem realisme tegemoet kwam, maar aan de inherent-realistische denkrichting der ganse middeleeuwse geestesbeschaving niets in de weg legde.

Inherent aan de ganse beschaving. Want het komt niet in de eerste plaats aan op die strijd van scherpzinnige theologen, maar op de voorstellingen, die het gehele verbeeldings-en gedachtenleven, zoals het zich uit in de kunst, de moraal, het dagelijks leven, beheersen. Deze zijn extreem realist, niet omdat de hoge theologie in een lange school van neo-platonisme was geformeerd, maar omdat het realisme, buiten alle filosofie om, de primitieve denkwijze is. Voor de primitieve geest neemt alles wat benoembaar is, terstond wezen aan, of het hoedanigheden zijn, begrippen of wat ook. Zij projecteren zich terstond automatisch aan de hemel. Hun wezen kan bijna altijd (behoeft niet altijd) worden opgevat als persoonlijk wezen; ieder ogenblik kan de reidans van antropomorfe begrippen beginnen.

Alle realisme, in de middeleeuwse zin, is tenslotte antropomorfisme. Wanneer de gedachte, die aan de idee een zelfstandig wezen heeft toegekend, wil worden gezien, dan kan zij dat niet anders dan door personificatie.

Hier ligt de overgang van symbolisme en realisme naar allegorie. De allegorie is het naar de oppervlakkige verbeeldingskracht geprojecteerde symbolisme, de opzettelijke uitwerking, daarmee ook uitputting, van een symbool, het

206

overbrengen van een hartstochtelijke kreet tot een grammatisch correcte zin. Goethe beschrijft de tegenstelling aldus: 'Die Allegorie verwandelt die Erscheinung in einen Begriff, den Begriff in ein Bild, doch so, dass der Begriff im Bilde immer noch begrenzt und vollständig zu halten und zu heben und an demselben auszusprechen sei. Die Symbolik verwandelt die Erscheinung in Idee, die Idee in ein Bild, und so, dass die Idee im Bild immer unendlich wirksam und unerreichbar bleibt und selbst in allen Sprachen ausgesprochen doch unaussprechlich bleibe'[1].

De allegorie heeft dus in zichzelf reeds het karakter van schoolse normalisering, en tegelijk van een vertering, een opgaan der gedachte in het beeld. De wijze, waarop zij het middeleeuwse denken was binnengekomen: als litteraire aflegger van de late Oudheid in de allegorische produkten van Martianus Capella en Prudentius, verhoogde het schoolse en oudachtige karakter. En toch mene men niet, dat het de middeleeuwse allegorie en personificatie aan echtheid en leven ontbrak. Trouwens, had zij die niet bezeten, hoe zou dan de middeleeuwse beschaving haar zo aanhoudend en met zulk een voorliefde hebben gecultiveerd?

Tezamen verenigd hebben deze drie denkwijzen: realisme, symbolisme en personificatie, de middeleeuwse geest doorschenen als een stroom van licht. De psychologie zou wellicht het gehele symbolisme willen afdoen met de term ideeënassociatie. Maar de geschiedenis der geestesbeschaving heeft die denkvorm eerbiediger te beschouwen. De levenswaarde van de symbolische verklaring van het bestaande was onschatbaar. Het symbolisme schiep een wereldbeeld van nog strenger eenheid en inniger verband, dan het causaal-natuurwetenschappelijk denken vermag. Het omvademde met zijn sterke armen de gehele natuur en de gehele geschiedenis. Het schept daarin een overbrekelijke rangorde, een architectonische geleding, een hiërarchische subordinatie. Want in elk symbolisch verband moet een lager en een hoger zijn: gelijkwaardige dingen kunnen elkanders symbool niet zijn, maar enkel samen wijzen naar een derde, dat hoger is. In het symbolisch denken is ruimte voor een onmetelijke veelvuldigheid van betrekkingen tussen de dingen. Want elk ding kan met zijn verschillende hoedanigheden symbool zijn van velerlei andere, en ook met één en dezelfde hoedanigheid verschillende dingen betekenen; en de hoogste dingen hebben hun duizenderlei symbolen. Geen ding is te nederig om het hoogste te beduiden en aan te wijzen ter verheerlijking. De okkernoot betekent Christus: de zoete kern is de goddelijke natuur, de vlezige buitenschil de menselijke, en de houten schaal daartussen is het kruis. Alle dingen bieden stut en steun voor het opstijgen der gedachte naar het eeuwige; alle beuren elkaar van trede tot trede omhoog. Het symbolische denken geeft een voortdurende transfusie van het gevoel van Gods majesteit en eeuwigheid in al het waarneembare en denkbare. Het houdt voordurend het mystische levensgevoel brandend. Het doordringt de voorstelling van elk ding met verhoogde esthetische en ethische waarde. Denk het genot, als elke edelsteen fonkelt met de glanzen van al zijn symbolische waarden, als de vereenzelviging van rozen en maagdelijkheid meer is dan een dichterlijk zondagskleed, als zij het wezen van beide aangeeft. Het is een waarlijke polyfonie der gedachte. Bij een doorgedacht symbolisme klinkt in elke voorstelling een harmonisch akkoord van symbolen. Het symbolisch denken geeft die zwijmel der gedachte, die pre-intellectuele vervloeiing van de identiteitsgrenzen der dingen, die tempering van het verstandelijk denken, welke het levensbesef op zijn hoogste heft.

Een harmonisch verband verbindt voortdurend alle gebieden der gedachte. De feiten van het Oude Testament beduiden, praefigureren die van het Nieuwe, die der profane geschiedenis weerspiegelen hetzelfde. Bij elk denken valt, als in een kaleidoscoop, uit de ongeordende massa partikels een schone en symmetrische figuur samen. Elk symbool krijgt een overwaarde, een veel sterkere graad van wezenlijkheid, doordat alle tenslotte geschaard staan rondom het centrale wonder der eucharistie, en daar is de gelijkheid geen symbolische meer, maar identiteit: de hostie is Christus. En de priester, die haar tot zich neemt, wordt daarmee het graf des Heren; het afgeleide symbool deelt in de werkelijkheid van het opperste mysterie, elk beduiden wordt een mystisch één-zijn[1].

Door het symbolisme werd het mogelijk, de wereld, die in zichzelf verwerpelijk was, toch te waarderen en te genieten, en ook het aardse bedrijf te veredelen. Want elk beroep had zijn symbolische betrekking op het hoogste en heiligste. De arbeid van de handwerker is de eeuwige generatie en incarnatie des Woords en de bond tussen God en de ziel[2]. Zelfs tussen de aardse liefde en de goddelijke liepen de draden van het symbolisch contact. Het sterke religieuze individualisme, dat wil zeggen de cultivering van de eigen ziel tot deugd en zaligheid, vond zijn heilzaam tegenwicht in het realisme en symbolisme, die het eigen leed, de eigen deugd, losmaakten uit de bijzonderheid van het persoonlijke, en ophieven in de sfeer van het universele.

De zedelijke waarde van de symbolische denkwijze is onafscheidelijk van haar verbeeldingswaarde. De symbolische verbeelding is als de muziek op de tekst der logisch uitgedrukte leerstellingen, die zonder die muziek te stroef, te schraal zouden klinken. 'En ce temps où la spéculation est encore toute scolaire, les concepts définis sont facilement en désaccord avec les intuitions profondes'[3]. Door het symbolisme stond de gehele godsdienstige voorstellingsrijkdom open voor de kunst, om haar uit te drukken, klank- en kleurrijk, en tegelijk vaag en zwevend, zodat de diepste intuïties erop konden wegvliegen naar het besef van het onzegbare.

De eindigende Middeleeuwen vertonen die gehele denkwereld in haar laatste uitbloei. De wereld lag volkomen uitgespreid in die alomvattende verzinnebeelding, en de symbolen werden als versteende bloemen. Van oudsher had overigens het symbolisme de neiging bezeten, om zuiver mechanisch te worden. Eenmaal als beginsel gegeven, ontspruit het niet alleen uit dichterlijke verbeelding en vervoering, maar hecht zich als een woekerplant aan het denken, en ontaardt tot louter hebbelijkheid en een ziekte der gedachte. Met name wanneer het symbolisch contact eenvoudig voortvloeit uit gelijkheid van getal, ontstaan hele verschieten van ideële afhankelijkheden. Het worden rekensommetjes. De twaalf maanden zullen de twaalf apostelen beduiden, de vier jaargetijden de evangelisten, en het gehele jaar moet dan Christus zijn[1]. Er conglomereren zich ganse systemen van zeventallen. Met de zeven hoofddeugden corresponderen de zeven beden van het Onze Vader, de zeven gaven van de Heilige Geest, de zeven zaligsprekingen en de zeven boetpsalmen. Zij hebben weer betrekking op de zeven momenten van de passie en op de zeven sacramenten. Elk nummer van elk zevental correspondeert weer als tegenstelling of geneesmiddel met de zeven hoofdzonden, die weer door zeven dieren verbeeld en door zeven ziekten gevolgd worden[2]. Bij een zielzorger en moralist als Gerson, aan wie deze voorbeelden zijn ontleend, overweegt de praktische zedelijke waarde van het symbolisch verband. Bij een visionair als Alain de la Roche overweegt daarin het esthetische[3]. Hij moet een systeem hebben, waarin vijftien en tien de getallen zijn, want de gebedencyclus van de broederschap van de rozenkrans, waarvoor hij ijverde, omvat 150 Ave's, afgewisseld door 15 Pater's. Die vijftien Pater's zijn de vijftien ogenblikken der passie, de 150 Ave's zijn de psalmen. Zij zijn nog veel meer. Door de elf hemelsferen plus de vier elementen te vermenigvuldigen met de tien categorieën: substantia, qualitas, quantitas enz., krijgt men 150 habitudines naturales; evenzo 150 habitudines morales, door de tien geboden te vermenigvuldigen met vijftien deugden: de drie theologale, de vier kardinale, de zeven kapitale deugden, maakt veertien; 'restant duae: religio et poenitentia', nu is er één te veel, maar temperantia, de kardinale, is gelijk aan abstinentia*, de kapitale, blijft over vijftien. Elk dier vijftien deugden is een koningin, die haar bruidsbed heeft in een der fracties van het Onze Vader. Elk der woorden van het Ave beduidt een der vijftien volmaaktheden van Maria, en tegelijk een edelsteen

* Op p. 12 wordt fortitudo met abstinentia gelijkgesteld, maar op p. 201 is het temperantia, die in de reeks ontbreekt; dit zal de bedoeling zijn. Er zijn ook nog andere verschillen.

aan de rupis angelica, die zij zelve is; elk woord verdrijft een zonde of het dier, dat die verbeeldt. Zij zijn bovendien de takken van een boom vol vruchten, waarin alle gezaligden zitten, en de treden van een trap. Zo beduidt bijvoorbeeld het woord Ave de onschuld van Maria, en de diamant, en verdrijft de hoogmoed, die de leeuw tot dier heeft. Het woord Maria is haar wijsheid en de karbonkel en verdrijft de nijd, een bijster zwarte hond. Alanus ziet in zijn vizioenen de gruwelijke gedaanten der zondedieren en de schitterende kleuren der edele stenen, wier oudbefaamde wonderkracht weer nieuwe symbolische associaties wekt. De sardonix is zwart, rood en wit, gelijk Maria zwart was in nederigheid, rood in haar smarten, en wit in glorie en genade. Zij trekt als zegelsteen niets aan van de was, en beduidt daarmee de deugd der eerzaamheid, zij verdrijft onkuisheid en maakt eerzaam en schaamachtig. De parel is het woord gratia, en ook Maria's eigen gratie; zij ontstaat in de zeeschelp uit een dauw des hemels 'sine admixtione cuiuscunque seminis propagationis'. Maria zelf is die schelp; hier verspringt het symbolisme even, want in de reeks der overige zou men haar als de parel verwachten. Hier komt ook het kaleidoscopische der symboliek treffend uit: met de woorden 'uit een dauw des hemels geteeld' is meteen, onuitgedrukt, die andere trope der maagdelijke geboorte: het vlies, waarop Gideon het hemels teken afsmeekte, in het bewustzijn geroepen.

De symboliserende denkvorm was zo goed als versleten. Het vinden van symbolen en allegorieën was een ijdel spel geworden, een oppervlakkig fantazeren op een enkel gedachtenverband. Het symbool behoudt zijn gevoelswaarde alleen door de heiligheid der dingen, die het verbeeldt: zodra het symboliseren van het zuiver godsdienstige gebied afvloeit naar het enkel morele, ziet men het in zijn hopeloze verbastering. Froissart weet in een uitvoerig gedicht *Li orloge amoureus* alle eigenschappen der liefde met de onderdelen van een uurwerk te vergelijken[1]. Chastellain en Molinet wedijveren in politieke symbolismen: in de drie standen zijn de eigenschappen van Maria gefigureerd; de zeven keurvorsten, drie geestelijke en vier wereldlijke, betekenen de drie theologale en vier kardinale deugden; de vijf steden Saint-Omer, Aire, Rijsel, Douai en Valenciennes, die in 1477 Bourgondië trouw blijven, worden de vijf wijze maagden[2]. Eigenlijk heeft men hier te doen met een omgekeerd symbolisme, waarbij niet het lagere naar het hogere wijst, maar het hogere naar het lagere. Want in de geest van de schrijver staan de aardse dingen, die hij met wat hemelse versiering verheerlijken wil, vooraan. De *Donatus moralisatus seu per allegoriam traductus*, die wel eens aan Gerson is toegeschreven, bracht de Latijnse grammatica bij, met theologische symboliek gemengd: het nomen is de mens, het pronomen beduidt, dat hij een zondaar is. Op de laagste trap van de symbolisering staat een gedicht als *Le parement et triumphe des dames* van Olivier de la Marche, waarin het ganse vrouwelijk toilet wordt vergeleken met deugden en voortreffelijkheden, een brave zedepreek van de oude hoveling, met een enkel schuin knipoogje. De pantoffel beduidt de nederigheid:

> *De la pantouffle ne nous vient que santé*
> *Et tout prouffit sans griefve maladie,*
> *Pour luy donner tiltre d'auctorité*
> *Je luy donne le nom d'humilité.*

Zo worden de schoenen zorg en vlijt, de kousen volharding, de kouseband vastberadenheid, het hemd eerbaarheid en het keurs kuisheid[1].

Toch is natuurlijk, zelfs in haar meest zouteloze uitingen, de symboliek en allegorie voor de middeleeuwse geest van een veel levender gevoelswaarde geweest, dan wij ons voorstellen. De functie van het symbolisch gelijkstellen en het persoonlijk verbeelden was zo ontwikkeld, dat haast vanzelve elke gedachte zich kon omzetten in een 'personnage', een vertoning. Elke idee werd immers als wezen gezien, elke hoedanigheid als zelfstandigheid, en als wezen kregen zij voor het beeldende gezicht terstond persoonlijke vorm. Dionysius de Kartuizer ziet in zijn revelaties de Kerk juist even persoonlijk en toneelmatig, als zij vertoond werd op het hoffeest van Rijsel. In een van zijn openbaringen ziet hij de toekomstige reformatio, die naar welke de vaderen van het concilie en Dionysius' geestverwant Nicolaas van Cusa streefden: de Kerk derhalve in haar toekomstige zuiverheid. De geestelijke schoonheid dier gezuiverde Kerk ziet hij als een overschoon en allerkostbaarst kleed van onbeschrijfelijke fraaiheid in allerkunstigste mengeling van kleuren en figuren. Een andermaal ziet hij de Kerk in haar verdrukking: lelijk, ruig en bloedeloos, arm, zwak en verschopt. De Heer zegt: hoor uw Moeder, mijn bruid, de heilige Kerk, en daarop hoort Dionysius de innerlijke stem als uit de figuur der Kerk komende: 'quasi ex persona Ecclesiae'[2]. Zo onmiddellijk komt hier de gedachte in beeldvorm, dat de herleiding van het beeld tot gedachte, de verklaring der allegorie in bijzonderheden, nauwelijks als nodig wordt gevoeld, als het gedachtenthema maar even is aangegeven. Het bonte kleed is volkomen adequaat aan de voorstelling van geestelijke volmaaktheid: er is hier een oplossing van de gedachte in het beeld, zoals ons een oplossing der gedachte in muziek gemeenzaan is.

Men denke hier opnieuw aan de allegorische figuren uit de *Roman de la rose*. Wij kunnen ons niet dan met inspanning iets denken bij Bel-Accueil, Doulce-Mercy, Humble-Request. Maar zij hebben voor de tijdgenoten een met levende vorm beklede en met passie gekleurde wezenlijkheid gehad, die hen volkomen op één lijn stelt met de Romeinse godenfiguren uit abstracties gevormd, als Pavor en Pallor, Concordia enz. Wat Usener van deze zegt, is bijna geheel toe te passen op de middeleeuwse allegorische personnages. 'Die Vorstellung trat mit sinnlicher Kraft vor die Seele und übte eine solche Macht aus, dass das Wort, das sie sich schuf, trotz der adjectivischen Beweglichkeit, die ihm verblieb, dennoch ein göttliches Einzelwesen bezeichnen konnte'[1]. Anders zou immers de *Roman de la rose* onleesbaar zijn geweest. Doux-Penser, Honte, Souvenirs en de rest hebben in de geesten der latere Middeleeuwen een quasi-goddelijk leven gehad. Eén van die Rose-figuren onderging zelfs een concretisering der voorstelling: Danger, oorspronkelijk het gevaar, dat den minnaar bij zijn werving bedreigt of ook wel de terughouding der dame, ging in het amoureus jargon de echtgenoot zelf betekenen, die bedrogen moest worden.

Herhaaldelijk ziet men, hoe, om een gedachte uit te drukken, waar het bijzonder op aankomt, naar de allegorie wordt gegrepen. Wanneer de bisschop van Chalons aan Philips de Goede een zeer ernstige waarschuwing omtrent zijn politiek beleid wil geven, giet hij de remonstrance, die hij in het kasteel van Hesdin op Sint Andriesdag 1437 voor de hertog, de hertogin en hun gevolg ten beste geeft, in de vorm van een allegorie. Hij vindt Haultesse de Signourie troosteloos zitten, die eerst in het Keizerrijk, daarna aan het Franse, tenslotte aan het Bourgondische hof heeft gewoond, en nu klaagt, ook daar te worden belaagd door Zorgeloosheid des vorsten, Slapheid van raad, Nijd van dienaren, Afpersing van onderdanen. Hij stelt er andere personnages tegenover, als Waakzaamheid des vorsten enz., die het ontrouwe hofgezin moeten verdrijven[2]. Elke hoedanigheid is hier verzelfstandigd en als persoon verbeeld, en blijkbaar was dit de wijze om indruk te maken, wat alleen begrijpelijk wordt, als men beseft, dat de allegorie in het denken van die tijd nog een zeer levende functie had.

De burger van Parijs is een nuchter man, die zich zelden verlustigt in stijlversiering of gedachtenspel. Maar wanneer hij genaderd is tot het vreselijkste, dat hij te beschrijven heeft: de Bourguignonse moorden, die het Parijs van juni 1418 de bloedgeur van september 1792 gaven, neemt hij de allegorie te baat[3]. 'Lors se leva la deesse de Discorde, qui estoit en la tour de Mau-conseil, et esveilla Ire la forcenée et Convoitise et Enragerie et Vengence, et prindrent armes de toutes manières et bouterent hors d'avec eulx Raison, Justice, Memoire de Dieu et Atrempance moult honteusement.' Zo gaat het verder, afgewisseld door de direkte beschrijving van de gruwel: 'Et en mains que on yroit cent pas de terre depuis que mors estoient, ne leur demouroit que leurs brayes, et estoient en tas comme porcs ou millieu de la boe…'; de stortregens wassen hun wonden schoon. – Waartoe juist hier de allegorie? Omdat de schrijver zich hier verheffen wil op

een gedachtenniveau boven dat van de alledaagse gebeurtenissen, die zijn dagboek in de regel beschrijft. Hij heeft behoefte, om de vreselijke gebeurtenissen
te zien als gesproten uit iets meer dan een toeleg van personen, en de allegorie
dient hem als uitdrukkingsmiddel van het tragisch besef.

Hoe levend de functie der personificatie en allegorisering nog in de laatste
Middeleeuwen was, blijkt juist daar, waar zij ons het meest stoort. Wij kunnen
een allegorie nog enigermate genieten in tableau-vivant, de geijkte figuren behangen met onwezenlijke draperie, die aan iedereen zegt, dat het maar gekheid
is. Maar de vijftiende eeuw kan de allegorische figuren zo goed als de heiligen
nog laten rondlopen in de kleren van de dag. En zij kan ieder ogenblik nog
nieuwe verpersoonlijking scheppen voor elke gedachte, die zij wil uitdrukken.
Als Charles de Rochefort in *l'Abuzé en court* de moraliteit wil verhalen van de
lichtzinnige jongeling, die door het hofleven op 't slechte pad wordt gebracht,
schudt hij een ganse reeks nieuwe allegorieën in de trant van de *Rose* uit zijn
mouw; en al die voor ons zo bleke wezens: Fol cuidier, Folle bombance, tot het
eind, wanneer Pauvreté en Maladie de jongeling meenemen naar het hospitaal,
treden in de miniaturen die het gedicht verluchten op als jonkers van de tijd;
zelfs le Temps heeft geen baard of zeis van node, en komt in wambuis en hozen.
Ons maken de illustraties met hun naieve strakheid de voorstelling van dat alles
al te primitief: al het tere en bewegelijke, dat de tijd zelf in die concepties voelde, is voor ons vervluchtigd. Juist in hun alledaagsheid ligt het kenmerk van
hun levendheid. Het heeft voor Olivier de la Marche niets storends, dat de
twaalf deugden, die een entremets bij het hoffeest van Rijsel in 1454 vertonen,
nadat hun versje is voorgelezen, aan het dansen gaan 'en guise de mommerie et
à faire bonne chiere, pour la feste plus joyeusement parfournier'[1]. – Aan deugden en aandoeningen verbindt zich een mensvormige voorstelling nog enigermate ongewild, maar ook in gevallen, waar voor ons het begrip niets antropo-
morfs zou hebben, schroomt de middeleeuwse geest niet, er een persoon van te
maken. De Vasten als persoonlijke figuur, optrekkend tegen het heir van Vastenavond, is niet een schepping van Breughel's dolle brein; het gedicht *Bataille
de karesme et de charnage*, waarin de kaas tegen de rog, de worst tegen de aal
kampt, stamt reeds uit het laatste der dertiende eeuw, en werd reeds omstreeks
1330 nagevolgd door de Spaanse dichter Juan Ruiz[2]. Ook het spreekwoord kent
hem zo: 'Quaresme fait ses flans la nuit de Pasques'. – In de Paasnacht bakt
Vasten zijn flensjes. Elders gaat zelfs het verbeeldingsproces nog verder: in
sommige Noordduitse steden werd in het koor der kerk een pop opgehangen,
die de Vasten heette; Woensdags vóór Pasen werd deze 'hungerdock' onder de
mis afgesneden[3].

Welk graadverschil is er geweest in de wezenlijkheid der voorstelling tussen de heiligen en de zuiver zinnebeeldige figuren? De eersten hadden de bevestiging der Kerk, hun historisch karakter, hun beelden van hout en steen. Maar de laatsten hadden de aanraking met het eigen zieleleven en met de vrije fantazie. Men kan in ernst twijfelen, of niet Fortune en Faux-Semblant evenveel leven hebben gehad als Sinte Barbara en Sint Christoffel. Vergeten wij niet, dat één figuur, die uit vrije verbeelding was opgekomen buiten elke dogmatische sanctie, meer realiteit heeft verworven dan enige heilige, en hen alle heeft overleefd: de Dood.

Een wezenlijk contrast tussen de allegorie der Middeleeuwen en de mythologie der Renaissance is er eigenlijk niet. Vooreerst begeleiden de mythologische figuren reeds gedurende een goed stuk der Middeleeuwen de vrije allegorie: Venus speelt haar rol in het zuiverst middeleeuwse, wat er gedicht is. Aan de andere kant behoudt de vrije allegorie haar fleur nog lang in de zestiende eeuw en later. In de veertiende eeuw begint als 't ware een wedstrijd tussen allegorie en mythologie. In de gedichten van Froissart treden naast Doux-Semblant, Jonece, Plaisance, Refus, Dangier, Escondit, Franchise een zonderling stel van soms onkenbaar verminkte mythologemen op: Atropos, Cloto, Lachesis, Telephus, Ydrophus, Neptisphoras! De goden en godinnen leggen het in volheid van verbeelding nog af bij de personages van de *Rose*; zij blijven nog hol en schimmig. Of zij worden, als zij 't rijk alleen hebben, uitermate barok en onklassiek, zoals in de *Epistre d'Othéa à Hector* van Christine de Pisan. Het komen der Renaissance is de omkering van die verhouding. Gaandeweg winnen de Olympiërs en de nimfen het van de *Rose* en de Sinnekens. Uit de rijkdommen der oudheid stroomt hun een volheid toe van stijl en sentiment, een dichterlijke schoonheid, en bovenal een eenheid met het natuurgevoel, waarbij de eens zo levende allegorie verbleekte en verdween.

Het symbolisme met zijn dienares de allegorie was een speling van het vernuft geworden; het zinrijke werd zinloos. De symbolische denkwijze belemmerde de ontplooiing van het causaal-genetische denken. Niet dat dit door het symbolisme werd uitgesloten; het natuurlijk-genetisch verband der dingen had zijn plaats naast het symbolisch verband, maar het bleef onbelangrijk, zolang de belangstelling zich niet verplaatst had van het symbolisme naar de natuurlijke ontwikkeling. Een voorbeeld ter verduidelijking. Voor de verhouding van het geestelijk en het wereldlijk gezag stonden in de Middeleeuwen twee symbolische vergelijkingen vast: het zijn de twee hemellichamen, zoals God ze bij de schepping het een boven het ander had gesteld, en het zijn de twee zwaarden, die de discipelen bij zich hadden, toen Christus gevangengenomen werd. Deze

214

symbolen nu zijn voor de middeleeuwse gedachte geenszins slechts een geestige vergelijking; zij geven de grond aan der gezagsverhouding, die zich aan dat mystisch verband niet mag onttrekken. Zij hebben dezelfde voorstellingswaarde als dat Petrus de rots der Kerk is. De dwang van het symbool staat het onderzoek naar de historische ontwikkeling der beide machten in de weg. Wanneer Dante dit laatste als noodzakelijk en beslissend onderkent, dan moet hij, in zijn *Monarchia*, eerst de kracht van het symbool ontzenuwen, door zijn toepasselijkheid te bestrijden, eer de weg vrij is voor het historisch onderzoek.

Een woord van Luther keert zich tegen de euvelen van de willekeurige, beuzelachtige allegorie in de godgeleerdheid. Hij spreekt van grootmeesters der middeleeuwse theologie, van Dionysius de Kartuizer, van Guilielmus Durandus, de schrijver van het *Rationale divinorum officiorum*, van Bonaventura en Gerson, als hij uitroept: 'die allegorische studiën zijn het werk van lieden zonder bezigheid. Of meent gij, dat het mij moeilijk zou vallen, over elke geschapen zaak met allegorieën te spelen? Wie is zo gering van vernuft, dat hij zich niet in allegorieën zou kunnen beproeven!'[1]

Het symbolisme was een gebrekkige uitdrukking voor vast geweten samenhangen, zoals zij ons soms bewust worden bij het horen van muziek. – 'Videmus nunc per speculum in aenigmate'. Men wist, dat men in een raadsel zag, en toch had men getracht, de beelden in de spiegel te onderscheiden, en beelden met beelden verklaard, en spiegel tegenover spiegel gezet. De ganse wereld lag verbeeld in zelfstandige figuren: het is een getijde van overrijpheid en uitbloeiing. De gedachte was al te afhankelijk geworden van de verbeelding; de visuele aanleg, de laatste Middeleeuwen zo bovenmate eigen, was oppermachtig geworden. Alle denkbaarheden waren plastisch en picturaal geworden. De wereldvoorstelling had de rust bereikt van een kathedraal in het maanlicht, waarin de gedachte kon gaan slapen.

16

REALISME EN HET BEZWIJKEN
DER VERBEELDING IN DE MYSTIEK

Het symbolisme was als de levende adem der middeleeuwse gedachte. De gewoonte om alle dingen in hun zinrijk verband en hun betrekking tot het eeuwige te zien, hield in de denkbeeldenwereld de schittering gaande van verschietende kleuren en de wisseling van vervloeiende grenzen. Wanneer de symboliserende functie òf uitblijft, òf louter mechanisch is geworden, dan wordt het grootse gebouw der van God gewilde afhankelijkheden een necropool. Een systematisch idealisme, dat overal de betrekkingen tussen de dingen stelt krachtens hun als essentieel beschouwde algemene hoedanigheid, leidt licht tot starheid en onvruchtbare classificering. De indeling en onderverdeling der begrippen, enkel deductief verricht, is zo gemakkelijk; de ideeën laten zich zo gewillig rangschikken aan het gewelf van de wereldbouw. Er is behoudens de regelen der abstracte logica geen correctief, dat ooit een fout in de classificatie aanwijst, en daardoor wordt de geest misleid omtrent de waarde van zijn denkarbeid, en de stelligheid van het systeem wordt overschat. Elke notie, elk begrip staat als een ster aan het firmament. Om van enig ding het wezen te kennen, vraagt men niet naar zijn inwendige bouw, ziet men niet naar de lange schaduw der geschiedenis achter het, maar kijkt op naar de hemel, waar het straalt als idee.

De gewoonte om de dingen altijd te verlengen met een hulplijn naar de kant der idee komt voortdurend uit in de middeleeuwse behandeling van elke staatkundige, maatschappelijke of zedelijke twistvraag. Men kan ook het geringste en meest alledaagse niet anders beschouwen dan in een universeel verband. Er is bijvoorbeeld aan de universiteit van Parijs een geschil gaande, of er voor de graad van licentiaat enige betaling te eisen valt. Pierre d'Ailly zelf neemt het woord, om tegen de kanselier der universiteit de vordering te bestrijden. In plaats dat nu de eis getoetst wordt aan zijn historische gronden of onderzocht op zijn geldigheid in het positieve recht, wordt het vertoog geheel scholastiek opgezet: uitgaande van de tekst 'radix omnium malorum cupiditas', stelt d'Ailly een drieledig te-bewijzen: dat het vorderen van dat recht simonie is, dat het strijdt tegen het natuurlijk en goddelijk recht, en dat het ketterij is[1]. – Om zekere ongebondenheden te berispen, die een bepaalde processie ontsieren, haalt Dionysius de Kartuizer alles wat processies betreft van oorsprong af op: hoe het toeging onder de oude wet enz.[2], zonder eigenlijk op de zaak zelf in te gaan. Dit is wat bijna elk middeleeuws betoog zo vermoeiend en teleurstellend maakt: het wijst terstond naar de hemel, en verdwaalt van den beginne af in Schriftgevallen en morele algemeenheden.

Het volkomen doorgewerkt idealisme openbaart zich overal. Van elke levens-vorm, elke maatschappelijke staat of beroep staat een godsdienstig-zedelijk ideaal omschreven, waarnaar iedereen zichzelf te reformeren heeft al naar de eis van zijn bijzonder beroep, om de Heer waardig te dienen[3]. Men heeft iets van de nieuwe tijd, iets wat de Hervorming aankondigt, willen zien in de nadruk, waarmee Dionysius de Kartuizer de heiligheid van het aards 'beroep' op de voorgrond stelt. Hij heeft in zijn tractaten *De vita et regimine nobilium* enz., die hij voor zijn vriend Brugman tenslotte samenvatte in twee boeken *De doctrina et regulis vitae christianorum*, aan elk beroep het ideaal van heiligende plichtsver-vulling voorgehouden; de bisschop, prelaat, aartsdiaken, kanunnik, pastoor, scholier, de vorst, de edelman, de ridders, de kooplieden, de gehuwden, we-duwen, maagden, kloosterlingen[4]. Maar juist in die strenge verbijzondering van elke staat als iets zelfstandigs ligt iets echt middeleeuws, en die uitwerking van die plichtenleer heeft dat abstracte en algemene, dat nergens in de werke-lijke sfeer van het behandelde beroep zelf binnenleidt.

In die herleiding van alles tot het algemene ligt de eigenschap, die onder de naam typisme door Lamprecht als de bij uitstek kenmerkende van de middel-eeuwse geest is gesteld. Zij is echter veeleer een gevolg van die onderschikken-de behoefte van de geest, welke voortspruit uit het ingewortelde Idealisme. Het is niet zozeer een vermogen om het bijzondere aan de dingen te zien, als de be-wuste wil om overal de zin der dingen aan te duiden in hun betrekking tot het hoogste, hun zedelijke idealiteit, hun algemene betekenis. Men zoekt in alles juist het onpersoonlijke, de gelding als model, als standaardgeval. Het gebrek aan individuele opvatting is tot zekere hoogte opzettelijk, eer een uitvloeisel van de allesbeheersende universalistische denkgewoonte dan een kenmerk van een geringe geestelijke ontwikkelingsgraad.

De werkzaamheid bij uitnemendheid van de middeleeuwse geest was het uit-eenleggen van de ganse wereld en het ganse leven in zelfstandige ideeën, en het rangschikken van die ideeën in grote en talrijke leenverbanden of hiërarchieën van gedachte. Vandaar die vatbaarheid van de middeleeuwse geest om elke kwaliteit uit het complex van een geval af te zonderen in haar wezenlijke zelf-standigheid. Wanneer de bisschop Fulco van Toulouse erop wordt aangezien, dat hij een Albigensische vrouw een aalmoes geeft, antwoordt hij: 'Ik geef niet aan de ketterse maar aan de arme'[1]. En de Franse koningin, Margareta van Schotland, die de slapende dichter Alain Chartier op de mond kust, veront-schuldigt zich: 'Je n'ay pas baisé l'homme mais la précieuse bouche de laquelle sont yssuz et sortis tant de bons mots et vertueuses paroles'*. Een spreekwijze zeide: 'Haereticare potero, sed haereticus non ero'[2]. – Is dit alles niet op het ge-bied van het gewone denken wat in de opperste speculatiën der theologie een onderscheiding was als die van God's voluntas antecedens, krachtens welke hij allen zalig wil, en de voluntas consequens, die slechts de uitverkorenen geldt?[3]

Het wordt een slapeloos doordenken van alle dingen, zonder de beperking van het werkelijk waargenomen oorzakelijk verband, een schier automatische analyse, die tenslotte uitloopt op een eeuwig nummeren. Geen gebied lokte tot die doorwerking zozeer uit als dat der deugden en zonden. Elke zonde heeft haar vast getal van oorzaken, haar soorten, haar dochteren, haar schadelijke werkin-gen. Twaalf dwaasheden, zegt Dionysius, misleiden de zondaar: hij verblindt zichzelven, hij verstrikt zich aan de duivel, hij slaat de hand aan zichzelven, hij versmijt zijn rijkdom (de deugd), hij verkoopt zich voor niets (terwijl hij zelf ge-kocht is voor Christus' bloed), hij keert zich af van de allertrouwste minnaar, hij meent de almachtige te weerstaan, hij dient de duivel, hij verwerft zich on-vrede, hij opent zich de toegang der hel, verspert zich de weg naar de hemel, en gaat die ter helle op. Elk nummer wordt met Schriftplaatsen, beelden en bijzon-derheden geïllustreerd, verbeeld, vastgelegd, zodat het de stellige zekerheid en zelfstandigheid krijgt van een figuur aan een kerkportaal. Terstond daarop wordt dezelfde reeks opnieuw in diepere zin gegrond. Uit zeven oogpunten moet de zwaarte der zonde worden overdacht: uit het oogpunt Gods, uit dat van de zondaar, van de stof, van de omstandigheden, van de bedoeling, van het wezen der zonde zelf, en van de gevolgen. Sommige dier punten zijn weer on-derverdeeld in acht, in veertien, bijvoorbeeld het tweede: de zonde is zwaarder naar mate van beweldadigheid, van kennis, van voormalige deugd, van het ambt, de wijding, van de gemakkelijkheid om weerstand te bieden, van de gelofte, van de leeftijd. Er zijn zes zwakheden des geestes, die tot de zonde geschikt maken[4]. Het is alles juist zo als in het Boeddhisme: ook daar die morele systematiek om houvast te geven aan de oefeningen der deugd.

* Alain Chartier, Œuvres, p. xi. De anecdote is enkel als getuigenis voor een tijdsgedachte van waarde; Alain Chartier stierf in 1429, en Margareta kwam eerst in 1435 als elfjarig kind in Frankrijk; zie P. Champion, Hist. poétique du XVe siècle, I p. 131[4].

Deze anatomie der zonde zou licht het zondigheidsbesef, dat zij versterken moet, verzwakken door het af te leiden op het uitpluizen der classificatie, wanneer niet tegelijk de fantazie der zonde en de verbeelding der straf tot het uiterste waren geëxaspereerd. Niemand kan in het tegenwoordige leven de enormiteit der zonde volkomen bevatten of ten volle verstaan[1]. Alle morele voorstellingen worden met een ondragelijk overwicht beladen, door ze steeds weer in onmiddellijke betrekking te stellen tot Gods majesteit. Bij elke zonde, ook de geringste, is het heelal betrokken. Gelijk de Boeddhistische litteratuur het applaus der hemelingen met bloemenregens, lichtschijn en zachte beving der aarde kent bij een grote daad van een Bodhisattva, zo hoort Dionysius, somberder gestemd, hoe alle gezaligden en rechtvaardigen, de hemelse sferen, alle elementen, ja zelfs de onredelijke wezens en onbezielde dingen wraak roepen over de onrechtvaardigen[2]. Zijn proeve om door gedetailleerde beschrijving en opzettelijke verbeeldingen ter benauwing de vrees voor zonde, dood, oordeel en hel tot het allersmartelijkste aan te scherpen, mist haar ijzingwekkende werking niet, misschien juist door haar ondichterlijkheid. Dante had de duisternissen en gruwelijkheden der hel met schoonheid aangeraakt: Farinata en Ugolino zijn in hun verworpenheid heroïsch, en de klapwiekende Lucifer vertroost ons door zijn majesteit. Doch een bij al zijn mystische intensiteit toch volkomen ondichterlijke monnik als Dionysius de Kartuizer geeft de hel als pure angst- en ellendigheidsvoorstelling. De lichamelijke pijnen en smarten worden in schroeiende kleuren geschilderd. De zondaar moet opzettelijk trachten, het zich zo levendig mogelijk voor te stellen. 'Laten wij ons voor ogen verbeelden – zegt Dionysius – een allerheetste en allergloeiendste oven, en daarin liggende een naakte man, die nimmer uit zulk een pijniging zal worden verlost. Zal ons niet die kwelling, ja het gezicht ervan alleen, ondragelijk schijnen? Hoe rampzalig zou ons die man dunken! Denken wij, hoe die man zich heen en weer zou werpen in die oven, hoe hij zou schreeuwen, zou huilen, zou *leven*, welk een angst hem persen zou, welk een smart hem zou doordringen, vooral wanneer hij bemerkte, dat zulk een ondragelijke straf nooit zou eindigen.'[3]

Men denkt onwillekeurig: hoe konden zij, die zich zulke voorstellingen van helse pijn voor ogen stelden, een mens op aarde levend doen verbranden? De heetheid van het vuur, de gruwelijke koude, de walgelijkheid der wormen, de stank, de honger en dorst, de kluistering en de duisternis, de onuitsprekelijke vuilheid der hel, het eindeloos weerklinken van gehuil en geschreeuw in de oren, het gezicht der duivelen, het wordt alles als de verstikkende wade van een angstdroom over ziel en zinnen van de lezer gespreid. Maar nog scherper is de benauwing met de cerebrale smarten: de rouw, de vrees, het holle gevoel van een oneindig gemis en verworpenheid, de onzegbare haat tegen God en nijd over de zaligheid van al zijn uitverkorenen; in het brein niets dan verwarring en drukking, het bewustzijn vol van dwaling en valse voorstelling, verblinding en wanbegrippen. En het weten, dat dit alles zal zijn in eeuwigheid, wordt door kunstige vergelijkingen tot een zwijmelende verschrikking opgevoerd[1].

Dat de vrees voor de eeuwige pijn, hetzij inslaande als een plotselinge 'goddelijke angst', hetzij knagende als een lange ziekte en druk, telkens als motief tot inkeer en devotie wordt vermeld, behoeft bewijs noch betoog[2]. Alles was daarop toegelegd. Een traktaat van de Vier uitersten: dood, oordeel, hel en eeuwig leven, misschien vertaald naar dat van Dionysius, was de gewone tafellectuur voor de gasten van het klooster Windesheim[3]. Wel een bittere kruiding van de maaltijd. Maar met zo scherpe middelen werd altijd weer de zedelijke volmaking aangedrongen. De middeleeuwer is als iemand, die reeds te lang met te sterke geneesmiddelen is bewerkt. Hij reageert slechts op de krachtigste prikkels. Om de loffelijkheid van een deugd ten volle te doen schitteren, kunnen voor de middeleeuwse geest slechts die uiterste exempelen dienen, waarbij een minder geëxaspereerd zedelijkheidsbesef de deugd reeds in haar karikatuur zou zien verkeerd. Voor het geduld het voorbeeld van Sint Aegidius, die door een pijl gewond, God bad, dat zijn wonde, zolang hij leefde, niet mocht genezen. Voor matigheid de heiligen, die as in hun spijzen mengden, voor kuisheid zij, die een vrouw bij zich in bed namen, om hun vastheid te beproeven, of de jammerlijke fantazieën van de maagden die, om de belager harer kuisheid te ontgaan, een baard kregen of geheel ruig behaard werden. Of wel de prikkel wordt gevonden in het exorbitante van het voorbeeld in verband met de leeftijd van de voorbeeldigen: Sint Nicolaas weigerde op hoge feestdagen de moedermelk; voor standvastigheid beveelt Gerson het voorbeeld aan van Sint Quiricus, een martelaartje van drie jaren of zelfs negen maanden, die zich door de prefect niet wou laten troosten, en in de afgrond werd geworpen[4].

De behoefte om de heerlijkheid der deugd in zo sterke dosering te genieten staat ook alweer in verband met het allesbeheersende Idealisme. Het zien van de deugd als idee onttrok om zo te zeggen aan haar waardering de bodem van het werkelijke leven; haar schoonheid werd gezien in haar zelfstandig wezen als uiterste volmaking, niet in haar moeizame betrachting van iedere dag onder vallen en opstaan.

Het middeleeuwse Realisme (dus gelijk hyper-idealisme) moet ondanks alle inslag van gekerstend neoplatonisme beschouwd worden als een primitieve geesteshouding. Al had de filosofie het realisme als geesteshouding gesublimeerd, klaar en ijl gemaakt, als levenshouding bleef het die van de primitieve mens, die aan alle abstracte dingen wezen en substantie toekent. Kan men de hyperbolische verering der deugd in haar ideaalste vorm als een hoog-religieuze gedachte aanmerken, in haar tegenkant: de verachting der wereld, ziet men duidelijk de schakel, die het middeleeuwse denken nog aan de gedachtenvormen van een verre voortijd verbindt. Ik bedoel het feit, dat de traktaten 'de contemptu mundi' zich niet kunnen losmaken van een overmatig gewicht hechten aan de slechtheid van het lichamelijke. Niets weegt hun zo zwaar als motief om de wereld te versmaden als de afstotelijkheid der lichaamsverrichtingen, met name die van uitscheiding en voortplanting. Het is het poverste gedeelte der middeleeuwse zedeleer: die afschuw van de mens als zijnde 'formatus de spurcissimo spermate, conceptus in pruritu carnis'[1]. Het zou een in haar tegendeel omgeslagen zinnelijkheid kunnen zijn; buitendien is het zeer stellig een uitloper van die primitieve vorm van Realisme, die den wilde in excrementen en in alles wat conceptie en geboorte begeleidt, magische substanties en potenties doet vrezen. Er loopt een rechte en niet zeer lange lijn tussen de magische vrees, waarmee de natuurvolken zich afwenden van de vrouw in haar vrouwelijkste verrichtingen, en de ascetische vrouwenhaat en -smaad, die sedert Tertullianus en Hieronymus de christelijke litteratuur had ontsierd.

Alles wordt stoffelijk gedacht. Nergens spreekt dit zo duidelijk als in de leer van de thesaurus ecclesiae, de schat van de overvloedige verdiensten (operum supererogationum) van Christus en alle heiligen. Hoewel het begrip van zulk een schat en de voorstelling, dat ieder gelovige als lid van het corpus mysticum Christi, de Kerk, deel heeft in die schat, reeds zeer oud is, komt de leer, dat deze goede werken een onuitputtelijke voorraad vormen, die door de Kerk, met name door de paus, in 't klein kan worden gesleten, eerst op in de dertiende eeuw. Alexander van Hales is de eerste, die thesaurus gebruikt in de technische zin, die het woord sedert behouden heeft[2]. Niet zonder tegenstand drong de leer door, om haar volkomen uiteenzetting en omschrijving te vinden in de bul Unigenitus van Clemens VI, 1343. De schat wordt daar geheel gedacht als een kapitaal, door Christus aan Petrus en zijn opvolgers toevertrouwd, en dat nog dagelijks toeneemt, immers hoe meer mensen door de besteding van die middelen tot rechte wandel worden getrokken, hoe meer de opeenhoping van dezelve verdiensten aangroeit[3].

Werden de goede werken zo substantieel gedacht, dan moest die opvatting ook en nog sterker wellicht gelden van de zonde. De Kerk leerde weliswaar met nadruk, dat de zonde geen essentie of geen ding was[4], doch haar eigen techniek der zondenvergeving, tezamen met de bonte verbeelding en uitgewerkte systematiek der zonde, kon niet anders dan in het onwetend gemoed de overtuiging vestigen, als ware de zonde een substantie (zoals zij in de Atharvaveda wordt gezien). Hoe moest, ook al bedoelde Dionysius slechts vergelijkingen, de substantiële opvatting der zonde, als een smetstof, gevoed worden, wanneer hij haar gelijk noemt aan een koorts, een koud, bedorven, overtollig lichaamsvocht[1]. Het recht, dat zich niet zo angstvallig om dogmatische zuiverheid te bekommeren had, weerspiegelt zulk een opvatting, wanneer de Engelse juristen werken met de voorstelling, dat er in felonie een corruptie van het bloed aanwezig is[2]. Haar sterkste en ook haar innigste uiting vindt deze hypersubstantiële opvatting ten opzichte van het bloed van de Verlosser: het is een reële stof, één droppel zou genoeg zijn geweest, om de wereld te verlossen, maar er is een overvloed gegeven, zegt Sint Bernard*. Sint Thomas legde deze voorstelling neer in een zijner hymnen:

> *Pie Pelicane, Jesu domine,*
> *Me immundum munda tuo sanguine,*
> *Cuius una stilla salvum facere*
> *Totum mundum quit ab omni scelere.*

En dit is genoeg, om ons te doen bedenken, dat ons oordeel aangaande het primitief karakter der gedachte niet voor het laatste woord van wijsheid te houden is.

Bij Dionysius de Kartuizer zien wij een wanhopige worsteling om de voorstellingen van het eeuwig leven uit te drukken in termen van ruimtelijke uitgebreidheid. Het eeuwige leven is van een onmetelijke waardigheid; God in zich zelven te genieten, is een oneindige volmaaktheid; in de Verlosser was nodig een oneindige waardigheid en afdoendheid (efficacia); de zonde is van oneindige enormiteit, omdat zij een uitspatting is tegen de onmetelijke heiligheid; daarom wordt een genoegdoener van onmetelijke geschiktheid vereist[3]. Het negatieve ruimte-adjectief moet hier steeds het gewicht, de potentie van het heilige voorstelbaar maken. Om de eeuwigheidsvoorstelling in te boezemen, laat Dionysius een beeld dienen: denk u een zandberg zo groot als het heelal; om de tien- of honderdduizend jaar wordt van die berg een korreltje afgenomen. Die berg zal opraken. Maar na zulk een onbeseffelijke tijdsduur zal de hellestraf nog niet verminderd zijn, en niet dichter bij haar einde, dan toen het eerste korreltje van de berg werd afgenomen. En toch, als de verdoemden wisten, dat zij bevrijd zouden worden, wanneer die berg op was, zou het hun een grote troost zijn.[4]

Zijn het de hemelvreugden, of Gods majesteit, die men wil uitdrukken, dan

---

* Dezelfde gedachte in de bul Unigenitus, zoëven vermeld. Vergelijk Marlowe, Faustus: 'See, where Christ's blood streams in the firmament! One drop of blood will save me'.

wordt het enkel een zich overschreeuwen van de gedachte. Hemelvreugde blijft in de uitdrukking altijd uiterst primitief. Een zo felle visie van geluk als van vreselijkheid kan de menselijke taal niet geven. Om de overmaat van het lelijke en ellendige nog te verergeren, behoefde men slechts dieper te dalen in de spelonken der menselijkheid, maar om de opperste gelukzaligheid te beschrijven moest men de nek verrekken in het opzien naar de hemel. Dionysius put zich uit in wanhopige superlatieven, dat is een louter mathematische versterking van de voorstelling, zonder verheldering of verdieping ervan*: "Trinitas supersubstantialis, superadoranda et superbona... dirige nos ad superlucidam tui ipsius contemplationem'. De Heer is 'supermisericordissimus, superdignissimus, superamabilissimus, supersplendidissimus, superomnipotens et supersapiens, supergloriosissimus'[1].

Maar wat hielp het opeenstapelen van al-termen, van voorstellingen van hoogte, wijdheid, onmetelijkheid en onuitputtelijkheid? Het bleven altijd beelden, altijd het herleiden van het oneindige tot eindigheidsvoorstellingen, en daarmee de verzwakking en veruiterlijking van het oneindigheidsbesef. Eeuwigheid wàs geen onmeetbare tijd. Elke sensatie, die uitgedrukt was, verloor haar onmiddellijkheid; elke eigenschap, aan God toegekend, ontnam hem iets van zijn ontzaglijkheid.

Nu begint de geweldige worsteling, om met de geest tot de volstrekte beeldeloosheid der Godheid op te klimmen. Aan geen cultuur of tijdperk gebonden, is zij overal en altijd weer gelijk. 'There is about mystical utterances an eternal unanimity which ought to make a critic stop and think, and which brings it about that the mystical classics have, as has been said, neither birthday nor native land'[2]. – Maar de steun der verbeelding kan niet aanstonds worden prijsgegeven. Stuk voor stuk wordt het ontoereikende der uitdrukking erkend. De concrete belichamingen der idee, en de veelkleurige gewaden der symboliek vallen het eerst weg: dan is er geen sprake meer van bloed en genoegdoening, niet meer van eucharistie, niet meer van Vader, Zoon en Heilige Geest. In Eckhart's mystiek wordt Christus bijna niet meer genoemd, en evenmin de Kerk en de sacramenten. Doch de uitdrukking van het mystische schouwen van het Zijn, de Waarheid, de Godheid, blijft ook dan nog gebonden aan natuurlijke voorstellingen: van licht, van uitgebreidheid. Dan slaan deze om in het negatieve: stilte, ledigheid, duisternis. Dan wordt ook van die vorm- en inhoudloze begrippen het ontoereikende erkend, en men tracht hun gebrekkigheid op te heffen door ze voortdurend te koppelen aan hun tegenstelling. Tenslotte blijft niets over dan de zuiverste negatie; de Godheid, die in niets wat bestaat gekend

* Het gebruik der supertermen ontleent hij reeds aan Dionysius Areopagita.

wordt, omdat zij alles te boven gaat, wordt door de mysticus Niets genoemd. Zo Scotus Erigena[1], zo Angelus Silesius, waar hij dicht:

> *Gott ist ein lauter Nichts, ihn rührt kein Nun noch Hier;*
> *Je mehr du nach ihm greifst, je mehr entwird er dir*[2].

Dit voortschrijden van de schouwende geest tot de prijsgave van elke verbeelding is in werkelijkheid natuurlijk niet in die strikte volgorde geschied. De meeste mystische uitingen vertonen al die fasen gelijktijdig en dooreen. Zij zijn aanwezig bij de Indiërs, zij zijn volkomen ontwikkeld reeds bij de Pseudo-Dionysius Areopagita, de bron van alle christelijke mystiek, zij zijn herleefd in de Duitse mystiek der veertiende eeuw*.

Ziehier een voorbeeld uit de revelaties van Dionysius de Kartuizer[3]. Hij spreekt met God, die toornig is. 'Bij dit antwoord zag de broeder, naar binnen gekeerd, zich als in een sfeer van onmetelijk licht geplaatst, en allerzoetst, in een ontzaglijke kalmte, riep hij met een heimelijk niet naar buiten klinkend roepen tot de allerheimelijkste en waarlijk verborgene, onbegrijpelijke God: O overbeminnelijkste God, gij zijt zelf het licht en de sfeer des lichts, waarin uw uitverkorenen zoet ter ruste gaan, bekomen, sluimeren en inslapen. Gij zijt als een allerwijdste, allervlakste en ondoorloopbare woestenij, waarin de waarlijk vrome geest, geheel gezuiverd van bijzondere liefde, van boven verlicht en krachtig ontvlamd, zwerft zonder dwalen, en dwaalt zonder zwerven, zaliglijk bezwijkt en onbezweken geneest.' Hier is eerst de lichtverbeelding, nog positief, dan die van de slaap, daarna die van de woestenij (de uitgebreidheidsvoorstelling in twee dimensies), eindelijk de elkaar opheffende tegenstellingen.

Het beeld der woestenij – dat is de horizontale ruimtevoorstelling, wisselt af met dat van de afgrond – dat is de verticale ruimtevoorstelling. Dit laatste was een geweldige vondst der mystische verbeelding. De uitdrukking toch van de eigenschapsloosheid der godheid in Eckhart's woorden van 'de wijzeloze en vormeloze afgrond der stille, woeste godheid', gaf bij het begrip van een oneindigheid tevens het gevoelsmoment van een duizeling. Van Pascal heet het, dat hij voortdurend een afgrond naast zich zag: zulk een gewaarwording is hier als 't ware tot een vaste mystische term herleid. Met deze beelden van de afgrond en de stilte wordt de levendigste uitdrukking van de onbeschrijfelijke mystieke beleving bereikt. 'Wol uf dar, herz und sin und muot, – jubelt Suso –

---

* M. van Asbeck schat, gelijk reeds uit haar titel (zie hierboven p. 200 noot 1) blijkt, het neoplatonische element in de Duitse mystiek en in Ruusbroec weer veel hoger dan het sedert ontdekking van de thomistische grondslagen dier mystiek gebruikelijk was.

in daz grundlos abgründ aller lieplichen dingen!'[1] Meister Eckhart in zijn adem-
loze strakheid: 'De vonk (der ziel, de mystische kern van het enkele wezen)
heeft niet genoeg aan Vader, noch aan Zoon, noch aan Heilige geest, noch aan de
drie personen, zoverre als elk dezer bestaat in hun eigenschap. Ik spreek waarlijk, dat dit licht niet genoeg heeft aan de eenbaarheid van de vruchtbare aard
goddelijker natuur. Ik wil nog meer spreken, dat nog wonderlijker klinkt: ik
spreek met goede waarheid, dat dit licht niet genoeg heeft aan het eenvoudige,
stilstaande goddelijke wezen, dat noch geeft noch neemt; meer: het wil weten,
vanwaar dit wezen komt, het wil in de eenvoudige grond, in de stille woestenij,
waar nimmer onderscheid in te schouwen was, noch Vader, noch Zoon, noch
Heilige geest, in het innige, waar niemand tehuis is, daar vindt dat licht genoeg,
en daar is het eniger dan in zich zelve, want deze grond is een eenvoudige stilte,
die in zich zelve onbewegelijk is.' – De ziel wordt alleen daardoor volkomen
zalig, 'dat zij zich werpt in de woeste godheid, waar noch werk noch beeld is,
dat zij zich daar verlieze en verzinke in de woestenij'[2].

Bij Tauler: 'In dezen verzinkt de gelouterde, verklaarde geest in de goddelijke
duisternis, in een stille zwijgen en in een onbegrijpelijk en onuitsprekelijk ver-
enen, en in dit inzinken wordt verloren alle gelijk en ongelijk, en in deze afgrond
verliest de geest zichzelve en weet van God noch van zich zelve, noch gelijk,
noch ongelijk, noch van niets iets, want hij is gezonken in Gods enigheid en
heeft verloren alle onderscheiden'[3].

Bij Ruusbroec worden al de middelen tot uitdrukking van de mystische beleving nog plastischer aangewend dan bij de Duitsers.

> *Roept dan alle met openre herten:*
> *O gheweldich slont!*
> *Al sonder mont,*
> *Voere ons in dinen afgront;*
> *Ende make ons dine minne cont.*

Het genieten van de zaligheid der vereniging met God 'is wilt ende woeste, alse
een verdolen; want daer en is wise, noch wech, noch pat, noch zate, noch mate'.
'Daer in selen wi sijn ons selven onthoecht, ontsonken, ontbreit ende ontlangt
(opheffing van alle ruimtevoorstellingen) in ene eewighe verlorenheit sonder
wederkeer'[4]. De genieting der zaligheid is zo groot, 'dat God ende alle heylighen
ende dese hoghe menschen (die haar beleven) hierin verswolghen sijn in onwisen,
dat is in een niet weten ende in ene ewighe verlorenheit'[5]. God geeft de weelde
der zaligheid aan allen gelijk, 'maer die se ontfaen die sijn onghelijc: nochtan
blivet hem allen over, na der ghebrukelicheit in der verenicheit', d.w.z. zij kun-

nen, wat betreft het genieten der zaligheid in de vereniging met God, niet alle weelde op, die hun geschonken wordt. 'Mer na der verlorenheit in der woestinen demsterheit, daer en blivet niet over: want daer en is gheven noch nemen, mer een simpel eenvoldich wesen. Daer is God ende alle die verenichde in versonken ende verloren, ende nimmermeer en moghen se hem vinden in desen wiselosen wesene'[1].

Al de negaties zijn verenigd in het volgende. 'Hier na volcht die sevende trappe (van minnen), dat edelste ende dat hoechste dat men leven mach in tijt ende in ewicheit. Dat is, alse wi, boven al bekinnen ende weten, in ons bevinden een grondeloos niet weten; alse wi boven alle name die wi Gode gheven ofte creaturen, versterven ende overliden in ene ewighe onghenaemtheit daer wi ons verliesen: ende alse wi, boven alle oefeninghen van doechden, in ons aensien ende bevinden ewighe ledicheit, daer nieman in werken en mach; ende boven alle salige gheeste, ene grondelose salicheit, daer wi alle één sijn, ende dat selve één dat die salicheit selve es, in haers selfsheit: ende alse wi aensien alle salighe gheeste, weselic ontsonken, ontvloten ende verloren in haer overwesen, in ene wiselose onbekende demsterheit.'[2] In de eenvoudige, wijzeloze zaligheid vergaat alle onderscheid der creaturen: 'Dair ontvallen si hem selven in ene verlorenheit, ende in onwetene sonder gront; daer is alle claerheit wederboecht in deimsterheit, daer die drie persone wiken der weseliker enicheit'[3].

Het is altijd weer de vruchteloze poging om alle beelden op te geven, om uit te drukken 'onsen ledighen staet, dats bloete onghebeeltheit', die God alleen geven kan. 'Hi maect ons bloet van alle beelden, ende trect ons in ons begin: daer en vinden wi anders niet dan wilde, woeste, onghebeelde bloetheit, die altoes antwoert* der ewicheit.'[4]

In deze aanhalingen uit Ruusbroec zijn ook de twee laatste beschrijvingsmiddelen reeds uitgeput: het licht, dat in duister verkeert, en de zuivere negatie, het afzien van alle weten. Het innigst heimelijke wezen Gods zijn duisternis te noemen, was reeds van de Pseudo-Areopagiet. En zijn naamgenoot, bewonderaar en commentator, de Kartuizer, werkt die term uit. 'En de alleruitmuntendste, onmetelijke, onzichtbare volheid zelve van uw eeuwig licht wordt de goddelijke duisternis genoemd, waarin gij gezegd wordt te wonen, die de duisternis tot uw schuilplaats stelt.'** 'En de goddelijke duisternissen zelve zijn bedekt voor alle licht en verborgen voor alle gezicht, wegens de onomschrijfelijke en ondoordringbare glans der eigen klaarheid.' De duisternis is het niet weten, het op-

---

* beantwoordt aan.
** II Par. 6, 1: Dominus pollicitus est, ut habitaret in caligine. Ps. 17, 13: Et posuit tenebras latibulum suum.

houden van alle begrip: 'Hoe meer de geest uw overschitterend goddelijk licht nadert, hoe voller hem uw onbenaderbaarheid en onbegrijpelijkheid blijken, en als hij de duisternis is ingegaan, bezwijken spoedig alle naam en alle kennen geheel (omne mox nomen omnisque cognitio prorsus deficient). Maar dit zal de geest zijn, u te zien: te zien, dat gij geheel onzichtbaar zijt; en hoe klaarder hij dat ziet, hoe helderder hij u aanschouwt. Naar deze overlichte duisternis bidden wij te mogen worden, o gezegende Drievuldigheid, en door onzichtbaarheid en onwetendheid u te zien en te kennen, die boven alle gezicht en kennis zijt. Aan hen alleen verschijnt gij, die, na al het waarneembare en begrijpbare te zijn te boven gekomen en te hebben achtergelaten, en ook al het geschapene en desgelijks zich zelven, intreden in de duisternis, waarin gij waarlijk zijt'[1].

Zoals het licht in duister verkeert, zo verkeert het hoogste leven in de dood. Als de ziel, zegt Eckhart, begrepen heeft, dat in het rijk Gods geen schepsel komen kan, dan gaat de ziel haar eigen weg en zoekt God niet meer. 'Und allhie so stirbet si iren hohsten tot. In disem tot verleuset di sele alle begerung und alle bild und alle verstentnüzz und alle form und wirt beraubt aller wesen. Und daz seit sicher als got lebt: als wenik als ein tot mensch der leiblich tot ist, sich selber bewegen mag, als wenik mak di sele, di also geistlich tot ist, einik weis oder einik bild vorgetragen einigen menschen. Wann diser geist ist tot und ist begraben in der gotheit.' Ziel, als ge niet uzelve verdrinkt in deze bodemloze zee der godheid, zo kunt gij niet bekennen deze goddelijke dood[2].

Het schouwen Gods door ontkenningen, zegt Dionysius elders, is volkomener dan dat door bevestigingen. 'Want wanneer ik zeg: God is goedheid, zijn (essentia), leven, schijn ik aan te duiden, wàt God is, alsof dat hetgeen hij is, iets gemeen had met of enigszins gelijk ware aan het geschapene, terwijl het vaststaat, dat hij onbegrijpelijk en onbekend, ondoorgrondelijk en onuitsprekelijk is, en van alles wat hij werkt, gescheiden is door een onmetelijke en geheel onvergelijkelijke verschillendheid en uitnemendheid.'[3] – De enigende wijsheid (sapientia unitiva) wordt geheten onredelijk, zinneloos en dwaas[4].

Was de verbeelding overwonnen? – Zonder beeld en metafoor kan geen enkele gedachte worden uitgedrukt, en van het onkenbare wezen der dingen gezegd is ieder woord beeld. Van het hoogste en innigst begeerde enkel in negaties te kunnen spreken, bevredigt het gemoed niet, en telkens als de wijze is uitgepraat, moet de dichter weer komen. Het zoete lyrische gemoed van Suso vond van de sneeuwtoppen van het schouwen altijd weer de weg terug naar de bloemrijke verbeeldingen der oudere Bernardijnse mystiek. Midden in de ekstase der hoogste contemplatie keert al de kleur en vorm der allegorie terug. Suso ziet de eeuwige Wijsheid, zijn geliefde: 'Si swepte hoh ob ime in einem gewülkten throne (hemel): sie luhte als der morgensterne, und schein als diu spilndiu sunne; ire krone waz ewikeit, ire wat waz selikeit, ire wort süzzekeit, ire umbfang alles lustes gnuhsamkeit: si waz verr und nahe, hoh und nider; si waz gegenwürtig und doch verborgen; si liess mit ir umbgan, und moht si doch nieman begriffen'[1].

Er waren nog andere wegen terug van de eenzame hoogten der individuele, vorm- en beeldloze mystiek. Men bereikte die hoogten slechts door het smaken van het liturgisch-sacramentele mysterie heen: eerst het ten volle doorvoeld hebben van het symbolisch-esthetische wonder der dogma's en sacramenten stelde in staat, om alle beeldvormen af te schudden en op te stijgen naar het begriploos schouwen van het al-ene. Maar de geest kon die helderheid niet genieten op de tijd en zo vaak hij het wilde; het bleven momenten van zeldzame begenadiging en korte duur; en dan wachtte beneden altijd weer de Kerk, met haar wijs en spaarzaam systeem van mysterie. De Kerk immers had de aanraking van de geest met het goddelijke in haar liturgie gecondenseerd en geïntensifieerd tot de beleving van bepaalde ogenblikken, en vorm en kleur gegeven aan het mysterie. Daarom heeft zij de teugelloze mystiek altijd overleefd: zij spaarde energie. De Kerk liet de bloeiendste vervoering van esthetische mystiek gerustelijk toe, maar zij vreesde de ware, woeste mystiek, waarin alles waaruit zij was opgebouwd: haar harmonisch symbolisme, haar dogma's en sacramenten, vervlamde en verteerde.

'De eenigende wijsheid is onredelijk, zinneloos en dwaas.' Het pad van de mysticus leidt in de oneindigheid binnen en in de bewustzijnsloosheid. Door het ontkennen van alle wezensgelijkheid tussen de godheid en al het afzonderlijke en benoembare is elke werkelijke transcendentie opgeheven; de brug naar het leven terug is afgebroken. 'Alle crêatûre sint ein lûter niht. Ich spriche niht, daz sie kleine sîn: sie sind ein lûter niht. Swaz niht wesens hât, daz ist niht. Alle crêatûre hânt kein wesen, wan ir wesen swebet an der gegenwertikeit gotes.'[2]

De intensieve mystiek beduidt een terugkeer tot een pre-intellectueel zieleleven. Alles van beschaving gaat erin te loor, wordt overwonnen en overbodig. Indien de mystiek niettemin voor de cultuur rijke vruchten draagt, dan is het omdat zij steeds door voorbereidende staten heen opklimt, en eerst gaandeweg alle levensvorm en cultuur afwerpt. Haar vruchten voor de beschaving draagt zij in haar aanvangstrappen, beneden de boomgrens. Daar bloeit de boomgaard van de zedelijke volmaking, die als voorbereiding van elke schouwende gevorderd wordt: de vrede en zachtmoedigheid, de demping der begeerte, de eenvoud, matigheid, arbeidzaamheid, ernst en innigheid. Zo is het in Indië geweest en zo hier: de aanvangswerking der mystiek is een morele en praktische. Zij is bovenal de beoefening van daadwerkelijke naastenliefde. Al de grote mystieken hebben die praktische werkzaamheid ten zeerste geprezen: heeft niet Meister Eckhart zelf Martha boven Maria gesteld[1], en gezegd, dat men zelfs de ekstase van Paulus moest laten varen, als men een arme met een soepje kon helpen? Van hem over zijn leerling Tauler gaat de lijn der mystiek steeds meer naar de waardering van het praktische element: ook Ruusbroec verheft de stille nederige arbeid, en Dionysius de Kartuizer is de volkomen vereniging in één persoon van de praktische zin voor het dagelijks godsdienstleven en het heftigste individuele mysticisme. Het is in de Nederlanden dat de begeleidende verschijnselen der mystiek: moralisme, piëtisme, liefdadigheid en arbeidzaamheid, hoofdzaak worden; dat zich uit de intensieve mystiek voor het onttrokken ogenblik van enkelen de extensieve mystiek voor iedere dag van velen ontplooit: de duurzame gezamenlijke innigheid der moderne devoten in plaats van de eenzame en zeldzame ekstase. De nuchtere mystiek, als men niet valt over een woord.

In de Fraterhuizen en de kloosters der Windesheimer congregatie is over het stille dagelijks werk de glans gegoten van de voortdurende bewustgehouden religieuze innigheid. Het hevig lyrische en het teugelloos opstreven is prijs gegeven en daarmee ook het gevaar van geloofsafwijking geweken; de broeders en zusters zijn volkomen rechtgelovig en conservatief. Het was mystiek en détail: men had maar 'een inslag gekregen', 'een vonkske ontvangen', en beleefde in de enge, stille, nederige kring de vervoering in vertrouwelijke geestelijke omgang, in briefwisseling en zelfbeschouwing. Het gevoels- en gemoedsleven werd als een kasplant gekweekt; er heerste veel klein puritanisme, geestelijke dressuur, verstikking van de lach en de gezonde aandriften, veel piëtistische onnozelheid.

Doch uit die kring is het sterkendste werk dier tijden, de *Imitatio Christi*, voortgekomen. Hier is de man die geen theoloog was en geen humanist, geen wijsgeer en geen dichter, en eigenlijk ook geen mysticus, en die het boek schreef, dat eeuwen vertroosten zou. Thomas a Kempis, de stille, eenzelvige, vol teerheid voor het miswonder en met de smalste opvattingen van het godsbestuur, kende niets van de felle verontwaardiging over kerkbestuur of wereldleven, zoals het de prekers bezielde, niets van het alzijdig streven van Gerson, Dionysius of Nicolaas van Cusa, niets van de breughelse fantazie van Johannes Brugman of het bonte symbolisme van Alain de la Roche. Hij zocht maar de rust in alle dingen, en vond haar 'in angello cum libello'. 'O quam salubre quam iucundum et suave est sedere in solitudine et tacere et loqui cum Deo!' – O hoe heilzaam, hoe aangenaam en zoet is het, te zitten in eenzaamheid en te zwijgen en met God te spreken![2] En zijn boek van eenvoudige levenswijsheid en stervenswijsheid voor het begeven gemoed werd een boek van alle tijden. Hier was alle neoplatonische mystiek weer opgegeven, en enkel de stemming van de geliefde meester Bernard van Clairvaux de grondslag. Er is geen filosofische ontwikkeling van gedachten; er staat slechts een aantal hoogst eenvoudige gedachten in spreukvorm om een centraal punt gegroepeerd; elke loopt in een kort zinnetje af; er is geen subordinatie en nauwelijks correlatie van gedachten. Er is niets van de lyrische siddering van Heinrich Suso of van de strakke fonkeling van Ruusbroec. Met haar geklingel van evenwijdig voortlopende zinnen en matte assonanties zou de *Imitatio* dubbel proza zijn, wanneer niet juist dat eentonige ritme haar maakt als de zee op een zachte regenavond of het zuchten van de wind in de herfst. Er is in de werking van de *Imitatio* iets verwonderlijks: deze schrijver grijpt u niet door zijn kracht of élan, als Augustinus, door het bloeiende van zijn woord, als Sint Bernard, door zijn diepte of volheid van gedachte; het is alles effen en gedrukt, alles en mineur: er is slechts vrede, rust, stil gelaten verwachting en troost. 'Taedet me vitae temporalis.' – Het aardse leven is mij tot last, zegt Thomas elders[1]. En toch vermocht het woord van deze ontvlodene te sterken voor het leven als dat van geen ander.

Eén ding heeft het boek voor de vermoeiden van alle eeuwen gemeen met de voortbrengselen der hevige mystiek. Ook hier was de verbeelding, zover dat mogelijk was, overwonnen, het kleurige gewaad van schitterende symbolen afgelegd. En daarom zit ook de *Imitatio* niet vast aan een cultuur-tijdperk; evenals de ekstatische schouwingen van het al-ene leidt zij af van alle cultuur. Zij hoort tot geen bijzonder beschavingstijdperk. Vandaar zowel haar twee duizend uitgaven, als de mogelijkheid, dat men omtrent auteur en tijd van ontstaan getwijfeld heeft tussen drie eeuwen. Thomas had het 'Ama nesciri' niet vergeefs gezegd.

17

DE DENKVORMEN
IN HET PRAKTISCHE LEVEN

Om de middeleeuwse geest als een eenheid en een geheel te verstaan, moet men de grondvormen van zijn denken niet enkel bestuderen aan de voorstellingen van het geloof en de hogere bespiegeling, maar evengoed aan die van de dagelijkse levenswijsheid en de nuchtere praktijk. Want het zijn dezelfde grote denkrichtingen, die zijn hogere en zijn lagere uitingen beheersen. En terwijl op het gebied van geloof en bespiegeling steeds de vraag aan de orde blijft, in hoeverre de gedachtenvormen resultaat en weerklank zijn van een lange schriftelijke traditie, die tot in Griekse en Joodse, ja Egyptische en Babylonische oorsprongen reikt, ziet men ze in het gewone leven naïef en spontaan werken, onbeladen met het gewicht van neoplatonisme en andere stromingen.

In het dagelijks leven denkt de middeleeuwse mens in dezelfde vormen als in zijn theologie. De grondslag is zo hier als daar dat architecturale idealisme, dat de scholastiek realisme noemde: de behoefte om elke notie af te zonderen en vorm te geven als een wezenheid, en om ze samen te schikken in hiërarchische verbanden, er altijd weer tempels en kathedralen van te bouwen, als een kind dat met blokken speelt.

Alles wat zich in het leven een vaste plaats verovert, wat levensvorm wordt, geldt als geordineerd, de gewoonste zeden en gebruiken zo goed als de hoogste dingen in het goddelijke wereldplan. Zeer duidelijk openbaart zich dit bijvoorbeeld in de opvatting van de regeling der hofetikette bij de beschrijvers van de hofstaat, als Olivier de la Marche en Aliénor de Poitiers. De oude dame beschouwt die regelen als vroede wetten, in de hoven der koningen oudtijds met keuze en oordeel verordineerd, in acht te nemen voor alle komende tijden. Zij spreekt ervan als van de wijsheid der eeuwen: 'et alors j'ouy dire aux anciens qui sçavoient'... Zij ziet de tijden ontaarden: sedert een jaar of tien zetten sommige dames in Vlaanderen het kraambed voor het vuur, 'de quoy l'on s'est bien mocqué'; vroeger deed men dat nooit; waar moet het heen? 'mais un chacun fait à cette heure à sa guise: par quoy est à doubter que tout ira mal'[1].

La Marche stelt zich en de lezer gewichtige vragen omtrent de redelijkheid van al die deftige dingen: waarom heeft de 'fruitier' meteen de verlichting, 'le mestier de la cire', onder zijn departement? Het antwoord luidt: omdat de was door de bijen uit de bloemen wordt getrokken, waarvan ook de vruchten komen: 'pourquoy on a ordonné très bien ceste chose'[*]. De sterke middeleeuwse neiging om voor iedere functie een orgaan te scheppen is niet anders dan een uitvloeisel van de denkwijze, die aan elke kwaliteit zelfstandigheid toekende, haar als idee zag. De koning van Engeland had onder zijn 'magna sergenteria' een ambt om 's konings hoofd vast te houden, als hij het kanaal overstak, en zeeziek werd; het werd in 1442 bekleed door zekere John Baker, van wie het erfde op zijn beide dochters[2].

Onder hetzelfde licht valt te beschouwen de gewoonte om aan alle dingen, ook de levenloze, namen te geven. Het is, hoe verbleekt ook, een trek van primitief antropomorfisme, wanneer ook thans nog in het krijgsleven, dat in veel opzichten de terugkeer tot een primitieve levenshouding beduidt, kanonnen namen krijgen. In de Middeleeuwen is die trek veel sterker: gelijk de zwaarden in de ridderroman hebben de bombarden in de oorlogen der veertiende en vijftiende eeuw hun namen: 'Le Chien d'Orléans, la Gringade, la Bourgeoise, de Dulle Griete'. Als een survival dragen thans nog enkele beroemde diamanten hun namen. Van de juwelen van Karel de Stoute hadden verscheidene een naam: 'Le sancy, les trois frères, la hote, la balle de Flandres'[3]. Wanneer in onze tijd de schepen hun naam behouden hebben, maar de huizen slechts bij uitzondering en de klokken niet, dan is het eensdeels, omdat het schip van plaats verandert en te allen tijde moet kunnen worden geïdentificeerd, maar toch ook wel omdat het schip iets persoonlijkers heeft behouden dan het huis, wat ook in het 'she' van het Engelse spraakgebruik is uitgedrukt[**]. Die persoonlijke opvatting der levenloze dingen moet men zich in de Middeleeuwen als veel sterker voorstellen: in de Middeleeuwen kreeg elk ding zijn naam: de cachotten der kerkers zo goed als elk huis en elke klok.

Aan alle dingen wordt gezocht naar de 'moraliteit', zoals de middeleeuwer zeide, dat wil zeggen: de les die er in stak, de zedelijke betekenis, als het meest wezenlijke. Elk historisch of litterair geval heeft de neiging om te kristalliseren tot een parabel, een moreel voorbeeld, een bewijsnummer; elke uitspraak tot een

---

[*]Olivier de la Marche, l'Estat de la maison etc., t. IV p. 56, zie dergelijke vragen hierboven p. 37.
[**] Dat zich merkwaardigerwijze heeft uitgebreid tot de locomotief, de auto en (in Amerika althans) tot de lift.

sententie, een tekst, een spreuk. Evenals de heilige symbolische verbanden tussen het Nieuwe en het Oude Testament, ontstaan er morele verbanden, waardoor aan elk levensgeval terstond de spiegel kan worden voorgehouden van een voorbeeld, een type uit de Schrift, de geschiedenis of de litteratuur. Om iemand tot vergeving te bewegen, somt men bijbelse gevallen van vergiffenis op. Om voor het huwelijk te waarschuwen, rangschikt men al de ongelukkige huwelijken, waarvan de oudheid spreekt. Jan zonder Vrees vergelijkt, om de moord op Orleans te verontschuldigen, zichzelven met Joab en zijn slachtoffer met Absalom, en prijst zich beter dan Joab, want de koning had de doodslag niet uitdrukkelijk verboden. 'Ainssy avoit le bon duc Jehan attrait ce fait à moralité.'[1] – Het is als 't ware een ruime en naieve toepassing van het jurisprudentiebegrip, dat immers zelf in het hedendaagse rechtsleven een residu van verouderde denkvormen begint te worden.

Elk ernstig betoog grondt zich gaarne op een tekst als steun- en uitgangspunt: de twaalf proposities voor en tegen de onttrekking van gehoorzaamheid aan de paus van Avignon, waarmee in 1406 te Parijs op het nationaal concilie de zaak van het schisma wordt bepleit, gaan ieder uit van een Schriftwoord[2]. Ook een wereldlijk feestredenaar kiest, zo goed als een prediker, zijn tekst[3].

Geen duidelijker voorbeeld van al de genoemde trekken dan het beruchte pleidooi, waarmede meester Jean Petit de hertog van Bourgondië trachtte te rechtvaardigen wegens de moord op Lodewijk van Orleans.

Het was ruim drie maanden geleden, dat 's konings broeder des avonds door de gehuurde sluipmoordenaars, die Jan zonder Vrees tevoren in een huis in de Rue vieille du Temple gehuisvest had, was neergestoten. De Bourgondiër had eerst, bij de lijkplechtigheid, grote rouw gedreven, daarna, toen hij zag, dat het onderzoek zich zou uitstrekken tot in zijn hôtel d'Artois, waar hij de moordenaars verborgen hield, had hij in de raad zijn oom Berry ter zijde genomen en hem bekend, dat hij door inblazing des duivels de moord had laten plegen. Hij was daarop uit Parijs gevlucht naar Vlaanderen. Te Gent had hij reeds een eerste rechtvaardiging van zijn euveldaad laten uitspreken; thans keerde hij naar Parijs terug, vertrouwend op de haat, die alom Orleans gegolden had, en zijn eigen populariteit bij het volk van Parijs, dat hem inderdaad ook nu nog blijde inhaalde. De hertog had te Amiens raad gepleegd met twee mannen, die op de kerkvergadering te Parijs in 1406 zich onder de sprekers opmerkelijk hadden gemaakt: meester Jean Petit en Pierre aux Boeufs. Aan hen was opgedragen, het Gentse pleidooi van Simon de Saulx uit te werken, om het te Parijs als een indrukwekkende rechtvaardiging voor te dragen voor de prinsen en hoge heren.

Daarmede verscheen nu meester Jean Petit, godgeleerde, prediker en dichter,

233

de achtste maart 1408 in het hôtel de Saint Pol te Parijs voor het luisterrijke gehoor, waaronder de dauphin, de koning van Napels, de hertogen van Berry en
Bretagne de eersten waren. Hij begon met gepaste nederigheid: hij arme was
theoloog noch jurist, 'une très grande paour me fiert au cuer, voire si grande,
que mon engin et ma mémoire s'en fuit, et ce peu de sens que je cuidoie avoir,
m'a jà du tout laissé'. Dan ontplooit hij het kunstwerk van zwarte politieke
boosaardigheid, dat zijn geest in strenge stijl gebouwd had op de tekst: Radix
omnium malorum cupiditas. Op schoolse onderscheidingen en neventeksten is
het geheel kunstig gedisponeerd; verlucht met exempelen uit de Schrift en de
historie; het krijgt een duivelse levendigheid en een romantische spanning door
de kleurige uitvoerigheid, waarmee de pleiter de snoodheden van de verslagene
beschrijft. Het begint met de opsomming van twaalf verplichtingen, waardoor
de hertog van Bourgondië gehouden was, de koning van Frankrijk te eren, te
beminnen en te wreken. Dan beveelt hij zich aan in de hulp van God, de Maagd
en Sint Jan de Evangelist, om het eigenlijke betoog te beginnen: verdeeld in een
major, een minor en een conclusie. Nu stelt hij zijn tekst voorop: Radix omnium
malorum cupiditas. Daaruit worden twee toepassingen afgeleid: de begeerte
maakt afvalligen, zij maakt verraders. Deze boosheden van apostasie en verraad
worden verdeeld en onderverdeeld en daarna gedemonstreerd aan drie voorbeelden. Als de archetypen van de verrader rijzen Lucifer, Absalom en Athalia
voor de verbeelding der hoorders op. Dan volgt de opstelling van acht waarheden, die de tyrannenmoord rechtvaardigen: wie tegen de koning conspireert,
verdient dood en verdoemenis; hoe hoger hij staat, hoeveel te meer; ieder mag
hem doden. 'Je prouve ceste verité par douze raisons et l'honneur des douze
apostres': drie uitspraken van doctores, drie van filosofi, drie van juristen en drie
uit de Schrift. Zo gaat het voort, tot de acht waarheden compleet zijn: een citaat
uit *De casibus virorum illustrium* van 'le philosophe moral Boccace' wordt aangehaald, om te bewijzen, dat men de tyran mag aanvallen uit een hinderlaag. Uit
de acht waarheden volgen acht 'corollaria' met een negende als toegift, waarin
met toespelingen geduid werd op al de geheimzinnige gebeurtenissen, waarin
de laster en de argwaan aan Orleans een gruwelijke rol hadden toegekend. Al de
oude verdenkingen, die de prins van zijn jonge jaren af hadden vervolgd, werden
tot gloeihitte weer opgerakeld: hoe hij in 1392 de opzettelijke aanlegger zou zijn
geweest van dat 'bal des ardents', waar zijn broeder de jonge koning ternauwernood was ontkomen aan de jammerlijke vuurdood van zijn gezellen, in hun vermomming als wildemannen door een onvoorzichtig bijgehouden toorts geraakt.
Orleans' samensprekingen in het klooster der Celestijnen met 'de tovenaar'
Philippe de Mézières, leverden de stof tot allerlei zinspelingen op moordplannen

en giftmengerij. Zijn algemeen bekende gehechtheid aan toverkunsten geeft aanleiding tot de levendigste gruwelverhalen: hoe Orleans op een zondagmorgen
met een afvallige monnik, een ridder, een knape en een knecht naar la Tour
Montjay aan de Marne reed; hoe de monnik daar twee duivelen deed verschijnen, gekleed in bruingroen en geheten Heremas en Estramain, die een degen,
een dolk en een ring van een helse wijding voorzagen, waarop het gezelschap
een gehangene van de galg van Montfaucon ging halen enz. Tot uit de zinneloze
praat van de waanzinnige koning wist meester Jan sinistere zin te puren.

Nadat aldus eerst de beoordeling op het niveau van het algemeen-zedelijke
was verheven, door de zaak te stellen in het licht der schriftelijke modellen en
morele sententiën, en vervolgens de stemming van afgrijzen en huivering kunstig is gaande gemaakt, breekt in de minor, die stuk voor stuk de geledingen
van de major volgt, de stroom van regelrechte beschuldigingen los. De hartstochtelijke partijhaat doet de aanval op de nagedachtenis van de vermoorde
met al de hevigheid, waartoe de tomeloze geest in staat was.

Vier uren lang was Jean Petit aan 't woord, en toen hij uitgesproken had,
sprak zijn lastgever, de hertog van Bourgondië: 'Je vous avoue'. Er werden van
de justificatie vier kostbare boekjes gemaakt, gebonden in geperst leer, verlucht
met goud en miniaturen, voor de hertog en zijn naaste verwanten. Een daarvan
wordt nog te Wenen bewaard. Het vertoog was ook te koop[1].

De behoefte om elk levensgeval uit te beelden tot een moreel voorbeeld, elk
oordeel af te zonderen tot een sententie, waardoor het iets substantieels en on-
aantastbaars krijgt, kortom dat kristallisatieproces der gedachte, vindt haar
meest algemene en natuurlijke uiting in het spreekwoord. Het spreekwoord
vervult in de middeleeuwse gedachte een zeer levende functie. Er zijn er honderden in dagelijkse omloop, bijna alle pittig en raak. De wijsheid, die uit het spreekwoord klinkt, is soms nuchter, soms weldadig en diep; de toon van het spreekwoord is dikwijls ironisch, de stemming meest goedmoedig en altijd geresig-
neerd. Het spreekwoord preekt nooit verzet, altijd berusting. Met een glimlach
of een zucht laat het de baatzuchtigen triomferen, de huichelaars vrij uitgaan.
'Les grans poissons mangent les plus petis.' 'Les mal vestus assiet on dos ou
vent.' – 'Nul n'est chaste si ne besogne.' Soms klinkt het cynisch: 'L'homme est
bon tant qu'il craint sa peau'. 'Au besoing on s'aide du diable.' Maar daaronder
ligt de zachtmoedigheid, die niet veroordelen wil. 'Il n'est si ferré qui ne glice'
(niemand is zo goed beslagen, dat hij niet eens uitglijdt). Tegenover de jammer-
klacht der moralisten over de menselijke zondigheid en verdorvenheid stelt de
volkswijsheid haar glimlachend begrijpen. In het spreekwoord condenseert zich
tot een enkel beeld de wijsheid en moraal uit alle tijden en uit elke sfeer. Soms is

235

de strekking van het spreekwoord bijna evangelisch; soms ook is zij naief heidens. Een volk, dat tal van spreekwoorden in levend gebruik heeft, laat het rede-
neren, het motiveren en argumenteren over aan de theologen en wijsgeren; het
doet elk geval af met te verwijzen naar een oordeel, dat klinkt als een klok. Het
onthoudt zich van veel gebazel en vrijwaart zich voor veel onklaarheid. Het
spreekwoord hakt voortdurend knopen door; als het spreekwoord is toegepast,
is de zaak afgedaan. De neiging om de gedachten substantieel te maken heeft
voor de beschaving zeer wezenlijke voordelen.

Het is verbazend, welk een aantal spreekwoorden er in de late Middeleeuwen
gangbaar zijn geweest[1]. In hun alledaagse geldigheid sluiten zij zo goed aan bij
de gedachteninhoud der litteratuur, dat de dichters van die tijd er een druk gebruik van maken. Zeer in trek is bijvoorbeeld het gedicht, waarvan elke strofe
eindigt met een spreekwoord. Een ongenoemde wijdt in zulk een vorm een
schimpdicht aan de gehate prévôt van Parijs, Hugues Aubriot, bij diens smade-
lijke val[2]. Vervolgens komt Alain Chartier met zijn *Ballade de Fougères*[3], Jean
Régnier met zijn klachten uit de gevangenschap[4], Molinet met verschillende
stukken uit zijn *Faictz et Dictz*, Coquillart's *Complaincte de Eco*, Villon's ballade
geheel uit spreekwoorden opgebouwd. Ook *Le passe temps d'oysiveté* van Robert
Gaguin[5] hoort ertoe; de 171 strofen eindigen op enkele na met een passend
spreekwoord. Of zijn deze spreekwoordachtige zedelijke uitspraken (waarvan ik
maar enkele weervind in de mij bekende collecties van spreekwoorden) eigen
gedachten van de dichter? In dat geval zou het nog sterker bewijs zijn, welk een
levende functie in het laat-middeleeuwse denken aan het spreekwoord, dat is
aan het afgeronde, geijkte, algemeen verstaanbare oordeel, toekwam, indien wij
ze hier in onmiddellijke aansluiting bij een gedicht uit de geest van een individuele dichter zien ontstaan.

Zelfs de preek versmaadt naast de heilige teksten het spreekwoord niet, en
het ernstig betoog in staats- of kerkvergaderingen maakt er een ruim gebruik
van. Gerson, Jean de Varennes, Jean Petit, Guillaume Fillastre, Olivier Maillard
brengen in hun preken en oraties de meest alledaagse spreekwoorden tot ster-
king van hun betoog te pas: 'Qui de tout se tait, de tout a paix, Chef bien peigné
porte mal bacinet, D'aultrui cuir large courroye, Selon seigneur mesnie duite,
De tel juge tel jugement, Qui commun sert, nul ne l'en paye, Qui est tigneux, il
ne doit pas oster son chaperon'[6]. – Ja, er is zelfs een schakel tussen het spreekwoord en de *Imitatio*, die immers wat de vorm betreft berust op de spreuken-
verzamelingen of rapiaria, waarin men wijsheid van allerlei aard en herkomst
placht te vergaren.

Er zijn in de latere Middeleeuwen tal van schrijvers, wier kracht van oordeel

21. Jan van Eyck, Madonna met Kanunnik Joris van der Paele
(Brugge, Groeningemuseum)

22. Jan van Eyck, Annunciatie *(Washington, National Gallery of Art) F. Bruckmann A.G., München*

23. Meester
van Flemalle,
Drieluik van
Mérode, Joseph,
rechterpaneel
*(New York,
Metropolitan
Museum of Art)*

24. Toegeschreven aan Hubert van Eyck, De geboorte van Johannes de Doper (boven) en de
Doop van Christus (beneden) uit het Turijns-Milanese Getijdenboek
(Turijn, Museo Civico)

25. Bernt Notke, Dodendans
(Lübeck, Marienkirche) Castelli, Lübeck

26. Dodendans, houtsnede uit de Danse Macabvre an Guyot Marchant
Parijs, 1485

27. Gebroeders van Limburg, De Verzoeking van Christus (Le Château de Mehun-sur-Yèvre)
uit de 'Très riches heures du Duc de Berry', omstreeks 1415
(Chantilly, Musée Condé) Giraudon, Parijs

28. Gebroeders van Limburg en Jean Colombe, September (Le Château de Saumur)
uit de 'Très riches heures du Duc de Berry', omstreeks 1415, voltooid 1485
(Chantilly, Musée Condé) Giraudon, Parijs

29. Pol van Limburg, De Duc de Berry aan tafel, Januari uit de 'Très riches heures du Duc de Berry', omstreeks 14?
(Chantilly, Musée Condé) Giraudon, Parijs

zich eigenlijk niet boven het spreekwoord verheft, dat zij dan ook voortdurend toepassen. Een kroniekschrijver uit het begin van de veertiende eeuw, Geffroi de Paris, doorspekt zijn berijmd geschiedverhaal met spreekwoorden, die de moraal van het gebeurde geven[1], en daaraan doet hij wijzer dan Froissart en *Le Jouvencel*, wier sententies van eigen maaksel dikwijls als halfgare spreekwoorden uitvallen: 'Enssi aviennent li fait d'armes: ont piert (perd) une fois et l'autre fois gaagn' on'. 'Or n'est-il riens dont on ne se tanne.' 'On dit, et vray est, que il n'est chose plus certaine que la mort.'[2]

Een soortegelijke kristallisatievorm der gedachte als het spreekwoord is het devies, dat in de laatste Middeleeuwen met bijzondere voorliefde gecultiveerd wordt. Het is geen wijsheid van algemene strekking, zoals het spreekwoord, maar een persoonlijke aansporing of levensles, die door de drager tot een teken is verheven, dat hij met gouden letters in zijn leven zelf aanbrengt, een les, die door de gestileerde herhaling, waarmee zij op al de stukken van garderobe en uitrusting wederkeert, hem en de anderen moet suggereren en vasthouden. De stemming van de deviezen is veelal een van berusting, evenals bij het spreekwoord, van verwachting, soms met een onuitgesproken element, dat ze geheimzinnig moest maken: 'Quand sera ce? Tost ou tard vienne, Va oultre, Autre fois mieulx, Plus dueil que joye'. Verreweg de meeste hebben betrekking op de liefde: 'Aultre naray, Vostre plaisir, Souvienne vous, Plus que toutes'. Dat zijn ridderlijke spreuken, op dekkleed en wapenrusting aangebracht. Op de ringen stonden zij met intiemer klank: 'Mon cuer avez, Je le desire, Pour tousjours, Tout pour vous'.

Met het devies verbonden zijn de emblemen, die het òf zichtbaar illustreren òf ermee in los verband van zin staan, zoals de knoestige stok met 'Je l'envie', en het stekelvarken met 'Cominus et eminus' van Lodewijk van Orleans, de schaaf met 'Ic houd' van zijn vijand Jan zonder Vrees, de vuurslag van Philips de Goede*. Zinspreuk en embleem behoren thuis in de heraldische gedachtensfeer. Het blazoen is voor de middeleeuwer meer dan een genealogische liefhebberij. De wapenfiguur krijgt voor zijn geest een waarde, welke nadert tot die van een totem[3]. De leeuwen, de leliën, de kruisen worden symbolen, waarin een heel complex van trots en streven, aanhankelijkheid en gemeenschapsgevoel in beeld is uitgedrukt, gemarkeerd als een zelfstandig, ondeelbaar ding.

De behoefte, om elk geval te isoleren als een zelfstandig bestaand iets, het te zien als idee, uit zich in de Middeleeuwen in een sterke neiging tot casuïstiek.

---

* *Je l'envie* een speelterm met de betekenis: ik inviteer, ik daag uit; *ic houd* het antwoord daarop: aangenomen, *cominus et eminus* een toespeling op het geloof, dat het stekelvarken zijn stekels ook kan uitschieten.

Deze vloeit al weer voort uit het ver strekkende idealisme. Aan elke vraag, die zich voordoet, moet een ideale oplossing eigen zijn; deze is gegeven, zodra men de juiste betrekking heeft erkend tussen het aanwezige geval en de eeuwige waarheden, en die betrekking wordt afgeleid uit de toepassing van formele regels op de feiten. Niet alleen vragen van zedelijkheid en recht vinden zo haar oplossing, de casuïstische beschouwing beheerst allerlei andere levensgebieden bovendien. Overal waar stijl en vormen hoofdzaak zijn, waar het spel-element van een cultuurvorm op de voorgrond treedt, viert de casuïstiek hoogtij. Dat geldt in de eerste plaats van alles wat ceremonieel en etikette betreft. Hier is de casuïstische beschouwing op haar plaats; hier is zij als denkvorm adequaat aan de gestelde vragen, immers hier zijn het enkel een reeks van gevallen, bepaald door eerbiedwaardige precedenten en formele regels. Hetzelfde geldt van het wapenspel en de jacht. Gelijk vroeger reeds ter sprake kwam*, schept ook de opvatting der liefde als een schoon gezelschapsspel van stijlvolle vormen en regels de behoefte aan een uitgewerkte casuïstiek.

Tenslotte hecht zich allerlei casuïstiek aan de gebruiken van de oorlog. De sterke invloed van de ridderidee op de opvatting van de krijg gaf ook aan deze een element van spel. De gevallen van buitrecht, van aanvalsrecht, van trouw aan een parool, kwamen onder het aspect van spelregels, zoals zij golden voor tournooi en jachtvermaak. De zucht om in het geweld recht en regel te brengen sproot niet zozeer voort uit volkenrechtelijk instinct als uit ridderlijk besef van eer en levensstijl. Alleen een nauwgezette casuïstiek en het opstellen van strenge formele regels maakten het mogelijk, het oorlogsgebruik enigermate in harmonie te brengen met ridderlijke standseer.

Zo vinden wij de beginselen van het volkenrecht gemengd met de spelregels van de wapenoefening. Geoffroy de Charny legt in 1352 aan koning Jan II van Frankrijk, in diens hoedanigheid van grootmeester der juist door hem gestichte ridderorde van de Ster, een reeks van casuïstische vragen ter beslissing voor: twintig betreffen de 'jouste', eenentwintig het tournooi en drieënnegentig de oorlog[1]. Een kwarteeuw later draagt Honoré Bonet, prior van Selonnet in Provence en doctor in het canonieke recht, aan de jonge Karel VI zijn *Arbre des batailles* op, een traktaat over oorlogsrecht, dat nog in de zestiende eeuw, blijkens nieuwe uitgaven, van praktische waarde werd geacht[2]. Men vindt hier bijeen en dooreen vragen van het hoogste gewicht voor het volkenrecht en beuzelachtige kwesties, die niet veel meer dan spelregels betreffen. Mag men de ongelovigen zonder noodzaak beoorlogen? Bonet antwoordt nadrukkelijk: neen, zelfs niet om hen te bekeren. Mag een vorst de ander de doortocht over zijn gebied

* Hierboven p. 118.

weigeren? Moet het (veel geschonden) privilege, dat de ploeger en zijn os veilig zijn voor het oorlogsgeweld, ook uitgestrekt worden tot de ezel en de knecht?[1] Moet een geestelijke zijn vader of zijn bisschop helpen? Wanneer men een geleende wapenrusting in de slag verliest, is men dan teruggave verschuldigd? Mag men slag leveren op feestdagen? Is het beter, nuchter slag te leveren, of na de maaltijd?[2] Voor dit alles heeft de prior raad, uit Bijbelplaatsen, canoniek recht en glossatoren*.

Een der gewichtigste punten van het krijgsgebruik was in deze tijd alles wat het maken van gevangenen betrof. De losprijs voor een aanzienlijke gevangene was voor edelman en soudenier een der uitlokkendste beloften van de strijd. Hier was een onbeperkt veld voor casuïstische regels gegeven. Ook hier lopen volkenrecht en ridderlijk point d'honneur dooreen. Mogen de Fransen wegens de oorlog met Engeland de arme kooplui, landbouwers en herders op het Engelse gebied gevangen nemen en hun hunne goederen ontnemen? In welke gevallen mag men uit zijn gevangenschap ontsnappen? Wat is de waarde van een vrijgeleide?[3] – In de biografische roman *Le Jouvencel* worden van die gevallen uit de praktijk behandeld. Men brengt voor de aanvoerder een twist van twee kapiteins over een gevangene. 'Ik heb hem, zegt de een, het eerst bij zijn arm en zijn rechterhand gegrepen en hem de handschoen afgerukt.' 'Maar mij, zegt de ander, heeft hij het eerst de rechterhand en zijn woord gegeven.' Beide gaf aanspraak op het kostbare bezit, maar de laatste aanspraak wordt als de hogere erkend. Van wie is een gevangene, die ontvlucht en weer gevangen is? Oplossing: heeft het geval plaats in het oorlogsgebied, dan behoort hij aan de nieuwe vanger, maar daarbuiten, dan aan de oorspronkelijke vanger. Mag een gevangene, die zijn woord gegeven heeft, weglopen, als zijn vanger hem niettemin aan een ketting legt? Of als men verzuimd heeft, hem zijn woord te vragen?[4]

De middeleeuwse neiging om de zelfstandige waarde van een ding of een geval te overschatten heeft nog een ander gevolg. Men kent *Le Testament* van François Villon, het grote satirische gedicht, waarin hij al zijn hebben en houden vermaakt aan vrienden en vijanden. Er zijn meer van die dichterlijke testamenten, zoals dat van Barbeau's muilezel door Henri Baude[5]. Het is een geijkte vorm. Deze vorm echter is slechts begrijpelijk, als men zich herinnert, dat inderdaad de middeleeuwse mensen gewoon waren, per testament tot over het geringste van hun bezittingen afzonderlijk en uitvoerig te beschikken. Een arme vrouw vermaakt aan haar parochie haar zondagskleed en haar kap; haar bed aan haar petekind, een pels aan haar verpleegster, haar daagse rok aan een arme, en

---

* In de Spaanse ridderroman Tirante el Blanco geeft de kluizenaar de schildknaap L'arbre des batailles als handboek der ridderschap mee.

vier pond tournoois, die haar vermogen uitmaakten, met nog een kleed en een kap aan de Minderbroeders[1]. Is ook daarin niet een zeer alledaagse uiting te zien van dezelfde denkrichting, die ieder geval van deugdbetrachting als een eeuwig exempel, elke gewoonte als een goddelijke ordinantie aanzag? Het is dat kleven van de geest aan de bijzonderheid en waarde van het enkele ding, dat als een ziekte de verzamelaar en de gierigaard beheerst.

Al de opgesomde trekken laten zich verenigen onder het begrip formalisme. Het ingeschapen besef van de transcendente wezenlijkheid der dingen brengt mee, dat elke voorstelling in onwrikbare grenzen staat omlijnd, geïsoleerd in een plastische vorm, *en die vorm heerst*. Doodzonden en dagelijkse zonden zijn naar vaste regels te onderscheiden. Het rechtsgevoel is muurvast, het behoeft geen ogenblik te twijfelen: de daad richt de man, zei de oude rechtspreuk. Bij de beoordeling van een daad is haar formele inhoud nog altijd hoofdzaak. Eenmaal, in het primitieve recht van de oudgermaanse tijd, was dat formalisme zo sterk geweest, dat de rechtspraak geen rekening hield met opzet of onopzettelijkheid: de daad was de daad, en bracht als zodanig de straf mede, terwijl een niet voltooide daad, een poging tot misdrijf, straffeloos was*. Nog lang daarna pleegt men door een onwillekeurige verspreking in het eedsformulier zijn recht te verliezen: de eed is de eed en zeer heilig. Het economische belang maakt hier aan dat formalisme een einde: men kon de vreemde koopman, die de landstaal gebrekkig machtig was, er niet aan onderwerpen, of men zou de handel belemmerd hebben, en zo is het in de stadsrechten, dat de *Vare*, het gevaar van op zulk een wijze zijn recht te verliezen, eerst bij wijze van privilege, wordt buiten werking gesteld. De sporen van verregaand formalisme in rechtszaken zijn ook in de latere Middeleeuwen nog voor 't grijpen.

De buitengewone gevoeligheid voor de uiterlijke eer is een verschijnsel, dat op de formalistische denkwijze berust. Te Middelburg was in 1445 heer Jan van Domburg wegens een doodslag gevlucht in een kerk, om het asylrecht te genieten. Men blokkeerde hem in zijn toevluchtsoord, gelijk de gewoonte was. Herhaaldelijk zag men toen zijn zuster, een non, hem komen aansporen, om zich liever al vechtende te laten doden, dan de schande over zijn geslacht te brengen van in beulshanden te vallen. En als dat tenslotte toch is geschied, verwerft de juffer van Domburg althans zijn lichaam, om het waardiglijk ter aarde te bestellen[2]. – Bij een tournooi is het dekkleed van het paard van een edelman versierd

---

* Nog sterker dit formalisme bij Zuid-Amerikaanse stammen, waar iemand, die zich zelf bij ongeluk wondt, bloedgeld aan zijn clan moet betalen, omdat hij het bloed van de clan vergoten heeft. L. Farrand, Basis of American history, p. 198 (The American nation, A history, vol. II).

met 's mans wapen. Dat was zeer ongepast, vindt Olivier de la Marche, want als het paard, 'une beste irraisonnable', nu eens struikelde, en het wapen sleepte in het zand, dan was de gehele familie geblameerd[1]. – Kort na een bezoek van de hertog van Bourgondië op Chastel en Porcien doet aldaar een edelman in waanzin een poging tot zelfmoord. Men is er onbeschrijfelijk ontdaan over, 'et n'en savoit-on comment porter la honte après si grant joye demenée'. Ofschoon het bekend was, dat het in waanzin was geschied, wordt de ongelukkige, genezen, uit het kasteel verbannen, 'et ehonty à tousjours'[2].

Een treffend voorbeeld van de plastische wijze, waarop aan een behoefte tot herstel van geschonden eer werd voldaan, levert het volgende geval. Te Parijs was in 1478 een zekere Laurent Guernier bij vergissing gehangen. Hij had namelijk nog juist kwijtschelding gekregen van zijn schuld, maar deze was hem niet bijtijds aangezegd. Na een jaar was dit gebleken, en nu werd het lichaam op verzoek van zijn broeder eervol begraven. Voor de baar gingen vier stadsomroepers met hun ratels, het wapen van de dode op hun borst; rondom de baar vier kaarsen en acht fakkeldragers in rouwgewaad en met hetzelfde wapen. Zo ging het door Parijs van de Porte Saint Denis tot de Porte Saint Antoine, vanwaar het vervoer naar 's mans geboorteplaats Provins begon. Een der omroepers nu roept voortdurend: 'Bonnes gens, dictes voz patenostres pour l'âme de feu Laurent Guernier, en son vivant demourant à Provins, *qu'on a nouvellement trouvé mort soubz ung chesne*'[3].

De sterke levenskracht van het bloedwraakprincipe, dat juist in zo bloeiende en hoogbeschaafde streken als Noord-Frankrijk en de Zuidelijke Nederlanden zo welig tierde[4], hangt eveneens samen met de formalistische geestesgesteldheid. Ook die wraaklust heeft iets formeels. Het is dikwijls in die gevallen van wraak geen blakende toorn of niets ontziende haat, die tot de daad drijft, er moet door bloedstorting aan de eer van het beledigde geslacht voldaan worden: soms overlegt men zorgvuldig, iemand niet te doden, en steekt hem daarom welberaamd in dijen, armen en aangezicht; men neemt maatregelen om zich niet te beladen met de verantwoordelijkheid voor de staat van zonde, waarin het slachtoffer zou sterven: du Clercq vertelt een geval van lieden, die hun schoonzuster gaan vermoorden, en opzettelijk een priester meebrengen[5].

Het formele karakter van zoen en wraak brengt weer mee de bevrediging van het onrecht door symbolische straffen of boetedoeningen. In al de grote politieke verzoeningen der vijftiende eeuw komt een groot gewicht toe aan dat symbolisch element: het afbreken van de huizen, die aan het misdrijf herinnerden, het stichten van gedenkkruisen, het toemetselen van poorten, om van openbare boeteceremoniën en het stichten van zielmissen en kapellen niet te spreken. Zo bij de eis der Orleansen tegen Jan zonder Vrees, zo bij de vrede van Atrecht in 1435, bij de zoen van het oproerige Brugge in 1437, en de zwaardere zoen van het opstandige Gent in 1453, waar de lange stoet, geheel in 't zwart, zonder gordels, blootshoofds en barrevoets, de hoofdschuldigen in het hemd vooraan, optrekt in de stortregen, om allen tezamen voor de hertog pardon te roepen[1]. – Bij de verzoening met zijn broeder in 1469 vraagt Lodewijk XI allereerst de ring, waarmee de bisschop van Lisieux de prins als hertog aan Normandië heeft gehuwd, en laat die te Rouen in 't bijzijn van notabelen op een aambeeld breken[2].

Het algemene formalisme ligt ook ten grondslag aan het geloof in de werking van het gesproken woord, dat zich in de primitieve cultuur in zijn volheid openbaart, en zich in de late Middeleeuwen nog handhaaft in zegenspreuken, toverspreuken, dingtalen. Een plechtig verzoek heeft nog iets solemneels, iets van het dwingende van de sprookjeswens. Wanneer alle smeekbeden Philips de Goede niet kunnen vermurwen om genade te schenken aan een veroordeelde, gaat men het verzoek opdragen aan Isabella van Bourbon, zijn geliefde schoondochter, in de hoop, dat hij het haar niet zal kunnen weigeren, – want, zegt zij: ik heb u nog nooit iets belangrijks gevraagd[3]. En het doel wordt bereikt. – In hetzelfde licht is de verbazing van Gerson te beschouwen, dat ondanks alle prediking de zeden nog niet verbeterden: ik weet niet, wat ik zeggen moet: voortdurend worden er preken gehouden, maar altijd tevergeefs[4].

Onmiddellijk uit het algemene formalisme vloeien voort die eigenschappen, die aan de geest der latere Middeleeuwen zo dikwijls een karakter van holheid en oppervlakkigheid geven. Vooreerst het buitengewone simplisme in de motivering. Hiërarchisch geanalyseerd als het begrippenstelsel was, gegeven de plastische zelfstandigheid van elke voorstelling en de behoefte om elk verband te verklaren uit een algemeen geldige waarheid, werkt de causale geestesfunctie als een telefooncentrale; er kunnen steeds allerlei verbindingen tot stand worden gebracht, maar altijd slechts van twee nummers tegelijk. Men ziet van elke toestand, elke samenhang slechts enkele trekken, en deze hevig geëxagereerd en bont gekleurd; het beeld van een gebeurtenis heeft steeds de enkele zware lijnen van een primitieve houtsnede. Eén motief is steeds voldoende ter verklaring, en bij voorkeur het algemeenste, het onmiddellijkste of het ruwste. Voor de Bourgondiërs kan het motief tot de moord op de hertog van Orleans slechts op één grond berusten: de koning heeft de hertog van Bourgondië verzocht, de echtbreuk der koningin met Orleans te wreken[5]. De oorzaak van de grote Gentse opstand is voor het oordeel der tijdgenoten door een vormkwestie over een briefformulier geheel voldoende aangegeven[6].

De middeleeuwse geest generaliseert geredelijk uit één geval. Olivier de la

Marche concludeert uit één geval van Engelse onpartijdigheid uit vroeger tijd, dat de Engelsen in die dagen deugdzaam waren, en dat dit de oorzaak was, dat zij Frankrijk hadden kunnen veroveren[1]. De geweldige overdrijving, die onmiddellijk voortspruit uit het te bont en te zelfstandig zien der gevallen, wordt nog in de hand gewerkt doordat altijd naast het geval terstond een parallel uit de heilige geschiedenis gereed staat, die het geval optrekt in een sfeer van hoger potentie. Wanneer bijvoorbeeld in 1404 een processie der Parijse studenten is verstoord, waarbij er twee zijn gewond en van één het kleed gescheurd, dan is voor de verontwaardigde kanselier der Universiteit de klank van een teder woord: 'les enfants, les jolis escoliers comme agneaux innocens', genoeg, om het geval te vergelijken met de kindermoord van Bethlehem[2].

Waar voor ieder geval een verklaring zo gemakkelijk wordt aanvaard, en, eenmaal aanvaard, zo vast geloofd, daar heerst een buitengewone gemakkelijkheid van het valse oordeel. Indien men met Nietzsche moet aannemen, dat 'der Verzicht auf falsche Urteile das Leben unmöglich machen würde', dan kan juist daaraan voor een deel het krachtige leven, dat ons in vroeger tijden treft, worden toegeschreven. In elke tijd, die een buitengewone spanning van alle krachten vraagt, moet het valse oordeel in versterkte mate de zenuwen te hulp komen. De middeleeuwers leefden eigenlijk doorlopend in zulk een geestelijke crisis; zij konden geen ogenblik buiten de grofste valse oordelen, die onder de invloed van partijgevoel een ongeëvenaarde graad van boosheid bereiken. De gehele houding van de Bourgondiërs tegenover de grote vete met Orleans getuigt ervan. De verhouding van de aantallen gesneuvelden wordt door de overwinnaar in het belachelijke verschoven: Chastellain laat in de slag bij Gavere vijf edelen vallen aan de zijde van de vorst tegen twintig of dertig duizend der Gentse opstandelingen[3]. Het is een der moderne trekken van Commines, dat hij aan die overdrijvingen niet meedoet[4].

Hoe is tenslotte die eigenaardige lichthoofdigheid op te vatten, die zich in oppervlakkigheid, onnauwkeurigheid en lichtgelovigheid bij de latere middeleeuwers voortdurend openbaart? Het is dikwijls, alsof zij niet de geringste behoefte hebben aan werkelijke gedachten, alsof een voorbijglijden van ijle droombeelden voedsel voor hun geest genoeg was: uiterlijke feiten oppervlakkig beschreven, dat is de signatuur van schrijvers als Froissart en Monstrelet. Hoe hebben de eindeloze onbeslissende gevechten en belegeringen, waaraan Froissart zijn gaven heeft verspild, hun aandacht kunnen boeien? Naast de heftige partijmannen staan onder de kroniekschrijvers zij, wier politieke sympathieën in het geheel niet zijn vast te stellen, zoals Froissart en Pierre de Fenin; zozeer put hun geest zich uit in het verhaal der uiterlijke gebeurtenissen. Zij onderscheiden het belangrijke niet van het onbelangrijke. Monstrelet is bij het onderhoud van de hertog van Bourgondië met de gevangen Jeanne d'Arc tegenwoordig geweest, maar herinnert zich niet, wat er gesproken werd[1]. De onnauwkeurigheid, zelfs ten opzichte van gewichtige gebeurtenissen, waarin zij zelf betrokken waren, kent geen grenzen. Thomas Basin, die zelf het rehabilitatie-proces van Jeanne d'Arc leidde, laat haar in zijn kroniek geboren zijn te Vaucouleurs, laat haar door Baudricourt zelf, die hij heer in plaats van kapitein der stad noemt, naar Tours brengen, vergist zich drie maanden betreffende haar eerste samenkomst met de dauphin[2]. Olivier de la Marche, het puik der hovelingen, vergist zich voortdurend in de afstamming en verwantschap der hertogelijke familie, en plaatst zelfs het huwelijk van Karel de Stoute met Margareta van York, waarvan hij de feesten in 1468 had meegemaakt en beschreven, na het beleg van Neuss in 1475[3]. Zelfs Commines ontkomt niet aan dergelijke verwarringen: hij vergroot een aantal jaren herhaaldelijk met twee; hij vertelt tot driemaal toe de dood van Adolf van Gelre[4].

Het gebrek aan kritische onderscheiding en de lichtgelovigheid spreken zo duidelijk uit elke bladzijde der middeleeuwse litteratuur, dat het onnodig is voorbeelden aan te halen. Natuurlijk bestaat hier een groot verschil in graad al naar de ontwikkeling van de persoon. Onder het volk der Bourgondische landen heerste ten opzichte van Karel de Stoute nog die eigenaardige vorm van barbaarse lichtgelovigheid, die aan de dood van een indrukwekkende heersersfiguur nooit recht geloven deed, zodat men tot tien jaar na de slag van Nancy elkaar nog leende op afbetaling, als de hertog zou terugkomen. Basin behandelt het als louter dwaasheid, en Molinet desgelijks; hij vermeldt het onder zijn Merveilles du monde:

> *J'ay veu chose incongneue:*
> *Ung mort ressusciter,*
> *Et sur sa revenue*
> *Par milliers achapter.*
>
> *L'ung dit: il est en vie,*
> *L'autre: ce n'est que vent.*
> *Tous bons cueurs sans envie*
> *Le regrettent souvent[5].*

Doch bij allen vat onder de invloed van de sterke hartstocht en de gerede verbeelding het geloof aan de realiteit van het verbeelde zeer licht post. Bij een geestesgesteldheid, waarin zo sterk in zelfstandige verbeeldingen wordt gedacht,

geeft de blote aanwezigheid van een voorstelling in de geest een grote presump-
tie van geloofwaardigheid. Zodra een denkbeeld eenmaal met naam en vorm in
het brein rondwandelt, is het als 't ware opgenomen in het systeem van morele
en godsdienstige figuren, en deelt onwillekeurig in hun hoge geloofwaardigheid.

Terwijl nu aan de ene kant de begrippen door hun scherpe omlijning, hun
hiërarchisch verband en hun dikwijls antropomorf karakter bijzonder vast en
onbewegelijk zijn, dreigt aan de andere kant het gevaar, dat juist in die levendige
vorm van het begrip de *inhoud* zoek raakt. Eustache Deschamps wijdt een lang,
allegorisch en satirisch leergedicht *Le Miroir de Mariage*[1] aan de nadelen van het
huwelijk; als hoofdpersoon treedt daarin op Franc Vouloir, door Folie en Désir
aangespoord om te trouwen, door Repertoire de Science daarvan teruggebracht.

Wat betekent nu de abstractie Franc Vouloir voor de dichter? In eerste in-
stantie de vrolijke vrijheid van de jonggezel, maar op andere plaatsen de vrije
wil in de wijsgerige zin. De voorstelling van de dichter is zozeer geabsorbeerd in
de personificatie van zijn figuur Franc Vouloir op zichzelf, dat hij geen behoefte
heeft, het begrip daarvan nauwkeurig te omlijnen en het laat slingeren tussen
die uitersten.

Hetzelfde gedicht illustreert nog in een ander opzicht, hoe in de uitgewerkte
verbeeldingen de gedachte licht bleef wankelen of zich vervluchtigde. De toon
van het gedicht is die van de bekende filisterachtige vrouwenverguizing: de
bespotting van haar zwakheid, de verdachtmaking van haar eer, waarin de ganse Middeleeuwen zich verlustigd hebben. Voor ons gevoel dissoneert met die
toon op schrille wijze de vrome aanprijzing van het geestelijk huwelijk en het
schouwende leven, waarop Repertoire de Science zijn vriend Franc Vouloir in
het latere gedeelte van het gedicht onthaalt[2]. Even vreemd doet het ons aan,
dat de dichter door Folie en Désir soms hoge waarheden laat bewijzen, die men
van de kant der tegenpartij zou verwachten[3].

Hier als zo dikwijls bij de middeleeuwse uitingen rijst de vraag: heeft de
dichter gemeend, wat hij aanprees? Zoals men ook vragen mocht: hebben Jean
Petit en zijn Bourgondische beschermers geloofd in al de gruwelen, waarmee zij
de nagedachtenis van Orleans bekladden? Of: hebben de vorsten en edelen waarlijk ernst gezien in al de bizarre fantazie en vertoning, waarmee zij hun ridderlijke krijgsplannen en geloften aankleedden? Het is uiterst moeilijk, ten opzichte van de middeleeuwse gedachte de zuivere scheiding te maken tussen ernst en
spel, tussen oprechte overtuiging en die houding van de geest, welke de Engelsen 'pretending' noemen, de houding van het spelende kind, die ook in de primitieve cultuur zulk een plaats inneemt[4], en die noch door geveinsdheid, noch
door 'aanstellerij' zuiver wordt uitgedrukt.

Vermenging van ernst en spel kenmerkt de zeden op allerlei gebied. Vooral in de oorlog wordt gaarne een komisch element gebracht: de spot der belegerden over hun vijand, die zij dikwijls bloedig boeten. Die van Meaux brengen een ezel op de muur, om Hendrik V van Engeland te honen; die van Condé verklaren, zich nog niet te kunnen overgeven, want zij zijn nog bezig hun paaspannekoeken te bakken; te Montereau stoffen de burgers op de muur staande hun kaproenen af, wanneer het kanon der belegeraars heeft losgebrand[1]. In dezelfde lijn ligt het, wanneer het kamp van Karel de Stoute voor Neuss wordt ingericht als een grote kermis: de edelen laten 'par plaisance' hun tenten bouwen in de vorm van kastelen, met galerijen en tuinen; er is allerlei vermaak[2].

Er is één gebied, waar die bijmenging van spot in de ernstigste dingen bijzonder grillig aandoet: de sombere sfeer van het duivel- en heksengeloof. Al wortelde de duivelfantazie onmiddellijk in de grote diepe angst, die haar voortdurend voedt, toch kleurde ook hier de naieve verbeelding de figuren zo kinderlijk bont, en maakt ze zo gemeenzaam, dat zij soms het angstwekkende verliezen. Het is niet alleen in de litteratuur, dat de duivel als komische figuur optreedt: ook in de gruwelijke ernst van de toverijprocessen blijft het gezelschap van Satan vaak in de manier van Jeroen Bosch, en vermengt zich de helse zwavellucht met de veesten van de klucht. De duivelen, die een nonnenklooster in onrust brengen, onder hun kapiteins Tahu en Gorgias, dragen namen 'assez consonnans aux noms de mondains habits, instruments et jeux du temps présent, comme Pantoufle, Courtaulx et Mornifle'*.

De vijftiende eeuw is die der heksenvervolgingen bij uitstek geweest. In de tijd, waarmee wij de Middeleeuwen plegen te sluiten en blijde opzien naar het bloeiende Humanisme, wordt de stelselmatige uitwerking van de heksenwaan, die vreselijke uitgroei van de middeleeuwse gedachte, bezegeld door de *Malleus maleficarum* en de bul *Summis desiderantes* (1487 en 1484). En geen Humanisme of Hervorming keren die waan: geeft niet de humanist Jean Bodin nog na het midden der zestiende eeuw in zijn *Démonomanie* het meeste en geleerdste voedsel aan de vervolgzucht? De nieuwe tijd en het nieuwe weten hebben niet aanstonds de gruwel der heksenvervolging van zich gewezen. Omgekeerd zijn de meedogender opvattingen omtrent hekserij, die in het laatst der zestiende eeuw door de Gelderse geneesheer Johannes Wier verkondigd werden, reeds in de vijftiende eeuw ruimschoots vertegenwoordigd.

De houding toch van de laat-middeleeuwse geest tegenover het bijgeloof, met name tegenover heksen en toverij, is zeer verscheiden en weinig vast. Zó hulpeloos overgeleverd aan alle spooksel en waan, als men uit de algemene lichtge-

* Molinet, IV p. 417; Courtaulx = een muziekinstrument, Mornifle = een kaartspel.

lovigheid en het gemis aan kritiek verwachten zou, is de tijd niet. Er zijn tal van uitingen van twijfel of van rationele opvatting. Telkens weer zijn het haarden van demonomanie, waar het kwaad uitbreekt en zich soms lange tijd handhaaft. Er waren tover- en heksenlanden bij uitnemendheid, meest bergstreken: Savoye, Zwitserland, Lotharingen, Schotland. Doch ook daarbuiten komen van die epidemieën voor. Omstreeks 1400 was het Franse hof zelf zulk een haard van toverij. Een prediker waarschuwde de hofadel, dat men oppassen moest, of de spreekwijze zou in plaats van 'vieilles sorcières' 'nobles sorciers' gaan luiden[1]. In het bijzonder rondom Lodewijk van Orleans zweefde de atmosfeer van duivelskunsten; de beschuldigingen en verdachtmakingen van Jean Petit misten in dit opzicht niet alle grond. Orleans' vriend en raadsman, de oude Philippe de Mézières, die bij de Bourgondiërs gold als de geheimzinnige inblazer van al diens misdaden, vertelt zelf, hoe hij indertijd de toverkunst geleerd had van een Spanjaard, en hoeveel moeite 't hem had gekost, om die snode kennis weer te vergeten. Nog tien of twaalf jaar sedert hij uit Spanje weg was 'à sa volenté ne povoit pas bien extirper de son cuer les dessusdits signes et l'effect d'iceulx contre Dieu', totdat hij eindelijk, biechtende en zich verzettende, door Gods goedheid verlost werd 'de ceste grand folie, qui est à l'âme crestienne anemie'[2]. De meesters der toverkunst zocht men bij voorkeur in wilde streken: een persoon, die gaarne de duivel zou spreken en niemand kan vinden, om hem die kunst te leren, wordt verwezen naar 'Ecosse la sauvage'[3].

Orleans had zijn eigen heksenmeesters en nigromanciens. Een hunner, wiens kunst hem niet voldeed, liet hij verbranden[4]. Aangemaand om over het geoorloofde van zijn bijgelovige praktijken het gevoelen van godgeleerden te vragen, antwoordde hij: 'Waarom zou ik dezulken vragen? ik weet immers, dat zij het mij zouden ontraden, en toch ben ik volkomen besloten, zo te handelen en zo te geloven, en ik zal het niet nalaten'[5]. – Gerson brengt met dat hardnekkig zondigen Orleans' plotselinge dood in verband; hij keurt ook de proeven af, om de krankzinnige koning door toverij te genezen, die reeds door meer dan één bij mislukking met de vuurdood geboet waren[6].

Eén toverpraktijk in het bijzonder werd aan de vorstenhoven herhaaldelijk genoemd: die welke in het Latijn 'invultare', in het Frans 'envoûtement' heette, de toeleg, over de gehele wereld bekend, om een vijand te verderven door een gedoopt wassen beeldje of andere figuur, in zijn naam vervloekt, te doen smelten, of te doorsteken. Philips VI van Frankrijk zou zulk een beeldje, dat hem in handen kwam, zelf in het vuur hebben geworpen met de woorden: 'Wij zullen zien, of de duivel machtiger is om mij te verderven, dan God om mij te redden'[7]. – Ook de Bourgondische hertogen worden ermee vervolgd. 'N'ay-je devers moy –

beklaagt Charolais zich bitter – les bouts de cire baptisés dyaboliquement et pleins d'abominables mystères contre moy et autres?'[1] – Philips de Goede, die in zo vele opzichten tegenover zijn koninklijke neven de meer conservatieve levensopvatting vertegenwoordigt: in zijn zin voor ridderschap en staatsie, in zijn kruistochtplan, in de meer ouderwetse litteraire vormen, die hij beschermde, – schijnt op het stuk van bijgeloof verlichter meningen toegedaan te zijn geweest dan het Franse hof, met name Lodewijk XI. Philips hecht niet aan de ongeluksdag van Onnozele kinderen, die zich iedere week herhaalde; hij vorst niet naar de toekomst bij astrologen en waarzeggers, 'car en toutes choses se monstra homme de léalle entière foy envers Dieu, sans enquérir riens de ses secrets', zegt Chastellain, die dat standpunt deelt[2]. De hertog is het, wiens ingrijpen een einde maakt aan de vreselijke vervolgingen van heksen en tovenaars te Atrecht in 1461, een der grote epidemieën van de heksenwaan.

De ongelofelijke verblinding, waarmee de heksencampagnes geleid werden, sproot ten dele voort uit het feit, dat zich de begrippen toverij en ketterij vermengd hadden. In het algemeen had zich alle afschuw, vrees en haat over ongehoorde vergrijpen, ook die buiten het directe geloofsgebied lagen, uitgedrukt in het begrip ketterij. Monstrelet noemt bijvoorbeeld de sadistische misdaden van Gilles de Rais eenvoudig 'hérésie'[2]. Het gewone woord voor toverij was in de vijftiende eeuw in Frankrijk 'vauderie', dat zijn oorspronkelijk verband met de Waldenzen verloren had. In de grote 'Vauderie d'Arras' nu ziet men zowel de ontzettende ziekelijke waan, waaruit weldra de *Malleus maleficarum* zou worden uitgebroeid, als de algemene twijfel, zo bij het volk als bij de hooggeplaatsten, aan de werkelijkheid van al de ontdekte misdrijven. Een der inquisiteurs beweert, dat een derde gedeelte der christenheid met vauderie is besmet. Zijn godsvertrouwen brengt hem tot de huiveringwekkende consequentie, dat ieder van toverij beschuldigde ook schuldig moet zijn. God toch laat niet toe, dat iemand ervan wordt beschuldigd, die geen tovenaar is. 'Et quand on arguoit contre lui, fuissent clercqs ou aultres, disoit qu'on debvroit prendre iceulx comme suspects d'estre vauldois.' Houdt iemand vol, dat sommige der verschijnselen op inbeelding berusten, dan noemt hij hem verdacht. Ja, deze inquisiteur meende op het zien van iemand te kunnen oordelen, of hij bij de vauderie betrokken was of niet. Later werd de man krankzinnig, maar de heksen en tovenaars waren verbrand.

De stad Atrecht geraakte door de vervolgingen zo in opspraak, dat men haar kooplui niet meer wilde herbergen of hun crediet verlenen, uit vrees, dat zij wellicht morgen van toverij aangeklaagd hun goed door verbeurdverklaring zouden verliezen. Niettemin, zegt Jacques du Clercq, geloofde buiten Atrecht niet één op duizend aan de waarheid van dat alles: 'oncques on n'avoit veu es marches de par decha tels cas advenu'. Als de slachtoffers bij hun terechtstelling hun euvele daden herroepen moeten, twijfelt het volk van Atrecht zelf. Een gedicht vol haat tegen de vervolgers beschuldigt hen, alles uit hebzucht te hebben aange-spannen; de bisschop zelf noemt het een opgezette zaak, 'une chose controuvée par aulcunes mauvaises personnes'[1]. De hertog van Bourgondië roept het advies in der faculteit van Leuven, van welke meerderen verklaren, dat de vauderie niet reëel is, dat het enkel illusies zijn. Toen zendt Philips zijn wapenkoning Toison d'or naar de stad, en sedert die tijd werden geen nieuwe slachtoffers meer gevat, en die nog in staat van beschuldiging waren, zachter behandeld.

Tenslotte zijn al de Atrechtse heksenprocessen vernietigd. En de stad vierde dat feit met een vrolijk feest en stichtelijke zinnespelen[2].

De waan der heksen zelf van haar luchtritten en sabbath-orgieën is niet dan haar eigen inbeelding, dat was het standpunt, in de vijftiende eeuw reeds door verscheidenen ingenomen. Daarmee was evenwel nog niet de rol van de duivel geschrapt, want hij is het, die de noodlottige illusie teweegbrengt; het is een dwaling, maar zij komt van de duivel. Dat is ook nog het standpunt van Johan-nes Wier in de zestiende eeuw. Bij Martin Lefranc, proost van de kerk van Lausanne, de dichter van het grote werk *Le Champion des Dames*, dat hij in 1440 aan Philips de Goede opdroeg, vindt men de volgende verlichte voorstelling van de heksenwaan.

Il n'est vieille tant estou(r)dye,
Qui fist de ces choses la mendre,
Mais pour la faire ou ardre ou pendre,
L'ennemy de nature humaine,
Qui trop de faulx engins scet tendre,
Les sens faussement lui demaine.
Il n'est ne baston ne bastonne
Sur quoy puist personne voler,
Mais quant le diable leur estonne
La teste, elles cuident aler
En quelque place pour galer
Et accomplir leur volonté.
De Romme on les orra parler,
Et sy n'y auront jà esté.

. . . .

Les dyables sont tous en abisme,
– Dist Franc-Vouloir – enchaienniez
Et n'auront turquoise ni lime
Dont soient jà desprisonez.
Comment dont aux cristiennez
Viennent ilz faire tant de ruzes
Et tant de cas désordonnez?
Entendre ne sçay tes babuzes.

En elders in hetzelfde gedicht:

Je ne croiray tant que je vive
Que femme corporellement
Voit par l'air comme merle ou grive,
– Dit le Champion prestement. –
Saint Augustin dit plainement
C'est illusion et fantosme;
Et ne le croient aultrement
Gregoire, Ambroise ne Jherosme.
Quant la pourelle est en sa couche,
Pour y dormir et reposer,
L'ennemi qui point ne se couche
Se vient encoste alle poser.
Lors illusions composer
Lui scet sy tres soubtillement,
Qu'elle croit faire ou proposer
Ce qu'elle songe seulement.
Force la vielle songera
Que sur un chat ou sur un chien
A l'assemblée s'en ira;
Mais certes il n'en sera rien:
Et sy n'est baston ne mesrien
Qui le peut ung pas enlever.[1]
. . . .

Ook Froissart houdt het geval van de Gasconse edelman met zijn volggeest Horton, dat hij zo meesterlijk beschrijft, voor een 'erreur'[2]. Gerson heeft een neiging om in de beoordeling der duivelse illusiën nog een schrede verder te gaan en een natuurlijke verklaring te zoeken voor allerlei bijgelovige verschijnselen. Veel daarvan, zegt hij, komt enkel voort uit de menselijke verbeelding en melancholische waanvoorstellingen, en deze berusten in duizenden gevallen op enig bederf van de verbeeldingskracht, bijvoorbeeld door een inwendig letsel der hersenen. Zulk een zienswijze, gelijk haar ook kardinaal Nicolaas van Cusa huldigt[1], schijnt verlicht genoeg, evenals die, dat in het bijgeloof een belangrijk aandeel toekomt aan heidense overleefsels en dichterlijke verzinselen. Maar hoewel Gerson toegeeft, dat veel gewaande duivelarij aan natuurlijke oorzaken is toe te schrijven, laat ook hij tenslotte de duivel de eer: dat inwendige hersenletsel komt weer voort uit duivelse illusiën[2].

Buiten de vreselijke sfeer der heksenvervolging werkte de Kerk met heilzame en gepaste middelen het bijgeloof tegen. De prediker broeder Richard laat zich de 'madagoires' (mandragora, alruin) brengen, om ze te verbranden, 'que maintes sotes gens gardoient en lieux repos, et avoient si grant foy en celle ordure, que pour vray ilz creoient fermement que tant comme ilz l'avoient, mais qu'il fust bien nettement et beaux drapeaulx de soie ou de lin enveloppé, que jamais jour de leur vie ne seroient pouvres'[3]. – De burgers die zich door een troep Zigeuners de hand hebben laten lezen worden geëxcommuniceerd, en er wordt een processie gehouden om het onheil af te weren, dat uit die goddeloosheid zou kunnen voortvloeien[4].

Een traktaat van Dionysius de Kartuizer toont helder aan, langs welke lijnen de grenzen tussen geloof en bijgeloof getrokken werden, op welke grondslag de kerkleer ten dele verwierp, ten dele de voorstellingen door waarlijk godsdienstige inhoud trachtte te zuiveren. Amuletten, besprekingen, zegenspreuken enz., zegt Dionysius, hebben in zichzelf niet de kracht om een uitwerking teweeg te brengen. Daarin verschillen zij dus van de sacramentswoorden, waaraan, indien zij met de juiste bedoeling gesproken worden, ontwijfelbare uitwerking toekomt, daar God aan die woorden als 't ware zijn macht verbonden heeft. De benedicties evenwel zijn enkel te beschouwen als een nederige smeekbede, alleen te verrichten met de gepaste vrome woorden en met de hoop alleen op God gevestigd. Indien zij gemeenlijk effect hebben, dan is dit of doordat, bij behoorlijke verrichting, God die uitwerking verleent, of, worden zij anders verricht, bijvoorbeeld het kruisteken anders dan recht gemaakt, en hebben toch niettemin uitwerking, dan is het effect des duivels werk. 's Duivels werken zijn geen wonderen, want de duivelen kennen de geheime krachten der natuur; de werking is dus een natuurlijke, evenals het gedrag van vogels of andere dieren slechts uit natuurlijke oorzaken een voorbetekenis kan hebben. – Dionysius erkent, dat de volkspraktijk aan al die zegenspreuken, amuletten enz. wel degelijk de zelfstandige waarde toekent, die hij loochent, en meent, dat de geestelijken dan ook liever maar al die gewoonten moesten verbieden[1].

In het algemeen kan men de houding tegenover alles wat bovennatuurlijk scheen, kenschetsen als een weifelen tussen redelijke, natuurlijke verklaring, spontane, vrome aanvaarding en argwaan in duivelse list en bedrog. Het woord, dat door het gezag van Augustinus en Thomas van Aquino was gestaafd: 'omnia quae visibiliter fiunt in hoc mundo, possunt fieri per daemones' – alles wat in deze wereld zichtbaar geschiedt, kan door de duivelen veroorzaakt worden, – liet de vrome van goeden wille in grote onzekerheid, en de gevallen, dat een arme hysterica een ganse burgerij tijdelijk in vrome opwinding bracht en ten slotte ontmaskerd werd, zijn niet zeldzaam[2].

18

DE KUNST IN HET LEVEN

De Frans-Bourgondische cultuur der laatste Middeleeuwen is aan het nu levende geslacht het best bekend uit haar beeldende kunst, vooral haar schilderkunst.
De gebroeders Van Eyck, Rogier van der Weyden en Memlinc beheersen met
Sluter, de beeldhouwer, voor ons het gezicht op die tijd. Dat is niet altijd zo geweest. Omstreeks een eeuw geleden, toen men Memlinc nog Hemlinc schreef,
kende de ontwikkelde leek die tijd in de eerste plaats uit zijn geschiedenis, weliswaar in de regel niet uit Monstrelet en Chastellain zelf, maar dan toch uit De
Barante's *Histoire des ducs de Bourgogne*, dat daaruit is afgeleid. En zou naast en
boven De Barante niet vooral Victor Hugo's *Notre Dame de Paris* voor de meesten
het beeld van die tijden vertegenwoordigd hebben?

Het beeld, dat daaruit oprees, was fel en duister. In de kroniekschrijvers zelf
en in de verwerking van hun stof door de negentiende-eeuwse romantiek komt
bovenal het sombere en gruwelijke der late Middeleeuwen naar voren: de bloedige wreedheid, de hartstocht en hebzucht, de krijsende hovaardij en wraakgierigheid en de jammerlijke ellende. De lichtere kleuren werden bijgevoegd
door de bonte, opgeblazen ijdelheid der vermaarde hoffeesten met al hun ge-
flonker van versleten allegorie en ondragelijke weelde.

En nu? Nu straalt voor ons over die tijd de hoge, waardige ernst en de diepe
vrede van Van Eyck en Memlinc; die wereld van vijf eeuwen her schijnt ons vervuld met een heldere glans van eenvoudige blijheid, een schat van innigheid.
Ons beeld er van is van woest en donker, vredig en sereen geworden. Want wat
wij naast de beeldende kunst nog weten van andere levensuitingen dier tijden,
het is alles uitdrukking van schoonheid en stille wijsheid: de muziek van Dufay
en zijn gezellen, het woord van Ruusbroec en Thomas a Kempis. Zelfs waar de
wreedheid en ellende der tijden nog luide doorklinkt: in de geschiedenis van
Jeanne d'Arc en de poëzie van Villon, gaat er toch enkel verheffing en vertedering van die figuren uit.

Waarop berust dat diepgaande verschil tussen het tijdsbeeld uit de kunst en het tijdsbeeld uit de geschiedenis en de litteratuur? Is aan die tijd in het bijzonder een grote onevenredigheid eigen tussen de verschillende gebieden en vormen van levensuiting? Was de levenssfeer, waaruit de zuivere en innige kunst der schilders sproot, een andere en betere dan die der vorsten, edelen en litteraten? Horen zij bij geval met Ruusbroec, de Windesheimers en het volkslied in een vredige limbus aan de rand van die bonte hel? – Of is het een algemeen verschijnsel, dat de beeldende kunst een helderder beeld van een tijd nalaat dan het woord der dichters en geschiedschrijvers?

Op de laatste vraag kan het antwoord onmiddellijk bevestigend luiden. Inderdaad, van alle vroegere beschavingen is ons beeld serener geworden dan voorheen, sedert wij ons meer en meer van het lezen naar het kijken gewend hebben, en het historische zintuig steeds meer visueel is geworden. Want de beeldende kunst, waaruit wij bovenal de aanschouwing van het verleden putten, weeklaagt niet. Uit haar vervluchtigt zich terstond de bittere smaak van de smart der tijden, die haar hebben voortgebracht. Maar de klacht over al het leed der wereld, in het woord geuit, behoudt altijd haar toon van onmiddellijke smartelijkheid en onbevredigdheid, doordringt ons altijd weer van droefheid en medelijden, terwijl het leed, zoals de beeldende kunst het uitdrukt, terstond overgaat in de sfeer van het elegische en de stille vrede.

Meent men derhalve uit de aanschouwing der kunst het volledige beeld van een tijd in zijn werkelijkheid te putten, dan blijft een algemene fout in het historisch gezicht ongecorrigeerd. Ten opzichte van de Bourgondische tijd in het bijzonder bestaat bovendien het gevaar van een speciale gezichtsfout: dat men namelijk de verhouding tussen de beeldende kunst en de litteraire cultuuruitdrukking niet juist ziet.

In deze fout vervalt de beschouwer, wanneer hij er zich geen rekenschap van geeft, dat reeds de stand der overlevering hem tegenover kunst en litteratuur in zeer verschillende positie plaatst. De letterkunde der late Middeleeuwen is ons, behoudens enkele uitzonderingen, vrijwel volledig bekend. Wij kennen haar in haar hoogste uitingen en haar laagste, in al haar genres en vormen, van het meest verhevene tot het meest alledaagse, van het vroomste tot het uitgelatenste, van het meest theoretische tot het meest actuele. Het ganse leven van de tijd wordt door de litteratuur weerspiegeld en uitgedrukt. En de schriftelijke overlevering is met de litteratuur nog niet uitgeput; er is bovendien nog alles wat de acten en bescheiden zeggen, om onze kennis aan te vullen. Van de beeldende kunst daarentegen, die reeds door haar aard het leven van de tijd minder direct en volledig uitdrukt, bezitten wij niet dan een speciaal fragment. Buiten de kerkelijke kunst immers zijn het slechts minieme resten. Alle wereldlijke beeldende kunst, alle toegepaste kunst ontbreken bijna geheel: juist de vormen, waarin zich de samenhang van kunstvoortbrenging en gemeenschapsleven voortdurend openbaarde, zijn ons gebrekkig bekend. Onze kleine schat van altaarstukken en grafmonumenten leert ons van die samenhang lang niet genoeg: het beeld van de kunst blijft geïsoleerd staan buiten onze kennis van het bonte leven van de tijd. Om de functie van de beeldende kunst in de Frans-Bourgondische samenleving, de verhouding van kunst en leven te begrijpen, is de bewonderende aanschouwing van de bewaarde meesterwerken niet genoeg; ook het verlorene vraagt onze aandacht.

De kunst gaat in die tijd nog op in het leven. Het leven staat in sterke vormen bepaald. Het wordt bijeengehouden en gemeten door de sacramenten der Kerk, de feesten van het jaar en de getijden des daags. 's Levens werken en vreugden hebben alle hun vaste vorm: godsdienst, ridderschap en hoofse min leveren de gewichtigste vormen van het leven. De taak der kunst is, om die vormen zelf, waarin het leven verliep, met schoonheid te versieren. Wat men zoekt, is niet de kunst zelf, maar het schone leven. Men treedt niet, zoals latere tijden, uit een min of meer onverschillige levenssleur naar buiten, om tot troost en verheffing kunst te genieten in eenzame contemplatie; men vindt de kunst aangewend tot verhoging van de luister van het leven zelf. Zij is bestemd om mee te klinken in de vervoeringen van het leven, hetzij in de hoogste vlucht van vroomheid of in het hovaardigste genieten van het wereldse. Als een eigen ding van schoonheid wordt de kunst in de Middeleeuwen nog niet begrepen. Zij is voor het overgrote deel toegepaste kunst, ook in de voortbrengselen, die wij als zelfstandige kunstwerken zouden aanmerken; dat wil zeggen, het motief om haar te begeren ligt in haar bestemming, haar dienstbaarheid aan enige levensvorm; de zuivere schoonheidsbedoeling moge des ondanks de scheppende kunstenaar zelf besturen, het geschiedt half onbewust. De eerste kiemen van een kunstliefde om haars zelfs wil doen zich voor als woekeringen der kunst-*produktie*: bij vorsten en edelen hopen zich de kunstvoorwerpen op tot verzamelingen; nu worden zij nutteloos en geniet men ze als weelderige curiositeit, als kostbare delen van de vorstelijke schat, en daaraan eerst kweekt men de eigenlijke kunstzin, die in de Renaissance is volgroeid.

In de grote kunstwerken der vijftiende eeuw, met name in de altaarstukken en de grafkunst, ging voor de tijdgenoot de gewichtigheid van het onderwerp en de bestemming ver vóór de waardering van de schoonheid. De werken moeten schoon zijn, omdat het onderwerp zo heilig of de bestemming zo verheven was. Die bestemming is altijd min of meer een praktische. Het altaarstuk heeft een tweeledige bestemming: het dient tot plechtig vertoon bij hoge feesten, om de vrome aanschouwing der schare te verlevendigen, en het bewaart de herinnering aan de vrome stichters, wier gebed blijft opgaan uit hun geknielde beeltenis. Het is bekend dat de Aanbidding van het Lam van Hubert en Jan van Eyck maar heel zelden geopend werd. Wanneer de Nederlandse stadsmagistraten ter versiering van de vierschaar in het raadhuis taferelen van vermaarde vonnissen of rechtsplegingen bestelden, zoals het oordeel van Cambyses door Gerard David te Brugge, of dat van keizer Otto door Dirk Bouts te Leuven, of de verloren Brusselse schilderijen van Rogier van der Weyden, dan was het om de rechters een plechtig en bloedig vermaan tot hun plicht voor ogen te houden. – Hoe gevoelig men was voor het onderwerp van wat men aan de wanden prijken zag, moge blijken uit het volgende geval. Te Lelinghem wordt in 1384 een samenkomst gehouden, om tot een wapenstilstand tussen Frankrijk en Engeland te geraken. De hertog van Berry, de prachtlievende, wie dit wel was toevertrouwd, heeft de kale muren van de oude kapel, waar de vorstelijke onderhandelaars elkaar zullen ontmoeten, laten behangen met tapijten, waarop veldslagen der oudheid zijn voorgesteld. Maar toen bij het eerste binnenkomen de hertog van Lancaster, John of Gaunt, ze aanschouwt, wil hij, dat die taferelen van strijd weggenomen worden: zij die naar de vrede streven, moeten geen oorlog en vernieling voor hun ogen hebben. En er worden andere tapijten gehangen, waarop de instrumenten van het lijden des Heren staan afgebeeld[1].

De oude betekenis van het kunstwerk, dat namelijk zijn doel ligt in het onderwerp, heeft zich voor een goed deel gehandhaafd bij het portret. De levensgevoelens, waaraan het dienstbaar is, ouderliefde en familietrots, in jongere tijd vermeerderd met heldenverering en zelfcultus, zijn nog altijd levend, terwijl de geest, op welke het justitietafereel als vermaning werkte, is afgesleten. Het portret had bovendien nog dikwijls de bestemming tot kennismaking bij verlovingen. Met het gezantschap, dat Philips de Goede in 1428 naar Portugal zendt om hem een bruid te werven, gaat ook Jan van Eyck, om de beeltenis der koningsdochter te schilderen. Er wordt soms een fictie volgehouden, alsof de vorstelijke bruigom door het zien van het portret de onbekende prinses heeft liefgekregen, zo bij het werven van Richard II van Engeland om de zesjarige Isabella van Frankrijk[2]. Er is zelfs wel eens sprake van een keuze bij vergelijking naar portret. Als de jonge Karel VI van Frankrijk een vrouw moet hebben, en men weifelt tussen een hertogsdochter van Beieren, Oostenrijk of Lotharingen, wordt een uitnemend schilder gezonden, om van alle drie het portret te maken. Men legt ze de koning voor, en hij kiest de veertienjarige Isabella van Beieren, die hij verreweg de schoonste acht[3].

Nergens is de praktische bestemming van het kunstwerk zo overwegend als bij het grafteken, waaraan de beeldhouwkunst van die tijd haar werkzaamheid bij uitstek vond. En niet alleen de beeldhouwkunst: de hevige behoefte aan een zichtbaar beeld van de gestorvene moest ook reeds bij de begrafenis bevredigd worden. Soms werd de dode voorgesteld door een levend mens: bij de lijkdienst voor Bertrand du Guesclin te Saint Denis verschenen vier geharnaste ridders te paard in de kerk, 'representans la personne du mort quand il vivoit'[1]. Een tekening uit 1375 vermeldt van een lijkplechtigheid in het huis van Polignac: 'cinq sols à Blaise pour avoir fait le chevalier mort à la sepulture'[2]. Bij de koninklijke begrafenissen is het meestal een leren pop, geheel gekleed in vorstelijke staat, en waarbij naar grote gelijkenis wordt gestreefd[3]. Soms zijn er zelfs, naar 't schijnt, meer dan een van die beeltenissen in de stoet. De aandoening van het volk concentreert zich op het zien van die beelden[4]. Het dodenmasker, dat in de vijftiende eeuw in Frankrijk opkomt, heeft wellicht uit de vervaardiging van deze lijk-staatsiepoppen zijn uitgangspunt genomen*.

De opdracht van een kunstwerk geschiedt bijna altijd met een bedoeling voor het leven, met een praktische bestemming. Hierdoor wordt de grens tussen de vrij beeldende kunst en het kunsthandwerk feitelijk uitgewist, of liever zij is nog niet getrokken. Ook wat de personen der kunstenaars betreft, bestaat die grens nog niet. De schaar van zeer persoonlijke meesters in de hofdienst van Vlaanderen, Berry en Bourgondië wisselt het schilderen van zelfstandige taferelen niet enkel af met het verluchten van handschriften en het polychromeren van beeldhouwwerk; zij moeten ook hun krachten wijden aan het beschilderen van wapenschilden en banieren, het ontwerpen van toernooicostuums en plechtgewaden. Melchior Broederlam, eerst schilder van de Vlaamse graaf Lodewijk van Male, daarna van diens schoonzoon, de eerste hertog van Bourgondië, decoreert vijf gebeeldhouwde zetels voor 's graven huis. Hij herstelt en beschildert de mechanieke rariteiten in het kasteel van Hesdin, waarmee de gasten besproeid of bestoven werden. Hij werkt aan een reiswagen der hertogin. Hij leidt de buitensporige versiering van de vloot, die de Bourgondische hertog in 1387 verzameld had in de haven van Sluis, voor een tocht tegen Engeland, die nimmer plaats had. Bij de vorstelijke bruiloften en begrafenissen worden steeds de hofschilders in het werk gesteld. In de werkplaats van Jan van Eyck werden stand-

---

* Gelijk bekend bewaart Westminster Abbey nog heden ten dage de wassen beelden, die eenmaal bij koninklijke begrafenissen dienden: dat van Karel II is het oudst bewaarde. Te vergelijken de gewoonte der voorname Florentijnen, om hun levensgrote afbeelding in was reeds bij het leven in de Santissima Annunziata te laten ophangen, waaromtrent A. Warburg, Gesamm. Schriften, I p. 99, 346, 350 zoveel merkwaardigs meedeelt.

beelden beschilderd, en hij zelf vervaardigde voor hertog Philips een soort van wereldkaart, waarop steden en landen wonderbaarlijk fijn en duidelijk geschilderd te zien waren. Hugo van der Goes beschildert een aantal wapenschilden met 's pausen wapen, om aan de stadspoorten te worden geslagen tijdens een aflaat te Gent[1]. Van Gerard David vindt men vermeld, dat hij de tralies of luiken van het vertrek in het broodhuis te Brugge, waar Maximiliaan in 1488 opgesloten zat, met schilderwerk versieren moest, om de koninklijke gevangene het verblijf wat te veraangenamen[*].

Van al het werk, dat uit de handen der grote en geringere kunstenaars gekomen is, heeft men slechts een fragment van tamelijk speciale aard over. Het zijn in hoofdzaak grafmonumenten, altaarstukken, portretten en miniaturen. Van de wereldlijke schilderkunst is, buiten de portretten, slechts zeer weinig bewaard. Van de sierkunst en het kunsthandwerk hebben wij sommige bepaalde genres: kerkgerei, kerkgewaden, enige meubelkunst. Hoe zou ons inzicht in het karakter der vijftiende-eeuwse kunst verlengd worden, indien wij van Jan van Eyck of Rogier de badstoven en de jachttaferelen konden plaatsen naast de vele pietà's en madonna's[**]. Van gehele gebieden der toegepaste kunst hebben wij nauwelijks een voorstelling. Naast de kerkelijke paramenten moesten wij de met juwelen en schelletjes bezette prachtgewaden van het hof kunnen leggen. Wij moesten de pralend getooide schepen kunnen zien, waarvan ons de miniaturen slechts een hoogst gebrekkige, schematische voorstelling geven. Er zijn weinig dingen, wier schoonheid Froissart zo heeft getroffen als van de schepen[2]. De wimpels, rijk met wapens versierd, die van de top van de mast wapperden, waren bij wijlen zo lang, dat zij het water raakten. Nog op de scheepsafbeeldingen van Pieter Breughel ziet men die buitensporig lange en brede wimpels. Het schip van Philips de Stoute, waaraan Melchior Broederlam in 1387 te Sluis werkte, was bedekt met blauw en goud; grote wapenschilden versierden het paviljoen op het achterkasteel; de zeilen waren bestrooid met margrieten en de voorletters van het hertogelijk paar met hun devies *Il me tarde*. Het was een wedijver

---

[*] Een renaissance-paus als Pius II heeft in dit opzicht geen andere gedachten over de waardigheid van de kunstenaar: hij laat zijn geliefkoosde beeldhouwer Paolo Romano twee beeltenissen van Sigismondo Malatesta vervaardigen, ten einde ze plechtig te verbranden! De paus prijst in zijn Commentarii VII, p. 185, hun treffende gelijkenis. Zie E. Müntz, Les arts à la cour des papes etc., 1878, p. 248.

[**] Een opmerkelijke verrijking van ons materiaal betekent het Jachtfeest van het Bourgondische hof, waarvan het origineel in het kasteel Pardo bij Madrid verbrandde, in copie bewaard in het kasteel van Versailles, waarop Paul Post de aandacht vestigde in het Jahrbuch der Preussischen Kunstsammlungen, 1931, p. 120 ff.: Ein verschollenes Jagdbild Jan van Eycks.

onder de edelen, wie zijn schip voor die gefaalde expeditie tegen Engeland het kostbaarst zou versieren. De schilders hadden een goede tijd, zegt Froissart*; zij verdienden wat zij maar vragen wilden, en men kon er niet genoeg vinden. Hij beweert, dat velen de masten geheel met bladgoud lieten vergulden. Vooral Guy de la Trémoïlle spaarde geen kosten; hij besteedde er meer dan 2000 ponden aan. 'L'on ne se povoit de chose adviser pour luy jolyer, ne deviser, que le seigneur de la Trimouille ne le feist faire en ses nefs. Et tout ce paioient les povres gens parmy France...'

De trek, die ons in al de verloren wereldse sierkunst het meest zou hebben getroffen, zou ongetwijfeld het overdadige, schitterend extravagante zijn geweest. Ook aan de bewaarde kunstwerken is die trek van het extravagante wel degelijk eigen, maar daar wij die eigenschap in deze kunst het minst waarderen, letten wij er het minst op. Wij zoeken er enkel de diepste schoonheid in te genieten. Alles wat louter praal en luister is, heeft voor ons zijn prikkeling verloren. Maar voor de tijdgenoot was juist die praal en luister van ontzaglijk gewicht.

De Frans-Bourgondische cultuur der laatste Middeleeuwen is er een, waarin pracht schoonheid wil verdrijven. De eind-middeleeuwse kunst weerspiegelt getrouw de eind-middeleeuwse geest, een geest, die zijn pad ten einde was gelopen. Wat wij hierboven beschouwden als een der voornaamste kenmerken van het laat-middeleeuwse denken: de uitbeelding van al het denkbare tot in al zijn consequentie, de overvulling van de geest met een oneindig systeem van formele verbeeldingen, dat is ook het wezen der kunst van die tijd. Ook zij streeft ernaar, niets ongevormd, niets onverbeeld of onversierd te laten. De flamboyante gothiek is als een eindeloos orgelnaspel: zij lost alle vormen op in zelfontbinding, geeft aan elk détail zijn voortgezette doorwerking, aan elke lijn haar tegenlijn. Het is een ongebonden woekeren van de vorm over de idee; het versierde détail tast alle vlakken en lijnen aan. Er heerst in deze kunst die horror vacui, die misschien een kenmerk van eindigende geestesperioden mag heten.

Dat alles wil zeggen, dat de grenzen tussen praal en schoonheid verflauwen. Tooi en versiering dienen niet meer om het natuurlijk schone te verheerlijken, maar overwoekeren het en dreigen het te verstikken. Die woekering van de formele versieringselementen over de inhoud is des te tomelozer, naarmate men zich verder van de zuiver beeldende kunst verwijdert. In de beeldhouwkunst is, zolang zij losstaande figuren schept, voor de vormenwoekering weinig plaats: de beelden van de Mozesput en de 'plourants' van de graftomben wedijveren in

---

* Froissart, ed. Kervyn, XI p. 367. Een variant leest 'proviseurs' voor 'peintres' , maar het zinsverband maakt het laatste aannemelijker.

strenge, sobere natuurlijkheid met Donatello. Maar zodra de beeldhouwkunst een versierende taak krijgt, of in het domein van de schilderkunst treedt, en, zich bindend aan de verminderde dimensies van het reliëf, gehele taferelen weergeeft, gaat ook zij zich te buiten aan woelige overlading. Wie aan de tabernakel te Dijon het snijwerk van Jacques de Baerze en het schilderwerk van Broederlam naast elkander ziet, zal getroffen worden door een disharmonie. In de schilderij, de zuiver verbeeldende, heerst eenvoud en rust; in het snijwerk, dat, uit zijn aard versierend, ook het beelden van figuren ornamenteel behandelt, ziet men een zich verdringen der vormen, dat met de rust van het geschilderde contrasteert. Van dezelfde aard is het verschil tussen het schilderij en het tapijt. De weefkunst blijft door haar onvrijer techniek, ook waar zij de taak op zich neemt van zuiver af te beelden, nader staan bij de versieringskunst, en kan zich niet onttrekken aan de overdreven versieringsbehoefte: de tapijten zijn overvuld met figuren en kleur en blijven archaïsch van vormen[1]. Verwijdert men zich nog verder van de zuiver beeldende kunst, dan komt de kleding aan de beurt. Ook deze is ontegenzeggelijk kunst. Maar hier overweegt reeds in de bedoeling praal en tooi boven zuivere schoonheid, en bovendien trekt Superbia de kledingkunst in de sfeer van het hartstochtelijke en zinnelijke, waar de eigenschappen, die het wezen der hoge kunst uitmaken: de evenmaat en harmonie, bezwijken.

Een buitensporigheid als de klederdracht van 1350 tot 1480 vertoont, heeft de mode van later tijden niet weer te zien gegeven, althans niet in zo algemene en langdurige vorm. Er zijn ook later extravagante modes geweest, zoals de landsknechtendracht omstreeks 1520 en het Franse adellijke costuum van omstreeks 1660, maar die teugelloze overdrijving en overlading, die de Frans-Bourgondische dracht een eeuw lang gekenmerkt heeft, blijft zonder voorbeeld. Hier ziet men, wat de schoonheidszin dier tijden, aan zijn ongestoorde drift overgelaten, wrocht. Een enkel hofcostuum wordt overladen met honderden edele stenen. Alle afmetingen worden tot in het belachelijke geoutreerd. Het vrouwenkapsel neemt de suikerbroodvorm van de 'hennin' aan: het haar wordt aan de slapen en bij de inplanting op het voorhoofd verwijderd of verborgen, om de zonderling gebombeerde voorhoofden te vertonen, die als schoon golden; het décolleté is plotseling begonnen. Doch in de mannenkleding zijn de buitensporigheden nog talrijker. Hier heeft men de lange schoenpunten of 'poulaines', die de ridders bij Nicopolis zich moesten afsnijden om te kunnen vluchten, de ingesnoerde middels, de ballonachtige opgepofte mouwen, die bij de schouders omhoog staan, de houppelandes, die tot op de voeten hangen, en de buizen zo kort, dat zij de billen zichtbaar laten; de hoge puntige of cilindervormige mutsen en hoeden, de kaproenen wonderlijk om het hoofd gedrapeerd als een hanekam of

een vlammend vuur. Hoe plechtiger, hoe buitensporiger; want al dit fraais beduidt staatsie, 'estat'*. Het rouwkleed, waarin Philips de Goede na de moord van
zijn vader te Troyes de koning van Engeland ontvangt, is zo lang, dat het van
het hoge ros af, dat hij berijdt, de aarde raakt[1].

De overdadige pronk heeft haar toppunt in het hoffeest. Iedereen herinnert
zich de beschrijvingen van die Bourgondische hoffeesten, zoals het banket te
Rijsel in 1454, waar de gasten bij de opgedragen fazant hun geloften aflegden,
om tegen de Turk ter kruisvaart te trekken, of het bruiloftsfeest van Karel de
Stoute en Margareta van York te Brugge in 1468[2]. Niets kan in onze voorstelling verder af staan van de stille wijding van het Gentse of Leuvense altaarstuk
dan deze uitingen van barbaarse vorstenweelde. Uit de beschrijving van al die
'entremets' met hun pasteien, waarin muzikanten spelen, hun opgetuigde schepen en kastelen, de apen, walvissen, reuzen en dwergen, met al de afgezaagde
allegorie, die daarbij hoort, kunnen wij ze ons niet anders voorstellen dan als
buitengewoon wansmakelijke vertoningen.

Toch zien wij hier licht de kloof tussen de beide uitersten der kunst: de kerkelijke en die van het hoffeest, in meer dan één opzicht te groot. Allereerst moet
men zich rekenschap geven van de functie, welke het feest in die samenleving
vervulde. Het feest had nog vrij wat behouden van de functie, die het bij primitieve volken vervult, van te zijn de souvereine uiting der cultuur, de vorm, waarin men gezamenlijk zijn hoogste levensvreugde uit en zijn gemeenschapsgevoel
verbeeldt. In tijden van grote vernieuwing der gemeenschap, zoals in de Franse
revolutie, verwerft het feest soms die belangrijke sociale en esthetische functie
opnieuw.

De moderne mens kan op ieder ogenblik van rust in zelfgekozen ontspanning
individueel de bevestiging van zijn levensinzicht en de zuiverste genieting van
zijn levensvreugde zoeken. Een tijd, waarin de geestelijke genotmiddelen nog
weinig verspreid en toegankelijk zijn, behoeft daartoe een gezamenlijke daad:
het feest. En hoe groter het contrast is van de ellendigheid des dagelijksen levens,
des te onmisbaarder is het feest, en des te sterker middelen zijn van node, om
die bedwelming in schoonheid en genot, die tempering der realiteit te ondergaan, zonder welke het leven dof is. De vijftiende eeuw nu is een tijd van ontzettende depressie en grondig pessimisme. Hierboven** is gesproken van de
eeuwige beklemming van onrecht en geweld, hel en oordeel, pest, brand en
honger, duivel en heksen, waaronder die eeuw leeft. De arme mensheid behoef-

* Pierre de Fenin, p. 624 van Bonne d'Artois: 'et avec ce ne portoit point d'estat sur son
chief comment autres dames à elle pareilles'.
** p. 22/23.

de daartegen niet alleen de dagelijks herhaalde belofte van het hemels heil en van Gods wakende zorg en goedheid; van tijd tot tijd was ook nog een plechtige en gezamenlijke, glorieuze verzekering van de schoonheid des levens zelf nodig. Het levensgenot in zijn primaire vormen: spel, min, drank, dans en zang, is niet genoeg; het moet veredeld worden met schoonheid, gestileerd in een gemeenschappelijk vreugdebedrijf. Want voor elk voor zich: in de boeken, of in het aanhoren van muziek, in het aanschouwen van kunst, in het genieten der natuur, was die bevrediging nog niet bereikbaar; de boeken waren te kostbaar, de natuur te onveilig, de kunst maakte juist deel uit van het feest.

Het volksfeest had zijn eigen, oorspronkelijke bronnen van schoonheid enkel in het lied en in de dans. Voor het schoon van kleur en vorm leunde het op het kerkfeest, waarbij het zich gewoonlijk aansloot, en dat daarvan overvloed bood. De losmaking van het burgerlijke feest uit de kerkelijke vorm, en de opluistering ervan met eigen sier, wordt juist in de vijftiende eeuw door de rederijkers volbracht. Tot dusver was alleen het vorstenhof in staat geweest, een zuiver wereldlijk feest te tooien met weelde van kunst, er een eigen pracht aan te geven. Maar weelde en pracht zijn voor het feest niet genoeg; niets is ervoor zo onmisbaar als stijl.

Het kerkfeest had die stijl krachtens de liturgie zelf. Daar was altijd aanwezig de indrukwekkende verbeelding van één verheven idee in een schoon gebaar van velen samen. De heilige waardigheid en de hoge vaste gang werden er zelfs door de uiterste woekeringen van het feestelijk détail, tot in het burleske toe, niet verbroken. Doch waaraan ontleende het hoffeest zijn stijl? welke idee lag er aan ten gronde, om te worden uitgedrukt? – Het kon geen andere zijn dan het ridderideaal, want daarop berustte de gehele levensvorm van het hof. Was aan het ridderideaal een eigen stijl, een liturgie om zo te zeggen, verbonden? – Ja, alles wat ridderslag, orderegels, tournooien, préséance, hulde en dienst betrof: het ganse spel van wapenkoningen, herauten, blazoenen, maakte die stijl uit. Voorzover het hoffeest uit die elementen was opgebouwd, had het voor de tijdgenoten wel degelijk een grote, eerbiedwaardige stijl. Nu nog kan zelfs iemand zonder monarchale of adellijke geestdrift bij het aanschouwen van elke willekeurige staatsie de sterke indruk van zulk een zuiver wereldse liturgie ondergaan. Hoe moet het dan geweest zijn voor de bevangenen in de waan van dat ridderideaal, bij de pompeuze aankleding met lange gewaden en schitterende kleuren!

Maar het hoffeest wilde nog meer. Het wilde de droom van het heroïsche leven tot het uiterste verbeelden. Hier nu brak de stijl. Die ganse toestel van ridderlijke fantazie en staatsie was niet meer van echt leven vervuld. Het was alles teveel litteratuur geworden, een voze renaissance en een ijdele conventie. De overlading met staatsie en etikette moest het innerlijk verval van de levensvorm bedekken. De ridderlijke gedachte der vijftiende eeuw zwelgt in een romantiek, die door en door hol en versleten is. Dat was de bron, waaruit het hoffeest de fantazie voor zijn vertoningen en verbeeldingen putten moest. Hoe zou het stijl scheppen uit een litteratuur, zo stijlloos, ongebonden en verschaald als de ridderlijke romantiek in haar ontaarding?

In dit licht moet men de schoonheidswaarde van de 'entremets' bezien: het is toegepaste litteratuur, waarbij het enige, wat die litteratuur nog dragelijk kon maken: haar vluchtig, oppervlakkig voortdromen over al haar bonte gedaanten, plaats maakt voor de opdringendheid van het stoffelijk voorgestelde.

De zware, barbaarse ernst, die uit dat alles preekt, past juist bij het Bourgondische hof, dat door zijn aanraking met het Noorden de luchtiger en harmonischer Franse geest scheen te hebben verloren. Plechtig en gewichtig wordt al die geweldige pronk opgevat. Het grote feest van de hertog te Rijsel vormde het besluit en de bekroning van een reeks van banketten, die de hofadel elkander in wedijver aanbood. Het was eenvoudig begonnen, en met geringe kosten en dan gestegen in aantal van gasten, weelderigheid van spijzen en tafelspeelkens; door het aanbieden van een krans gaf de gastheer een ander de beurt; zo ging het over van ridders op grote heren en van heren op prinsen, in steeds stijgende mate van uithaal en vertoon, totdat het eindelijk aan de hertog zelf kwam. Voor Philips moest het meer zijn dan een schitterend feest; daar zouden de geloften plaats hebben voor de kruistocht tegen de Turken ter herovering van Constantinopel, een jaar tevoren gevallen: 's hertogen luid beleden levensideaal. Ter voorbereiding wees hij een commissie aan onder leiding van de Vliesridder Jean de Lannoy. Ook Olivier de la Marche had er zitting in. Wanneer deze in zijn gedenkschriften tot die zaken genaderd is, wordt het hem nog plechtig te moede. 'Pour ce que grandes et honnorables œuvres desirent loingtaine renommée et perpétuelle mémoire', aldus begint hij die grote dingen te gedenken[1]. De eerste en nauwste raden van de hertog waren herhaaldelijk tegenwoordig bij de beraadslagingen: de kanselier Nicolaas Rolin zelf en Antoine de Croy, de eerste kamerheer, werden ertoe geroepen, eer men het eens was, hoe 'les cérimonies et les mistères' moesten worden opgezet.

Het relaas van al dat fraais is zo dikwijls gedaan, dat het hier niet behoeft te worden herhaald. Men was zelfs van over zee gekomen, om het schouwspel te zien. Er waren buiten de gasten tal van adellijke toeschouwers, de meesten in vermomming. Men ging eerst rond, om de in beeldwerk uitgevoerde, vaste pronkstukken te bewonderen; eerst later volgden de vertoningen en tableaux-vivants van levende personen. Olivier zelf speelde de hoofdrol, die van Sainte Eglise, in het voornaamste stuk, als deze binnenkomt in een toren op de rug van een olifant, door een Turkse reus geleid. Op de tafels prijkten de geweldigste decoraties; een bemande en opgetuigde kraak, een weide uitgemonsterd met bomen, een bron, rotsen en een beeld van Sint Andries, het kasteel Lusignan met de fee Mélusine, een windmolen, waarbij naar de vogel geschoten werd, een bos met bewegelijke wilde dieren en tenslotte de kerk met een orgel en zangers, die muziek ten beste gaven, afgewisseld door het orkest van achtentwintig personen, dat in de pastei zat.

Waar het hier op aankomt, is de mate van smaak of wansmaak, die in dat alles tot uiting kwam. In de stof zelf kunnen wij niet veel anders zien dan een poespas van mythologische, allegorische en moraliserende figuren. Doch hoe was de uitvoering? Zonder twijfel werd de voornaamste werking gezocht in het extravagante. De toren van Gorkum, die bij het bruiloftsfeest van 1468 als tafelopzet prijkte, was 46 voet hoog[1]. Van een walvis, die op diezelfde gelegenheid dienst deed, zegt Marche: 'et certes ce fut un moult bel entremectz, *car* il y avoit dedans plus de quarante personnes'[2]. Zover het kwistig gebruik van de wonderen der mechaniek strekt, kunnen wij er geen denkbeeld van kunst aan verbinden: levende vogels, die uit de muil van een draak vliegen, die Hercules bevecht en dergelijke verbazingwekkendheden. Het komische element erin is van zeer laag allooi: uit de Gorkumse toren blazen wilde zwijnen de trompet; geiten voeren een motet uit, wolven spelen fluit, vier grote ezels treden als zangers op, dit alles voor Karel de Stoute, die zelf een fijn muziekkenner was.

Toch zou ik er niet aan willen twijfelen, of bij al die feestartikelen, bij de vaste stukken met name, is naast veel mateloze, verdwaasde pronk menig echt kunstwerk geweest. Laat ons toch niet vergeten, dat de mensen, die aan al deze gargantueske pracht hun hart ophaalden en hun ernstigste gedachten wijdden, de opdrachtgevers van Jan van Eyck en Rogier van der Weyden zijn geweest. Het was de hertog zelf, het was Rolin, de stichter van het altaar van Beaune en van Autun, Jean Chevrot, die van de Zeven sacramenten van Rogier, de Lannoy's. En wat meer zegt: de vervaardigers van deze of soortgelijke pronkstukken waren de schilders zelf. Al weet men het toevallig niet van Jan of Rogier, men weet het van anderen, hoe zij bij zulke feesten meewerkten: Colard Marmion, Simon Marmion, Jacques Daret. Voor het feest van 1468, dat plotseling vervroegd heette, werd, om tijdig klaar te zijn, het ganse schildersvak gemobiliseerd: haastig werden er gezellen naar Brugge ontboden uit Gent, Brussel, Leuven, Thienen, Bergen, Quesnoy, Valenciennes, Douai, Kamerijk, Atrecht, Rijsel, Yperen, Kortrijk en Oudenaarde[3]. Het kan niet ten enenmale lelijk zijn geweest, wat uit die handen kwam. De dertig opgetuigde schepen van het banket van 1468, met de wapens van 's hertogen heerschappijen, de zestig vrouwtjes in verschillende landsdracht[1], met vruchtenmandjes en vogelkooien, die windmolen met vogelschieters, – men zou er menig middelmatig kerkelijk stuk voor willen geven.

Ja, men zou, op gevaar af van een schennis te begaan, nog verder willen gaan, en beweren: deze spoorloos vergane kunst van de tafelopzet moet ons af en toe voor de geest staan, om Claes Sluter* en de zijnen goed te begrijpen.

De overgang van edele sculptuur op de pronkstukken van feestpraal ziet men voor ogen in wijgeschenken als dat hetwelk Karel VI, zelf in knieval afgebeeld, op nieuwjaar 1404 van zijn gemalin Isabella van Beieren ontving**, of de Sint Joris met de hertog van Bourgondië, die Karel de Stoute ten zoen van de verwoesting van 1468 aan de Sint Paulskerk te Luik vereerde. Hoe pijnlijk stoort hier de volmaakte kunstvaardigheid aan plompe pronk verspild onze schoonheidsbehoefte.

Onder alle kunsten was die der grafsculptuur in de hoogste mate een dienende. De taak van de beeldhouwers, die de grafgesteenten der Bourgondische hertogen hadden te maken, was niet vrije schepping van schoonheid, maar de verheerlijking van 's vorsten grootheid. Die taak is veel strenger bepaald en nauwkeuriger voorgeschreven dan die der schilders. Deze kunnen in hun opdrachten veel gemakkelijker hun vrije scheppingslust uitvieren, en buiten hun opdrachten schilderen, wat zij willen. De beeldhouwer van die tijd heeft zich waarschijnlijk weinig buiten zijn opdrachten bewogen; de motieven, die hij te verwerken krijgt, zijn beperkt in getal en aan strenge traditie gebonden. De hertog heeft hen veel vaster in zijn dienst dan de schilders. De beide grote Hollanders, die de magneet van het Franse kunstleven voorgoed uit hun land trok, werden door de hertog van Bourgondië geheel gemonopoliseerd. Sluter woonde te Dijon in een huis, dat de hertog voor hem bestemde en liet inrichten[2]; hij leefde er als een groot heer, maar tevens als een hofdienaar. De hofrang 'varlet de chambre de monseigneur le duc de Bourgogne', die Sluter en zijn neef Claes van de Werve met Jan van Eyck deelden, had in het geval der beeldhouwers vrij wat meer wezenlijke betekenis. Claes van de Werve, die het werk van Sluter voort-

---

* Ofschoon het meest authentieke gegeven: 's meesters zegel, duidelijk Claus Sluter geeft, is toch moeilijk aan te nemen, dat het onhollandse Claus de oorspronkelijke vorm van zijn doopnaam is geweest. Sluter's herkomst uit Haarlem is gelijk men weet zekerheid geworden door het vinden van zijn naam in een Brussels gilderegister omstr. 1380.

** Het werd reeds in 1405 aan haar broeder hertog Lodewijk verpand, en geraakte spoedig daarop naar Beieren, waar het onder de naam, 'das goldene Rössl' in de kerk van Altötting wordt bewaard.

zette, werd een tragisch slachtoffer van de kunst in hofdienst: jaar op jaar te Dijon vastgehouden, om de tombe van Jan zonder Vrees te voltooien, waar nimmer geld voor was, heeft hij een schitterend begonnen kunstenaarsleven in doelloos wachten verteerd, en is gestorven zonder zijn opdracht te mogen voltooien.

Tegenover deze dienstbaarheid van de beeldhouwer staat nu weliswaar het feit, dat het in de aard der beeldhouwkunst zelve ligt, juist door de beperktheid van haar middelen, haar stof en haar onderwerp, altijd weer van zelve te naderen tot een zeker optimum van eenvoud en vrijheid, dat wij klassiek noemen, zodra een der groten, in welke tijd of milieu ook, de beitel voert. Wat ook de smaak van de tijd aan de beeldhouwkunst wil opdringen, de menselijke figuur en haar bekleding laten zich slechts weinig gevarieerd beelden in hout of steen, en tussen de Romeinse portretsculptuur van de keizertijd, Goujon en Colombe in de zestiende eeuw en Houdon en Pajou in de achttiende, zijn de verschillen veel geringer dan op welk ander kunstgebied ook.

Aan die eeuwige identiteit der beeldhouwkunst heeft ook de kunst van Sluter en de zijnen deel. En toch... wij zien Sluter's werken niet, zoals zij geweest zijn en gewild zijn. Zodra men zich de Mozesput voor ogen stelt, zo als hij de tijdgenoten verrukte, toen de pauselijke legaat in 1418 een aflaat verleende aan ieder, die hem vromelijk kwam bezoeken, – dan wordt het duidelijk, waarom wij van Sluter's kunst in één adem met die der entremets durfden spreken.

De Mozesput is, gelijk men weet, slechts een fragment. Het was een Calvarie, waarmee de eerste hertog van Bourgondië de put in de hof der Kartuizers van zijn geliefd Champmol bekroond heeft willen zien en heeft gezien. De Gekruisigde, met Maria, Johannes en Magdalena aan de voet van het kruis, maakte het hoofdgedeelte van het werk uit, reeds vóór de Revolutie, die Champmol zo onherstelbaar schond, grotendeels verdwenen. Daaronder, rondom het voetstuk, welks lijst door engelen wordt geschraagd, staan de zes figuren uit het Oude Verbond, die de dood van de Messias verkondigd hebben: Mozes, David, Jesaja, Jeremia, Daniël en Zacharia, elk met een banderole, die de profetische tekst bevat. De gehele voorstelling draagt in de hoogste mate een *vertonend* karakter. Dit ligt niet zozeer in het feit zelf, dat ook in de tableaux-vivants of 'personnages', zoals men ze bij intochten en banketten opvoerde, zulke figuren met banderoles thuishoren, en dat als onderwerp voor zulke vertoningen de profetieën van het Oude Testament op de Messias de voornaamste stof opleverden: het ligt in het buitengewoon sterk *sprekende* van de voorstelling. Het geschreven woord der opschriften neemt in dit beeldwerk een overmatig belangrijke plaats in. Men dringt tot het verstaan van het werk eerst door, als men die teksten in hun volle dracht van heiligheid in zich opneemt*. 'Immolabit eum universa multitudo filiorum Israel ad vesperam' luidt Mozes' spreuk. 'Foderunt manus meas et pedes meos, dinumeraverunt omnia ossa mea', is het psalmwoord van David. 'Sicut ovis ad occisionem ducetur et quasi agnus coram tondente se obmutescet et non aperiet os suum', Jesaja. 'O vos omnes qui transitis per viam, attendite et videte si est dolor sicut dolor meus', Jeremia. 'Post hebdomades sexaginta duas occidetur Christus', Daniël. 'Appenderunt mercedem meam triginta argenteos', Zacharia. Dit is de zesstemmige klaagzang, die rondom het voetstuk opstijgt naar het kruis; dit is het essentiële van het werk. En nu is er in de samenhang van de figuren met de teksten zulk een mate van nadrukkelijkheid, zo iets dringends in het gebaar van de een, het gelaat van de ander, dat het geheel bijna de ataraxia, die het voorrecht is van alle grote sculptuur, dreigt te verliezen. De aanschouwer wordt bijna al te onmiddellijk aangesproken. Sluter heeft als weinigen de heiligheid van zijn onderwerp verbeeld, doch juist de zware heiligheid van het onderwerp veroorzaakt een te-veel uit het oogpunt van zuivere kunst. Naast Michel Angelo's graffiguren zijn Sluter's profeten al te expressief, te persoonlijk. Misschien zouden wij dat als een dubbele verdienste waarderen, als wij van de hoofdvoorstelling meer hadden dan hoofd en torso van de Christus in zijn stroeve majesteit. Nu zien wij slechts, hoe de engelen de aandacht omhoogvoeren van de profeten naar wat daar boven is, die wonderlijk poëtische engelen, in hun naïeve gratie zo oneindig veel engelachtiger dan die van Van Eyck.

Het sterk representatief karakter van de Calvarie van Champmol zat evenwel nog in andere eigenschappen dan die der sculptuur zelf: in de praal, waarmee deze was uitgemonsterd. Men moet zich het werk voorstellen in zijn polychromie**, zoals Jean Maelweel het beschilderd en Herman van Keulen het verguld had. Hier was geen bont of sterk sprekend effekt gespaard. Op de groene voetstukken stonden de profeten in gouden mantels, Mozes en Zacharia in rode tabberts, de mantel blauw van binnen; David in blauw met gouden sterren, Jeremia in donkerblauw, Jesaja, de droefste van allen, in brocaat. Gouden zonnen en initialen vulden de open plaatsen. En wapens niet te vergeten. Niet alleen op de schacht van het voetstuk, onder de profeten, prijkten de trotse wapens van 's hertogen landen, maar aan de armen van het grote kruis zelf, dat geheel verguld was, waren op kapiteelvormige afsluitingen de wapens van Bourgondië en Vlaanderen aangebracht! Dit laatste getuigt eigenlijk nog duidelijker van de geest,

---

* Exod. 12. 6, Ps. 21. 18 (= Statenvert. 22. 18), Jes. 53. 7, Jeremia 1. 22, Daniël 9. 26, Zach. 11. 12.
** De verdwenen kleuren zijn in bijzonderheden bekend door een rapport, in 1832 opgesteld.

waarin dit grote hertogelijke kunstwerk werd opgedragen, dan de verguld koperen bril, die Hannequin de Hacht leverde voor de neus van Jeremia.

De onvrijheid dezer kunst, door de vorstelijke opdrachtgever bepaald, is tragisch en verheffend tevens, verheffend door de grootheid, waarmee de kunstenaar zich ontworstelde aan de beperkingen van zijn opdracht. De voorstelling der 'plourants' rondom de sarcofaag was in de grafkunst van Bourgondië reeds lang tevoren obligaat[1]. Het was volstrekt niet een vrije uitdrukking van de smart in al haar uitingen, maar een zeer nuchtere afbeelding van een deel van de werkelijke stoet, die het lijk ten grave had begeleid, waarin alle waardigheidsbekleders nauwkeurig te herkennen moesten zijn. En wat hebben de leerlingen van Sluter niet van dit motief weten te maken! de diepste en waardigste verbeelding van de rouw, een dodenmars in steen.

Doch misschien gaan wij met het aannemen van zulk een disharmonie tussen opdrachtgever en kunstenaar reeds te ver. Het is nog zo zeker niet, dat Sluter niet zelf de bril van Jeremia als een trouvaille heeft beschouwd. Er is in die dagen nog een zekere ongescheidenheid van smaak en wansmaak in de geesten: kunstzin en lust aan pronk en rariteiten hebben zich nog niet van elkaar afgezonderd. De naïeve fantazie kan nog ongestoord het bizarre genieten, alsof het schoonheid was. Het stijlgevoel werkte niet volkomen naar de eis van moderne middeleeuwenverering. Geen realistisch effect was te kras: men had bewegelijke beelden 'aux sourcilz et yeulx branlans'[2], men bracht bij het opvoeren der Schepping levende dieren, tot vissen toe, op het toneel[3]. Hoge kunst en kostbare prullenkraam worden nog gemoedelijk dooreengemengd en gelijkelijk bewonderd. Een verzameling als die van het Grüne Gewölbe te Dresden vertoont het uitgescheiden caput mortuum van de vorstelijke kunstcollectie, waarmee zij eenmaal één geheel uitmaakte. In het kasteel van Hesdin, schatkamer van kunstwerken en lustoord tevens, vol van die mechanieke vermakelijkheden, 'engins d'esbatement', die zo lang bij het vorstelijk lustverblijf zijn blijven behoren, zag Caxton een kamer, versierd met schilderijen, die de geschiedenis voorstelden van Jason, de held van het Gulden Vlies. Ter opluistering waren er bliksem-, donder-, sneeuw- en regeninstrumenten aangebracht, om daarmee Medea's toverijen na te bootsen[4].

Ook bij de vertoningen, 'personnages', die bij vorstelijke intochten op de hoeken der straten stonden opgesteld, kon de fantazie alles verdragen. Naast heilige taferelen zag men te Parijs in 1389, bij de intocht van Isabella van Beieren als gemalin van Karel VI, een wit hert met vergulde horens en een kroon om de hals; het ligt op een 'lit de justice', en beweegt ogen, horens, poten, om tenslotte een zwaard omhoog te houden. Bij dezelfde intocht daalt een engel 'par engins bien

30. Uitreiking van de Ereprijs, 'Le Livre des Tournois du Roi René', omstreeks 1460
(Parijs, Bibliothèque Nationale, MS 2695)

faits' van de torens der Notre Dame, dringt juist als de koningin passeert, door een spleet in de bespanning van blauw taffetas met gouden leliën, waarmee de gehele brug is overdekt, zet haar een kroon op het hoofd, en verdwijnt weer, zoals hij gekomen is, 'comme s'il s'en fust retourné de soy-mesmes au ciel'[1]. Dergelijke nederdalingen waren een geliefkoosd nummer bij intochten en vertoningen[2], niet alleen ten Noorden der Alpen: Brunellesco moest er de toestel wel voor ontwerpen. In de vijftiende eeuw vond men blijkbaar een toneelpaard, waar een man in loopt, volstrekt niet lachwekkend, althans Lefèvre de Saint Remy vertelt zonder zweem van spot van een vertoning van vier trompetters en twaalf edellieden 'sur chevaulx de artifice', 'saillans et poursaillans tellement que belle chose estoit à veoir'[3].

De scheiding, die onze kunstzin eist, en die de verwoestende tijd ons heeft helpen maken, tussen al die bizarre opschik, die spoorloos is vergaan, en de enkele hoge kunstwerken, die ons bewaard zijn, heeft voor de tijdgenoot nauwelijks bestaan. Het kunstleven van de Bourgondische tijd lag nog geheel besloten in de vormen van het gezelschapsleven. De kunst diende. Zij had in de eerste plaats een sociale functie, en deze is bovenal het tentoonspreiden van praal, en het accentueren van de persoonlijke belangrijkheid, niet van de kunstenaar, maar van de stichter. Dit wordt niet weggenomen door het feit, dat in de kerkelijke kunst de pralende heerlijkheid dient om heilige gedachten omhoog te voeren, en dat de stichter zijn persoon op de voorgrond heeft gesteld uit vrome zin. Aan de andere kant is de aard van het wereldlijk schilderij volstrekt niet altijd die overdadig hoogmoedige, die paste bij het opgeblazen hofleven. Om goed te zien, hoe kunst en leven bij elkaar aansloten, in elkaar opgingen, missen wij veel te veel van de omgeving waarin de kunst geplaatst was, is onze kennis van de kunst zelf veel te fragmentair. Hof en kerk zijn samen het leven van de tijd nog niet.

Daarom zijn voor ons die weinige kunstwerken van zo bijzonder gewicht, waarin iets van het leven buiten de twee sferen tot uiting komt. Eén straalt daaronder in ongeëvenaarde kostbaarheid: het portret van het echtpaar Arnolfini. Hier heeft men de kunst der vijftiende eeuw in haar zuiverste vorm; hier nadert men het dichtst tot de raadselachtige persoon van de maker Jan van Eyck. Ditmaal behoefde hij noch de schitterende majesteit van het goddelijke uit te drukken, noch de hovaardij van hoge heren te dienen: het waren zijn vrienden, die hij schilderde, ter gelegenheid van hun huwelijk. Is het werkelijk Jean Arnoulphin, zoals men hem in Vlaanderen noemde, geweest, de koopman uit Lucca? Dit gezicht, dat tweemaal door Van Eyck geschilderd is[4], schijnt wel het minst Italiaanse, dat ooit uit ogen keek. Doch de aanduiding van een stuk als 'Hernoul le fin avec sa femme dedens une chambre' in de inventaris der schilderijen van Mar-

gareta van Oostenrijk uit 1516 blijft wel een sterk argument om er Arnolfini in
te zien. In dat geval beschouwe men het eigenlijk niet als een 'burgerlijk portret'.
Want Arnolfini was een groot heer, herhaaldelijk raadsman der hertogelijke regering in gewichtige zaken. Hoe het zij, de man, die hier is afgebeeld, was een
vriend van Jan van Eyck. Dat getuigt die fijn zinrijke wijze, waarop de schilder
zijn werk heeft gewaarmerkt, het opschrift boven de spiegel: 'Johannes de Eyck
fuit hic, 1434'*. Jan van Eyck is hier geweest. Zoëven nog. In de suizende stilte
van die binnenkamer toeft nog de klank van zijn stem. De innige teerheid en de
stille vrede, zoals eerst Rembrandt ze opnieuw zal geven, liggen in dit stuk besloten, alsof het Jan's eigen hart was. Hier is opeens die avond der Middeleeuwen terug, die wij kennen, en toch zo dikwijls in de litteratuur, de geschiedenis,
het geloofsleven dier tijden vergeefs zoeken: de gelukkige, edele, serene en eenvoudige middeleeuw van het volkslied en de kerkmuziek. Hoe ver zijn wij nu
weer van die schelle lach en de tomeloze hartstocht!

Dan ziet wellicht onze verbeelding een Jan van Eyck, die buiten het felle,
bonte leven van zijn tijd stond, een eenvoudige, een dromer, die met gebogen
hoofd, de blik naar binnen gekeerd, door 't leven sloop. Voorzichtig, of het
wordt een kunsthistorische novelle: hoe 's hertogen 'varlet de chambre' met
weerzin de hoge heren diende, hoe zijn kunstmakkers met diepe smart hun
hoge kunst moesten verloochenen, om mee te werken aan hoffeesten en vloot
uitrusting.

Er is niets, wat zulk een voorstelling rechtvaardigt. De kunst der Van Eyck's,
die wij bewonderen, stond midden in het hofleven, dat ons afstoot. Het weinige
wat wij van het leven dier schilders weten, toont hen ons als lieden van de wereld. De hertog van Berry is met zijn hofschilders op de beste voet. Froissart ontmoette hem in gemeenzaam onderhoud met André Beauneveu in zijn wonder-
kasteel Mehun sur Yevre[1]. De drie gebroeders van Limburg, de grote verluchters, verblijden de hertog op nieuwjaar met een surprise: een nieuw verlucht
handschrift, dat 'un livre contrefait' blijkt, 'd'une pièce de bois blanc paincte en
semblance d'un livre, où il n'a nulz feuillets ne riens escript'[2]. Jan van Eyck heeft
zich zonder twijfel midden in het hofleven bewogen. Voor de geheime diplomatieke zendingen, waarmee Philips de Goede hem belastte, was een wereldkenner
nodig. Hij gold in zijn eeuw als een geletterde, die klassieken las en meetkunde

---

* Hoe men ook zou wensen, te mogen vertalen: 'Jan van Eyck was deze', en in de afgebeelde de schilder zelf te zien, de argumentatie voor en tegen deze oplossing, onlangs her-
vat (zie Revue de l'art, 36, 1932, p. 187, Gaz. des beaux arts, 74, 1932, p. 42, Burlington
Magazine, 1934, mrt., sept., oct., dec.) laat m.i. een herziening van de gangbare opvatting
nog niet toe.

bestudeerde. Met een lichte bizarrerie heeft hij zijn bescheiden zinspreuk 'Als ik kan' in Griekse karakters vermomd.

Werden wij niet door deze en dergelijke gegevens gewaarschuwd, dan zouden wij allicht geneigd zijn, de kunst der Van Eyck's op een verkeerde plaats in het leven der vijftiende eeuw te zien. Er zijn in die tijd twee voor onze blik scherp gescheiden levenssferen. Hier is de cultuur van het hof, de adel en de rijke burgerij; praatziek, eer- en hebzuchtig, kakelbont, gloeiend hartstochtelijk. Daar is de stille, effen grijze sfeer der moderne devotie, de ernstige mannen en de gedweeë burgervrouwtjes, die hun toeverlaat zochten in de Fraterhuizen en bij de Windesheimers, – de sfeer ook van Ruusbroec en de heilige Colette. Dit is de sfeer, waarin voor ons gevoel de kunst der Van Eyck's, met haar vrome, stille mystiek, zou passen. Toch is haar plaats eêr in de andere. De moderne devoten stonden afwijzend tegenover de grote kunst, die zich in hun tijd ontplooide. Zij verzetten zich tegen de veelstemmige muziek, zelfs tegen de orgels[1]. De beschermers der muziek van die tijd zijn de prachtlievende Bourgondiërs, bisschop David van Utrecht, Karel de Stoute zelf, die in hun kapellen de eerste meesters als leiders hebben: Obrecht te Utrecht, Busnois bij de hertog, die hem zelfs meeneemt naar het kamp voor Neuss. De ordinarius van Windesheim verbood elke versiering van de zang, en Thomas a Kempis zegt: 'kunt gij niet zingen als de leeuwerik en de nachtegaal, zingt dan als de raven en de kikvorsen in de poel, die zingen zoals God het hun gegeven heeft'[2]. Over de schilderkunst hebben zij zich uit de aard der zaak minder uitgelaten; maar zij wilden hun boeken eenvoudig hebben, en niet terwille van de kunst ze verluchten[3]. Hoogstwaarschijnlijk zouden zij zelfs een werk als de Aanbidding van het Lam louter hoogmoed geacht hebben.

Is overigens de scheiding tussen die beide levenssferen wel zó scherp geweest als wij haar zien? Hierboven* is het reeds gezegd. Er zijn talrijke aanrakingen, tussen de hofkringen en die van de streng godsdienstige wandel. De heilige Colette en Dionysius de Kartuizer verkeren met de hertogen; Margareta van York, de tweede gemalin van Karel de Stoute, stelt levendig belang in de 'gereformeerde' kloosters van België. Beatrix van Ravenstein, een der eersten aan het Bourgondische hof, draagt onder de pronkgewaden het haren kleed. 'Vestue de drap d'or et de royaux atournemens à luy duisans, et feignant estre la plus mondaine des autres, livrant ascout à toutes paroles perdues, comme maintes font, et monstrant de dehors de pareil usages avecques les lascives et huiseuses, portoit journellement la haire sur sa chair nue, jeunoit en pain et en eau mainte journée par fiction couverte, et son mary absent couchoit en la paille de son lit mainte nuyt'[4]. De inkeer, die voor de moderne devoten blijvende levensvorm

* p. 186.

geworden was, kennen de grote hovaardigen ook, doch slechts bij vlagen, als naweeën der overdaad. Wanneer Philips de Goede na het grote feest van Rijsel naar Regensburg is vertrokken, om met de keizer te spreken, begeven zich verscheiden edelen en vrouwen van het hof in de observantie 'qui menèrent moult belle et saincte vie'[1]. – De kroniekschrijvers, die met zoveel gewichtige uitvoerigheid al die praal en staat beschrijven, laten niet na, herhaaldelijk hun afkeer van 'pompes et beubans' te uiten. Zelfs Olivier de la Marche bepeinst na het feest van Rijsel 'les oultraigeux excès et la grant despense qui pour la cause de ces banquetz ons esté faictz'. En hij vindt er geen 'entendement de vertu' in, behalve wat het spel betreft, waarin de Kerk optrad; doch een ander hofwijze legt hem uit, waarom dat alles zo had moeten zijn[2]. Lodewijk XI had uit zijn verblijf aan het hof van Bourgondië een haat behouden tegen al wat weelde was[3].

De kringen, waarin en waarvoor de kunstenaars werkten, zijn gans andere geweest dan die der moderne devotie. Al heeft de opbloei der schilderkunst, evenzeer als die van het geloof, zijn wortels in de stedelijke samenleving, burgerlijk kan de kunst der Van Eyck's en die hen volgen niet meer heten. Het hof en de adel hadden de kunst tot zich getrokken. De verheffing der miniatuurkunst tot die hoogten van artistieke verfijning, die het werk der gebroeders van Limburg en van de *Heures de Turin* kenmerkt, was zelfs aan het vorstelijk maecenaat bij uitstek te danken. En de rijke burgerijen van de grote steden van België streefden zelf naar een adellijke levensvorm. Het verschil tussen de Zuidnederlandse en Franse kunst enerzijds, en het weinige wat uit de vijftiende eeuw als Noordnederlands is te beschouwen anderzijds, kan het best worden gezien als een verschil van milieu: daar het weelderige, rijpe leven van Brugge, Gent, Brussel, in voortdurende aanraking met het hof; hier een afgelegen landstadje als Haarlem, in alles veel meer verwant aan de stille IJselsteden der moderne devotie. Indien de kunst van Dirk Bouts Haarlems mag heten (wat wij van hem hebben, is gemaakt in het Zuiden, dat ook hem getrokken had), dan kan het eenvoudige, strakke, ingetogene, dat zijn werk eigen is, gelden als de echt burgerlijke uitdrukking tegenover de aristocratische allure, de pompeuze zwier, de praal en schittering der Zuidelijke meesters. De Haarlemse school staat inderdaad nader tot de sfeer van de burgerlijke levensernst.

De werkgevers van de grote schilderkunst, voorzover wij hen kennen, zijn bijna zonder uitzondering de vertegenwoordigers geweest van het grote kapitaal van die dagen. Het zijn de vorsten zelf, de hoge heren van het hof en de grote parvenu's, waaraan het Bourgondische tijdvak rijk is, en die evenzeer als de anderen graviteren naar het hof. De Bourgondische macht berust immers juist op het indiensttrekken der geldmachten en het scheppen van nieuwe adellijke geldmachten door schenking en begunstiging. De levensvorm van die kringen is die van het zwierige ridderideaal, waar men zwelgt in de staatsie van het Gulden Vlies en de praal van feesten en tournooien. Op dat innig-vrome stuk 'de Zeven sacramenten' in het Antwerpse museum wijst een wapen de bisschop van Doornik, Jean Chevrot, als de vermoedelijke stichter aan. Deze was naast Rolin de nauwste raadsman van de hertog[1], ijverig dienaar in de zaken van het Gulden Vlies en van het grote kruistochtplan. Het type van de grote kapitalist dier dagen is Pieter Bladelyn, wiens stemmige figuur bekend is van het drieluik, dat het altaar van de kerk in zijn stadje Middelburg in Vlaanderen gesierd heeft. Van ontvanger van zijn geboortestad Brugge was hij opgeklommen tot algemeen hertogelijk tresorier. Door zuinigheid en goede controle bracht hij verbetering in de financiën. Hij werd tresorier van het Gulden Vlies, ridder; hij werd op de gewichtige diplomatieke zending gebruikt, om in 1440 Charles d'Orléans uit de Engelse gevangenschap los te kopen; hij zou mee op de kruistocht tegen de Turken voor het beheer der geldmiddelen. Zijn rijkdommen maakten de verbazing der tijdgenoten gaande. Hij besteedde ze aan inpolderingen, – waaraan nog de Bladelijnspolder tussen Sluis en Zuidzande herinnert –, en aan het stichten van een nieuwe stad, Middelburg in Vlaanderen[2].

Jodocus Vydt, die als stichter op het Gentse altaarstuk prijkt, en de kanunnik Van de Paele behoren eveneens tot de grote rijken van die tijd; de Croy's en de Lannoy's zijn adellijke nouveaux riches. De tijdgenoten zijn het meest van al getroffen geweest door de opklimming van Nicolaas Rolin, de kanselier, 'venu de petit lieu', en als jurist, financier en diplomaat tot de hoogste diensten gebruikt. De grote verdragen der Bourgondiers van 1419 tot 1435 zijn zijn werk geweest. 'Soloit tout gouverner tout seul à part luy manier et porter tout, fust de guerre, fust de paix, fust en fait des finances.'[3] Hij had door niet onverdachte middelen ontzaglijke rijkdommen opgehoopt, die hij besteedde aan tal van stichtingen. Toch sprak men met haat van zijn hebzucht en zijn hoogmoed. Want men geloofde niet aan de vrome zin, die tot die stichtingen dreef. Rolin, zo vroom geknield op het stuk van Jan van Eyck in het Louvre, dat hij liet schilderen voor zijn geboortestad Autun, en nogmaals vroom geknield op dat van Rogier van der Weyden voor zijn gasthuis te Beaune, stond bekend als een die enkel het aardse telt. 'Hij oogstte altijd op aarde, zegt Chastellain, alsof de aarde hem eeuwig ware, waarin hem zijn verstand afdwaalde, toen hij geen paal en perk wilde stellen aan dat, waarvan zijn hoge jaren hem het nabije einde voor ogen hielden.' En Jacques du Clercq zegt: 'Le dit chancellier fust reputé ung des sages hommes du royaume à parler temporellement; car au regard de l'espirituel, je m'en tais'[4].

Zal men nu in het gelaat van de stichter van La vierge au chancelier Rolin een huichelachtig wezen gaan zoeken? Hierboven* is gesproken van het raadselachtig samengaan van wereldse zonden: hoogmoed, hebzucht en onkuisheid, met ernstige vroomheid en sterk geloof in figuren als Philips van Bourgondië en Lodewijk van Orleans. Onder dat ethische type van de tijd zal men wellicht ook Rolin te scharen hebben. Men peilt niet licht het wezen van deze naturen uit een vervlogen eeuw.

De schilderkunst der vijftiende eeuw ligt in de sfeer, waar de uitersten van het mystische en het grof aardse elkander raken. Het geloof, dat hier spreekt, is zo onmiddellijk, dat geen aardse verbeelding er te zinnelijk of te zwaar voor is. Van Eyck kan zijn engelen en goddelijke figuren behangen met de zware praal van stijve gewaden, druipende van goud en stenen; om naar omhoog te wijzen behoeft hij nog niet de fladderende slippen en spartelende benen der barok.

Doch al is dat geloof zeer onmiddellijk en sterk, primitief is het daarom niet. De benaming primitieven voor de schilders der vijftiende eeuw behelst het gevaar van een misverstand. Primitief mag hier slechts de betekenis hebben van eerstkomend, in zoverre er geen oudere schilderkunst bekend is, als een louter tijdrekenkundige term dus. Gewoonlijk echter is men geneigd, daaraan tevens de voorstelling te verbinden, alsof de geest dier kunstenaars primitief was. En dit is volkomen onjuist. De geest van die kunst is die van het geloof zelve, zoals hij hier boven werd beschreven: de uiterste doorwerking en uitwerking van alles wat des geloofs is met de verbeelding.

Eens had men de goddelijke figuren oneindig ver af gezien: strak en star. Toen was het pathos der innigheid gekomen. Met een vloed van tranen en gezang was het opgebloeid in de mystiek der twaalfde eeuw, Sint Bernard bovenal. Men had de godheid bestormd met zijn snikkende aandoening. Om toch maar beter mee te mogen voelen in het goddelijke lijden, had men Christus en de heiligen al de kleuren en vormen opgedrongen, die de fantazie uit het aardse leven putte. Een stroom van rijke menselijke verbeelding was door alle hemelen gevloeid. En steeds verder vloot die stroom in ontelbare kleine vertakkingen af. In altijd verderschrijdende uitwerking was gaandeweg al het heilige tot in de kleinste bijzonderheden in beeld gebracht. Men had met zijn smachtende armen de hemel omlaag getrokken.

Eerst was lange tijd het woord de plastische en piecturale schepping vóór geweest in uitbeeldend vermogen. In een tijd, toen de sculptuur nog veel van het schematische der oudere voorstelling bewaarde, door haar materiële middelen en haar kader beperkt, begon de litteratuur reeds al de lijfelijke houdingen en al

* Blz. 176 vg.

de aandoeningen van het kruisdrama tot in de geringste bijzonderheden te beschrijven. De *Meditationes vitae Christi*, reeds omstreeks 1400 toegeschreven aan Bonaventura[1], werden het model van dit pathetisch naturalisme, waarin de tonelen van de geboorte en de kindsheid, van de kruisafneming en de bewening hun levendige kleur kregen, waar men wist, hoe Jozef van Arimathea de ladder besteeg, hoe hij tegen de hand des Heren moest drukken om de spijker los te krijgen.

Doch inmiddels schreed ook de picturale techniek voort; de beeldende kunst haalt de voorsprong in, en meer dan in. Met de kunst der Van Eyck's heeft de picturale uitbeelding der heilige dingen een graad van détaillering en naturalisme bereikt, die misschien strikt kunsthistorisch een begin kan heten, maar cultuurhistorisch een einde beduidt. De uiterste spanning in het aards verbeelden van het goddelijke was hier bereikt; de mystische inhoud dier verbeelding stond gereed om uit die beelden te ontvlieden en enkel de lust aan de bonte vorm achter te laten.

Zo is het naturalisme der Van Eyck's, dat men in de kunstgeschiedenis pleegt op te vatten als een element dat de Renaissance aankondigt, veeleer te beschouwen als de volledige ontplooiing van de laat-middeleeuwse geest. Het is datzelfde natuurlijke verbeelden van het heilige, dat waar te nemen viel in alles wat de heiligenverering betreft, in de sermoenen van Johannes Brugman, in de uitgewerkte bespiegelingen van Gerson en de beschrijvingen der hellepijn van Dionysius de Kartuizer.

Het is altijd weer de vorm, die de inhoud dreigt te overwoekeren, en hem belet, zich te verjongen. In de kunst der Van Eyck's is de inhoud nog volkomen middeleeuws. Nieuwe gedachten spreekt zij niet uit. Zij is een uiterste, een eindpunt. Het middeleeuwse begrippensysteem stond ten hemel toe volbouwd; er viel nog slechts aan te kleuren en te versieren.

In de bewondering der grote schilderkunst zijn aan de tijdgenoot der Van Eyck's twee dingen bewust geworden: de treffende voorstelling van het onderwerp en de onbegrijpelijke kunstvaardigheid, de wonderlijke perfectie der détails, het volstrekt natuurgetrouwe. Aan de ene kant een waardering, die meer in de sfeer van de vroomheid dan van de schoonheidsontroering ligt, aan de andere kant naïeve verbazing, die naar onze opvattingen aan schoonheidsontroering niet toekomt. Een Genuees litteraat omstreeks 1450, Bartolomeo Fazio, is de eerste van wie kunstkritische beschouwingen over werken van Jan van Eyck, ten dele thans verloren, bekend zijn. Hij roemt de schoonheid en eerbaarheid van een Mariafiguur, de haren van de engel Gabriël, 'die echte haren overtreffen', de heilige strengheid der ascese, die uit des Dopers aangezicht straalt, de wijze

waarop een Hieronymus 'leeft'. Verder bewondert hij het perspectief in Hieronymus' studeervertrek, de zonnestraal, die door een reet valt, het spiegelbeeld
van de ene badende vrouw, de zweetdruppels op het lichaam der andere, de
brandende lamp, het landschap met wandelaars en bergen, bossen, dorpen en
kastelen, de eindeloze verten van het verschiet, en nogmaals de spiegel[1]. De
termen, waarin dit geschiedt, verraden louter curiositeit en verbazing. Hij laat
zich genoeglijk meedrijven op de stroom van ongebreidelde verbeelding; naar
de schoonheid van het geheel vraagt hij niet. Dat is de nog middeleeuwse waardering van het middeleeuwse werk.

Wanneer een eeuw later de schoonheidsopvattingen der Renaissance zijn
doorgedrongen, wordt juist die bovenmatige uitwerking van het zelfstandige
détail de Vlaamse kunst aangerekend als haar fundamentele gebrek. Indien
Francesco de Holanda, de Portugese schilder, die zijn kunstbespiegelingen voor
gesprekken met Michel Angelo laat doorgaan, naar waarheid de mening van de
machtige meester heeft weergegeven, dan zou deze het volgende hebben gezegd:

'De Vlaamse schilderkunst bevalt allen vromen beter dan de Italiaanse. Deze
laat hen nooit tranen vergieten, gene doet hen rijkelijk wenen, en dat is geenszins het gevolg van de kracht en de verdienste van die kunst, het is alleen te
wijten aan de grote aandoenlijkheid der vromen. De Vlaamse schilderkunst valt
in de smaak van de vrouwen, vooral van de oudere en de heel jonge, evenals van
de monniken, de nonnen en alle voorname lieden, die niet ontvankelijk zijn voor
de ware harmonie. In Vlaanderen schildert men hoofdzakelijk, om het uiterlijk
aanzien der dingen bedriegelijk weer te geven, en meest onderwerpen, die in vervoering brengen of onberispelijk zijn, zoals heiligen en profeten. In de regel
schilderen zij echter wat men een landschap pleegt te noemen en daarin veel figuren. Hoewel dit het oog aangenaam aandoet, is daarin inderdaad noch kunst
noch rede; daarin is geen symmetrie, geen verhouding; daarin heerst geen keuze, er is geen grootheid in, in één woord: deze schilderkunt is zonder kracht of
heerlijkheid; zij wil vele dingen tegelijk volkomen afbeelden, waarvan één belangrijk genoeg zou zijn, om er alle krachten aan te besteden.'

De vromen, dat zijn hier de middeleeuwsen van geest. Voor deze grote is de
oude schoonheid een zaak der kleinen en zwakken geworden. Niet allen oor-
deelden zo. Voor Dürer en Quinten Metsys, en voor Jan van Scorel, die de Aanbidding van het Lam heet te hebben gekust, was de oude kunst geenszins dood.
Maar het is Michel Angelo, die hier in meer volstrekte zin de Renaissance vertegenwoordigt. Wat hij in de Vlaamse kunst verwerpt, het zijn juist de essenti-
ele trekken van de laat-middeleeuwse geest; de heftige sentimentaliteit, het zien
van elke bijzonderheid als een zelfstandig ding, van elke waargenomen hoedanig-

heid als iets wezenlijks, het opgaan in de veelheid en de bontheid van het geziene. Daarentegen verzet zich het nieuwe kunst- en levensinzicht der Renaissance dat, als altijd, slechts verkregen wordt ten koste van een tijdelijke blind-
heid voor de schoonheid of waarheid, die voorafging.

19

HET SCHOONHEIDSGEVOEL

De bewustheid van een esthetisch genieten en de uitdrukking ervan in woorden heeft zich laat ontwikkeld. De vijftiende-eeuwer staan voor zijn kunstbewondering nog maar de termen ten dienste, die wij verwachten van de verbaasde burgerman. Zelfs het begrip kunstschoon kent hij nog niet. Wat hem aan schoonheidshuivering uit de kunst doorstraalde, werd door hem onmiddellijk omgezet of in godsvervuldheid of in levensbehagen.

Dionysius de Kartuizer schreef een verhandeling *De venustate mundi et pulchritudine Dei*[1]. Terstond in de titel wordt dus de ware schoonheid enkel aan God toegekend; de wereld kan slechts 'venustus', fraai, mooi zijn. De schoonheden van het geschapene, zegt hij, zijn niet anders dan beekjes van de opperste schoonheid; een schepsel wordt schoon genoemd, in zoverre het iets deelachtig is van de schoonheid der goddelijke natuur, en daardoor aan dezelve enigermate gelijkvormig wordt[2]. – Op deze ruime en verheven schoonheidsleer, waarmee Dionysius steunt op de Pseudo-Areopagiet, Augustinus, Hugo van Sint Victor en Alexander van Hales[3], zou een zuivere ontleding van alle schoonheid te bouwen zijn. Doch hierin schiet de geest der vijftiende eeuw nog verre te kort. Dionysius ontleent zelfs de voorbeelden van aardse schoonheid: een blad, de van kleur verwisselende zee, de woelige zee, steeds aan zijn voorgangers, met name aan die twee fijne geesten der twaalfde eeuw uit het klooster van Sint Victor: Richard en Hugo. Wanneer hij zelf schoonheid ontleden wil, blijft het uiterst oppervlakkig. De kruiden zijn schoon, omdat zij groen zijn, de stenen, omdat zij schitteren, het menselijk lichaam, de dromedaris en de kameel, omdat zij doelmatig zijn. De aarde is schoon, omdat zij lang en breed is, de hemellichamen omdat zij rond en licht zijn. In de bergen bewonderen wij de grootte, in de rivieren de langgestrektheid, in velden en bossen de uitgestrektheid, in de aarde zelf de onmetelijke massa.

Het begrip der schoonheid werd door het middeleeuwse denken steeds herleid tot begrippen van volkomenheid, verhoudingen en glans. 'Nam ad pulchritudinem, – zegt Thomas van Aquino, – tria requiruntur. Primo quidem integritas sive perfectio: quae enim diminuta sunt, hoc ipso turpia sunt. Et debita proportio sive consonantia. Et iterum claritas: unde quae habent colorem nitidum, pulchra esse dicuntur.'[1] Dergelijke maatstaven zijn het, die Dionysius tracht toe te passen. Het valt onbeholpen uit: toegepaste esthetica is altijd een hachelijk ding. Met een zo intellectualistisch schoonheidsbegrip is het geen wonder, dat de geest niet bij de aardse schoonheid kan blijven verwijlen: Dionysius dwaalt telkens, waar hij het schone beschrijven wil, terstond weer af naar het ongeziene schoon: naar de schoonheid der engelen en van het empyreum. Of wel hij zoekt haar in de abstracte dingen: de schoonheid des levens is de levenswandel zelf volgens de leiding en het bevel der goddelijke wet, ontdaan van de lelijkheid der zonde. Van de schoonheid der kunst spreekt hij niet, zelfs niet van die, welke het meest als iets zelfstandigs treffen moest: de muziek.

Toen deze zelfde Dionysius eens de Sint Janskerk te 's-Hertogenbosch was binnengetreden, terwijl het orgel speelde, werd hij door de zoete melodie terstond, met smeltend hart, aan zichzelf ontrukt in een langdurige ekstase[2]. De schoonheidsaandoening werd onmiddellijk religie. Het zal niet in hem opgekomen zijn, dat hij in de schoonheid van muziek of afbeelding iets anders zou kunnen bewonderen dan het heilige zelf.

Dionysius was een dergenen, die de invoering der moderne, meerstemmige muziek in de kerk afkeurden. Het breken der stem (fractio vocis), spreekt hij een oudere na, schijnt het teken ener gebroken ziel; het is te vergelijken met gefriseerde haren bij een man of geplisseerde klederen bij een vrouw, louter ijdelheid. Sommigen, die zulk veelstemmig zingen beoefend hadden, hadden hem toevertrouwd, dat daarin een hoogmoed en een zekere wulpsheid des gemoeds (lascivia animi) gelegen waren. Hij erkent, dat er vromen zijn, die door melodieen ten sterkste tot contemplatie en devotie opgewekt worden, weshalve de Kerk orgels toelaat. Maar indien de kunstige muziek dient om het gehoor te behagen, en vooral om de aanwezigen, de vrouwen met name, te vermaken, dan is zij zonder twijfel verwerpelijk[3].

Men ziet hier, hoe de middeleeuwse geest, wanneer hij het wezen der muzikale aandoening wil beschrijven, nog geen andere termen vindt dan die van zondige beroeringen: een hoogmoed en een zekere wulpsheid des gemoeds.

Over de muzikale esthetiek werd voortdurend veel geschreven. Men bouwde daarbij in de regel voort op de niet meer begrepen muziektheorieën der oudheid. Maar over de wijze, waarop muzikale schoonheid werkelijk genoten werd, leren ons de tractaten tenslotte niet veel. Wanneer het er op aan kwam uit te drukken, wat men in muziek eigenlijk mooi vond, dan blijft het bij vage uitingen, die in haar aard sterk verwant zijn aan de uitdrukking van bewondering der schilderkunst. Aan de ene kant is het de hemelse verblijding, die men in muziek geniet, aan de andere kant de treffende nabootsing, die men erin bewondert. Alles werkte ertoe mee om de muzikale ontroering verwant te doen schijnen aan hemelse genietingen; het was hier niet een afbeelden van heilige dingen, zoals bij de schilderkunst, maar een afschaduwing van de hemelvreugde zelf. Wanneer de brave Molinet, die blijkbaar zelf veel van muziek heeft gehouden, vertelt, hoe Karel de Stoute, een groot muziekliefhebber zoals bekend is, in zijn legerkamp voor Neuss zich onledig hield met litteratuur en vooral met muziek, dan juicht zijn rederijkersgemoed: 'Car musique est la résonnance des cieux, la voix des anges, la joie de paradis, l'espoir de l'air, l'organe de l'Eglise, le chant des oyselets, la récréacion de tous cueurs tristes et désolés, la persécution et enchassement des diables'[1]. – Het ekstatische element in het muziekgenieten werd natuurlijk zeer goed gekend. 'De kracht der harmonieën, zegt Pierre d'Ailly, ontrukt de menselijke ziel zozeer tot zich, dat zij die niet alleen onttrekt aan andere hartstochten en zorgen, maar ook aan zichzelve.'[2]

Bewonderde men in de schilderkunst de treffende nabootsing van de voorwerpen der natuur, in de muziek was het gevaar, dat men in nabootsing de schoonheid ging zoeken, nog groter. Want de muziek had reeds lang van haar expressieve middelen een ijverig gebruik gemaakt. De caccia (vanwaar nog het Engelse catch voor een canon), die oorspronkelijk een jacht voorstelde, is er het bekendste voorbeeld van. Olivier de la Marche vertelt, hoe hij er in één de kleine hondjes keffen en de doggen bassen hoorde en trompetgeschal, alsof men in het bos was[3]. In het begin der zestiende eeuw brengen de Inventions van Janequin, leerling van Josquin de Prés, verschillende jachten, het slaggewoel van Marignano, de marktroepen van Parijs, 'le caquet des femmes' en het zingen der vogels in muzikale vorm.

De theoretische analyse van het schone is dus gebrekkig, de uitdrukking der bewondering is oppervlakkig. In het eerste komt men niet veel verder dan dat ter verklaring van de schoonheid de begrippen van maat, sierlijkheid, orde, grootte, doelmatigheid ervoor in de plaats worden gesteld. En bovenal dat van schittering, licht. Om de schoonheid te verklaren van de dingen des geestes, herleidt Dionysius ze tot licht: het verstand is een licht, de wijsheid, de wetenschap, de kunstvaardigheid zijn niet anders dan lichtvormige glanzen, die met hun klaarheid de geest verlichten[4].

Wanneer men het schoonheidsgevoel dier tijden naspeurt, niet in hun bepaling van het begrip der schoonheid, noch in hetgeen zij zeggen van hun aandoening over schilderkunst en muziek, maar in hun spontane uitingen van blijde schoonheidsontroering, dan treft het, hoe die uitingen bijna altijd gewaarwordingen gelden van schittering of van levendige beweging.

Froissart komt zelden onder een schoonheidsindruk; hij had het er te druk voor met zijn eindeloze verhalen; maar er is één schouwspel, dat hem altijd weer woorden van blijde verrukking ontlokt: schepen op het water met wapperende vlaggen en wimpels, waarvan de kleurige blazoenen schitteren in de zon. Of het is het spel van de zonnestralen op helmen, harnassen, lanspunten, vaantjes en banieren van een optrekkende ruitertroep[1]. Eustache Deschamps bewondert het schone van draaiende molens, en van de zon in een dauwdruppel; La Marche merkt op, hoe mooi het zonlicht op de blonde haren schijnt van een troep Duitse en Boheemse ridders[2]. – Met die bewondering voor wat schittert staat ook de versiering der kledij in verband, die in de vijftiende eeuw nog voornamelijk gezocht wordt in het opzetten van een overmatig groot aantal edele stenen. Eerst later maken deze plaats voor linten en strikken. Om die schittering nog met geklink te verhogen, draagt men schelletjes of geldstukken. La Hire draagt een rode mantel geheel beladen met grote zilveren koeklokken. De kapitein Salazar verschijnt bij een intocht van 1465 met twintig geharnasten, wier paarden alle bedekt zijn met grote zilveren klokken; op het dekkleed van zijn eigen paard is aan elk der figuren, waarmee het bezaaid is, een grote schel van verguld zilver gehecht. Bij de intocht van Lodewijk XI te Parijs in 1461 dragen de paarden van Charolais, Croy, Saint Pol en anderen op hun dekkleden tal van grote klokken; dat van Charolais draagt er een op de rug, die tussen vier pijlertjes hangt. Een hertog van Kleef, die met deze mode van het Bourgondische hof thuiskwam, ontleent er zijn bijnaam 'Johenneken mit den bellen' aan. Karel de Stoute verschijnt op een tournooi in een feestgewaad bedekt met rinkelende rijnsguldens; Engelse edelen dragen hun kleed bezet met gouden nobels[3]. Op het bruiloftsfeest van de graaf van Genève te Chambéry in 1434 voert een groep van heren en dames een dans uit, allen gekleed in het wit, bedekt met 'or clinquant', de heren bovendien met brede gordels vol schelletjes[4].

Hetzelfde naïeve behagen aan wat sterk de aandacht trekt is ook op te merken in de kleurenzin van de tijd. Om deze volledig te bepalen zou een uitgebreid en statistisch onderzoek nodig zijn, dat zowel de kleurenschaal der beeldende kunst als die van kleding en versieringskunst betrof: wat de kleding aangaat, zou zij meer uit de talrijke beschrijvingen op te maken zijn dan uit de schaars bewaarde overblijfselen van stoffen. Enige gegevens van waarde geeft de heraut Sicilië in zijn vroeger reeds vermeld werk *Blason des couleurs*. Daarnaast vindt men in de kronieken uitvoerige beschrijvingen van de kledij bij tournooien en intochten.

In deze praal- en staatsiegewaden heerst natuurlijk een andere toonaard dan in de dagelijkse kleding. De heraut Sicilië heeft een hoofdstuk over de schoonheid der kleuren, van naïeve aard. Rood is de schoonste kleur, en bruin de lelijkste. Toch heeft voor hem groen, de natuurkleur, de grootste bekoring. Van kleurcombinaties prijst hij bleekgeel-blauw, oranje-wit, oranje-rose, rose-wit, zwartwit en nog vele andere. Blauw-groen en groen rood zijn gebruikelijk, maar niet schoon. Zijn taalmiddelen ter aanduiding van kleuren zijn nog beperkt. Hij tracht verschillende schakeringen van grijs en bruin te onderscheiden, door ze witachtig-bruin, violet-bruin te noemen. De gewone kleding maakt reeds zeer veel gebruik van grijs, zwart en paars[1]. 'Zwart', zegt Sicilië, 'is heden ten dage voor kleding het meest in trek, om zijn eenvoud. Maar iedereen maakt er misbruik van.' Het mannelijk ideaalcostuum, dat hij ontwerpt, vertoont zwart wambuis, grijze hozen, zwarte schoenen, gele handschoenen, men zou bijna zeggen: een volkomen moderne combinatie. Bij stoffen voor kleding zijn ook grijs, violet en verschillende soorten bruin gezocht. Blauw dragen landlieden en Engelsen. Het staat ook jonge meisjes goed, evenals rose. Wit komt in aanmerking voor kinderen tot het zevende jaar, en voor onnozelen! Geel dragen voornamelijk krijgslieden, pages en dienaars; zonder toevoeging van andere kleuren heeft men het niet gaarne. 'En als de Meimaand komt, zult gij geen andere kleur zien dragen dan groen.'[2]

In de feest- en staatsiekleding treft in de eerste plaats het overheersen van het rood. Niemand zal het trouwens van deze rode tijd anders verwachten. Intochten zijn dikwijls geheel in rood uitgemonsterd[3]. Daarnaast bekleedt het wit als uniforme feestkleur een grote plaats. In de nevenschikking van kleuren wordt elke combinatie geduld: rood-blauw, blauw-violet komen voor. Op een feestvertoning, die La Marche beschrijft, verschijnt een meisje in violette zijde op een hakkenei met een dekkleed van blauwe zijde, geleid door drie mannen in vermiljoenrode zijde met kaproenen van groene zijde. De ridders van Lodewijk van Orleans' Orde van het Stekelvarken droegen een rok van violet laken, een mantel van azuur fluweel gevoerd met karmozijn satijn[4]. Een voorliefde voor somber-gloeiende en dof-bonte kleurschikkingen schijnt niet te miskennen.

Het zwart, vooral in fluweel gebruikt, vertegenwoordigt ontegenzeggelijk de trotse, sombere praal, die de tijd bemint, de hoogmoedige afzijdigheid van al het vrolijk bonte rondom. Philips de Goede gaat na de jaren zijner jeugd altijd in 't zwart, en dost er ook zijn gevolg en zijn paarden in[5]. Koning René, die nog ijveriger naar distinctie en verfijning zocht, gebruikt als kleuren grijs-wit-zwart[6].

De geringe plaats, die het blauw en het groen innemen, moet wellicht niet geheel als een direkte uiting van de kleurenzin worden verklaard. Onder al de

kleuren hadden vooral blauw en groen hun symbolisch gewicht, en die betekenis was zo bijzonder, dat zij daardoor als kleuren van kleding bijna onbruikbaar
werden. Beide toch waren het de kleuren der liefde: groen verbeeldde de ver-
liefdheid, blauw de trouw*. Of beter gezegd, zij waren bij uitstek de kleuren der
liefde, want ook de andere kleuren konden dienst doen in de symboliek der
minne. Deschamps zegt van de minnaars:

> *Li uns se vest pour li de vert,*
> *L'autre de bleu, l'autre de blanc,*
> *L'autre s'en vest vermeil com sanc,*
> *Et cilz qui plus la veult avoir*
> *Pour son grant dueil s'en vest de noir*[1].

Doch het groen was toch inzonderheid de kleur van de jonge, hoopvolle liefde:

> *Il te fauldra de vert vestir,*
> *C'est la livrée aux amoureulx*[2].

Daarom behoort ook de dolende ridder in 't groen gekleed te gaan[3]. – Met
blauwe kleding betoogt de minnaar zijn trouw; daarom laat Christine de Pisan
de dame antwoorden, als de minnaar op zijn blauwe dos wijst:

> *Au bleu vestir ne tient mie le fait,*
> *N'à devises porter, d'amer sa dame,*
> *Mais au servir de loyal cuer parfait*
> *Elle sans plus, et la garder de blasme*
> *…Là gist l'amour, non pas au bleu porter,*
> *Mais puet estre que plusieurs le meffait*
> *De faulseté cuident couvrir soubz lame*
> *Par bleu porter…*[4]

Daar ligt waarschijnlijk meteen de verklaring, waarom de blauwe kleur, ge-
veinsd gebruikt, ook de ontrouw ging beduiden, en met een overspringing niet
alleen de trouweloze maar ook de bedrogene toekwam. De blauwe huik beduidt
in het Nederlands de echtbreekster, en de 'cote bleue' is het gewaad van de bedrogene:

> *Que cils qui m'a de cote bleue armé*
> *Et fait monster au doy, soit occis***.

---

* Zie hierboven p. 117.
** Le Pastoralet, vs. 2054, p. 636; vgl. Les cent nouvelles nouvelles, II p. 118: 'craindroit
très fort estre du rang des bleus vestuz, qu'on appelle communement noz amis'.

Of hieruit weer de betekenis van het blauw als kleur der dwaasheid in het algemeen te verklaren is, immers de 'blauwe scute' beduidt het vehikel der mallen, blijve in het midden.

Wanneer geel en bruin op de achtergrond blijven, dan zal daarbij de tegenzin tegen deze kleuren om haar kleurkwaliteit, dus de direkte kleurenzin, wel met een negatieve symbolische betekenis oorzakelijk samenhangen: met andere woorden, men hield niet van geel en bruin, omdat men ze lelijk vond, en men kende er een ongunstige betekenis aan toe, omdat men er niet van hield. De ongelukkige gehuwde zegt:

Sur toute couleur j'ayme la tennée
Pour ce que je l'ayme m'en suys habillée,
Et toutes les aultres ay mis en obly.
Hellas! mes amours ne sont ycy.

Of in een ander liedje:

Gris et tannée puis bien porter
Car ennuyé suis d'espérance[1].

Het grijs komt, in tegenstelling met het bruin, overigens veel in de feestkledij voor; het had als kleur der treurigheid waarschijnlijk een meer elegische nuance dan het bruin.

Het geel had reeds de betekenis van vijandschap. Hendrik van Wurtemberg trekt de hertog van Bourgondië voorbij, met zijn ganse gevolg in het geel gedost, 'et fut le duc adverty que c'estoit contre luy'[2].

Na het midden der vijftiende eeuw schijnt het (doch het is een voorlopige indruk, die nadere bevestiging zou behoeven), alsof tijdelijk wit en zwart afnemen, terwijl blauw en geel toenemen. In de zestiende eeuw zal men in de kleding de bijzonder gewaagde kleurencombinaties, waarvan hier boven sprake was, grotendeels verdwenen vinden, terzelfder tijd dat ook de kunst de naieve tegenstelling van primaire kleuren gaat vermijden. Het is niet Italië, dat de kunstenaars der Bourgondische landen het gevoel voor kleurenharmonie aanbrengt. Reeds Gerard David, formeel de rechte voortzetter der oudere school, vertoont, vergeleken met zijn voorgangers, een verfijning van de kleurenzin, die getuigt, dat deze in haar ontwikkeling samenhangt met de algemene groei van de geest. Hier is een veld, waarop kunst- en cultuurhistorisch onderzoek nog veel van elkander te wachten hebben.

20

HET BEELD EN HET WOORD

Zo dikwijls men beproefd heeft, de zuivere scheiding te maken tussen Middeleeuwen en Renaissance, was het alsof de grenzen achteruitweken. Ver terug in
de Middeleeuwen bespeurde men vormen en bewegingen, die reeds het stempel
der Renaissance schenen te dragen, en het begrip Renaissance werd, om ook die
verschijnselen mee te omvatten, uitgerekt, tot het al zijn spankracht verloor[1]. –
Doch ook het omgekeerde geldt: wie zonder vooropgezet schema de geest der
Renaissance in zich opneemt, vindt daarin veel meer 'middeleeuws' dan de
theorie scheen toe te laten. Ariosto, Rabelais, Marguerite de Navarre, Castiglio-
ne, mitsgaders de gehele beeldende kunst zijn naar vorm en inhoud vol van middeleeuwse elementen. En toch kunnen wij de tegenstelling niet prijsgeven:
Middeleeuwen en Renaissance zijn voor ons termen geworden, waarin wij het
wezen van een tijd zo duidelijk verschillend proeven, als wij een appel van een
aardbei onderscheiden, terwijl het toch bijna onmogelijk is, dat verschil te omschrijven.

Doch dit is nodig, dat men het begrip Renaissance (dat niet als Middeleeuwen
in zichzelf een beperkende tijdgrens bevat) zoveel mogelijk terugbrengt tot zijn
oorspronkelijke betekenis. Het is volstrekt verwerpelijk om met Fierens Ge-
vaert[2] en anderen Sluter en Van Eyck onder de Renaissance te brengen. Zij smaken middeleeuws. En zij zijn ook middeleeuws, naar vorm en inhoud. Naar de inhoud, want in stof, gedachte en bestemming heeft hun kunst niets van het oude
afgeworpen, niets nieuws opgenomen. Naar de vorm, want juist hun nauwgezet
realisme en hun streven om alles zo lichamelijk mogelijk in beeld te brengen is
de volkomen uitgroei van de echt middeleeuwse geest. Zo zagen wij die immers
werken in de godsdienstige gedachte en verbeelding, in de denkvormen van het
dagelijks leven en overal. Dat uitvoerig realisme is een trek, die de Renaissance
in haar volle ontplooiing: in het Italiaanse cinquecento, prijsgeeft, terwijl het
quattrocento hem nog met de Noordelijken gemeen heeft.

In de beeldende kunst en de letterkunde der vijftiende eeuw in Frankrijk en de Bourgondische landen vindt, wat daarin ook aan nieuwe schoonheid is, de nieuwe geest nog zo goed als geen uitdrukking. Zij dienen de geest, die aan 't uitbloeien is; zij hebben hun plaats in het ten einde toe volbouwde systeem van het middeleeuws denken. Zij vinden nauwelijks een andere taak dan het volkomen uitbeelden en versieren van lang doordachte voorstellingen. De gedachte schijnt uitgeput, de geest wacht nieuwe bevruchting.

In perioden, waarin de schepping van schoonheid zich bepaalt tot louter omschrijving en uitdrukking van reeds bezonken en doorwerkt gedachtenmateriaal, krijgt de beeldende kunst een dieper waarde dan de litteratuur. Dat geldt niet voor de tijdgenoot. Voor hem heeft de gedachte, al bloeit zij niet meer, nog zoveel treffends en belangrijks, dat hij haar in de versierde vorm, waarin de litteratuur haar kleedt, bemint en bewondert. Al de voor ons zo hopeloos eentonige en oppervlakkige gedichten, waarin de vijftiende eeuw haar lied zingt, zijn door de tijdgenoten met veel uitbundiger lof bedacht dan zij aan enig schilderstuk hebben gewijd. De diepe gevoelswaarde van de beeldende kunst is hun nog niet bewust geworden, althans niet zo, dat zij die konden uitdrukken.

Het feit, dat uit het overgrote deel dier litteratuur voor ons alle geur en heerlijkheid geweken is, terwijl de kunst ons dieper roert dan mogelijk ooit de tijdgenoot, valt te verklaren uit het fundamentele verschil van de werking van kunst en woord. Het zou immers al te gemakkelijk en tevens al te onbegrijpelijk zijn, indien men het zocht in de hoedanigheid der talenten, en meende, dat de dichters, met uitzondering van Villon en Charles d'Orléans, louter conventionele leeghoofden geweest zouden zijn, en de schilders genieën.

Hetzelfde beginsel van vormgeving leidt in de beeldende kunst en in de letterkunde tot zeer verschillende werking. Als de schilder zich bepaalt tot het eenvoudig weergeven van een uiterlijke werkelijkheid in lijn en kleur, dan legt hij toch steeds achter die louter formele nabootsing een overschot van het onuitgesprokene en onuitsprekelijke. Maar als de dichter niet hoger poogt dan een zichtbare of reeds doordachte werkelijkheid in het woord uit te drukken, dan put hij in het woord de schat van het onuitgesprokene uit. Het kan zijn, dat ritme en klank daarin nieuwe onuitgesproken schoonheid brengen. Maar zijn ook deze elementen zwak, dan behoudt het gedicht zijn werking slechts zo lang, als de gedachte zelf de hoorder boeit. De tijdgenoot reageert nog op het woord van de dichter met een drom van levende associaties, want de gedachte zit in zijn leven geweven, en hij waant haar nieuw en bloeiend in de tooi van het nieuw gevonden woord.

Doch als de gedachte niet meer treft om haarzelve, dan kan het gedicht slechts door zijn vorm werking behouden. De vorm is ongeëvenaard belangrijk, en kan zelf zo nieuw en bloeiend zijn, dat de vraag naar de gedachteninhoud nauwelijks opkomt. Nieuwe vormschoonheid komt in de litteratuur der vijftiende eeuw reeds op, maar voor een overgroot deel is ook de vorm nog een oude, en zijn de kwaliteiten van ritme en klank zwak. Dan, zonder nieuwe gedachte en zonder nieuwe vorm, blijft het een eindeloos postluderen op afgezaagde thema's. Voor deze dichters is er geen toekomst meer.

De tijd voor de schilder van zulk een geestestijdperk komt eerst later. Want hij leeft van de schat van het uitgesprokene, en het is de volheid van die schat, welke de diepste en duurzaamste werking van alle kunst bepaalt. Aanschouw de portretten van Jan van Eyck. Hier is het spitse, zuinige gezicht van zijn vrouw. Daar is de strakke, morose aristocratenkop van Baudouin de Lannoy. Daar is de huiveringwekkend gesloten tronie van de kanunnik Van de Paele. Daar is de ziekelijke gelatenheid van de Berlijnse Arnolfini, de Egyptische geheimzinnigheid van 'Leal souvenir'. In allen ligt het wonder van de tot de bodem gepeilde persoonlijkheid. Het is de diepste karakterschildering, die mogelijk is: gezien, onuitgesproken. Al ware Jan van Eyck tevens de grootste dichter van zijn eeuw geweest, de geheimenis, die hij in het beeld openbaarde, zou hij in het woord niet hebben kunnen benaderen.

Dat is de diepste grond, waarom er bij gelijkheid van houding en geest tussen kunst en litteratuur der vijftiende eeuw geen evenredigheid te verwachten is. Is eenmaal dit verschil erkend, dan blijkt bij een vergelijking van de litteraire en de piturale uitdrukking aan bepaalde voorbeelden en in bijzonderheden de gelijksoortigheid toch weer veel groter, dan zij aanvankelijk scheen.

Indien men aan de ene zijde als de meest representatieve kunstuiting het werk der Van Eyck's en hun volgers kiest, welke voortbrengselen der letterkunde moeten dan daarnevens worden gesteld, om zuiver te kunnen vergelijken? Niet in de eerste plaats die, welke dezelfde onderwerpen behandelen, maar die welke ontspringen aan dezelfde bronnen, voortkomen uit dezelfde levenssfeer. Dat is, gelijk hierboven werd aangetoond, de sfeer van het weelderige hof en de rijke, grootdoende burgerij. De letterkunde, die op één lijn staat met de kunst der Van Eyck's, is de hoofse, althans aristocratische letterkunde, in het Frans geschreven, gelezen en bewonderd door de kringen, die de opdrachten gaven aan de grote schilders.

Schijnbaar is hier een groot contrast, dat bijna elke vergelijking doelloos maakt: de stof der schilderkunst is overwegend godsdienstig, die der Frans-Bourgondische letterkunde overwegend werelds. Doch naar twee zijden is hier onze blik te kort: in de beeldende kunst heeft eenmaal het wereldlijk element een veel breder plaats ingenomen dan het bewaarde ons doet vermoeden, en in de litteratuur pleegt onze aandacht te sterk bepaald te worden bij de wereldlijke genres. Het minnedicht, de uitlopers van de *Roman de la rose*, de afleggers van de ridderroman, de opkomende novelle, de satire, de geschiedschrijvers, dat zijn de uitingen, waarmee de litteratuurgeschiedenis zich in de eerste plaats bezighoudt. De schilderkunst, dat is voor ons allereerst de diepe ernst van het altaarstuk en het portret; de litteratuur, dat is allereerst de wulpse glimlach der erotische satire en de eentonige gruwelen der kroniek. Het is bijna, alsof die eeuw slechts haar deugden geschilderd en haar zonden beschreven had. Doch het is een gezichtsfout, die het zo doet schijnen.

Gaan wij nog eenmaal uit van de sterke onevenredigheid van werking, die kunst en litteratuur der vijftiende eeuw in ons teweegbrengen. Met uitzondering van enkele dichters werkt de litteratuur vermoeiend en vervelend. Eindeloos uitgesponnen allegorieën, waarin geen figuur iets nieuws of eigens vertoont, en waarvan de inhoud niet anders is dan de lang gebottelde en vaak verschaalde zedelijke wijsheid van eeuwen her. Altijd weer dezelfde formele thema's: de slaper in de boomgaard, waar hem een zinnebeeldige dame verschijnt, de ochtendwandeling in de jonge mei, het twistgesprek tussen de dame en de minnaar, of tussen twee vriendinnen of welke andere combinatie ook, over een punt uit de casuïstiek der liefde. Wanhopige oppervlakkigheid, klatergoud van stijlversiering, bloemzoet romantisme, versleten fantazie, nuchtere moralisatie: – steeds weer komt bij ons de verzuchting op: Zijn dit de tijdgenoten van Jan van Eyck? Zou hij dit alles bewonderd hebben? – Zeer waarschijnlijk wel. Het is niet vreemder, dan dat Bach zich behielp met de kleinburgerlijkste rijmelaars van een rheumatisch kerkgeloof.

De tijdgenoot, die de werken der kunst ziet geboren worden, neemt ze alle gelijkelijk op in zijn levensdroom. Hij waardeert ze niet op hun objectieve esthetische volmaaktheid, maar op de volheid van weerklank, die zij wekken door de heiligheid of de hartstochtelijke levendheid van hun stof. Wanneer met de tijd die oude levensdroom is voorbijgegaan, en de heiligheid en de hartstocht zijn vergaan als de geur van een roos, dan eerst begint het kunstwerk zuiver als kunst te werken, dat wil zeggen door zijn middelen van uitdrukking, door zijn stijl, zijn bouw, zijn harmonie. Deze kunnen ten opzichte van beeldende kunst en litteratuur feitelijk dezelfde zijn en toch het aanzijn geven aan een geheel verschillende kunstwaarde.

Litteratuur en kunst der vijftiende eeuw delen beide in die algemene eigenschap, die hierboven als een der meest essentiële van de laat-middeleeuwse geest werd aangemerkt: de volledige uitwerking van alle bijzonderheden, de zucht om geen gedachte of voorstelling, die zich opdrong, onontplooid te laten, om alles in zijn scherpte, zichtbaarheid en doordachtheid te verbeelden. Erasmus vertelt, dat hij eens te Parijs een geestelijke veertig dagen lang hoorde preken over de gelijkenis van de Verloren zoon, om daarmee de ganse vastentijd te vullen. Hij beschreef de heenreis en de terugreis, hoe hij nu eens in een herberg middagmaalde met tongenpastei, dan weer een watermolen voorbijkwam, dan dobbelde, dan in een gaarkeuken afstapte, en hij wrong de woorden van de profeten en evangelisten, om op die verzonnen beuzelpraatjes te slaan. 'En daarmee leek hij aan de onervaren schare en aan de vette grote heren een god gelijk.'[1]

Die eigenschap der ongebreidelde uitwerking worde hier enigermate analyserend gedemonstreerd aan twee schilderijen van Jan van Eyck. Vooreerst de Madonna van de kanselier Rolin in het Louvre.

De pijnlijke nauwgezetheid, waarmee de stof der gewaden, het marmer van de vloertegels en zuilen, de glinstering der vensterruiten, het misboek van de kanselier zijn behandeld, zou ons bij ieder ander dan Van Eyck de kwalificatie schoolmeesterachtig ontlokken. Er is zelfs één détail, waarin de overmatige geacheveerdheid werkelijk storend werkt: de versiering der kapitelen, waarop in de hoek, als 't ware tussen haakjes, de verdrijving uit het Paradijs, het offer van Caïn en Abel, het verlaten der arke Noach's en de zonde van Cham zijn verbeeld. Doch eerst buiten de open hal, die de hoofdfiguren omhult, bereikt de lust aan de uitwerking der détails zijn volle kracht. Daar ontrolt zich als doorkijk door de kolonnade het wonderbaarlijkste vergezicht, dat Van Eyck ooit heeft geschilderd. De beschrijving ervan moge ontleend worden aan Durand-Gréville[2].

'Si, attiré par la curiosité, on a l'imprudence de l'approcher d'un peu trop près, c'est fini, on est pris pour tout le temps que peut durer l'effort d'une attention soutenue; on s'extasie devant la finesse du détail; on regarde, fleuron à fleuron, la couronne de la Vierge, une orfèvrerie de rêve; figure à figure, les groupes qui remplissent, sans les alourdir, les chapiteaux des piliers; fleur à fleur, feuille à feuille, les richesses du parterre; l'œil stupéfait découvre, entre la tête de l'enfant divin et l'épaule de la Vierge, dans une ville pleine de pignons et d'élégants clochers, une grande église aux nombreux contreforts, une vaste place coupée en deux dans toute sa largeur par un escalier où vont, viennent, courent d'innombrables petits coups de pinceau qui sont autant de figures vivantes; il est attiré par un pont en dos d'âne chargé de groupes qui se pressent et s'entrecroisent; il suit les méandres d'un fleuve sillonné de barques minuscules, au milieu duquel, dans une île plus petite que l'ongle d'un doigt d'enfant, se dresse, entouré d'arbres, un château seigneurial aux nombreux clochetons; il parcourt, sur la gauche, un quai planté d'arbres, peuplé de promeneurs; il va toujours plus loin,

289

franchit une à une les croupes de collines verdoyantes; se repose un moment sur une ligne lointaine de montagnes neigeuses, pour se perdre ensuite dans l'infini d'un ciel à peine bleu, où s'estompent de flottantes nuées.'

En nu het wonder: in dit alles gaat, anders dan Michel Angelo's discipel beweerde, de eenheid en harmonie niet te loor. 'Et quand le jour tombe, une minute avant que la voix des gardiens ne vienne mettre fin à votre contemplation, voyez comme le chef d'œuvre se transfigure dans la douceur du crépuscule; comme son ciel devient encore plus profond; comme la scène principale, dont les couleurs se sont évanouies, se plonge dans l'infini mystère de l'Harmonie et de l'Unité...'

Een ander stuk, dat zich voor de beschouwing van de eigenschap der onbeperkte détaillering bijzonder leent, is de Annunciatie, vroeger in de Ermitage te Petersburg, thans in Amerikaans bezit. Wanneer het drieluik, waarvan dit stuk het rechterblind uitmaakt, in zijn geheel heeft bestaan, welk een wonderrijke schepping moet het zijn geweest! Het is, alsof Van Eyck hier al de voor niets terugschrikkende virtuositeit van de meester, die alles kan en alles durft, heeft willen uitvoeren. Het is tegelijk het meest primitieve, meest hiëratische van zijn werken en het meest geraffineerde. De boodschap van de Engel wordt niet gebracht in de intimiteit van de binnenkamer (het toneel, waarvan de ganse binnenhuisschildering haar oorsprong nam), maar, zoals de vormencode van de oudere kunst het had voorgeschreven, in een kerk. In houding en gelaatsuitdrukking missen beide figuren de zachte gevoeligheid der Annunciatie op de buitenkant van het Lam. Het is een staatsiebuiging, waarmee de Engel Maria begroet, en hij komt niet met de lelietak zoals daar, niet met het hoofd omgord door een smalle diadeem, doch met een schepter en een rijke kroon, en op zijn aangezicht de strakke, aeginetische lach. In gloeiende kleurenpracht en schittering van paarlen, goud en gesteente overtreft hij alle engelfiguren, die Van Eyck schilderde. Groen en goud het kleed, donkerrood en goud de brokaatmantel, en de vleugelen bezet met pauweveren. Het boek voor Maria, het kussen op de schemel zijn weer met de doordringendste zorg afgewerkt. In het kerkgebouw zijn de détails met een anecdotische uitvoerigheid aangebracht. De vloerstenen vertonen behalve de tekenen van de dierenriem, waarvan er vijf zichtbaar zijn, drie taferelen uit de geschiedenis van Simson en een uit die van David. De achterwand van de kerkruimte is versierd met beeltenissen van Isaac en Jacob in medaillons tussen de bogen, van Christus op de aardbol met twee Serafs in een glasvenster geheel bovenin, en daarnaast als muurschilderingen nog het vinden van het kind Mozes en het ontvangen van de tafelen der wet, alles opgehelderd door leesbare opschriften. Eerst in de vakken van de houten zoldering wordt de decoratie, die ook daar nog is aangeduid, onduidelijk voor het oog.

En dan weer het wonder: bij die opeenhoping van uitgewerkte bijzonderheden gaat evenmin als bij de Madonna van Rolin de eenheid van toon en stemming verloren. Daar was het de vrolijkheid van een helder buitenlicht, dat de blik over de hoofdvoorstelling heen in wijde verten trok; hier hult de geheimzinnigste donkerte van het hoge kerkgebouw het geheel in zulk een waas van ernst en mysterie, dat het oog schier met moeite de anekdotische détails komt te ontwaren.

Ziedaar het effekt der 'ongebreidelde uitwerking' in de schilderkunst. De schilder, deze schilder, kon binnen een ruimte van nog geen halve vierkante meter zijn ongebondenste lust tot détaillering de vrije loop laten (of moet het zijn: aan de lastigste opdrachten van een ondeskundige vrome voldoen?), zonder ons meer te vermoeien dan een blik op het levend gewemel der werkelijkheid het zelve doet. Want het bleef één blik; de dwang der dimensiën legde beperking op, en het doordringen in de schoonheid en de bijzonderheid van dat alles, wat afgebeeld staat, geschiedt zonder denkspanning: veel geacheveerdheden worden niet eens opgemerkt, of verdwijnen terstond weer uit het bewustzijn, en werken enkel coloristisch of perspectivisch.

Wanneer men die algemene eigenschap 'onbegrensde uitwerking der bijzonderheden' ook aan de litteratuur der vijftiende eeuw toekent (wel te verstaan aan de kunstlitteratuur, want aan het volkslied wordt hier niet gedacht), dan is het in andere zin. Niet in de zin van een ragfijn détaillerend naturalisme dat zich vermeit in de uitvoerige beschrijving van het uiterlijk der dingen. Zo kent deze letterkunde haar nog niet. De natuur- en persoonsbeschrijving werkt nog met de eenvoudige middelen der middeleeuwse poëzie: de afzonderlijke objecten, die tot de stemming van de dichter meewerken, worden vermeld, niet beschreven; het substantief overheerst het adjectief; enkel de hoofdkwaliteiten dier objecten, bijvoorbeeld de kleuren, het geluid, worden geconstateerd. De ongebreidelde uitwerking der bijzonderheden is in de litteraire verbeelding meer kwantitatief dan kwalitatief; zij bestaat meer in het opsommen van zeer vele objecten dan in het ontleden van de hoedanigheid der objecten afzonderlijk. De dichter verstaat de kunst van weglaten niet, hij kent het ledige vlak niet, hij mist het orgaan voor het effect van het verzwegene. Dit geldt evenzeer de gedachten, die hij uitdrukt, als de beelden, die hij oproept. Ook de gedachten, doorgaans zeer eenvoudig, die het onderwerp wekt, worden in de uiterste volledigheid opgesomd. Het gehele raam van het dichtwerk is evenzeer overvuld met détails als het schilderstuk. Hoe komt het nu, dat daar die overvuldheid zo veel minder harmonisch werkt?

Dit is tot zekere hoogte zo op te vatten, dat de verhouding van hoofdzaak en bijzaken ten opzichte van de poëzie juist andersom is dan ten opzichte der schilderkunst. In het schilderij is het verschil tussen hoofdzaak (dat is: de adequate uitdrukking van het onderwerp) en bijwerk gering. Alles is er essentieel. Een enkel détail kan voor ons de volkomenste harmonie van het werk bepalen.

Is het in de schilderkunst der vijftiende eeuw wel in de eerste plaats de diepe vroomheid, dus de adequate uitdrukking van het onderwerp, welke wij bewonderen? Neem het Gentse altaar. Hoe weinig aandacht trekken de grote figuren van God, Maria en Johannes de Doper. In het hoofdtafereel gaat onze blik steeds weer van het Lam, de centrale voorstelling, de hoofdzaak van het kunstwerk, terzijde naar de stoeten der aanbidders, naar de achtergrond, naar de natuurschildering. En nog verder naar de rand wordt de blik getrokken: naar Adam en Eva, naar de portretten der stichters. Al ligt dan althans in het tafereel der Annunciatie de innige, ernstige bekoring in de figuren van de engel en de maagd, dus in het expressief-vrome, zelfs daar verblijdt ons haast nog meer het koperen keteltje en de doorkijk in de zonnige straat. Het zijn de détails, die voor de maker louter bijwerk waren, welke hier doen bloeien in zijn stille schijn het mysterie van het alledaagse, de onmiddellijke aandoening over het wonder van alle dingen en zijn beeldwording. Er is, tenzij wij voor het Lam komen met een primair godsdienstige waardering, geen verschil tussen onze kunstemotie over de heilige voorstelling van de aanbidding der eucharistie, en over het visstalletje van Emanuel de Witte in het Museum Boymans.

Nu is juist in het détail de schilder volkomen vrij. Wat de hoofdzaak betreft, de voorstelling van het heilige onderwerp, is hem een strenge conventie opgelegd; elk kerkelijk tafereel heeft zijn ikonografische code, waarvan geen afwijking wordt gedoogd. Maar hij behoudt een onbegrensd veld voor de vrije ontplooiing van zijn scheppingslust. In de gewaden, de accessoires, de achtergrond kan hij ongehinderd en ongedwongen doen, wat des schilders is: schilderen namelijk, door geen conventie belemmerd, geven wat hij ziet en zoals hij 't ziet. De hechte, strakke bouw van het heilige tafereel draagt de rijkdom der détails als een lichte schat, als een vrouw bloemen op haar kleed.

In de poëzie der vijftiende eeuw nu is de verhouding in zekere zin andersom. In de hoofdzaak is de dichter vrij; hij mag een nieuwe gedachte vinden, als hij kan, terwijl juist het détail, de achtergrond, in hoge mate door conventie beheerst worden. Er bestaat voor ongeveer alle bijzonderheden een norm van uitdrukking, een schablone, die men ongaarne prijsgeeft. Bloemen, natuurgenot, smarten en vreugden, ze hebben hun geijkte uitdrukkingsvormen, waaraan de dichter wat poetsen en kleuren kan, zonder ze te vernieuwen.

Hij poetst en kleurt in het oneindige, want hij mist de heilzame beperking, die de schilder is opgelegd door het te vullen vlak; des dichters vlak is altijd onbeperkt. Hij is vrij van de beperking der materiële middelen, en juist wegens die vrijheid moet hij naar verhouding een groter geest zijn dan de schilder, om iets goeds te maken. Ook de middelmatige schilders blijven een vreugde voor het nageslacht, maar de middelmatige dichter zinkt in vergetelheid.

Om het effect der 'ongebreidelde uitwerking' aan een dichtwerk der vijftiende eeuw te demonstreren, zou men er eigenlijk een in zijn geheel (en ze zijn lang!) op de voet moeten volgen. Daar dit niet mogelijk is, mogen enkele staaltjes volstaan.

Alain Chartier gold in zijn tijd als een der grootste dichters; hij is vergeleken met Petrarca; nog Clément Marot telt hem onder de eersten. Van de verering, die hij genoot, getuigt het verhaaltje, dat hierboven reeds werd meegedeeld*. Men mag hem dus, uitgaande van zijn tijd zelf, naast een der grootste schilders plaatsen. Het begin van zijn gedicht *Le livre des quatre dames*, een samenspraak van vier edelvrouwen, wier minnaars bij Azincourt gestreden hebben, geeft, zoals de regel is, het landschap, de achtergrond van het beeld[1]. Dit landschap zij vergeleken met het welbekende landschap van het Gentse altaarstuk: de wonderlijke bloemenweide met haar minutieus uitgevoerde vegetatie, met de kerktorens achter de lommerige heuvelkruinen, een voorbeeld van de ongebreideldste uitwerking.

De dichter gaat de lentemorgen in, om zijn langdurige zwaarmoedigheid te verdrijven.

> *Pour oublier melencolie,*
> *Et pour faire chiere plus lie,*
> *Ung doulx matin aux champs issy,*
> *Au premier jour qu'amours ralie*
> *Les cueurs en la saison jolie...*

Dit is alles louter conventioneel, en geen schoonheid van ritme of klank verheft het boven het glad-middelmatige. Nu komt de schildering van de lentemorgen.

> *Tout autour oiseaulx voletoient,*
> *Et si très-doulcement chantoient,*
> *Qu'il n'est cueur qui n'en fust joyeulx.*
> *Et en chantant en l'air montoient,*
> *Et puis l'un l'autre surmontoient*
> *A l'estrivée a qui mieulx mieulx.*

* p. 218.

Le temps n'estoit mie nueux,
De bleu estoient vestuz les cieux,
Et le beau soleil cler luisoit.

De eenvoudige vermelding van de heerlijkheden van tijd en plaats zou hier zeer goed werken, wanneer de dichter zich had weten te beperken. Er is wel een bekoring in het heel simpele van dit natuurgedicht, maar het mist elke sterke *vorm*. In een sukkeldraf gaat de opsomming voort; na een nadere beschrijving van het vogelgezang volgt:

Les arbres regarday flourir,
Et lièvres et connins courir.
Du printemps tout s'esjouyssoit.
Là sembloit amour seignourir.
Nul n'y peult vieillir ne mourir,
Ce me semble, tant qu'il y soit.
Des erbes ung flair doulx issoit,
Que l'air sery adoulcissoit,
Et en bruiant par la valee
Ung petit ruisselet passoit,
Qui les pays amoitissoit,
Dont l'eaue n'estoit pas salee.
Là buvoient les oysillons,
Apres ce que des grisillons,
Des mouschettes et papillons
Ilz avoient pris leur pasture.
Lasniers, aoutours, esmerillons
Vy, et mouches aux aguillons,
Qui de beau miel paveillons
Firent aux arbres par mesure.
De l'autre part fut la closture
D'ung pré gracieux, où nature
Sema les fleurs sur la verdure,
Blanches, jaunes, rouges et perses.
D'arbres flouriz fut la ceinture,
Aussi blancs que se neige pure
Les couvroit, ce sembloit paincture,
Tant y eut de couleurs diverses.

Een beekje murmelt over kiezelstenen; vissen zwemmen erin, een bosje spreidt zijn takken als groene gordijnen over de oever. En opnieuw volgt een opsomming van vogels: daar nestelen eenden, duiven, reigers, fazanten.

Wat is het effekt van de uitgebreide uitwerking van het natuurtafereel in het gedicht, vergeleken met het schilderstuk, de uitdrukking derhalve van eenzelfde inspiratie met verschillende middelen? – Dat de schilder door de aard van zijn kunst gedwongen is tot eenvoudige natuurgetrouwheid, terwijl de dichter zich verliest in vormloze oppervlakkigheid en het opsommen van conventionele motieven.

Het proza staat in dit opzicht nader tot de schilderkunst dan de poëzie. Het is minder gebonden aan bepaalde motieven. Het betoogt dikwijls nadrukkelijker de nauwkeurige weergave van een geziene werkelijkheid, en voert die uit met vrijer middelen. Daardoor vertoont het proza misschien beter dan de poëzie de diepere verwantschap van litteratuur en kunst.

De grondtrek van de laat-middeleeuwse geest is zijn overmatig visueel karakter. Deze staat in nauw verband met de atrofiëring der gedachte. Er wordt in gezichtsvoorstellingen gedacht. Alles wat men uitdrukken wil, wordt neergelegd in een zichtbaar beeld. De volstrekte gedachtenleegheid van de allegorische vertoningen of gedichten kon worden geduld, omdat de bevrediging geheel in het geziene lag. De neiging om het uiterlijk zichtbare onmiddellijk weer te geven vond een sterker en volkomener uiting door picturale middelen dan door litteraire. En eveneens een sterker uiting door de middelen van het proza dan door die der poëzie. Vandaar dat het proza der vijftiende eeuw in vele opzichten middenevenredig staat tussen de schilderkunst en de poëzie. Alle drie hebben zij gemeen de onbeteugelde uitwerking der bijzonderheden, maar deze leidt in de schilderkunst en het proza tot een direkt realisme, dat de poëzie niet kent, zonder dat zij er veel beters voor in de plaats heeft.

Het is met name één schrijver, in wiens werken dezelfde kristalheldere visie op het uiterlijk der dingen ons treft, die Van Eyck heeft bezeten, namelijk Georges Chastellain. Hij was een Vlaming uit het land van Aalst. Al noemt hij zich 'léal François', 'François de naissance', het schijnt wel, dat het Diets toch zijn moedertaal is geweest. La Marche noemt hem 'natif Flameng, toutesfois mettant par escript en langaige franchois'. Hij zelf stelt met nederig welgevallen zijn Vlaamse eigenschappen van grove landelijkheid in het licht; hij spreekt van 'sa brute langue', noemt zich 'homme flandrin, homme de palus bestiaux, ygnorant, bloisant de langue, gras de bouche et de palat et tout enfangié d'autres povretés corporelles à la nature de la terre'[1]. Aan die volksaard dankt hij de al te zware koturnengang van zijn opgesierd proza, die plechtstatige 'grandiloquence', wel-

ke hem voor Franse lezers altijd min of meer ongenietbaar maakt. Zijn pracht-
stijl heeft een zekere elefantische plompheid; hij heet met recht bij een tijdgenoot 'cette grosse cloche si haut sonnant'[1]. – Doch aan zijn Vlaamse aard dankt
hij wellicht ook het scherp geziene en de sappige kleurigheid, waarmee hij herhaaldelijk aan hedendaagse Belgische schrijvers doet denken.

Tussen Chastellain en Jan van Eyck is onmiskenbare verwantschap, bij verschil in hoogheid. Van Eyck op zijn slechtst is ongeveer Chastellain op zijn best,
en het is al wel, om in het mindere Van Eyck te evenaren. Ik denk bijvoorbeeld
aan de zingende engelen op het Gentse altaarstuk. Die zware gewaden, vol
donker rood en goud en fonkelende stenen, die al te uitdrukkelijke grimas, die
ietwat beuzelachtige versiering van de muzieklessenaar, dat vertegenwoordigt
in de schilderkunst de pronkende grootsprakigheid van de litteraire Bourgondische hofstijl. Doch terwijl in de schilderkunst dit retorische element een ondergeschikte plaats inneemt, is het hoofdzaak in het proza van Chastellain. Zijn
scherpe observatie en levend realisme verdrinken veelal in de vloed van al te
fraai aangeklede frazen en ronkende woordenpraal.

Zodra evenwel Chastellain een gebeurtenis beschrijft, die zijn Vlaamse geest
bijzonder boeit, komt er bij alle statigheid een direkte, beeldende forsheid in zijn
verhaal, die het uiterst treffend maakt. Van gedachte is hij niet rijker dan zijn
tijdgenoten; het is de lang rondgegane pasmunt van godsdienstige, zedelijke en
ridderlijke overtuigingen, die bij hem als gedachte fungeert. De voorstelling
verloopt geheel aan de oppervlakte. Doch de verbeelding is scherp en levend.

Zijn portret van Philips de Goede heeft bijna de onmiddellijkheid van een Van
Eyck[2]. Met de behagelijkheid van een kronikeur, die in zijn hart novellist is,
heeft hij een bijzonder uitvoerig verhaal gegeven van een twist tussen de hertog en zijn zoon Karel uit het begin van het jaar 1457. Nergens komt zijn sterk
visueel opnemen van de dingen zo goed uit; al de uiterlijke omstandigheden van
deze gebeurtenis zijn met volmaakte scherpte weergegeven. Het zal nodig zijn,
enigszins omvangrijke passages te citeren[3].

Er was een kwestie over een post in de hofhouding van de jonge graaf van
Charolais. De oude hertog wilde, tegen een vroeger gegeven belofte, de plaats
gunnen aan een der Croy's, bij hem in blakende gunst. Karel, die deze gunst ongaarne zag, verzette zich er tegen.

'Le duc donques par un lundy qui estoit le jour Saint-Anthoine*, après sa
messe, aiant bien désir que sa maison demorast paisible et sans discention entre
ses serviteurs, et que son fils aussi fist par son conseil et plaisir, après que jà avoit
dit une grant part de ses heures et que la cappelle estoit vuide de gens, il appela
* 17 januari.

296

son fils à venir vers luy et lui dist doucement: 'Charles, de l'estrif qui est entre les sires de Sempy et de Hémeries pour le lieu de chambrelen, je vueil que vous y mettez cès et que le sire de Sempy obtiengne le lieu vacant'. Adont dist le conte: 'Monseigneur, vous m'avez baillié une fois vostre ordonnance en laquelle le sire de Sempy n'est point, et monseigneur, s'il vous plaist, je vous prie que ceste-là je la puisse garder'. – 'Déa, ce dit le duc lors, ne vous chailliez des ordonnances, c'est à moy à croistre et à diminuer, je vueil que le sire de Sempy y soit mis.' – 'Hahan! ce dist le conte (car ainsi jurait tousjours), monseigneur, je vous prie, pardonnez-moy, car je ne le pourroye faire, je me tiens à ce que vous m'avez ordonné. Ce a fait le seigneur de Croy qui m'a brassé cecy, je le vois bien.' – 'Comment, ce dist le duc, me désobéyrez-vous? ne ferez-vous pas ce que je vueil?' – 'Monseigneur, je vous obéyray volentiers, mais je ne feray point cela.' Et le duc, à ces mots, enfelly de ire, respondit: 'Hà garsson, désobéyras-tu à ma volenté? va hors de mes yeux', et le sang, avecques les paroles, lui tira à cœur, et devint pâle et puis à coup enflambé et si espoentable en son vis, comme je l'oys recorder au clerc de la chapelle qui seul estoit emprès luy, que hideur estoit à le regarder...'

Is dit niet krachtig? het stille begin, het in korte woordenwisseling opvlammen van de toorn, de hortende spraak van de zoon, waarin men als 't ware de hele Karel de Stoute al herkent?

De blik, die de hertog op zijn zoon werpt, verschrikt de hertogin (wier aanwezigheid tot dusver nog niet was vermeld) zozeer, dat zij haastig, haar zoon voor zich uit duwende, uit het bidvertrek, door de kapel, zwijgend, haar gemaal's toorn wil ontvlieden. Maar zij moesten verscheiden hoeken om tot de deur, en de klerk had de sleutel .'Caron*, ouvre-nous', zegt de hertogin, maar de klerk valt haar te voet, en smeekt, dat haar zoon vergiffenis moge vragen, eer zij de kapel verlaten. Zij wendt zich met een smekende vermaning tot Karel, doch deze antwoordt hooghartig en luid: 'Déa, madame, monseigneur m'a deffendu ses yeux et est indigné sur moy, par quoy, après avoir eu celle deffense, je ne m'y retourneray point si tost, ains m'en yray à la garde de Dieu, je ne sçay où'. Toen klinkt opeens de stem van de hertog, die, mat van woede, in zijn bidstoel is blijven zitten... en de hertogin, in dodelijke angst, tot de klerk: 'Mon amy, tost, tost ouvrez-nous, il nous convient partir ou nous sommes morts'.

– Nu werkt bij Philips het hete bloed der Valois bedwelmend: in zijn vertrekken teruggekeerd, vervalt de oude hertog in een soort jongensachtige verdwazing. Tegen de avond rijdt hij, alleen en onvoldoende beschut, heimelijk uit

* Deze 'clerc de la chapelle' Caron komt voor als een der vertellers in de Cent nouvelles nouvelles.

297

Brussel. 'Les jours pour celle heurre d'alors estoient courts, et estoit jà basse
vesprée quant ce prince droit-cy monta à cheval, et ne demandoit riens autre fors
estre emmy les champs seul et à par luy. Sy porta ainsi l'aventure que ce propre
jour-là, après un long et âpre gel, il faisoit un releng, et par une longue épaisse
bruyne qui avoit couru tout ce jour là, vesprée tourna en pluie bien menue, mais
très-mouillant et laquelle destrempoit les terres et rompoit glasces avecques vent
qui s'y entrebouta.'

Dan volgt de beschrijving van de nachtelijke dwaaltocht door velden en bossen, waarin het levendste naturalisme en een zonderling gewichtig doende, moraliserende retoriek merkwaardig zijn dooreengemengd. Vermoeid en hongerig
zwerft de hertog rond; op zijn roepen klinkt geen antwoord. Een rivier, die hem
een weg toeschijnt, lokt hem; het paard schrikt nog te rechter tijd terug. Hij
valt met het paard en verwondt zich. Vergeefs luistert hij naar een hanengekraai
of het blaffen van een hond, dat hem naar mensenwoningen zou kunnen leiden.
Eindelijk ziet hij een lichtschijnsel, dat hij tracht te naderen; hij verliest het weer,
vindt het terug, en bereikt het tenslotte. 'Mais plus l'approchoit, plus sambloit
hideuse chose et espoentable, car feu partoit d'une mote d'en plus de mille
lieux, avecques grosse fumière, dont nul ne pensast à celle heure fors que ce fust
ou purgatoire d'aucune âme ou autre illusion de l'ennemy...' Hij houdt plotseling stil. Maar opeens herinnerde hij zich, hoe de kolenbranders diep in het woud
hun kolen plegen te branden. Het was zulk een brandhoop. Geen huis of hut
evenwel was in de nabijheid. Eerst na hernieuwd dwalen brengt het blaffen van
een hond hem bij de hut van een arme man, waar hij rust en spijziging vindt.

Dergelijke treffende gedeelten uit het werk van Chastellain zijn de beschrijving van de burgerlijke tweekamp te Valenciennes, de nachtelijke twist van het
Friese gezantschap in Den Haag met de Bourgondische edelen, die zij in hun
nachtrust storen, door op de bovenkamer op klompen krijgertje te spelen, het
tumult te Gent in 1467, toen Karel's eerste bezoek als hertog samenvalt met de
kermis te Houthem, vanwaar het volk met de schrijn van Sint Lieven terugkeert[1].

Telkens bemerkt men aan ongewilde kleinigheden, hoe sterk de schrijver al
de uiterlijke dingen *ziet*. De hertog, die tegenover het volksoproer staat, heeft
voor zijn gezicht 'multitude de faces en bacinets enrouillés et dont les dedans
estoient grignans barbes de vilain, mordans lèvres'. Het roepen gaat van omlaag
naar omhoog. Die kerel, die zich naast de hertog aan het venster dringt, draagt
een handschoen van zwart gevernist ijzer, waarmee hij op de vensterbank slaat
om stilte te gebieden[2].

Dit nauwkeurig en direkt waargenomene te beschrijven in een kernachtig eenvoudig woord is in het litteraire, wat de geweldige visuele scherpte van Van Eyck tot volmaaktheid van uitdrukking in de schilderkunst vermocht. In de letterkunde wordt dat naturalisme veelal gestoord en in de uitdrukking belemmerd door conventionele vormen, en het blijft uitzondering te midden van bergen dorre retoriek, terwijl het in de schilderkunst schittert als bloesems aan een appelboom.

De schilderkunst is hier in middelen van uitdrukking de litteratuur verre voor. Zij heeft reeds een verwonderlijke virtuositeit in het weergeven van lichteffekten. Het zijn vooral de miniaturisten, die ernaar streven, de schijn van een ogenblik vast te leggen. In het schilderij ziet men die gave eerst ten volle ontplooid in de Geboorte van Geertgen tot Sint Jans. De verluchters hebben reeds lang te voren het spel van toortslicht op harnassen beproefd in Christus' gevangenneming. Een stralende zonsopgang is reeds gelukt aan de meester, die koning René's *Cuer d'amours espris* illustreerde. Die van de *Heures d'Ailly* heeft al het doorbreken van de zon na een storm aangedurfd[1].

De letterkunde beschikt voor het weergeven van lichteffekten nog slechts over primitieve middelen. Een grote gevoeligheid voor lichtglans en schittering is er wel; gelijk hierboven betoogd werd, wordt zelfs de schoonheid in de eerste plaats als glans en schittering bewust. Alle schrijvers en dichters der vijftiende eeuw merken gaarne de glans van het zonlicht op, de schijn van kaarsen en toortsen, de spiegeling van glimplichten op helmen en wapens. Doch het blijft een eenvoudig vermelden, er is nog geen litterair procédé tot beschrijving ervan.

Het litteraire equivalent van het lichteffekt in de schilderkunst is veeleer op een ander gebied te zoeken. Hier wordt de indruk van het ogenblik bovenal vastgehouden door een levendig gebruik van de direkte rede. Er is nauwelijks een letterkunde, die er zo op uit is, de samenspraak altijd onmiddellijk weer te geven. Het ontaardt in een vermoeiend misbruik: zelfs de uiteenzetting van een politieke toestand wordt door Froissart en de zijnen in vraag en antwoord ingekleed. De eeuwige beurtspraken van plechtige val en holle klank verhogen somtijds de eentonigheid, in plaats van haar te breken. Dikwijls echter ook komt de illusie van het onmiddellijke en ogenblikkelijke er wel treffend uit te voorschijn. Froissart vooral is in die levendige wisselrede een meester.

'Lors il entendi les nouvelles que leur ville estoit prise. (Het gesprek gaat roepende.) 'Et de quel gens?', demande-il. Respondirent ceulx qui à luy parloient: 'Ce sont Bretons!' – 'Ha, dist il, Bretons sont mal gent, ils pilleront et ardront la ville et puis partiront.' (Vervolgens weer roepende): 'Et quel cry crient-ils?' dist le chevalier. – 'Certes, sire, ils crient la Trimouille!''

Om een zekere haastige gang in zulk een gesprek te brengen, gebruikte

Froissart de vaste truc, de aangesprokene het laatste woord van de spreker ver-
wonderd te laten herhalen. – 'Monseigneur, Gaston est mort'. – 'Mort?' dist le
conte. – 'Certes, mort est-il pour vray, monseigneur.' Elders: 'Si luy demanda,
en cause d'amours et de lignaige, conseil'. – 'Conseil', respondi l'archevesque,
'certes, beaux nieps, c'est trop tard. Vous voulés clore l'estable quant le cheval
est perdu.[1]'

Ook de poëzie past dit stijlmiddel ruimschoots toe. In een korte versregel wisselen soms vraag en antwoord tot tweemaal toe:

> *Mort, je me plaing. – De qui? – De toy.*
> *– Que t'ay je fait? – Ma dame as pris.*
> *– C'est vérité. – Dy moy pour quoy.*
> *– Il me plaisoit. – Tu as mespris.[2]*

Hier is het telkens afgebroken beurtgesprek van middel reeds doel geworden,
een virtuositeit. De dichter Jean Meschinot heeft die kunstvaardigheid tot het
uiterste weten op te voeren. In een ballade, waarin het arme Frankrijk haar
koning (Lodewijk XI) zijn schuld voorhoudt, wisselt de rede in elk der dertig
regels van drie tot vier keer. En het moet gezegd worden, dat de werking van
het gedicht als politieke satire onder die vreemde vorm niet lijdt. Ziehier de
eerste strofe:

> *Sire... – Que veux? – Entendez... – Quoy? – Mon cas.*
> *– Or dy. – Je suys... – Qui? – La destruicte France!*
> *– Par qui? – Par vous. – Comment? – En tous estats.*
> *– Tu mens. – Non fais. – Qui le dit? – Ma souffrance.*
> *– Que souffres tu? – Meschief. – Quel? – A oultrance.*
> *– Je n'en croy rien. – Bien y pert – N'en dy plus!*
> *– Las! si feray. – Tu perds temps. – Quelz abus!*
> *– Qu'ay-je mal fait? – Contre paix[3]. – Es comment?*
> *– Guerroyant... – Qui? – Vos amys et congnus.*
> *– Parle plus beau. – Je ne puis, bonnement.[4]*

Een andere uiting van dit oppervlakkig naturalisme in de litteratuur van deze
tijd is het volgende. Hoewel Froissart's zin gericht is op het beschrijven van ridderlijke heldendaden, geeft hij toch, zijns ondanks zou men zeggen, in hoge mate
de prozaïsche realiteit van de oorlog. Evengoed als Commines, die maling had
aan de ridderij, beschrijft Froissart juist bijzonder goed de vermoeienis, de vergeefse vervolgingen, de bewegingen zonder samenhang, het onrustige van een
nachtverblijf. Hij weet meesterlijk talmen en wachten te beschrijven.[5]

In het sobere en exacte verhaal van de uiterlijke omstandigheden van een gebeurtenis bereikt hij soms zelfs een bijna tragische kracht, zoals in dat van de dood van de jonge Gaston Phébus, door zijn vader in drift doorstoken[1]. – Hij werkt zo fotografisch, dat men onder zijn woorden de kwaliteit van de vertellers, die hem zijn eindeloze faits divers meedeelden, kan herkennen. Alles bijvoorbeeld, wat hij dankt aan zijn reisgenoot de ridder Espaing du Lyon, is voortreffelijk verteld. Overal waar de litteratuur eenvoudig observerend werkt, zonder belemmering door conventie, is zij met de schilderkunst vergelijkbaar, al evenaart zij haar niet.

Deze onbevangen observatie geldt niet de litteraire schildering van een natuurtafereel. Naar natuur*beschrijving* streeft de letterkunde der vijftiende eeuw niet. Haar observatie geldt gevallen, die men meedeelt, omdat zij belang inboezemen, en hierbij geeft men de uiterlijke omstandigheden weer, zoals een gevoelige plaat ze opneemt. Van een bewust litterair procédé is daar geen sprake. Natuurschildering evenwel, die in de schilderkunst als accessoire fungeert, dus onbevangen geschiedt, is in de letterkunde een bewust stijlmiddel, gebonden aan geijkte vormen, en niet beheerst door behoefte aan nabootsing. In de schilderkunst was de natuurafbeelding louter bijwerk, en kon daardoor zuiver en sober blijven. Juist omdat de vergezichten er voor het onderwerp niet op aankwamen, niet deel hadden in de hiëratische stijl, konden de schilders der vijftiende eeuw in hun landschap een mate van harmonische natuurlijkheid geven, die de strenge ordonnantie van hun onderwerp hun nog in de hoofdvoorstelling ontzegde. De Egyptische kunst vertoont van dit verschijnsel een zuivere parallel: zij geeft in het modelleren van een slavenfiguurtje, omdat het niet ter zake doet, de vormencode prijs, die anders de menselijke gestalte verwringt, zodat soms de bijkomstige mensfiguren dezelfde onvergelijkelijk sobere natuurgetrouwheid bezitten als de dierfiguren.

Hoe minder verband het landschap houdt met de centrale voorstelling, des te harmonischer en natuurlijker wordt het in zich zelf afgesloten. Achter de drukke, bizarre, pompeuze aanbidding der koningen in de *Très-riches heures de Chantilly*[2] verrijst het gezicht op Bourges in verdroomde teerheid, volmaakt van atmosfeer en ritme.

In de litteratuur zit de natuurbeschrijving nog geheel gehuld in het kleed der pastorale. Hierboven is reeds gesproken van de hoofse strijd voor en tegen het eenvoudig buitenleven. Het was evenals in de dagen, dat Rousseau opgang maakte, goede toon, dat men zich de ijdelheid van het hofleven moe bekende, en een wijze hofvlucht affecteerde, om zich te vergenoegen met het bruine brood en de zorgeloze liefde van Robin en Marion. Het was een sentimentele reactie op de volbloedige praal en het trotse egoïsme der werkelijkheid, niet ten enenmale onecht, maar toch in hoofdzaak een litteraire houding.

Bij die houding hoort de liefde tot de natuur. De poëtische uitdrukking ervan is een conventie. De natuur was een gezocht element in het grote gezelschaps-spel der hoofs-erotische cultuur. De uitdrukking der schoonheid van bloemen en vogelgezang werd opzettelijk gecultiveerd in de geijkte vormen, die ieder speler verstond. Zodoende staat de weergave der natuur in de letterkunde op een geheel ander niveau dan in de schilderkunst.

Buiten het herdersdicht en het obligate motief van de lentemorgen als aan-hef bestaat er nog nauwelijks behoefte aan natuurbeschrijving. Een enkele maal mogen er in het verhaal eens een paar woorden van natuurschildering invloeien, zoals toen Chastellain de invallende dooi beschreef (en juist de onopzettelijke natuurschildering is dan doorgaans verreweg het meest suggestief), het blijft de pastorale poëzie, waarin men het opkomen van het litteraire natuurgevoel moet nagaan. Naast de bladzijden van Alain Chartier, die hierboven werden aange-haald om het effekt van de uitwerking der détails in het algemeen te laten zien, kan men bij voorbeeld leggen het gedicht *Regnault et Jehanneton*, waarin de ko-ninklijke herder René zijn liefde voor Jeanne de Laval verkleedt. Ook hier geen saamgehouden visie op een stuk natuur, een eenheid zoals de schilder door kleur en licht aan zijn landschap kon geven, maar een gemoedelijke aaneenrijging van bijzonderheden. De zingende vogels een voor een, de insecten, de kikvorsen, dan de ploegende boeren:

> *Et d'autre part, les paisans au labour*
> *Si chantent hault, voire sans nul séjour,*
> > *Resjoyssant*
> *Leurs beufs, lesquelx vont tout-bel charruant*
> *La terre grasse, qui le bon froment rent;*
> *Et en ce point ilz les vont rescriant,*
> > *Selon leur nom:*
> *A l'un Fauveau et l'autre Grison,*
> *Brunet, Blanchet, Blondeau ou Compaignon;*
> *Puis les touchent tel foiz de l'aiguillon*
> > *Pour avancer*[1].

Er is wel frisheid in en een blij geluid, maar hoe pover is het, vergeleken met de ka-lendervoorstellingen der getijboeken. Koning René geeft de ingrediënten voor een natuurbeschrijving, een palet met een paar kleuren, meer niet. Verderop, waar het vallen van de avond beschreven wordt, is de poging om een stemming uit te drukken onmiskenbaar. De andere vogels zwijgen, maar de kwartel roept nog, patrijzen snorren naar hun leger, herten en konijnen komen te voorschijn. Nog even schijnt de zon op een torenspits, dan wordt de lucht koel, uilen en vleermuizen beginnen rond te vliegen, en het klokje der kapel luidt het Ave.

De kalenderbladen van de *Très-riches heures* geven ons gelegenheid, eenzelfde motief in kunst en litteratuur te vergelijken. Men kent de glorieuze kastelen, die in het werk der gebroeders Van Limburg de achtergrond van het maandwerk vullen. Zij hebben hun litterair pendant in het dichtwerk van Eustache Deschamps. In een zevental korte gedichten zingt deze de lof van verscheiden Noordfranse kastelen: Beauté, dat later Agnes Sorel zou herbergen, Bièvre, Cachan, Clermont, Nieppe, Noroy en Coucy[1]. Deschamps had een dichter van heel wat machtiger vleugelslag moeten zijn, om hier te bereiken, wat de gebroeders Van Limburg in deze teerste en fijnste uitingen der miniatuurkunst wisten uit te drukken. Op het septemberblad rijst achter de wijnoogst het kasteel van Saumur als uit een droom omhoog: de torenspitsen met hun hoge windvanen, de pinnakels, de lelieornamenten op de tinnen, de twintig slanke schoorstenen, het bloeit op als een wild perk van hoge witte bloemen in de donkerblauwe lucht*. Daarnaast de majestueuze brede ernst van het vorstelijk Lusignan op het maartblad, de sombere torens van Vincennes dreigend uitstekende boven de dorre blaren van het bos van december[2].

Had de dichter, deze althans, een gelijkwaardig middel, om zulke gezichten te evoceren? Natuurlijk niet. De beschrijving der bouwkunstige vormen van het kasteel, zoals in het gedicht op Bièvre, kon geen effekt opleveren. Een optelling van de geneugten, die het kasteel biedt, dat is eigenlijk alles, wat hij weet te geven. Uit de aard der zaak ziet de schilder naar het kasteel toe, en de dichter van het kasteel uit.

> *Son filz ainsné, daulphin de Viennois,*
> *Donna le nom à ce lieu de Beauté.*
> *Et c'est bien drois, car moult est delectables:*
> *L'en y oit bien le rossignol chanter;*
> *Marne l'ensaint, les haulz bois profitables*
> *Du noble parc puet l'en veoir branler...*
> *Les prez sont pres, les jardins deduisables,*
> *Les beaus preaulx, fontenis bel et cler,*
> *Vignes aussi et les terres arables,*
> *Moulins tournans, beaus plains à regarder.*

* Koning René zegt van een kasteel zijner verbeelding, le Chastel de Plaisance, dat het juist zo was als dat van Saumur, Œuvres, III 146.

Welk een verschil in werking naast de miniatuur! Toch hebben de afbeelding en
het gedicht hier zowel procédé als stof gemeen: zij sommen het zichtbare (en
voor het gedicht ook het hoorbare) op. Maar des schilders blik is vast gericht op
een bepaald en begrensd complex: hij moet, opsommende, toch eenheid, beperking en samenhang geven. Paul van Limburg kan in zijn februari-tafereel al de
dingen van de winter opeenhopen; de boeren zich warmend voor het vuur, het
wasgoed dat te drogen hangt, de bonte kraaien op de sneeuw, de schaapskooi,
de bijenkorven, de tonnen en de kar, en het hele winterse verschiet met het stille
dorpje en de eenzame hofstede op de heuvel. De rustige eenheid van het beeld
blijft volmaakt. Des dichters blik evenwel dwaalt rond, vindt geen rustpunt; hij
kent geen beperking, geeft de eenheid niet.

De vorm is de inhoud voor. In de litteratuur zijn vorm en inhoud beide oud,
in de schilderkunst is de inhoud oud, maar de vorm nieuw. In de schilderkunst
bergt de vorm veel meer van de uitdrukking dan in de litteratuur. De schilder
kan al de onuitgesproken wijsheid in de vorm leggen: de idee, de stemming, de
psychologie, alles geeft hij, zonder dat hij zich behoeft te kwellen om er taal van
te maken. Het tijdperk is overwegend visueel. Dit verklaart de superioriteit van
de picturale boven de litteraire uitdrukking: een litteratuur, die overwegend
visueel waarneemt, schiet te kort.

De dichtkunst der vijftiende eeuw schijnt bijna zonder nieuwe gedachten te
leven. Er is een algemene onmacht tot nieuwe fictie; het is slechts bewerken,
moderniseren van de oude stof. Er is een pauze in de gedachte; de geest is klaar
met het middeleeuws gebouw, en talmt vermoeid. Er is leegheid en dorheid.
Men vertwijfelt aan de wereld; alles gaat achteruit; er is een sterke malaise van
gemoed. Deschamps verzucht:

> *Helas! on dit que je ne fais mès rien,*
> *Qui jadis fis mainte chose nouvelle;*
> *La raison est que je n'ay pas merrien*
> *Dont je fisse chose bonne ne belle*[1].

Niets schijnt ons sterker te getuigen van stilstand en verval dan het ontrijmen
van de oude ridderromans en andere gedichten tot ellenlang effen proza. Toch
beduidt die 'dérimage' der vijftiende eeuw een overgang tot een nieuwe geest.
Het is het afscheid aan de gebonden rede als primair uitdrukkingsmiddel, het
afscheid aan de stijl van de middeleeuwse geest. Nog in de dertiende eeuw kon
men alles in rijm brengen, tot geneeskunde en natuurlijke historie toe, evenals de Oud-Indische letterkunde alle wetenschap in versvorm bracht. De gebonden vorm beduidt, dat de voordracht het beoogde middel van mededeling is.

Niet de persoonlijke, gevoelvolle, expressieve voordracht, maar het opdreunen, want in meer primitieve letterkundige tijdperken wordt het vers op een vaste deun half gezongen. De nieuwe behoefte aan proza beduidt de zucht naar expressie, de opkomst van het moderne lezen tegenover de oude voordracht. Daarmee staat ook in verband de verdeling van de stof in kleine kapittels met resumerende opschriften, die in de vijftiende eeuw algemeen wordt, terwijl tevoren zeer weinig geleding in het werk placht te worden aangebracht. Aan het proza worden naar verhouding hoger eisen gesteld dan aan de poëzie: in de oude rijmvorm slikt men alles nog, het proza daarentegen is de kunstvorm.

Doch de hogere kwaliteit in het algemeen van het proza zit in zijn formele elementen; van nieuwe gedachte vervuld is het evenmin als de poëzie. Froissart is het volledige type van de geest, die in het woord niet denkt, maar enkel verbeeldt. Hij heeft nauwelijks gedachten, enkel voorstellingen van feiten. Hij kent slechts een paar zedelijke motieven en gevoelens: trouw, eer, hebzucht, moed, en die alleen in hun allereenvoudigste vorm. Hij gebruikt geen theologie, geen allegorie, geen mythologie, ternauwernood enige moraal; hij vertelt maar door, correct, moeiteloos, geheel adequaat aan het geval, maar toch inhoudloos en nooit treffend, met de mechanische uiterlijkheid, waarmee de bioscoop de werkelijkheid weergeeft. Zijn bespiegelingen zijn van ongeëvenaarde banaliteit: alles verveelt, niets is zekerder dan de dood, soms verliest men en soms wint men. Bij bepaalde voorstellingen treden met werktuigelijke zekerheid vaste uitspraken op: bijvoorbeeld zo dikwijls hij van Duitsers spreekt, zegt hij, dat zij hun gevangenen slecht behandelen en bijzonder hebzuchtig zijn[1].

Zelfs wat men gewoonlijk van Froissart citeert als puntig gezegde, blijkt in de samenhang dikwijls veel van die kracht te missen. Het geldt bijvoorbeeld als een scherpe karakteristiek van de eerste hertog van Bourgondië, de berekenende en vasthoudende Philips de Stoute, wanneer Froissart hem noemt 'sage, froid et imaginatif, et qui sur ses besognes veoit au loin'. Maar Froissart zegt dit van iedereen[2]! Ook het dikwijls aangehaalde 'Ainsi ot messire Jehan de Blois femme et guerre qui trop luy cousta'[3], heeft welbeschouwd in het verband niet de pointe, die men erin voelt.

Eén element mist Froissart: het retorische. Juist de retoriek was het die de tijdgenoot het gemis aan nieuwe inhoud in de litteratuur vergoedde. Men zwelgt in de praal van een versierde stijl; de gedachten schijnen nieuw door hun statige dos. Zij dragen alle stijve brokaatgewaden. De begrippen van eer en plicht dragen het bonte pak van de ridderlijke waan. De natuurzin steekt in de plunje van de pastorale en de liefde in het knellendste van al, de allegorie van de *Roman de la rose*. Geen enkele gedachte is naakt en vrij. Zij kunnen zich haast niet anders meer bewegen dan voortschrijdende in rustige maat, in eindeloze optochten.

Dit retorisch-versierende element ontbreekt overigens ook in de beeldende kunst niet. Er zijn tal van partijen, die men geschilderde rederijkerij zou kunnen noemen. Zo bijvoorbeeld op Van Eyck's Madonna van de kanunnik Van de Paele de Sint Joris, die de stichter aan de Maagd aanbeveelt. Hoe duidelijk heeft de kunstenaar willen antikiseren in dat gouden harnas en de pronkhelm; hoe slap retorisch is het gebaar, waarmee de heilige optreedt. De aartsengel Michael op het Dresdense triptiekje draagt dezelfde al te fraaie tooi. Ook het werk van Paul van Limburg vertoont dat bewust retorische element, in de overrijke, bizarre praal waarmee de drie koningen optreden, in het streven naar een exotische, theatrale uitdrukking, dat onmiskenbaar is.

De poëzie der vijftiende eeuw is op haar best, wanneer zij geen zwaarwichtige gedachte poogt uit te drukken, en ontslagen is van de taak om het mooi te doen. Wanneer ze maar even een gezicht, een stemming oproept. Haar werking berust op haar formele elementen: het beeld, de toon, het ritme. Vandaar dat zij weinig vermag in de werken van hoge opzet en lange adem, waar de ritmische en toonkwaliteiten ondergeschikt zijn, maar fris kan zijn in de genres, waar de uiterlijke vorm hoofdzaak is: het rondeau, de ballade, die doorgaans op één lichte gedachte zijn gebouwd, en hun kracht ontlenen aan visie, toon en ritme. Het zijn de eenvoudige en onmiddellijk beeldende eigenschappen van het volkslied; daar waar het kunstlied zich het naast aansluit aan het volkslied, gaat er de meeste bekoring van uit.

In de veertiende eeuw heeft een kentering plaats in de verhouding van lyrische dichtkunst en muziek. In de oudere periode was het gedicht onverbrekelijk aan muzikale voordracht gebonden, zelfs niet alleen het lyrische; immers men neemt aan, dat ook de chansons de geste gezongen werden, elk vers van tien of twaalf syllaben op dezelfde wijs. Het normale type van de middeleeuwse lyrische dichter is hij, die zowel het gedicht als de muziek erop maakt. Dat doet in de veertiende eeuw nog Guillaume de Machaut. Hij is het tevens, die de meest gebruikelijke lyrische vormen voor zijn tijd vastlegt: de balladen, het rondeau enz.; hij vindt de nieuwe vorm van het 'débat', het twistgesprek. Machaut's rondeau's en balladen kenmerken zich door grote effenheid, weinig kleur, nog minder gedachte; en dat mochten zij, want zij waren maar de helft van 's dichters werk: het liedje op muziek is er te beter om, als het niet te expressief en te bont is, zoals dit simpele rondel:

Au departir de vous mon cuer vous lais
Et je m'en vois dolans et esplourés.
Pour vous servir, sans retraire jamais,
Au departir de vous mon cuer vous lais.
Et par m'ame, je n'arai bien ne pais
Jusqu'au retour, einsi desconfortés.
Au departir de vous mon cuer vous lais
Et je m'en vois dolans et esplourés[1].

Deschamps is niet meer zelf de toondichter van zijn balladen, en hij is dan ook veel bonter, en drukker dan Machaut, daardoor dikwijls belangwekkender, maar lager van poëtische stijl. Natuurlijk sterft het ijle, lichte, bijna inhoudloze, voor muziek bestemde gedicht niet af, wanneer de dichters er niet zelf meer de muziek op maken. Het rondel bewaart de trant, zoals bijvoorbeeld dit van Jean Meschinot:

M'aimerez-vous bien,
Dictes, par vostre ame?
Mais que je vous ame
Plus que nulle rien,
M'aimerez-vous bien?
Dieu mit tant de bien
En vous, que c'est basme;
Pour ce je me clame
Vostre. Mais combien
M'aimerez-vous bien?[2]

Het zuivere, eenvoudige talent van Christine de Pisan leende zich bijzonder voor deze vluchtige effekten. Zij heeft even gemakkelijk verzen gemaakt als al haar tijdgenoten, zeer weinig gevarieerd in vorm en gedachte, effen en weinig gekleurd, stil en rustig, met een lichte, geestelijke melancholie. Het zijn echt litteraire gedichten, volkomen hoofs van toon en gedachte. Zij doen denken aan die ivoren plaques der veertiende eeuw, die in zuiver conventionele afbeelding steeds weer dezelfde motieven geven: een jachttafereel, een motief uit *Tristan et Yseult* of uit de *Roman de la rose*, gracieus, koel en bekoorlijk. Waar nu Christine met haar zachte hoofsheid tegelijk de toon van het volkslied treft, ontstaat soms iets heel zuivers.

Een weerzien:

Tu soies le très bien venu,
M'amour, or m'embrace et me baise,

307

Et comment t'es tu maintenu
Puis ton depart? Sain et bien aise
As tu esté tousjours? Ça vien
Coste moy, te sié et me conte
Comment t'a esté, mal ou bien,
Car de ce vueil savoir le compte.

– Ma dame, a qui je suis tenu
Plus que aultre, a nul n'en desplaise,
Sachés que desir m'a tenu
Si court qu'oncques n'oz tel mesaise,
Ne plaisir ne prenoie en rien
Loings de vous. Amours, qui cuers dompte,
Me disoit: 'Loyauté me tien,
Car de ce vueil savoir le compte'.

– Dont m'as tu ton serment tenu,
Bon gré t'en sçay, par saint Nicaise;
Et puis que sain es revenu
Joye arons assez; or t'apaise
Et me dis se scez de combien
Le mal qu'en as eu a plus monte
Que cil qu'a souffert le cuer mien,
Car de ce vueil savoir le compte.

– Plus mal que vous, si com retien,
Ay eu, mais dites sanz mesconte,
Quans baisiers en aray je bien?
Car de ce vueil savoir le compte'[1].

Een gemis:

Il a au jour d'ui un mois
Que mon ami s'en ala.

Mon cuer remaint morne et cois,
Il a au jour d'ui un mois.

'A Dieu, me dit, je m'en vois';
Ne puis a moy ne parla,
Il a au jour d'ui un mois[2].

308

Een overgave:

> *Mon ami, ne plourez plus;*
> *Car tant me faittes pitié*
> *Que mon cuer se rent conclus*
> *A vostre doulce amistié.*
> *Reprenez autre maniere;*
> *Pour Dieu, plus ne vous doulez,*
> *Et me faittes bonne chiere:*
> *Je vueil quanque vous voulez.*

De tere, spontane vrouwelijkheid van deze gedichtjes, ontdaan van de mannelijk-gewichtige, fantastische bespiegeling en van de bonte opschik met de Rose-figuren, maakt ze voor ons genietbaar. 't Is maar een enkele even ontwaarde stemming, die geboden wordt. Het thema heeft maar even in het hart geklonken, en is toen direkt verbeeld, zonder dat de gedachte eraan te pas kwam. Maar daarom ook vertoont deze poëzie zo bijzonder dikwijls die eigenschap, welke zowel in muziek als poëzie alle tijdperken kenmerkt, waarin de inspiratie uitsluitend op de enkele visie van een ogenblik berust: het thema is zuiver en sterk, het lied begint in een klaar en vast geluid, als een merelslag, maar reeds na de eerste strofe heeft de dichter of toondichter zijn gegeven uitgezegd; de stemming zakt eruit weg, en de uitwerking verloopt in zwakke retoriek. Het is de eeuwige teleurstelling, die bijna alle dichters der vijftiende eeuw u bereiden.

Hier een voorbeeld uit de balladen van Christine:

> *Quant chacun s'en revient de l'ost*
> *Pour quoy demeures tu derriere?*
> *Et si scez que m'amour entiere*
> *T'ay baillée et garde et depost*[1].

Men zou een fijne, middeleeuws-Franse Lenore-ballade verwachten. Maar de dichteres had niets anders te zeggen dan dit begin, en in nog twee korte onbelangrijke strofen draait zij er een eind aan.

Hoe fris begint *Le debat dou cheval et dou levrier* van Froissart:

> *Froissart d'Escoce revenoit*
> *Sus un cheval qui gris estoit,*
> *Un blanc levrier menoit en lasse.*
> *'Las', dist le levrier, 'je me lasse,*
> *Grisel, quant nous reposerons?*
> *Il est heure que nous mengons'.*[2]

Doch deze toon wordt niet volgehouden, het gedicht zakt terstond. Het thema
is alleen gezien, niet uitgewerkt in een gedachte. De thema's zijn soms prachtig
suggestief. In Pierre Michault's *Danse aux Aveugles* ziet men de mensheid eeuwig
dansende om de tronen van Liefde, Fortuin en Dood[1]. Maar de uitwerking blijft
van het begin af beneden het middelmatige. Een naamloze *Exclamacion des os
Sainct Innocent* begint met de toeroep der beenderen in de knekelgalerijen van
het beroemde kerkhof:

> *Les os sommes des povres trespassez,*
> *Cy amassez par monceaulx compassez,*
> *Rompus, cassez, sans reigle ne compas...*[2]

Een aanhef, om de duistere dodenklacht op te bouwen; maar het wordt niet anders dan een memento mori van twaalf in het dozijn.

Het zijn alles louter beeld-thema's. Voor de schilder behelst zulk een enkele
visie in zichzelf de stof tot de verst doorgevoerde uitwerking, maar voor de
dichter is zij niet genoeg.

21

HET WOORD EN HET BEELD

Is dan de schilderkunst der vijftiende eeuw in uitdrukkingsvermogen de litteratuur in alle opzichten de baas? Neen. Er blijven altijd gebieden, waarop de litteratuur over rijker en meer direkte uitdrukkingsmiddelen beschikt dan de beeldende kunst. Zulk een gebied is bovenal dat van de spot. De beeldende kunst kan, tenzij zij zich verlaagt tot karikatuur, slechts een geringe potentie van het komische uitdrukken. Het komische, enkel zichtbaar afgebeeld, heeft een neiging, weer in het ernstige over te gaan. Slechts daar, waar de bijmenging van het komische element in de levensverbeelding zeer gering is, waar het enkel kruiderij is, en niet de eigen smaak van het gerecht overstemmen mag, kan de afbeelding gelijke tred houden met de uitdrukking in woorden. Als zulk een komiek in zwakste potentie kan men de genreschildering beschouwen.

Hier is de beeldende kunst nog volkomen op haar terrein.

De ongebreidelde uitwerking der détails, die wij hierboven aan de schilderkunst der vijftiende eeuw toekenden, gaat ongemerkt over in het behagelijke vertellen van kleinigheden, in het genre-achtige. Bij de meester van Flémalle is de gedetailleerdheid louter 'genre' geworden. Zijn Joseph de timmerman zit muizenvallen te maken*. Het genre-achtige steekt in al zijn détails: tussen de wijze, waarop Van Eyck en waarop Robert Campin een vensterblind laat openstaan, een buffetje of een haard schildert, is de stap gedaan van de zuiver picturale visie naar het genre.

Doch reeds op dit gebied heeft nu het woord opeens een dimensie meer dan de afbeelding. Het kan de gemoedsstemming expliciet weergeven. Men denke nogmaals aan Deschamps' beschrijvingen van de schoonheid der kastelen. Ze waren eigenlijk mislukt, en bleven oneindig ver achter bij wat de miniatuurkunst daar-

---

* De muizenval zou inmiddels ook symbolisch te verstaan kunnen zijn. Petrus Lombardus, Sententiae lib. III dist. 19 vermeldt een gezegde: God maakte een muizenval voor de duivel, waarin Hij Christi menselijk vlees als lokaas aanbracht.

van wist te maken. Maar vergelijk daarmee nu de ballade, waar Deschamps in een genre-tafereel beschrijft, hoe hij zelf ziek ligt in zijn armzalig kasteeltje te Fismes[1]. De uilen, spreeuwen, kraaien, mussen, die in zijn toren nestelen, houden hem uit de slaap:

> *C'est une estrange melodie*
> *Qui ne semble pas grand deduit*
> *A gens qui sont en maladie.*
>
> *Premiers les corbes font sçavoir*
> *Pour certain si tost qu'il est jour:*
> *De fort crier font leur pouoir,*
> *Le gros, le gresle, sanz sejour;*
> *Mieulx vauldroit le son d'un tabour*
> *Que telz cris de divers oyseaulx,*
> *Puis vient la proie; vaches, veaulx,*
> *Crians, muyans, et tout ce nuit,*
> *Quant on a le cervel trop vuit.*
> *Joint du moustier la sonnerie,*
> *Qui tout l'entendement destruit*
> *A gens qui sont en maladie.*

's Avonds komen uilen, en verschrikken door hun klagelijk roepen de zieke met doodsgedachten:

> *C'est froit hostel et mal reduit*
> *A gens qui sont en maladie.*

Zodra maar een zweem van het komische, of ook maar van het genoegelijk-vertellende, doordringt, werkt het aaneenrijgende, opsommende procédé niet meer vermoeiend. Levendige schilderingen van burgerlijke zeden, lange behagelijke beschrijvingen van het vrouwelijk toilet breken de eentonigheid. In zijn lang allegorisch gedicht *L'espinette amoureuse** verkwikt Froissart u plotseling met een opsomming van wel zestig kinderspelen, die hij als kleine jongen te Valenciennes te spelen placht[2]. De litteraire dienst van de duivel der gulzigheid heeft reeds een aanvang genomen. De savoureuze maaltijden van Zola, Huysmans, Anatole France hebben reeds hun prototypen in de Middeleeuwen. Hoe glimt de gulzigheid, als Deschamps en Villon lekkebaarden naar malse boutjes. Hoe smakelijk beschrijft Froissart de Brusselse bonvivants, die de vette hertog Wencelijn omringen in de slag bij Baesweiler; zij hebben hun knechten bij zich met grote flessen wijn aan de zadelknop, met brood en kaas, pasteien van zalm, fo-

* 'Espinette' betekent hier een tenen kooi, waarin een vogel wordt vetgemest.

rellen en paling, alles netjes in kleine servetten gewikkeld; zo staan zij de slagorde in de weg[1].

Door haar gave voor het genre-achtige is de litteratuur van die tijd in staat,
ook het nuchterste in vers te brengen. Deschamps kan in een gedicht om geld
manen, zonder van zijn gewone dichterniveau af te dalen; hij bedelt in een reeks
van balladen om een beloofde tabbert, om brandhout, om een paard, om achter-
stallig salaris[2].

Het is maar één schrede van het genre-achtige naar het bizarre, het burleske,
of als men wil: het breugheleske. Ook in deze vorm van het komische is de schilderkunst nog gelijkwaardig aan de litteratuur. Het breughelse element is in de
kunst omstreeks 1400 reeds ten volle aanwezig. Men vindt het in de Joseph op
Broederlam's Vlucht naar Egypte te Dijon, in de slapende krijgsknechten op de
Drie Maria's bij het graf, eertijds wel aan Hubert van Eyck toegeschreven*.
Niemand is in het opzettelijk bizarre zo sterk als Paul van Limburg. Een toe-
schouwer bij Maria's tempelgang draagt een ellenhoge, kromme tovenaarsmuts
en mouwen van een vadem lang. Burlesk is hij in de doopvont, die drie monster-
achtige maskers draagt met uitgestoken tong, en in de omlijsting van Maria en
Elisabeth, waar een held uit een toren een slak bevecht, een ander man op een
kruiwagen een varken kruit, dat de doedelzak speelt[3].

Bizar is de litteratuur der vijftiende eeuw haast op elke bladzijde; haar gekunstelde stijl, de zonderling fantastische aankleding van haar allegorieën getuigt
het. Motieven waaraan Breughel zijn uitgelaten fantazie zou botvieren, zoals de
strijd van Vasten en Vastenavond, de strijd van Vlees en Vis, zijn in de litteratuur der vijftiende eeuw reeds zeer in trek. Breughels in de hoogste zin schijnt
een scherpe visie als van Deschamps, waar de wachter de troepen, die zich te
Sluis verzamelen tegen Engeland, als een heirleger van ratten en muizen ziet:

> '*Avant, avant! tirez vous ça.*
> *Je voy merveille, ce me semble.*'
> – '*Et quoy, guette, que vois-tu là?*'
> '*Je voy dix mille rats ensemble*
> *Et mainte souris qui s'assemble*
> *Dessus la rive de la mer*'...

Een andermaal zit hij triest en verstrooid aan de maaltijd ten hove; opeens ziet
hij, hoe de hovelingen eten; de een kauwt als een varken, de ander knabbelt als

---

* Friedländer, Die Altniederländische Malerei, I S. 77, rangschikt het onder de stukken
'im frühen Eyck-stil'. Het schilderij heeft behoord aan Philippe de Commines.

een muisje, één gebruikt zijn tanden als een zaag, deze vertrekt zijn gezicht, bij gene veegt de baard op en neer, 'al etende leken het duivelen'[1].

Zodra de litteratuur volksleven schildert, vervalt zij vanzelve in dat sappige, met luim gekruide realisme, dat in de beeldende kunst weldra zich zo bloeiend zou ontwikkelen. Chastellain's beschrijving van de arme boer, die de verdwaalde hertog van Bourgondië opneemt, valt uit als een stuk van Breughel[2]. De Pastorale wordt met haar schildering van etende, dansende en vrijende herders telkens van haar sentimentele en romantische grondthema afgeleid naar het pad van een fris naturalisme van licht komische werking. Arbeidende boeren waren als lichtelijk grotesk motief voor wandtapijten in de Bourgondische hofkunst geliefd[3]. In deze sfeer ligt ook de belangstelling voor het haveloze, die zich zowel in de litteratuur als in de beeldende kunst der vijftiende eeuw reeds begint te openbaren. De kalenderminiaturen markeren met welgevallen de doorgesleten knieën van de maaiertjes in het koren, of de schilderkunst de lompen van de bedelaars, die barmhartigheid vinden. Hier begint de lijn, die over Rembrandt's etsen en Murillo's bedelknapen naar de straattypen van Steinlen leidt.

Doch hier springt meteen weder het grote verschil der piturale en litteraire opvatting in het oog. Terwijl de beeldende kunst reeds het schilderachtige van de bedelaar ziet, de bekoring van de vorm dus, is de litteratuur enkel nog vervuld van de betekenis van de bedelaar, 't zij zij hem beklaagt of prijst of verwenst. De prototypen nu van het litteraire realisme der armoede-schildering liggen juist in die verwensingen. De bedelaars waren in het einde der Middeleeuwen een ontzettende plaag geworden. In de kerken krioelde hun jammerlijke menigte, en belette de dienst met hun geschreeuw en gedruis; onder hen was veel kwaad volk, 'validi mendicantes'. Het kapittel van Notre Dame te Parijs tracht in 1428 vergeefs hen naar de kerkdeuren te verwijderen, en slaagt er slechts later in, hen althans uit het koor naar het schip der kerk te verwijzen[4]. Deschamps wordt niet moede, zijn haat tegen die ellendigen te luchten; hij scheert hen allen over één kam als huichelaars en bedriegers: ranselt hen de kerk uit, hangt ze op, verbrandt ze![5] Van hier naar de moderne litteraire schildering der ellende schijnt de weg veel langer dan die, welke de beeldende kunst had af te leggen. In de schilderkunst vulde zich het beeld vanzelf met nieuw sentiment, in de litteratuur moest een nieuw gerijpt sociaal gevoel zich geheel nieuwe vormen van uitdrukking scheppen.

Waar het komische element, zwakker of sterker, grover of fijner, in de uiterlijke visie van een geval zelf ligt opgesloten, zoals in het genre en in het burleske, daar kon de beeldende kunst het woord bijhouden. Maar daarbuiten lagen sferen van het komische, die voor piturale uitdrukking volstrekt ontoegankelijk waren, waar kleur noch lijn iets vermocht. Overal waar het komische positief lachwekkend moet zijn was de litteratuur onbeperkt meester, dus op het zo welig begroeide gebied van de schaterlach: de klucht, sotternie, boerde, de fabliaux, kortom al de vormen van het grof-komische. Uit die rijke schat van laat-middeleeuwse litteratuur spreekt een eigen geest.

De litteratuur is ook meester op het gebied van de matte glimlach, daar, waar de spot zijn hoogste tonen strijkt, zich uitgiet over het ernstigste van het leven, de liefde, en over het eigen leed. De gekunstelde, gepolijste, versleten vormen van het minnedicht ondergingen een verfijning en zuivering door de bijmenging der ironie.

Buiten het erotische is de ironie nog plomp en naïef. De Fransman van 1400 neemt af en toe nog de voorzichtigheid in acht, die de Hollander van 1900 blijft aanbevolen, om het erbij te zeggen, als hij ironisch spreekt. Deschamps prijst de goede tijd: alles gaat best, overal heerst vrede en gerechtigheid:

> *L'en me demande chascun jour*
> *Qu'il me semble du temps que voy,*
> *Et je respons: c'est tout honour,*
> *Loyauté, vérité et foy,*
> *Largesce, prouesce et arroy,*
> *Charité et biens qui s'advance*
> *Pour le commun; mais, par ma loy,*
> *Je ne dis pas quanque je pence.*

Of elders aan het eind van een ballade van dezelfde strekking: 'Tous ces poins a rebours retien'[1]; en in een derde met het refrein: 'C'est grant pechiez d'ainsy blasmer le monde';

> *Prince, s'il est par tout generalment*
> *Comme je say, toute vertu habonde;*
> *Mais tel m'orroit qui diroit: 'Il se ment'...*[2]

Zelfs een bel-esprit uit de tweede helft der vijftiende eeuw betitelt een epigram: 'Soubz une meschante paincture faicte de mauvaises couleurs et du plus meschant peinctre du monde, par manière d'yronnie par maître Jehan Robertet'[3].

Hoe fijn daarentegen kan de ironie reeds zijn, zodra zij de liefde raakt. Zij mengt zich dan met de zachte melancholie, de matte teerheid, die het minnedicht der vijftiende eeuw in de oude vormen tot iets nieuws maakt. Het droge hart smelt in een snik. Er klinkt een geluid, dat in de aardse liefde nog niet was gehoord: de profundis.

Het klinkt in de roerende zelfbespotting van Villon, in de figuur van 'l'amant remis et renié', die hij aanneemt, in de matte liedjes der desillusie, die Charles d'Orléans zingt. Het is de lach in tranen. 'Je riz en pleurs' is niet enkel Villon's vinding geweest. Een oude bijbelse gemeenplaats: 'risus dolore miscebitur et extrema gaudii luctus occupat'[1], kreeg hier een nieuwe toepassing, een nieuw sentiment, een verfijnde bittere gevoelswaarde. Alain Chartier, de gladde hofpoëet, deelt dit motief met Othe de Grandson, de ridder, en met Villon, de vagebond.

> *Je n'ay bouche qui puisse rire,*
> *Que les yeulx ne la desmentissent:*
> *Car le cueur l'en vouldroit desdire*
> *Par les lermes qui des yeulx issent.*

Of meer uitgewerkt, van een droeve minnaar:

> *De faire chiere s'efforçoit*
> *Et menoit une joye fainte,*
> *Et à chanter son cueur forçoit*
> *Non pas pour plaisir, mais pour crainte,*
> *Car tousjours ung relaiz de plainte*
> *S'enlassoit au ton de sa voix,*
> *Et revenoit à son attainte*
> *Comme l'oysel au chant du bois.*[2]

Aan het slot van een gedicht verloochent de dichter zijn leed, in de toon van het vagantenlied, zoals hier:

> *Cest livret voult dicter et faire escripre*
> *Pour passer temps sans courage villain*
> *Ung simple clerc que l'en appelle Alain,*
> *Qui parle ainsi d'amours pour oyr dire.*[3]

Het eindeloze *Cuer d'amours espris* van koning René sluit in dezelfde toon, maar in fantastische uitwerking: de kamerdienaar komt met een kaars kijken, of 's dichters hart niet weg is; maar hij kan geen gat in de zijde ontdekken:

> *Sy me dist tout soubzriant*
> *Que je dormisse seulement*
> *Et que n'avoye nullement*
> *Pour ce mal garde de morir.*[4]

31. Tapisserie School van Arras, Aanbieding van het Hart, omstreeks 1410
(Parijs, Musée de Cluny) Giraudon, Parijs

32. Tapisserie van Doornik, Houthakkers, omstreeks 1460
(Parijs, Musée des Arts décoratifs)

33. Rondedans der Boeren en verkondiging aan de Herders uit de 'Heures de Charles
d'Angoulême', tweede helft 15e eeuw
(Parijs, Bibliothèque Nationale, MS 1173)

34. Werkplaats van Jean Wauquelin, Bergen, 1448, 'Chroniques de Hainaut' van
Jacques de Guise, boekdeel I, Houthakkers
(Brussel, Koninklijke Bibliotheek, MS 9242)

35. Onbekend Meester in opdracht van het Gilde der Gewandsnijders en Lakenwevers,
± 1550, Lakenmarkt te 's Hertogenbosch
('s Hertogenbosch, Noordbrabants Museum)

36. Schaak- en Trictracbord, ivoor en inlegwerk, omstreeks 1465
(Florence, Museo Nazionale)

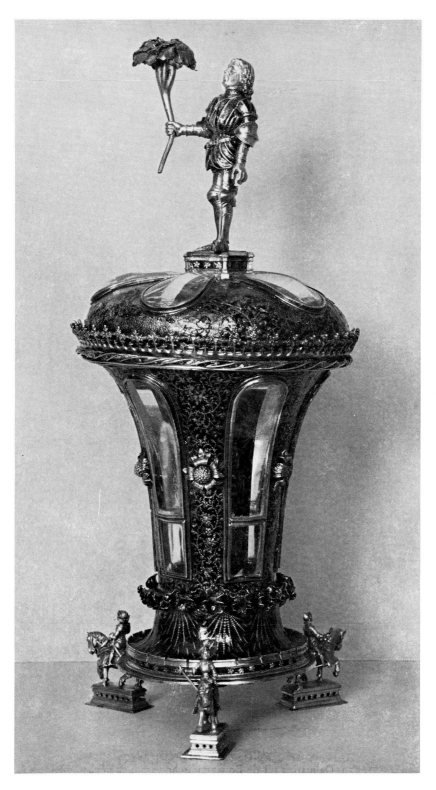

37. Pronkbeker, verguld zilver en email, waarschijnlijk 1471
(Neuenstein, Museum Hohenlohe)

38. Geëmailleerd gouden agraaf, Nederlands werk omstreeks 1450
(Wenen, Kunsthistorisches Museum)

39. Dalmatiek uit de Bourgondische paramentenschat
(Wenen, Kunsthistorisches Museum)

De oude conventionele vormen kregen door het nieuwe sentiment nieuwe frisheid. Niemand heeft de gebruikelijke verpersoonlijking der sentimenten zo ver
doorgevoerd als Charles d'Orléans. Hij ziet zijn hart als een afzonderlijk wezen:

Je suys celluy au cueur vestu de noir...[1]

In de oudere lyriek, zelfs in de dolce stil nuovo, waren die verpersoonlijkingen
nog strakke ernst geweest. Maar bij Orléans zijn de grenzen van ernst en spot
niet meer te trekken: hij chargeert de verpersoonlijking, zonder dat het fijne
sentiment te loor gaat:

Un jour à mon cueur devisoye
Qui en secret à moy parloit,
Et en parlant lui demandoye
Se point d'espargne fait avoit
D'aucuns biens quant Amours servoit:
Il me dist que très voulentiers
La vérité m'en compteroit,
Mais qu'eust visité ses papiers.

Quant ce m'eut dit, il print sa voye
Et d'avecques moy se partoit.
Après entrer je le véoye
En ung comptouer qu'il avoit:
Là, de çà et de là quéroit,
En cherchant plusieurs vieulx caïers
Car le vray monstrer me vouloit,
Mais qu'eust visitez ses papiers...[2]

Hier overweegt het komische, maar in het volgende de ernst:

Ne hurtez plus à l'uis de ma pensée,
Soing et Soucy, sans tant vous travailler;
Car elle dort et ne veult s'esveiller,
Toute la nuit en peine a despensée.

En dangier est, s'elle n'est bien pansée;
Cessez, cessez, laissez la sommeiller;
Ne hurtez plus à l'uis de ma pensée,
Soing et Soucy, sans tant vous travailler...[3]

317

Het minnedicht in de toon van weke droefheid kreeg voor de vijftiende-eeuwer een nog scherper smaak door de bijmenging van een element van profanering. De travesti van het amoureuze in kerkelijke vormen dient niet enkel tot obscene beeldspraak en grove oneerbiedigheid, zoals in de *Cent nouvelles nouvelles*. Zij levert ook de vorm tot het meest tere, bijna elegische liefdedicht, dat de vijftiende eeuw heeft voortgebracht: *L'amant rendu cordelier à l'observance d'amours*.

Het motief van de minnaars als de observanten ener geestelijke orde had reeds in de kring van Charles d'Orléans aanleiding gegeven tot een dichterlijke confrérie, die zich 'les amoureux de l'observance' noemde. Tot deze orde moet de onbekende dichter – niet Martial d'Auvergne, gelijk men vroeger gemeend heeft[1] – behoord hebben, die *L'amant rendu cordelier* schreef.

De arme, teleurgestelde minnaar komt de wereld begeven in het wonderlijke klooster, waar men enkel de droeve verliefden 'les amoureux martyrs', opneemt. In stille samenspraak met de heer Prior doet hij het zachte verhaal van zijn versmade liefde, en wordt vermaand, die te vergeten. Onder het middeleeuws-satirieke gewaad voelt men reeds de stemming van Watteau en de Pierrot-cultus, slechts zonder maneschijn. – Was zij niet gewoon, vraagt Prior, u een lieve blik toe te werpen, of in 't voorbijgaan een 'Dieu gart' te zeggen? – Zo ver kwam ik nooit, antwoordt de minnaar: maar 's nachts stond ik drie hele uren voor haar deur, en keek op naar de goot:

> *Et puis, quant je oyoye les verrières*
> *De la maison qui cliquetoient,*
> *Lors me sembloit que mes prières*
> *Exaussées d'elle sy estoient.*

'Waart ge zeker, dat zij u opmerkte?' vraagt de Prior.

> *Se m'aist Dieu, j'estoye tant ravis,*
> *Que ne savoye mon sens ne estre,*
> *Car, sans parler, m'estoit advis*
> *Que le vent ventoit* sa fenestre*
> *Et que m'avoit bien peu congnoistre,*
> *En disant bas: 'Doint bonne nuyt',*
> *Et Dieu scet se j'estoye grant maistre*
> *Après cela toute la nuyt.*

* Te lezen 'boutoit'? Vgl. Alain Chartier, p. 549: 'Ou se le vent une fenestre boute Dont il cuide que sa dame l'escoute S'en va coucher joyeulx…'.

In die zaligheid sliep hij heerlijk:

> *Tellement estoie restauré*
> *Que, sans tourner ne travailler,*
> *Je faisoie un somme doré,*
> *Sans point la nuyt me resveiller,*
> *Et puis, avant que m'abiller,*
> *Pour en rendre à Amours louanges,*
> *Baisoie troys fois mon orillier,*
> *En riant à par moy aux anges.*

Bij zijn plechtige opneming in de orde bezwijmt de dame, die hem versmaad had, en een gouden hartje, geëmailleerd met tranen, dat hij haar geschonken had, valt uit haar kleed.

> *Les aultres, pour leur mal couvrir*
> *A force leurs cueurs retenoient,*
> *Passans temps a clorre et rouvrir*
> *Les heures qu'en leurs mains tenoient,*
> *Dont souvent les feuillès tournoient*
> *En signe de devocion;*
> *Mais les deulz et pleurs que menoient*
> *Monstroient bien leur affection.*

Als de Prior hem tenslotte zijn nieuwe plichten opsomt, en hem waarschuwt om nooit te luisteren naar de nachtegaal, nooit te slapen onder 'eglantiers et aubespines', en vooral nooit in vrouwenogen te zien, klaagt het gedicht op het thema 'Doux yeux' een eindeloze melodie van strofen, die altijd weer variëren:

> *Doux yeulx qui tousjours vont et viennent;*
> *Doulx yeulx eschauffans le plisson,*
> *De ceulx qui amoureux deviennent...*
>
> *Doux yeulx a cler esperlissans,*
> *Qui dient: C'est fait quant tu vouldras,*
> *A ceulx qui'ils sentent bien puissans...*[1]

Die zachte, matte toon van gelaten melancholie heeft ongemerkt in de vijftiende eeuw de liefdeslitteratuur doordrongen. De oude satire van cynische vrouwenverguizing krijgt er op eens een heel andere, verfijnde stemming door: in de *Quinze joyes de marriage* is de botte vrouwensmaad van voorheen getemperd door een toon van stille desillusie en gedruktheid, die er het navrante aan geeft van

319

een moderne huwelijksnovelle: de gedachten zijn ijl, vluchtig uitgedrukt; de gesprekken zijn te teer voor de boosaardige bedoeling.

In alles wat de uitdrukking der liefde betrof had de litteratuur een school van eeuwen achter zich, met meesters van zo verscheiden geest als Plato en Ovidius, de troubadours en de vaganten, Dante en Jean de Meun. – De beeldende kunst daarentegen was hierin nog buitengewoon primitief, en is dat nog lang gebleven. Eerst in de achttiende eeuw haalt de afbeelding der liefde de beschrijving ervan in verfijning en volheid van expressie in. De schilderkunst der vijftiende eeuw kon nog niet frivool of sentimenteel zijn. De uitdrukking van het schalkse kent zij nog niet. Op een paneel van een onbekend meester vóór 1430 is de jonkvrouw Lysbet van Duvenvoorde voorgesteld: een figuur van zo strenge waardigheid, dat zij voor de schenkster van een altaarstuk gehouden is. Op de banderole, die zij in de hand draagt, staat evenwel: 'Mi verdriet lange te hopen, Wie is hi die syn hert hout open?' Deze kunst kent het kuise en het obscene; voor alles wat daar tussen ligt heeft zij nog geen uitdrukkingsmiddelen. Van het liefdeleven zegt zij weinig, en dat in naïeve en onschuldige vormen. Wel moet men zich hier opnieuw herinneren, dat het meeste wat er van die aard bestaan heeft verloren is. Het zou van buitengewoon belang zijn, als men het naakt van Van Eyck in zijn Vrouwenbad, of in dat van Rogier, waarop twee jonge mannen lachend door een reet keken (beide stukken beschrijft Fazio) kon vergelijken met de figuren van Adam en Eva op het Gentse altaar. In deze laatste ontbreekt het erotisch element volstrekt niet geheel: immers de kunstenaar heeft wel degelijk de conventionele code van vrouwenschoonheid gevolgd, in de kleine, te hoog geplaatste borsten, de lange slanke armen, de vooruitstekende buik. Doch hoe naïef heeft hij dat alles gedaan, zonder enige zucht of vermogen om te bekoren. – Bekoring moet het essentieel element zijn van het kleine Liefdetoverijtje, wel met 'school van Jan van Eyck' betiteld[1], een kamer waar een meisje, naakt, zoals dat bij toverij hoort, door tovermiddelen de minnaar dwingt, zich te vertonen. Hier is het naakt van die bescheiden wulpsheid, die zich in Cranach's naaktfiguren voortzet.

Indien de afbeelding zo zelden streefde naar zinnelijke bekoring, uit preutsheid was het niet. De late Middeleeuwen vertonen een zonderlinge tegenstelling tussen een sterk schaamtegevoel en een verbazende licentie. Voor het laatste is het aanhalen van voorbeelden onnodig; zij spreekt op iedere bladzijde. De schaamte spreekt bijvoorbeeld uit het volgende. Bij de ergste moord- en plunderpartijen laat men de slachtoffers het hemd of de onderbroek; de Burger van Parijs is over niets zo verontwaardigd als over het feit, dat die regel werd geschonden: 'et ne volut pas convoitise que on leur laissast neis leurs brayes, pour tant qu'ilz vaul-

sissent 4 deniers, qui estoit un des plus grans cruaultés et inhumanité chrestien-
ne à aultre de quoy on peut parler'*. – In verband met de heersende begrippen
van schaamte blijft het dubbel opmerkelijk, dat men aan het vrouwelijk naakt,
in de kunst nog zo weinig gecultiveerd, zulk een vrije plaats gaf in het tableau
vivant. Bij geen intocht ontbraken de vertoningen, 'personnages', van naakte
godinnen of nimfen, door Dürer aanschouwd bij de intocht van Karel V te Antwerpen in 1520[1]. Deze vertoningen waren op getimmerten op bepaalde plaatsen
opgesteld, soms zelfs in het water, zoals de sirenen, die bij de brug in de Leie
zwommen, 'toutes nues et échevelées ainsi comme on les peint', bij de intocht
van Philips de Goede te Gent in 1457[2]. Paris' oordeel was het meest gebruikte
onderwerp dezer vertoningen. – Men zoeke er noch Griekse schoonheidszin
noch platte onbeschaamdheid in, maar een naïeve, populaire zinnelijkheid. Jean
de Roye beschrijft de sirenen, die bij de intocht van Lodewijk XI te Parijs in
1461, niet ver van een gekruisigde tussen de twee schakers, stonden opgesteld,
in deze woorden: 'Et si y avoit encores trois bien belles filles, faisans personnages
de seraines toutes nues, et leur veoit on le beau tetin droit, separé, rond et dur,
qui estoit chose bien plaisant, et disoient de petiz motetz et bergeretes; et près
d'eulx jouoient plusieurs bas instrumens qui rendoient de grandes melodies'[3].
Molinet vertelt, met hoeveel welbehagen het volk naar het oordeel van Paris
keek bij de intocht van Philips de Schone te Antwerpen in 1494: 'mais le hourd
où les gens donnoient le plus affectueux regard fut sur l'histoire des trois déesses,
que l'on véoit au nud et de femmes vives'[4]. Hoe ver was zuivere schoonheidszin,
als men de vertoning van dat onderwerp in 1468 te Rijsel bij de intocht van
Karel de Stoute geparodieerd ziet door een zwaarlijvige Venus, een magere Juno
en een gebochelde Minerva, met gouden kronen op het hoofd![5] – Tot diep in de
zestiende eeuw bleven de naakte vertoningen in gebruik: te Rennes in 1532 bij
de intocht van de hertog van Bretagne zag men een naakte Ceres en Bacchus[6],
en nog Willem van Oranje werd bij zijn inkomst binnen Brussel op 18 september
1578 vergast op een Andromeda, 'een ionghe maeght, met ketenen ghevetert,

* Prof. Hesseling vestigde mijn aandacht erop, dat hier behalve schaamtegevoel waarschijnlijk nog een andere voorstelling in het spel is, namelijk deze, dat de dode niet zonder
doodshemd bij het Laatste Oordeel zal kunnen verschijnen, en wees mij op een Griekse
bewijsplaats uit de 7e eeuw (Johannes Moschus c. 78, Migne Patrol. graeca t. LXXXVII
p. 2933 D), die misschien met paralellen uit het Westen zou zijn te staven. Aan de andere
kant moet worden opgemerkt, dat in de voorstellingen der Opstanding in miniatuur en
schilderkunst de lijken steeds naakt uit de graven verrijzen. – Theologie en kunst waren
geen van beide over de vraag van naaktheid of bekleding bij het laatste Oordeel een-
stemmig; zie G. G. Coulton, Art and the Reformation, Oxford, 1925, p. 255/8. Aan het
noordelijk portaal van het Munster te Bazel ziet men de verrezenen juist bezig, zich voor
het Oordeel te kleden.

alsoo naeckt als sy van moeder lyve gheboren was; men soude merckelyck ge-seydt hebben, dattet een marberen beeldt hadde geweest', aldus Johan Baptista Houwaert, die de tableaux gearrangeerd had[1].

De achterlijkheid van het piсturale uitdrukkingsvermogen vergeleken bij de litteratuur beperkt zich overigens niet tot de gebieden, die wij tot nu toe behan-delden: het komische, het sentimentele, het erotische. Dat vermogen vindt zijn grenzen, zodra het niet meer gedragen wordt door die overmatig visuele aanleg, waarin wij de toenmalige superioritiet van de schilderkunst in het algemeen bo-ven de litteratuur gegrond achtten. Zodra er iets meer nodig is dan enkel een onmiddellijke, scherpe visie van het natuurlijke, begeeft die superioriteit de schilderkunst van lieverlede, en ziet men opeens die gegrondheid van Michel Angelo's verwijt: die kunst wil vele dingen tegelijk volkomen afbeelden, waar-van één belangrijk genoeg zou zijn, om er alle krachten aan te besteden.

Men neme nogmaals een tafereel van Jan van Eyck. Onovertroffen blijft zijn kunst, zolang zij van nabij ziende, om zo te zeggen microscopisch, werkt: in de gelaatstrekken, de stoffen der gewaden, de juwelen. De volstrekt scherpe obser-vatie is daar genoeg. Doch zodra de geziene werkelijkheid enigermate moet worden herleid, gelijk reeds het geval is in de voorstelling van gebouwen en land-schappen, vallen er, bij alle innige bekoring van het vroege vergezicht, zwak-heden te bespeuren: een zekere onsamenhangendheid, een ietwat gebrekkige dispositie. En hoe meer de voorstelling opzettelijk moet worden gecomponeerd, er een beeldvorm voor het geval vrij moet worden geschapen, hoe sterker de daling wordt.

Niemand zal tegenspreken, dat in de verluchte getijboeken de kalenderbladen die waarop de heilige geschiedenis staat afgebeeld overtreffen. Dáár kon men met directe waarneming en vertellend weergeven volstaan. Maar om een ge-wichtige handeling, een bewogen voorstelling met veel personen op te zetten, was bovenal dat gevoel voor ritmische opbouw en eenheid nodig, dat eertijds Giotto gekend had, en dat opnieuw door Michel Angelo werd begrepen. Het wezen nu der vijftiende-eeuwse kunst was veelheid. Slechts daar, waar de veel-heid zelf tot eenheid werd, werd het effect van hoge harmonie bereikt, zoals in de Aanbidding van het Lam. Daar is inderdaad ritme, een onvergelijkelijk sterk ritme, een triomfantelijk ritme van al die stoeten schrijdend naar het middel-punt toe. Doch het is als 't ware door een bloot rekenkundige nevenschikking, uit de veelheid zelf, gevonden. Van Eyck ontloopt de moeilijkheden der com-positie, door slechts voorstellingen te geven in strenge rust; hij bereikt een sta-tische, geen dynamische harmonie.

Hier bovenal ligt de grote afstand, die Rogier van der Weyden van Van Eyck scheidt. Rogier beperkt zich, om het ritme te vinden; hij slaagt niet altijd, maar hij streeft.

Nu bestond er voor de voornaamste onderwerpen der heilsgeschiedenis een strenge, oude verbeeldingstraditie. De schilder behoefde de ordonnantie van zijn tafereel niet meer zelf te zoeken[1]. Sommige dier onderwerpen brachten een ritmische bouw bijna van zelve mee. In een bewening, een kruisafneming, een aanbidding der herders, kwam het ritme als van zelve. Men denke aan de pietà van Rogier van der Weyden te Madrid, die van de Avignonse school in het Louvre en te Brussel, van Petrus Christus, van Geertgen tot Sint Jans, van de Belles heures d'Ailly[2].

Wordt echter het tafereel woeliger, zoals bij de bespotting, de kruisdraging, de aanbidding der koningen, dan stijgen de moeilijkheden der compositie, en een zekere onrustigheid, onvoldoende eenheid der voorstelling is veelal het gevolg. En als de kerkelijke ikonografische norm de kunstenaar geheel begeeft, dan staat hij vrijwel hulpeloos. Reeds de rechtspraaktaferelen van Dirk Bouts en Gerard David, die nog een zekere statige ordonnantie meebrachten, zijn vrij zwak van compositie. Links en onbeholpen wordt zij in de marteling van Sint Erasmus, 'het dermwinderken' van Leuven, en van Sint Hippolytus, door paarden uiteengetrokken, te Brugge. Daar werkt de gebrekkige bouw reeds stuitend.

Wanneer nu nooit geziene fantazie moet worden verbeeld, dan vervalt de vijftiende-eeuwse kunst in het belachelijke. De grote schilderkunst bleef daarvoor gespaard door haar strenge onderwerpen, maar de boekverluchting kon zich niet onttrekken aan het afbeelden van al de mythologische en allegorische fantazie, die de litteratuur aanbracht. Een goed voorbeeld levert de illustratie van de *Epitre d'Othéa à Hector*[3], een uitgewerkte mythologische fantazie van Christine de Pisan. Het is het onbeholpenste wat men zich kan voorstellen. De Griekse goden dragen grote vlerken achter aan hun hermelijnmantels of Bourgondische tabberts; de gehele opzet en uitdrukking mislukt: Minos, Saturnus, die zijn kinderen verslindt, Midas, die de prijs uitdeelt, zij vallen allen even dwaas uit. Doch zodra de verluchter in de achtergrond even zijn hart kan ophalen aan een herdertje met schaapjes, of een heuveltje met galg en rad, vertoont hij de gewone vaardigheid[4]. Men is hier aan de grens van het beeldend vermogen dezer kunstenaars. In vrij scheppende verbeelding zijn zij tenslotte ongeveer even beperkt als de dichters.

De allegorische verbeelding had de fantazie in een impasse geleid. De allegorie kluistert wederkerig het beeld en de gedachte. Het beeld kan niet vrij geschapen worden, omdat het de gedachte volkomen moet omschrijven, en de gedachte

323

wordt in haar vlucht belemmerd door het beeld. De fantazie heeft zich gewend, de gedachte zo nuchter mogelijk in beeld over te brengen, zonder enig gevoel voor stijl. Temperantia draagt op haar hoofd een uurwerk, om haar aard aan te duiden. De verluchter van de *Epitre d'Othéa* nam daartoe eenvoudig het hang-klokje, dat hij ook bij Philips de Goede aan de wand plaatste[1]. – Wanneer een scherp natuurlijk observerende geest als Chastellain uit eigen vinding allego-rische figuren tekent, valt het bijster gekunsteld uit. Hij ziet bijvoorbeeld in het rechtvaardigingsbetoog naar aanleiding van zijn gewaagd politiek gedicht *Le dit de vérité*[2] vier dames, die hem aanklagen. Zij heten Indignation, Réprobation, Accusation, Vindication. Ziehier, hoe hij de tweede beschrijft[3]. 'Ceste dame droit-cy se monstroit avoir les conditions seures, raisons moult aguës et mor-dantes; grignoit les dens et machoit ses lèvres; niquoit de la teste souvent; et monstrant signe d'estre arguëresse, sauteloit sur ses pieds et tournoit l'un costé puis çà, l'autre costé puis là; portoit manière d'impatience et de contradiction; le droit oeil avoit clos et l'autre ouvert; avoit un sacq plein de livres devant lui, dont les uns mit en son escours comme chéris, les autres jetta au loin par despit; deschira papiers et feuilles; quayers jetta au feu félonnement; rioit sur les uns et les baisoit; sur les autres cracha par vilennie et les foula des pieds; avoit une plume en sa main, pleine d'encre, de laquelle roioit maintes ecritures notables...; d'une esponge aussy noircissoit aucunes ymages, autres esgratinoit aux ongles... et les tierces rasoit toutes au net et les planoit comme pour les mettre hors de mémoire; et se monstroit dure et felle ennemie à beaucoup de gens de bien, plus volontairement que par raison.' Elders ziet hij, hoe Dame Paix haar mantel uit-spreidt en hoog oplicht, en in vier nieuwe dames uiteenvalt: Paix de coeur, Paix de bouche, Paix de semblant, Paix de vray effet[4]. In weer een ander van zijn al-legorieën komen vrouwenfiguren voor, die heten 'Pesanteur de tes pays, Diverse condition et qualité de tes divers peuples, L'envie et haine des François et des voisines nations', alsof een politiek hoofdartikel zich liet allegoriseren[5]. – Dat al die figuren niet gezien maar bedacht zijn, blijkt ten overvloede uit het feit, dat zij hun namen op banderoles dragen; hij put de beelden niet direkt uit zijn leven-de fantazie, maar stelt ze zich voor als op een schilderij of in een vertoning.

In *La mort du duc Philippe, mystère par manière de lamentation* ziet hij zijn hertog verbeeld als een fles vol kostbare zalf, die aan een draad uit de hemel hangt; de aarde heeft die fles aan haar borsten gezoogd[6]. Molinet ziet Christus als pelikaan (een gewone trope) niet alleen met zijn bloed de jongen voeden, maar tevens er de spiegel des doods mee afwassen[7].

Schoonheidsinspiratie is hier zoek; het is spelend en vals vernuft, een uitge-putte geest, die nieuwe bevruchting wacht. In het altijd weer gebruikte droommotief als raam ener handeling zijn bijna nooit echte droom-elementen waar te nemen, zoals ze bij Dante en bij Shakespeare zo treffend voorkomen. De illusie, dat de dichter zijn voorstelling als vizioen heeft gezien, wordt dikwijls niet eens volgehouden: Chastellain noemt zichzelf 'l'inventeur ou le fantasieur de ceste vision'[1].

Op het verdorde veld der allegorische verbeelding kan alleen de spot telkens weer fris kruid doen bloeien. Zodra het even in 't luimige geworpen wordt, gaat er van de allegorie nog werking uit. Deschamps vraagt de dokter, hoe de deugden en het recht het maken:

> *Phisicien, comment fait Droit?*
> *– Sur m'ame, il est en petit point...*
> *– Que fait Raison? –*
> *– Perdu a son entendement,*
> *Elle parle mais faiblement,*
> *Et Justice est toute ydiote...*[2]

De verschillende sferen van fantazie worden stijlloos dooreengemengd. Geen produkt zo bizar als het politieke schotschrift in het kleed der pastorale. De onbekende dichter, die zich Bucarius noemt, heeft in *Le Pastoralet* al de laster van het huis Bourgondië tegen Orleans in de kleur der herderij geschilderd: Orleans, Jan zonder Vrees en al hun trots en grimmig gevolg als zoete herders, wonderlijke Leeuwendalers! De herdersrok is beschilderd met fleurs de lis of klimmende leeuwen; er zijn 'bergiers à long jupel', dat zijn de geestelijken[3]. De herder Tristifer, dat is Orleans, neemt de anderen hun brood en kaas, hun appelen en noten, hun fluitjes af, en de schapen de klokjes; hij dreigt de weerstrevenden met zijn grote herdersstaf. Totdat hijzelf met een herdersstaf wordt doodgeslagen. Soms vergeet de dichter bijna zijn sinistere strekking, en vermeit zich in de zoetste pastorale, dan weer wordt de herderlijke fantazie zonderling gestoord door de boze politieke smaad[4]. Ook hier nog niets van de maat en smaak der Renaissance.

De kunstenmakerijen, waarmee Molinet de lof zijner tijdgenoten als vernuftig 'rhétoriqueur' en poëet behaalde, schijnen ons de laatste ontaarding van een uitdrukkingsvorm vóór zijn ondergang. Hij vermeit zich in de meest zouteloze woordspelletjes: 'Et ainsi demoura l'Escluse en paix qui lui fut incluse, car la guerre fut d'elle excluse plus solitaire que rencluse'[5]. In de inleiding op zijn gemoraliseerde prozabewerking van de *Roman de la rose* speelt hij met zijn naam Molinet. 'Et affin que je ne perde le froment de ma labeur, et que la farine que en sera molue puisse avoir fleur salutaire, j'ay intencion, se Dieu m'en donne la grace, de tourner et convertir soubz mes rudes meulles le vicieux aux vertueux, le corporel en l'espirituel, la mondanité en divinité, et souverainement de la moraliser. Et par ainsi nous tirerons le miel hors de la dure pierre, et la rose vermeille hors des poignans espines, où nous trouverons grain et graine, fruict, fleur et feuille, très souefve odeur, odorant verdure, verdoyant floriture, florissant nourriture, nourrisant fruit et fructifiant pasture'[1]. Wat lijkt het eind-eeuws en versleten! Toch bewonderde de tijdgenoot juist dit als het nieuwe; de middeleeuwse poëzie had dat spelen met woorden eigenlijk niet gekend, die speelde meer met beelden. Zoals bijvoorbeeld Olivier de la Marche, Molinet's geestverwant en bewonderaar:

> Là prins fièvre de souvenance
> Et catherre de desplaisir,
> Une migraine de souffrance,
> Colicque d'une impascience,
> Mal de dens non à soustenir.
> Mon cueur ne porroit plus souffrir
> Les regretz de ma destinée
> Par douleur non accoustumée[2].

Meschinot is nog even verslaafd aan de slappe allegorie als La Marche; van zijn *Lunettes des princes* zijn Prudence en Justice de glazen, Force de montuur, Temperance de nagel, die alles bijeenhoudt. Raison geeft de dichter die bril met een gebruiksaanwijzing; door de hemel gezonden komt Raison zijn geest binnen, en wil daar haar festijn aanrichten, maar vindt er alles bedorven door Desespoir, zodat er niets is 'pour disner bonnement'[3].

't Schijnt alles ontaarding en verval. En toch is het de tijd, waarin de nieuwe geest der Renaissance reeds blaast, waar hij wil. Waar is de grote, jonge bezieling en de nieuwe, zuivere vorm?

22

HET KOMEN VAN DE NIEUWE VORM

De verhouding van het opbloeiende Humanisme en de afstervende geest der Middeleeuwen is veel minder eenvoudig, dan wij geneigd zijn ons haar voor te stellen. Ons, die die beide cultuurcomplexen scherp gescheiden zien, schijnt het, alsof de ontvankelijkheid voor de eeuwige jeugd der Ouden en de verloochening van de ganse versleten toestel der middeleeuwse gedachtenuitdrukking gekomen moet zijn als een openbaring. Alsof de geesten, ten dode vermoeid van allegorie en flamboyantisme, plotseling moeten hebben begrepen: neen, niet dit, maar dat! Alsof de gouden harmonie van het klassieke hun opeens als een redding voor ogen moet hebben gestraald, alsof zij de Oudheid moeten hebben omhelsd met de vervoering van wie zijn heil heeft gevonden.

Maar zo is het niet. Midden in de tuin der middeleeuwse gedachte, tussen de welige woekering van het oude gewas, is het klassicisme van lieverlede opgegroeid. Eerst is het enkel een formeel fantazie-element. Een grote nieuwe bezieling wordt het eerst laat, en de geest en de uitdrukkingsvormen, die wij als de oude, middeleeuwse plegen te beschouwen, sterven ook dan nog niet af.

Om dat alles goed te zien, zou het nuttig zijn, uitvoeriger dan hier geschiedt, het komen der Renaissance gade te slaan, niet in Italië, maar in het land, dat de vruchtbaarste bodem was geweest voor alles, wat de heerlijke rijkdom der echt-middeleeuwse cultuur uitmaakte: Frankrijk. Wanneer men het Italiaanse quattrocento beschouwt in zijn glorieuze tegenstelling tot het laat-middeleeuwse leven elders, dan blijft als algemene indruk die van evenmaat, blijheid en vrijheid, van het serene en het sonore. Deze eigenschappen tezamen proeft men als Renaissance, en acht ze wellicht de signatuur van de nieuwe tijd. Inmiddels heeft men, met die onvermijdelijke eenzijdigheid, zonder welke geen historisch oordeel tot stand komt, vergeten, dat ook in het vijftiende-eeuws Italië de hechte grondslag van het cultuurleven nog altijd de echt-middeleeuwse is gebleven, ja dat in de geesten der Renaissance zelf de middeleeuwse trekken veel dieper staan gegroefd dan men zich gewoonlijk bewust is. In onze voorstelling domineert de Renaissance-toon.

Overziet men daarentegen met één blik de Frans-Bourgondische wereld der vijftiende eeuw, dan is de hoofdindruk: een sombere grondstemming, een barbaarse pracht, bizarre en overladen vormen, versleten fantazie, alle de kenmerken van de geest der Middeleeuwen op zijn laatst. Ditmaal vergeet men, dat ook hier de Renaissance komende is op alle wegen; zij domineert nog niet, zij heeft nog niet de grondstemming omgezet.

Het opmerkelijke nu is, dat het nieuwe komt *als uiterlijke vorm*, eer het waarlijk nieuwe geest wordt.

Midden in de oude levensopvattingen en levensverhoudingen komen de nieuwe, klassicistische vormen op. Voor de intrede van het Humanisme was niet anders nodig, dan dat een geletterde kring zich wat meer dan gewoonlijk bevlijtigde op zuiver Latijn en klassieke zinsbouw. Zulk een kring bloeit omstreeks 1400 in Frankrijk; hij bestaat uit enige geestelijken en magistraten: Jean de Montreuil, kanunnik van Rijsel en koninklijk secretaris, Nicolas de Clemanges, de beroemde woordvoerder der reformgezinde geestelijkheid, Gontier Col, Ambrosius de Millis, vorstelijke geheimschrijvers evenals de eerstgenoemde. Zij wisselen fraaie en deftige humanistenbrieven, die voor de latere produkten van het genre in niets onderdoen: in holle algemeenheid van gedachte, het gewild gewichtige, de gewrongen zinsbouw en ondoorzichtige uitdrukking, en ook in het behagen aan geleerde beuzelingen. Jean de Monstreuil maakt zich druk over de speling van 'orreolum' en 'scedula', met of zonder h, over het gebruik van de k in Latijnse woorden. 'Als ge mij niet te hulp komt, waarde leermeester en broeder, – schrijft hij aan Clemanges –[1], ben ik mijn goede naam kwijt en als des doods schuldig. Daar heb ik bemerkt, dat ik in mijn laatste brief aan mijn heer en vader, de bisschop van Kamerrijk, in plaats van de comparativus 'propior', overhaast en slordig als de pen is, 'proximior' heb gezet! Verbeter het toch, anders zullen onze bedillers er schotschriften op maken.'[2] – Men ziet, de brieven zijn voor de openbaarheid bestemd, als geleerde letteroefeningen. Echt humanistisch is ook zijn bestrijding van zijn vriend Ambrosius, die Cicero van tegenstrijdigheid beschuldigd had, en Ovidius boven Vergilius stelde[3].

In een der brieven geeft hij een gemoedelijke beschrijving van het klooster Charlieu bij Senlis, en het is opmerkelijk, hoe hij, nu naar middeleeuwse trant eenvoudig weergevend wat daar te zien was, opeens veel leesbaarder wordt. Hoe de mussen meeëten in het reefter, zodat men zou twijfelen, of de koning de prebende voor de monniken of voor de vogels heeft ingesteld, hoe een winterkoninkje doet alsof het de abt was, hoe de ezel van de tuinman de briefschrijver verzoekt, ook hèm in zijn epistel niet te vergeten; het is alles fris en bekoorlijk, maar niet specifiek humanistisch[1]. Herinneren wij ons, dat Jean de Montreuil en Gontier Col dezelfden zijn, die wij als geestdriftige vereerders van de *Roman de la rose* leerden kennen, en als leden van de Cours d'amours van 1401. Geeft het niet te verstaan, welk een uiterlijk levenselement dit vroege Humanisme nog is geweest? Het is eigenlijk niet dan een versterkte werking van de middeleeuwse schooleruditie, en verschilt weinig van die oplevingen van klassieke latiniteit, die Alcuin en de zijnen tijdens Karel de Grote te zien geven, en de Franse scholen der twaalfde eeuw opnieuw.

Hoewel dit eerste Franse Humanisme nog, zonder onmiddellijke voortzetters te vinden, uitbloeit in de kleine kring der mannen, die het gekweekt hadden, zit het toch reeds vast aan de grote internationale geestesbeweging. Petrarca is voor Jean de Monstreuil en de zijnen reeds het illuster voorbeeld. Ook Coluccio Salutati, de Florentijnse kanselier, die na het midden der veertiende eeuw de nieuwe Latijnse retoriek in de taal der staatsakten had ingevoerd, wordt herhaaldelijk door hem genoemd[2]. Petrarca is evenwel, als men het zo zeggen kan, in Frankrijk nog opgenomen in de middeleeuwse geest. Hij was persoonlijk bevriend geweest met de leidende geesten van een vroegere generatie: de dichter Philippe de Vitri, de filosoof en staatkundige Nicolas Oresme, die de dauphin (Karel V) had opgevoed; ook Philippe de Mézières schijnt Petrarca gekend te hebben. Deze mannen nu zijn, al behelst Oresme's gedachte veel nieuws, in geen opzicht humanisten. Wanneer inderdaad, gelijk Paulin Paris vermoedde[3], Machaut's Peronne d'Armentières bij haar zucht naar een dichterlijk liefdesverkeer niet enkel door het voorbeeld van Heloïse, maar ook reeds door dat van Laura bezeten is geweest, dan levert *Le Voir-Dit* een opmerkelijk getuigenis, hoe een inspiratie op het werk, waarin wij vooral de advent van de moderne gedachte zien, toch weder een zuiver middeleeuwse schepping kon opleveren.

Trouwens, zijn wij niet in de regel geneigd, Petrarca en Boccaccio te uitsluitend van de moderne kant te bezien? Wij beschouwen hen als de eersten der vernieuwers, en terecht. Doch ten onrechte zouden wij menen, dat zij, eerste humanisten, daarmede eigenlijk in de veertiende eeuw niet recht meer thuis waren. Met hun gehele werk, welk een adem van vernieuwing daarin ook gaat, staan zij midden in de beschaving van hun tijd. Bovendien waren Petrarca en Boccaccio beiden buiten Italië in de laatste Middeleeuwen niet in de eerste plaats beroemd om hun geschriften in de volkstaal, die hun de onsterfelijkheid zouden verzekeren, maar om hun Latijnse werken. Petrarca was voor zijn tijdgenoten bovenal een Erasmus avant la lettre geweest, de veelzijdige en smaakvolle schrijver van traktaten over moraal en leven, de grote briefschrijver, de romanticus der oudheid met zijn *De viris illustribus* en *Rerum memorandarum libri*. De thema's, die hij behandelde, sloten nog volkomen aan bij de middeleeuwse gedachte: *De contemptu mundi, De otio religiosorum, De vita solitaria*. Zijn verheerlijking van antiek heldendom staat veel nader bij de verering der negen Preux* dan men denken zou. Het is volstrekt zo vreemd niet, als er betrekkingen hebben bestaan tussen Petrarca en Geert Groote. Of wanneer Jean de Varennes, de geestdrijver van Saint Lié**, Petrarca's gezag inroept, om zich voor de verdenking van ketterij te vrijwaren[1], en aan Petrarca de tekst ontleent voor een nieuw gebed: Tota caeca christianitas. Wat Petrarca voor zijn eeuw is geweest, drukt Jean de Montreuil uit met de woorden 'devotissimus, catholicus ac celeberrimus philosophus moralis'[2]. Zelfs een klacht over het verlies van het heilige graf, die echt middeleeuwse gedachte, kon Dionysius de Kartuizer nog aan Petrarca ontlenen; 'maar omdat de stijl van Franciscus retorisch en moeilijk is, zal ik liever de zin dan de vorm van zijn woorden aanhalen'[3].

Aan de klassieke letteroefeningen van de bovenvermelde eerste Franse humanisten had Petrarca nog een bijzondere stoot gegeven door zijn schimp, dat buiten Italië geen redenaars en dichters te zoeken waren. Dat lieten de schone geesten in Frankrijk niet op zich zitten. Nicolas de Clemanges en Jean de Montreuil komen ijverig tegen zulk een uitspraak in verzet[4].

Boccaccio had op een beperkter terrein een soortgelijke invloed als Petrarca. Niet als de schrijver van de *Decamerone* eerde men hem, maar als 'le docteur de patience en adversité', de schrijver van *De casibus virorum illustrium* en *De claris mulieribus*. Boccaccio had zich met die zonderlinge verzamelwerken over de onbestendigheid van het menselijk lot opgeworpen als een soort impressario der Fortuin. En zo is het, dat Chastellain messire Jehan Bocace begrijpt en navolgt[5]. *Le Temple de Bocace* betitelt hij een zeer bizar traktaat over allerlei tragisch lotgeval van zijn tijd, waarin de geest van de 'noble historien' wordt aangeroepen, om troost in haar rampspoed te schenken aan Margareta van Engeland. Men kan volstrekt niet zeggen, dat Boccaccio door die nog zo middeleeuwse Bourgondiërs der vijftiende eeuw gebrekkig of verkeerd is begrepen. Zij begrepen in hem de sterke middeleeuwse kant, die wij gevaar lopen te vergeten.

Wat het opkomend Humanisme in Frankrijk van dat in Italië scheidt, is niet zozeer een verschil van streven of stemming, als wel van smaak en eruditie. De navolging der Oudheid gaat die Fransen nu eenmaal niet zo gemakkelijk af als hun, die onder de hemel van Toscane of in de schaduw van het Colosseum geboren waren. Wel beheersten de geleerde auteurs reeds vroeg de klassiek La-

* Zie hierboven p. 64.
** Zie hierboven p. 196.

tijnse briefstijl met volkomen vaardigheid. Doch de wereldlijke auteurs zijn nog onbedreven in de finesses der mythologie en historie. Machaut, ondanks zijn geestelijke waardigheid geen geleerde en als werelds dichter te beschouwen, verhaspelt de namen der zeven wijzen op de wanhopigste manier. Chastellain verwart Peleus met Pelias, La Marche doet het Proteus en Pirithous. De dichter van *Le Pastoralet* spreekt van 'le bon roy Scypion d'Afrique', de schrijvers van *Le Jouvencel* leiden 'politique' af van πολύς en een gewaand Grieks 'icos, gardien, qui est à dire gardien de pluralité'[1].

Toch wil bij hen midden in hun middeleeuws allegorische vorm af en toe de klassieke visie doorbreken. Een dichter als van dat verwrongen herderspel *Le Pastoralet* geeft in een beschrijving van de god Silvanus en een gebed aan Pan even een glimp van de schijn van het quattrocento, om dan weer voort te sukkelen in de uitgesleten sporen van zijn oude pad[2]. Evenals Jan van Eyck soms klassicistische architectuurvormen aanbrengt op zijn zuiver middeleeuws geziene taferelen, zoeken de schrijvers, louter formeel nog en ter versiering, antieke trekken te verwerken. De kroniekschrijvers beproeven hun kracht op staats- en krijgsredevoeringen, contiones, in Liviaanse trant, of vermelden wondertekens, prodigia, omdat Livius het ook deed[3]. Hoe onbeholpener de verwerking der klassieke vormen uitvalt, hoe meer wij er uit leren kunnen omtrent de overgang van Middeleeuwen tot Renaissance. De bisschop van Chalons, Jean Germain, beproeft het vredescongres van Atrecht in 1435 te schilderen in de dringende, gemarkeerde stijl der Romeinen. Met korte zinswendingen, met levendige aanschouwelijkheid, heeft hij het blijkbaar op een Liviaans effekt toegelegd; doch wat ervan terecht komt, is een volmaakte karikatuur van antiek proza, even opgeschroefd als naïef, getekend als de figuurtjes van een kalenderblad uit een getijboek, maar als stijl mislukt[4]. Het gezicht op de Oudheid is nog buitengewoon bizar. Bij de lijkplechtigheid van Karel de Stoute te Nancy komt de jonge hertog van Lotharingen, Karel's overwinnaar, het lijk van zijn vijand de eer bewijzen in een rouwgewaad 'à l'antique', dat wil zeggen, hij draagt een lange gouden baard tot op de gordel, waarmee hij een der negen 'preux' voorstelt, en zijn eigen zegepraal viert. Zo vermomd bidt hij een kwartier lang[5].

Het antieke wordt voor de geesten in Frankrijk omstreeks 1400 gedekt door de begrippen 'rhétorique, orateur, poésie'. Zij zien de benijdenswaardige volmaaktheid der Ouden bovenal in een gekunstelde vorm. Al deze dichters der vijftiende eeuw en iets vroeger maken, als zij hun hart laten spreken en regelrecht iets te zeggen hebben, een vloeiend, eenvoudig , vaak pittig en soms teer gedicht. Maar als het eens heel mooi moet, brengen zij er mythologie aan te pas, en precieuze latiniserende termen, en vinden zich 'rhétoricien'. Christine de

Pisan onderscheidt een mythologisch gedicht uitdrukkelijk van haar gewone werk als 'balade pouétique'[1]. Wanneer Eustache Deschamps aan zijn kunstbroeder en bewonderaar Chaucer zijn werken toezendt, vervalt hij in de meest ongenietbare quasi-klassieke poespas.

> *O Socrates plains de philosophie,*
> *Seneque en meurs et Anglux en pratique,*
> *Ovides grans en ta poeterie,*
> *Bries en parler, saiges en rethorique*
> *Aigles tres haulz, qui par ta théorique*
> *Enlumines le regne d'Eneas,*
> *L'Isle aux Geans, ceuls de Bruth, et qui as*
> *Semé les fleurs et planté le rosier,*
> *Aux ignorans de la langue Pandras*,*
> *Grant translateur, noble Geffroy Chaucier!*
>
> . . . .
>
> *A toy pour ce de la fontaine Helye*
> *Requier avoir un buvraige autentique,*
> *Dont la doys est du tout en ta baillie,*
> *Pour rafrener d'elle ma soif ethique,*
> *Qui en Gaule seray paralitique*
> *Jusques a ce que tu m'abuveras*[2].

Dit is het begin van wat weldra groeit tot die belachelijke latinisering van het edele Frans, welke Villon en Rabelais met hun spot zouden geselen[3]. Het is steeds weer in de dichterlijke correspondentie, in de opdrachten en oraties, met andere woorden, als het bijzonder mooi moet, dat men die trant aantreft. Dan spreekt Chastellain van 'vostre très-humble et obéissante serve et ancelle, la ville de Gand', 'la viscérale intime douleur et tribulation', La Marche van 'nostre francigène locution et langue vernacule', Molinet van 'abreuvé de la doulce et melliflue liqueur procedant de la fontaine caballine', 'ce vertueux duc scipionique', 'gens de mulièbre courage'[4].

Deze idealen van verfijnde 'rhétorique' zijn geen idealen van zuivere litteraire uitdrukking alleen, maar tegelijk en nog meer idealen van hogere litteraire omgang. Het gehele Humanisme is, evenzeer als de poëzie der troubadours het geweest was, een gezelschapsspel, een vorm van conversatie, een streven naar een

---

* Pandarus als bemiddelaar speelt juist in Chaucer's vertelling van Troilus en Cressida een belangrijke rol; uitgaande daarvan schijnt de naam het Engelse *pander* = koppelaar opgeleverd te hebben.

hogere levensvorm. Zelfs de geleerdencorrespondentie der zestiende en zeventiende eeuw heeft dat element geenszins verzaakt. Frankrijk nu toont in dat opzicht zich middenevenredig tussen Italië en de Nederlanden. In Italië, waar taal en gedachte het minst verwijderd waren van de echte, zuivere Oudheid, konden de humanistische vormen ongedwongen worden opgenomen in de natuurlijke ontplooiing van het hogere volksleven. De Italiaanse taal werd door enige meerdere latiniteit van uitdrukking nauwelijks geweld aangedaan. De humanistische clubgeest sloot er zeer wel aan bij de zeden der samenleving. De Italiaanse humanist vertegenwoordigt de geleidelijke uitgroei der Italiaanse volksbeschaving, en daarmee het eerste type van de moderne mens. In de Bourgondische landen daarentegen was de geest en de vorm der samenleving nog zo middeleeuws, dat het streven naar een vernieuwde en gezuiverde uitdrukking er zich aanvankelijk slechts belichamen kon in volkomen ouderwetse vorm: de rederijkerskamer. Als genootschappen zijn zij enkel een voortzetting van de middeleeuwse broederschap, en de geest, die in hen spreekt, heeft zich nog enkel in het zeer uiterlijk formele vernieuwd. Eerst het bijbels humanisme van Erasmus inaugureert er de moderne beschaving.

Frankrijk kent, buiten zijn noordelijkste streken, niet de ouderwetse toestel der rederijkerskamers, maar zijn, meer persoonlijke, 'nobles rhétoriciens' gelijken ook niet op Italiaanse humanisten. Zij bewaren nog veel van middeleeuwse geest en vormen.

Wie zijn in de Franse letterkunde der vijftiende eeuw de dragers van het nieuwe? Niet de pompeuze woordvoerders van het zwaar gedrapeerde Bourgondische ideaal: Chastellain, La Marche, Molinet. Nu, let wel, juist deze huldigen met de allegorie ook de oratorie en met de edele stijl ook het latinisme. Eerst waar zij zich losmaken van hun ideaal van kunstvaardigheid, en enkel dichten of schrijven wat hun ter harte gaat, worden zij leesbaar, en doen zij tegelijk moderner aan. De belofte der toekomst lag niet in het klassicisme, maar in de onbevangenheid. Het latiniserende en klassicistische streven is remmend, niet bevorderend geweest. De modernen dat waren de eenvoudigen van geest en vorm, ook al volgden juist zij nog de middeleeuwse schema's. Het zijn Villon, Coquillart, Henri Baude, Charles d'Orléans, en de dichter van *L'amant rendu cordelier*.

De bewondering voor de pompeuze Bourgondische stijl beperkte zich volstrekt niet tot het gebied der hertogen zelf. Jean Robertet (1420–1490), die secretaris was van drie hertogen van Bourbon en drie Franse koningen, zag in Georges Chastellain, de Vlaming-Bourgondiër, het puik der edele dichtkunst. Uit die bewondering sproot een litteraire correspondentie voort, die het zoëven beweerde kan illustreren. Om met Chastellain in kennis te komen, bedient Robertet zich van de bemiddeling van zekere Montferrant, die als gouverneur van een jonge Bourbon, aan 't hof van zijn oom van Bourgondië opgevoed, te Brugge woonde. Hij zond deze twee brieven voor Chastellain, een in 't Latijn en een in 't Frans, benevens een hoogdravend lofdicht op de bejaarde hofchronist en dichter. Toen deze niet terstond op de aandrang van een litteraire briefwisseling inging, vervaardigde Montferrant een wijdlopige aansporing naar het oude recept. 'Les Douze Dames de Rhétorique' waren hem verschenen, genaamd Science, Eloquence, Gravité de Sens, Profondité enz. Voor die verlokking bezweek Chastellain, en rondom les Douze Dames de Rhétorique groeperen zich nu de brieven van het drietal[1]; het duurde overigens niet lang, of Chastellain had er genoeg van, en sneed verdere briefwisseling af.

Bij Robertet ziet men de quasi-moderne latiniteit op haar malst. 'J'ay esté en aucun temps en la case nostre en repos, durant une partie de la brumale froidure', aldus een verkoudheid[2]. Even dwaas zijn de hyperbolische termen, waarin hij zijn bewondering uit. Als hij eindelijk zijn dichterlijke brief van Chastellain (zeer veel beter dan zijn eigen poëzie inderdaad) beet heeft, schrijft hij aan Montferrant:

> Frappé en l'oeil d'une clarté terrible
> Attaint au coeur d'éloquence incrédible,
> A humain sens difficile à produire,
> Tout offusquié de lumière incendible
> Outre perçant de ray presqu'impossible
> Sur obscur corps qui jamais ne peut luire,
> Ravi, abstrait me trouve en mon déduire,
> En extase corps gisant à la terre,
> Foible esperit perplex à voye enquerre
> Pour trouver lieu te oportune yssue
> Du pas estroit où je suis mis en serre,
> Pris à la rets qu'amour vraye a tissue.

En in proza voortgaande: 'Où est l'oeil capable de tel objet visible, l'oreille pour ouyr le haut son argentin et tintinabule d'or?' Wat zegt Montferrant, 'amy des dieux immortels et chéri des hommes, haut pis Ulixien, plein de melliflue faconde' er wel van? 'N'est-ce replendeur équale au curre Phoebus?' Is het niet meer dan Orpheus' lier, 'la tube d'Amphion, la Mercuriale fleute qui endormyt Argus'? enz. enz.[3].

Gelijke tred met de uiterste gezwollenheid houdt de diepe schrijversnederigheid, waarmee deze dichters het middeleeuwse voorschrift getrouw blijven. En zij niet alleen; al hun tijdgenoten huldigen nog die vorm. La Marche hoopt, dat men zijn Mémoires zal kunnen gebruiken als mindere bloempjes in een krans, vergelijkt zijn arbeid met het herkauwen van een hert. Molinet verzoekt alle 'orateurs' om zijn werk te besnoeien van het overbodige. Commines hoopt, dat de aartsbisschop van Vienne, voor wie hij zijn werk schrijft, het misschien zal kunnen opnemen in een Latijns geschrift[1].

In de dichterlijke correspondentie van Robertet, Chastellain en Montferrant ziet men het verguldsel van het nieuwe klassicisme slechts opgeplakt op een echt middeleeuws beeld. En nu, let wel, deze Robertet is in Italië geweest, 'en Ytalie, sur qui les respections du ciel influent aorné parler, et vers qui tyrent toutes douceurs élémentaires pour là fondre harmonie'[2]. Maar van die harmonie van het quattrocento had hij blijkbaar niet veel mee thuisgebracht. De voortreffelijkheid van Italië bestond voor deze geesten louter in het 'aorné parler', in de uiterlijke cultivering van een kunstvaardige stijl.

Het enige wat die indruk van fraai opgepoetste ouderwetsheid even twijfelachtig maakt, is de zweem van ironie, die in deze opgeschroefde ontboezemingen soms toch onmiskenbaar is. Uw Robertet, zeggen de Dames de Rhétorique tot Montferrant[3], – 'il est exemple de Tullian art, et forme de subtilité Térencienne... qui succié a de nos seins notre plus intéroire substance par faveur; qui, outre la grâce donnée en propre terroir, se est allé rendre en pays gourmant pour réfection nouvelle [d.i. Italië], là où enfans parlent en aubes à leurs mères, frians d'escole et doctrine sur permission de eage'. Chastellain zegt de correspondentie op, omdat het hem te machtig wordt: de poort heeft lang genoeg wijd opengestaan voor 'Dame Vanité'; hij gaat haar grendelen. 'Robertet m'a surfondu de sa nuée, et dont les perles, qui en celle se congréent comme grésil, me font resplendir mes vestements; mais qu'en est mieux au corps obscur dessoubs, lorsque ma robe deçoit les voyans?' Als Robertet zo voortgaat, zal hij zijn brieven ongelezen in het vuur gooien. Wil hij gewoon spreken, zoals het onder vrienden hoort, dan zal Georges' genegenheid hem niet begeven.

Dat er onder het klassieke gewaad nog een middeleeuwse geest huist, komt minder sterk uit, wanneer de humanist zich enkel van het Latijn bedient. Dan verraadt zich het onvolkomen begrip voor de ware geest der Oudheid niet in onhandige verwerking; dan kan de geletterde nabootsen zonder meer, en bedriegelijk nabootsen. Een humanist als Robert Gaguin (1433-1501) doet ons in zijn brieven en oraties reeds bijna even modern aan als Erasmus, die aan hem zijn eerste beroemdheid te danken had, doordat Gaguin achter zijn Compendium der Franse geschiedenis, het eerste wetenschappelijke geschiedwerk in Frankrijk (1495), een brief van Erasmus opnam, die zich daardoor voor het eerst gedrukt zag[1]. Al kende Gaguin nog even slecht Grieks als Petrarca[2], een echte humanist is hij er niet minder om. Tegelijk evenwel zien wij ook in hem de oude geest voortleven. Hij wijdt zijn Latijnse welsprekendheid nog aan de oude middeleeuwse thema's, zoals de diatribe tegen het huwelijk[3] of de misprijzing van het hofleven, door Alain Chartier's *Curial* in het Latijn terug te vertalen. Of wel hij behandelt, ditmaal in een Frans gedicht, de maatschappelijke waarde der standen, in de veelgebruikte vorm van een twistgesprek, *le Debat du Laboureur, du Prestre et du Gendarme*. In zijn Franse gedichten nu doet juist Gaguin, die de Latijnse stijl volkomen beheerste, aan de retorische fraaiigheden in het geheel niet mee; geen gelatiniseerde vormen, geen hyperbolische wendingen, geen mythologie; als Frans dichter staat hij geheel aan de zijde van hen, die in hun middeleeuwse vorm de natuurlijkheid en daarmee de leesbaarheid bewaren. De humanistische vorm is nog niet veel meer dan een gewaad, dat hij aandoet; het zit hem goed, maar hij beweegt zich toch vrijer zonder die tabberd. Bij de Franse geest der vijftiende eeuw zit de Renaissance er nog maar los buitenop.

Men is veelal gewend om als een doorslaand criterium van de intrede der Renaissance het opkomen van heidens klinkende uitingen aan te merken. Ieder kenner van de middeleeuwse litteratuur weet, dat dit litteraire paganisme volstrekt niet beperkt is tot de sfeer der Renaissance. Wanneer de humanisten God 'princeps superum' en Maria 'genitrix tonantis' noemen, begaan zij niets ongehoords. Het louter uiterlijke transponeren van de personen van het christelijk geloof in benamingen der heidense mythologie is reeds zeer oud, en betekent weinig of niets voor de inhoud van het religieuze gevoel. Reeds de Archipoeta der twaalfde eeuw rijmt in zijn geestige biecht onbeschroomd:

> *Vita vetus displicet, mores placent novi;*
> *Homo videt faciem, sed cor patet Iovi.*

Wanneer Deschamps van 'Jupiter venu de Paradis' spreekt[4], bedoelt hij generlei onvroomheid, evenmin als Villon, wanneer hij in de roerende ballade, die hij voor zijn moeder maakte, om tot Onze Lieve Vrouw te bidden, haar 'haulte Déesse' noemt[5].

Een zeker heidens tintje hoorde ook bij het herdersdicht; daar kon men argeloos goden laten optreden. In *Le Pastoralet* heet het Celestijnenklooster te Parijs 'temple au hault bois pour les dieux prier'[6]. Van zulk een onschuldig paganisme werd niemand de dupe. En ten overvloede verklaart de dichter: 'Se pour estrangier ma Muse je parle des dieux des païens, sy sont les pastours crestiens et moy'[7]. Evenzo schuift Molinet, wanneer hij in een droomgezicht Mars en Minerva laat optreden, de verantwoordelijkheid op 'Raison et Entendement', die hem zeiden:

'Tu le dois faire non pas pour adjouter foy aux dieux et déesses, mais pour ce que Nostre Seigneur seul inspire les gens ainsi qu'il lui plaist, et souventes fois par divers inspirations'[1].

Veel van het litteraire paganisme der vol ontwikkelde Renaissance valt niet ernstiger op te nemen dan deze uitingen. Van meer betekenis voor het doordringen van de nieuwe geest is het, wanneer zich een besef van waardering van het heidens geloof als zodanig, met name van het heidense offer, aankondigt. Ook dit besef kan doorbreken bij hen, die met hun gedachtenvormen nog stevig in de Middeleeuwen staan gelijk Chastellain deed.

> *Des dieux jadis les nations gentiles*
> *Quirent l'amour par humbles sacrifices,*
> *Lesquels, posé que ne fussent utiles,*
> *Furent nientmoins rendables et fertiles*
> *De maint grant fruit et de haulx bénéfices,*
> *Monstrans par fait que d'amour les offices*
> *Et d'honneur humble, impartis où qu'ils soient*
> *Pour percer ciel et enfer suffisoient*[2].

Midden in het middeleeuwse leven klinkt soms opeens het geluid der Renaissance. Bij een pas d'armes te Atrecht in 1446 verschijnt Philippe de Ternant zonder naar de gewoonte een 'bannerole de devocion' te dragen, een lint met een vrome spreuk of figuur. 'Laquelle chose je ne prise point', zegt La Marche van deze verwatenheid. Maar nog verwatener is het devies, dat Ternant draagt: 'Je souhaite que avoir puisse de mes desirs assouvissance et jamais aultre bien n'eusse'[3]. Het kon de lijfspreuk zijn van de vrijdenkendste libertijn der zestiende eeuw.

Niet uit de klassieke litteratuur behoefden de geesten dit werkelijke paganisme te putten. Zij konden het leren uit hun eigen middeleeuwse schat, uit de *Roman de la rose*. In de erotische cultuurvormen, daar lag het ware heidendom. Daar hadden van eeuwen her Venus en de Liefdegod een schuilhoek gehad, waar zij iets meer dan een louter retorische verering vonden. Jean de Meun, dat was de grote heiden geweest. Niet zijn vermenging van godennamen der Oudheid met die van Jezus en Maria, maar zijn vermenging van de stoutste aanprijzing van aardse wellust met christelijke zaligheidsvoorstellingen was voor talloze lezers sinds de dertiende eeuw de school van het paganisme geweest. Er was geen groter blasphemie mogelijk dan de verzen, waarin hij het woord van Genesis: toen berouwde het den Here, dat Hij de mens op de aarde gemaakt had, met omgekeerde zin in de mond legde van Nature, die bij hem volkomen als demiurg optreedt; het berouwt Nature, dat zij de mensen gemaakt heeft, omdat deze haar gebod der voortteling veronachtzamen:

Si m'aïst Diex li crucefis,
Moult me repens dont homme fis[1].

Het blijft verwonderlijk, dat de Kerk, die tegen kleine dogmatische afwijkingen van strikt bespiegelende aard zo angstvallig waakte en zo heftig optrad, de leringen van dit brevier der aristocratie ongehinderd in de geesten heeft laten voortwoekeren.

De nieuwe vorm en de nieuwe geest dekken elkander niet. Zo goed als de gedachten van de komende tijd uiting vonden in middeleeuws gewaad, zo goed zijn de meest middeleeuwse gedachten gezegd in sapphische metra, met een hele stoet van mythologische figuren. Klassicisme en moderne geest zijn twee geheel verschillende dingen. Het litteraire klassicisme is een oud geboren kind. De Oudheid heeft voor de vernieuwing der schone litteratuur nauwelijks meer betekenis gehad dan de pijlen van Philoktetes. Niet alzo voor de beeldende kunst, en niet voor het wetenschappelijk denken: daar is de antieke zuiverheid van verbeelding en uitdrukking, de antieke veelomvattendheid van belangstelling, de antieke beheersing van het leven en inzicht in de mens veel meer geweest dan een staf om op te steunen. In de beeldende kunst is het overwinnen van het overdadige, van het overdrevene, van het verdraaide, van de grimas en de flamboyante krul, alles het werk der Oudheid geweest. En in het domein van het denken is zij nog veel onmisbaarder en bevruchtender geweest. Maar in het litteraire is de eenvoud en de zuiverheid opgegroeid buiten, ja ondanks het klassicisme.

De enkelen, die in het Frankrijk der vijftiende eeuw humanistische vormen aannemen, luiden nog geen Renaissance in. Want hun stemming, hun oriëntering is nog middeleeuws. De Renaissance komt eerst, wanneer de *levenstoon* verandert, wanneer het getij van dodelijke levensverzaking kentert, en er een bolle frisse wind gaat blazen; wanneer het blijde besef rijpt, dat men al de heerlijkheid der oude mensheid, waaraan men zich al zo lang gespiegeld had, zal kunnen terugwinnen.

338

NOTEN

Blz.

2   ¹ Œuvres de Georges Chastellain, ed. Kervyn de Lettenhove, 8 vol, Bruxelles 1863–'66, III p. 44.
² Antwerpen's Onze-Lieve-Vrouwe-Toren, uitg. door het Stadsbestuur van Antwerpen, 1927, p. XI,
23.   ³ Chastellain, II p. 267; Mémoires d'Olivier de la Marche, ed. Beaune et d'Arbaumont, (Soc. de
l'hist. de France), 1883–'88, 4 vol., II p. 248.   ⁴ Journal d'un bourgeois de Paris, ed. A. Tuetey,
(Publ. de la Soc. de l'histoire de Paris, Doc. no. III) 1881, p. 5, 56.

3   ¹ Journal d'un bourgeois, p. 20–24. Vgl. Journal de Jean de Roye, dite Chronique scandaleuse, ed.
B. de Mandrot (Soc. de l'hist. de France) 1894–'96, 2 vol., I p. 330.   ² Chastellain, III p. 461, vgl. V
p. 403.   ³ Jean Juvenal des Ursins, 1412, ed. Michaud et Poujoulat, Nouvelle collection des mémoires, II p. 474.

4   ¹ Journal d'un bourgeois, p. 6, 70; Jean Molinet, Chronique, ed. Buchon, Coll. de chron. nat.,
1827/28, 5 vol., II p. 23; Lettres de Louis XI, ed. Vaesen, Charavay, de Mandrot, (Soc. de l'hist. de
France) 1883–1909, 11 vol., 20 Apr. 1477, VI p. 158; Chronique scandaleuse, II p. 47, id. Interpola-
tions, II p. 364.   ² Journal d'un bourgeois, p. 234/7.   ³ Chron. scand., II p. 70, 72.

5   ¹ Bij M. M. Gorce, Saint Vincent Ferrier, Paris 1924, p. 175.   ² Vita auct. Petro Ranzano
O. P. (1455), Acta sanctorum Apr. t. I. p. 494 sq.   ³ J. Soyer, Notes pour servir à l'histoire littéraire. Du succès de la prédication de frère Olivier Maillart à Orléans en 1485, Bulletin de la société
archéologique et historique de l'Orléanais, t. XVIII, 1919, vermeld in Revue historique t. 131,
p. 351.

6   ¹ Enguerrand de Monstrelet, Chroniques, ed. Douët d'Arcq (Soc. de l'hist. de France) 1857–'63
6 vol., IV p. 302–306.   ² Wadding, Annales Minorum, X p. 72; K. Hefele, der h. Bernhardin von
Siena und die franziskanische Wanderpredigt in Italien, Freiburg, 1912, S. 47, 80.   ³ Chron. scand.,
I p. 22, 1461; Jean Chartier, Hist. de Charles VII, ed. D. Godefroy, 1661, p. 320.   ⁴ Chastellain, III
p. 36, 98, 124, 125, 210, 238, 239, 247, 474; Jacques du Clercq, Mémoires (1448–1467), ed. de Reif-
fenberg, Bruxelles, 1823, 4 vol., IV p. 40, II p. 280, 355, III p. 100; Juvenal des Ursins, p. 405, 407,
420; Molinet, III p. 36, 314.

7   ¹ Jean Germain, Liber de virtutibus Philippi ducis Burgundiae, ed. Kervyn de Lettenhove, Chron.
rel. à l'hist. de la Belg. sous la dom. des ducs de Bourg. (Coll. des chron. belges) 1876, II p. 50.   ² La
Marche, I p. 61.

8   ¹ Chastellain, IV p. 333 s.

9   ¹ Chastellain, III p. 92.   ² Jean Froissart, Chroniques, ed. S. Luce et G. Raynaud (Soc. de l'hist.
de France) 1869–1899, 11 vol. (niet verder dan 1385), IV p. 89–93.   ³ Chastellain, III p. 85 ss.   ⁴ Ib.
III p. 279.   ⁵ La Marche, II p. 421.   ⁶ Juvenal des Ursins, p. 379.   ⁷ Martin Lefranc, Le Champion
des dames, bij G. Doutrepont, La littérature française à la cour des ducs de Bourgogne (Bibl. du
XVe siècle t. VIII) Paris, Champion, 1909, p. 304.

10 ¹ Acta Sanctorum Apr. t. I p. 496; A. Renaudet, Préréforme et humanisme à Paris 1494–1517, Paris, Champion, 1916, p. 163.

12 ¹ Chastellain, IV p. 300 s., VII p. 73; vgl. Thomas Basin, De rebus gestis Caroli VII et Lud. XI historiarum libri XII, ed. Quicherat, (Soc. de l'hist. de France) 1855–1859, 4 vol., I p. 158. ² Journal d'un bourgeois, p. 220.

13 ¹ Chastellain, III p. 30. ² La Marche, I p. 89. ³ Chastellain, I p. 82, 79; Monstrelet, III p. 361. ⁴ La Marche, I p. 201.

14 ¹ Het traktaat o.a. bij La Marche, I p. 207. ² Chastellain I p. 196. ³ Basin, III p. 74.

15 ¹ Chastellain, IV p. 201. Vergelijk mijn studie: Uit de voorgeschiedenis van ons nationaal besef, in De Nederlandse Natie, Haarlem 1960. [Verzamelde Werken II, p. 97 v.]. ² Journal d'un bourgeois, p. 242; vgl. Monstrelet, IV p. 341.

16 ¹ Jan van Dixmude, ed. Lambin, Ypres 1839, p. 783. ² Froissart, ed. Luce, XI p. 52. ³ Mémoires de Pierre le Fruictier dit Salmon, Buchon, 3e suppl. de Froissart, XV p. 22. ⁴ Chronique du Religieux de Saint Denis, ed. Bellaguet (Coll. des documents inédits) 1839–'52, 6 vol., I p. 34; Juvenal des Ursins, p. 342, 467–471; Journal d'un bourgeois, p. 12, 31, 44.

17 ¹ Molinet, III p. 487. ² Ib. p. 226, 241, 283–7; La Marche, III p. 289, 302.

18 ¹ Clementis V constitutiones. lib. V tit. 9, c. 1; Joannis Gersonii Opera omnia, ed. L. Ellies Dupin, ed. II Hagæ Comitis 1728, 5 vol., II p. 427; Ordonnances des rois de France, t. VIII p. 122; N. Jorga, Philippe de Mézières et la croisade au XIVe siècle (Bibl. de l'école des hautes études, fasc. 110) 1896, p. 438; Religieux de S. Denis. II p. 533. ² Journal d'un bourgeois, p. 223, 229. ³ Jacques du Clercq, IV p. 265; Petit-Dutaillis, Documents nouveaux sur les mœurs populaires et le droit de vengeance dans les Pays-Bas au XVe siècle, (Bibl. du XVe siècle) Paris, Champion 1908, p. 7, 21.

19 ¹ Pierre de Fenin (Michaud et Poujoulat, Nouvelle coll. de mém. 1e s.) II p. 593; vgl. zijn verhaal van de doodgeslagen nar, p. 619, in de ed. Mlle Dupont, Soc. hist. France, p. 87 en 202. ² Journal d'un bourgeois, p. 204. ³ Jean Lefèvre de Saint Remy, Chronique, ed. F. Morand (Soc. de l'hist. de France) 1876, 2 vol., II p. 168; Laborde, Les ducs de Bourgogne, Etudes sur les lettres, les arts et l'industrie pendant le XVe siècle, Paris, 1849–'53, 3 vol., II p. 208. ⁴ La Marche, III p. 133; Laborde, II p. 325. ⁵ Laborde, III p. 355, 398. Le Moyen-âge, XX 1907, p. 194–201. ⁶ Juvenal des Ursins, p. 438, 1405; vgl. echter Rel. de S. Denis, III p. 349. ⁷ Piaget, Romania XX p. 417 en XXXI 1902, p. 597–603.

20 ¹ Journal d'un bourgeois, p. 95. ² Jacques du Clercq, III p. 262. ³ Jacques du Clercq passim; Petit Dutaillis, Documents etc. p. 131.

21 ¹ Hugo van St. Victor, De fructibus carnis et spiritus, Migne CLXXVI p. 997. ² Tobias 4, 13. ³ I Timotheus 6, 10. ⁴ Petrus Damiani, Epist. lib. I, 15; Migne CXLIV p. 233; id. Contra philargyriam ib. CXLV p. 533; Pseudo-Bernardus, Liber de modo bene vivendi § 44, 45; Migne CLXXXIV p. 1266.

22 ¹ Journal d'un bourgeois, p. 325, 343, 357 en de gegevens uit de registers van het Parlement aldaar in de noot. ² L. Mirot, Les d'Orgemont, leur origine, leur fortune, etc. (Bibl. du XVe siècle), Paris, Champion, 1913; P. Champion, François Villon, sa vie et son temps, id. Paris, Champion 1913, II p. 230 s.

23 ¹ Mathieu d'Escouchy, Chronique, ed. G. du Fresne de Beaucourt (Soc. d l'hist. de France) 1863–'64, 3 vol. I p. IV–XXXIII.

24 ¹ P. Champion, François Villon, sa vie et son temps (Bibl. du XVe siècle) Paris, 1913, 2 vol. ² Ed. Ch. Bruneau, La Chronique de Philippe de Vigneulles, 4 vol., Metz, 1927–1933 (Société d'Histoire et d'Archéologie de la Lorraine).

26 ¹ Allen no. 541, Antwerpen, 26 Februari 1516/7, vgl. no. 542, no. 566, no. 812, no. 967.

27 ¹ Eustache Deschamps, Œuvres complètes, ed. De Queux de Saint Hilaire et G. Raynaud (Soc. des anciens textes français) 1878–1903, 11 vol., no. 31 (I p. 113), vgl. nos. 85, 126, 152, 162, 176, 248,

366, 375, 386, 400, 933, 936, 1195, 1196, 1207, 1213, 1239, 1240 enz. enz.; Chastellain, I p. 9, 27, IV p. 5, 56, VI p. 206, 208, 219, 295; Alain Chartier, Œuvres, ed. A. Duchesne, Paris 1617, p. 262; Alanus de Rupe, Sermo II p. 313 (B. Alanus redivivus, ed. J. A. Coppenstein, Napels, 1642). [2] Deschamps no. 562 (IV p. 18).

28 [1] A. de la Borderie, Jean Meschinot, sa vie et ses œuvres, Bibl. de l'Ecole des chartes LVI 1895, p. 277, 280, 305, 310, 312, 622 enz. [2] Chastellain. I p. 10, Prologue, vgl. Complainte de fortune, VIII p. 334. [3] La Marche, I p. 186, IV p. lxxxix; H. Stein, Etude sur Olivier de la Marche, historien, poète et diplomate, (Mèm., couronnés etc. de l'Acad. royale de Belg. t. XLIX) Bruxelles 1888, frontispice. [4] Monstrelet, IV p. 430. [5] Froissart ed. Luce, X p. 275; Deschamps no. 810 (IV p. 327): vgl. Les Quinze joyes de mariage, (Paris, Marpon et Flammarion) p. 54 (quinte joye); Le livre messire Geoffroi de Charny, Romania XXVI 1897, p. 399.

29 [1] Joannis de Varennis responsiones ad capitula accusationum etc. § 17, bij Gerson, Opera, I p. 920. [2] Deschamps no. 95 (I p. 203). [3] Deschamps, Le miroir de mariage, IX p. 25, 69, 81, no. 1004 (V p. 259), verder II p. 8, 183–7, III p. 39, 373, VII p. 3, IX p. 209 enz.

30 [1] Convivio lib. IV, cap. 27, 28. [2] Discours de l'excellence de virginité, Gerson, Opera III p. 382. Vgl. Dionysius Cartusianus, De vanitate mundi, Opera omnia, cura et labore monachorum sacr. ord. Cart., Monstrolii-Tornaci 1896–1913, 41 vol. XXXIX, p. 472.

36 [1] Chastellain, V p. 364. [2] La Marche, IV p. cxiv. – De oude Nederlandse vertaling van zijn Estat de la maison du duc Charles de Bourgogne bij Matthaeus, Analecta I p. 357–494. [3] Christine de Pisan, Œuvres poètiques, ed. M. Roy (Soc. des anciens textes français) 1886–1896, 3 vol., I p. 251, no. 38; Leo von Rozmital's Reise, ed. Schmeller (Bibl. des lit. Vereins zu Stuttgart t. VII), 1844, p. 24, 149. [4] La Marche, IV p. 4 ss.; Chastellain, V p. 370. [5] Chastellain, V. p. 868.

37 [1] La Marche, IV, Estat de la maison, p. 34 ss. [2] Nouvelles envoyees de la conté de Ferette par ceulx qui en sont esté prendre la possession pour monseigneur de Bourgogne, ed. E. Droz, Mélanges de philologie et d'histoire offerts à M. Antoine Thomas, Paris, 1927, p. 145. [3] La Marche, I p. 277.

38 [1] La Marche, IV, Estat de la maison, p. 34, 51, 20, 31. [2] Froissart, ed. Luce, III p. 172. [3] Journal d'un bourgeois, § 218 p. 105. [4] Chronique scandaleuse, I p. 53. [5] Molinet, I p. 184; Basin, II p. 376.

39 [1] Aliénor de Poitiers, Les honneurs de la cour, ed. La Curne de Sainte Palaye, Mémoires sur l'ancienne chevalerie, 1781, II p. 201. [2] Chastellain, III p. 196–212, 290, 292, 308, IV p. 412/4, 428; Aliénor de Poitiers, p. 209, 212.

40 [1] Aliénor de Poitiers, p. 210; Chastellain, IV p. 312; Juvenal des Ursins, p. 405; La Marche, I p. 278; Froissart, I p. 16, 22; enz. [2] Molinet, V p. 194, 192. [3] Aliénor de Poitiers, p. 190; Deschamps, IX p. 190. [4] Chastellain, V p. 27–33.

41 [1] Deschamps, IX, Le miroir de mariage, p. 100/110. [2] Verscheiden exemplaren van zulke 'paix' bij Laborde, II nos. 43, 45, 75, 126, 140, 5293. [3] Deschamps ib., p. 300, vgl. VIII p. 156 ballade no. 1462; Molinet, V p. 195; Les cent nouvelles nouvelles, ed. Th. Wright, II p. 123; vgl. Les Quinze joyes de mariage p. 185. [4] Canonisatieproces te Tours, Acta Sanctorum Apr. t. I p. 152. [5] Over zulke rangtwisten onder de Hollandse adel, waarop reeds even gewezen is door W. Moll, Kerkgeschiedenis van Nederland vóór de hervorming, Utrecht 1864-'69, 2 delen (5 stukken) II 3 p. 284[2], is uitvoerig gehandeld door H. Obreen, Bijdr. v. Vad. Gesch. en Oudhk. [4]X p. 308; evenzo voor Bretagne bij H. du Halgouët, Mémoires de la société d'histoire et d'archéologie de Bretagne, IV, 1923.

42 [1] Deschamps, IX p. 111–114. [2] Jean de Stavelot, Chronique, ed. Borgnet (Coll. des chron. belges) 1861, p. 96. [3] Pierre de Fenin, p. 607; Journal d'un bourgeois, p. 9. [4] Aldus Juvenal des Ursins, p. 543, en Thomas Basin, I p. 31. Het Journal d'un bourgeois, p. 110 geeft een andere reden voor het doodvonnis, evenzo Le Livre des trahisons, ed. Kervyn de Lettenhove (Chron. rel. à l'hist. de Belg. sous les ducs de Bourg.) II 138[1]. [5] Rel. de S. Denis, I p. 30; Juvenal des Ursins, p. 341. [6] Pierre de Fenin, p. 606; Monstrelet, IV p. 9. [7] Pierre de Fenin, p. 604. [8] Christine de Pisan, I p. 251 no. 38; Chastellain, V p. 364 ss; Rozmital's Reise, p. 24, 149.

43 [1] Deschamps. I nos. 80, 114, 118, II nos. 256, 266, IV nos. 800, 803, V nos 1018, 1024, 1029, VII no. 253, X nos. 13, 14. [2] Anoniem bericht der 15e eeuw in Journal de l'inst. hist., IV p. 353, vgl. Juvenal des Ursins, p. 569, Religieux de S. Denis, VI p. 492. [3] Jean Chartier, Hist. de Charles VII, ed. D. Godefroy 1661, p. 318. [4] Intocht van de dauphin als hertog van Bretagne te Rennes in 1532 bij Th. Godefroy, Le cérémonial françois, 1649, p. 619. [5] Rel. de S. Denis, I p. 32. [6] Journal d'un bourgeois, p. 277.

44 [1] Thomas Basin, p. 9. [2] A. Renaudet, Préréforme et humanisme à Paris, p. 11, naar de processtukken.

45 [1] De Laborde, Les ducs de Bourgogne, I p. 172, 177. [2] Livre des trahisons, p. 156. [3] Chastellain, I p. 188. [4] Aliénor de Poitiers, Les honneurs de la cour, p. 254. [5] Rel. de S. Denis, II p. 114.

46 [1] Chastellain, I p. 49, V p. 240; vgl. La Marche, I p. 201; Monstrelet, III p. 358; Lefèvre de S. Remy, I p. 380. [2] Chastellain, V p. 228, vgl. IV p. 210. [3] Chastellain, III p. 296, IV p. 213, 216.

47 [1] Chronique scandaleuse, interpol. II p. 332. [2] Lettres de Louis XI, X p. 110. [3] Aliénor de Poitiers, Les honneurs de la cour, p. 254-256. [4] Lefèvre de S. Remy, II p. 11; Pierre de Fenin, p. 599, 605; Monstrelet, III p. 347; Theod. Pauli. De rebus actis sub ducibus Burgundiæ compendium, ed. Kervyn de Lettenhove (Chron. rel. à l'hist. de Belg. sous la dom. des ducs de Bourg. t. III) p. 267.

48 [1] Vgl. F. M. Graves, Deux inventaires de la Maison d'Orléans, Bibl. du XVe siècle no. 31, 1926 p. 26; A. Warburg, Gesammelte Schriften I, Leipzig, 1932, p. 225. [2] Aliénor de Poitiers, p. 217-245; Laborde, II p. 267, Inventaris van 1420.

49 [1] Continuateur de Monstrelet, 1449 (Chastellain, V p. 367[1]). [2] Vgl. Petit Dutaillis, Documents nouveaux sur les mœurs populaires etc., p. 14; La Curne de S. Palaye, Mémoires sur l'ancienne chevalerie, I p. 272. [3] Chastellain, Le Pas de la mort, VI p. 61. [4] Hefele, Der h. Bernhardin v. Siena etc., p. 42. Vervolging van sodomie in Frankrijk, Jacques du Clercq, II p. 272, 282, 337, 338, 350, III 15. [5] Thomas Walsingham, Historia Anglicana II 148 (Rolls series ed. H. T. Riley, 1864). [6] Philippe de Commines, Mémoires, ed. B. de Mandrot (Coll. de textes pour servir à l'enseignement de l'histoire) 1901-'03, 2 vol., I p. 316. [7] La Marche, II p. 425; Molinet, II p. 29, 280; Chastellain, IV p. 41. [8] Les cent nouvelles nouvelles, II p. 61; Froissart, ed. Kervyn, XI p. 93. [9] Froissart XIV p. 318; Le livre des faits de Jacques de Lalaing, p. 29, 242 (Chastellain VIII); La Marche I p. 268; L'hystoire du petit Jehan de Saintré, ch. 47. [10] Chastellain, IV p. 237.

52 [1] Deschamps, II p. 226. Vgl. A. Pollard, The Evolution of Parliament, London 1920, p. 58-80.

53 [1] Chastellain, Le miroer des nobles hommes en France, VI p. 204, Exposition sur vérité mal prise, VI p. 416, L'entrée du roy Loys en nouveau règne, VII p. 10. [2] Froissart, ed. Kervyn, XIII p. 22; Jean Germain, Liber de virtutibus ducis Burg., p. 108; Molinet, I p. 83, III p. 100. [3] Monstrelet, II p. 241.

54 [1] Chastellain, VII p. 13-16. [2] Ib., III p. 82, IV p. 170, V p. 279, 309. [3] Jacques du Clercq, II p. 245, vgl. p. 339. [4] Chastellain, III p. 82-89. [5] Ib., VII p. 90 ss. [6] Ib., II p. 345.

55 [1] Deschamps no. 113, t. I p. 230. [2] N. de Clemanges, Opera ed. Lydius, Leiden 1613, p. 48, cap. IX. [3] In latijnse vertaling Gerson, Opera, IV p. 583-622; de franse tekst is uitgegeven in 1824; de aangehaalde woorden bij D. H. Carnahan, The Ad Deum vadit of Jean Gerson, University of Illinois studies in language and literature 1917, III no. 1, p. 13, zie Denifle & Chatelain, Chartularium Univ. Paris, IV no. 1819. [4] Bij H. Denifle, La désolation des églises etc. en France, Paris 1897-'99, 2 vol., I p. 497-513. [5] Alain Chartier, Œuvres, ed. Duchesne, p. 402. [6] Rob. Gaguini Epistolae et orationes, ed. L. Thuasne (Bibl. litt. de la Renaissance t. II) Paris 1903, 2 vol., II p. 321, 350 [7] Froissart, ed. Kervyn, XII p. 4; Le livre des trahisons p. 19, 26; Chastellain, I p. XXX, III p. 325, V p. 260, 275, 325, VII p. 466-480; Thomas Basin, passim, vooral I p. 44, 56, 59, 115; vgl. La complainte du povre commun et des povres laboureurs de France (Monstrelet, VI p. 176-190). [8] Les Faictz et Dictz de messire Jehan Molinet, Paris, Jehan Petit 1537, f. 87 vso.

56 [1] Ballade 19, bij A. de la Borderie, Jean Meschinot, sa vie et ses œuvres, Bibl. de l'école des chartes LVI, 1895, p. 296; vgl. Les Lunettes des princes ib. p. 607, 613.   [2] Masselin, Journal des Etats Généraux de France tenus à Tours en 1484, ed. A. Bernier, (Coll. des documents inédits) p. 672. [3] Maerlant, I. Martijn 43. Vgl. W. Friedrich, Der lateinische Hintergrund zu Maerlants 'Disputacie', Leipzig, 1934, p. 52 sq.

58 [1] Deschamps, VI p. 124 no. 1176.   [2] Molinet, II p. 104-107; Jean le Maire de Belges, Les chansons de Namur 1507.   [3] Chastellain, Le miror des nobles hommes de France, VI p. 203, 211, 214. [4] Le Jouvencel, ed. C. Favre et L. Lecestre (Soc. de l'hist. de France) 1887-'89, 2 vol., I p. 13.   [5] Livre des faicts du mareschal de Boucicaut, Petitot. Coll. de mém., VI p. 375.   [6] Philippe de Vitri, Le chapel des fleurs de lis (1335), ed. A. Piaget, Romania XXVII 1898, p. 80 ss.   [7] Zie daarover La Curne de Sainte Palaye, Mémoires sur l'ancienne chevalerie, 1781, II p. 94-96.

59 [1] Molinet, I p. 16/17.   [2] Vgl. Konrad Burdach, Briefwechsel des Cola di Rienzo, passim.   [3] El libro del cavallero et del escudero, (begin XIVe eeuw), ed Gräfenberg, Romanische Forschungen, VII, 1893, p. 453.

60 [1] N. Jorga, Philippe de Mézières, p. 469.   [2] l. c. p. 506.   [3] Froissart, ed. Luce, I p. 2/3; Monstrelet, I p. 2; d'Escouchy, I p. 1; Chastellain, prologue, II p. 116, VI p. 266; La Marche, I p. 187; Molinet, I p. 17, II p. 54.

61 [1] Lefèvre de S. Remy, II p. 249; Froissart, ed. Luce, I p. 1; vgl. Le débat des hérauts d'armes de France et d'Angleterre, ed. L. Pannier et P. Meyer, (Soc. des anciens textes français) 1887, p. 1. [2] Chastellain, V p. 443.   [3] Les origines de la France contemporaine. La Révolution, I p. 190.

62 [1] Die Kultur der Renaissance in Italien, [10] II p. 155.   [2] l.c. I p. 152-165.   [3] Le Dit de Vérité, Chastellain, VI p. 221.   [4] Le Livre de la paix, Chastellain, VII p. 362.   [5] Froissart, ed. Luce, I p. 3.

63 [1] Le cuer d'amours espris, Œuvres du roi René ed. De Quatrebarbes. Angers 1845, 4 vol., t. III p. 112.   [2] Lefèvre de S. Remy, II p. 68.   [3] Doutrepont, p. 183.   [4] La Marche, II p. 216, 334.   [5] Ph. Wielant, Antiquités de Flandre, ed. De Smet (Corp. chron. Flandriae IV) p. 56.   [6] Commines, I p. 390, vgl. de anecdote bij Doutrepont, p. 185.   [7] Chastellain, V p. 316-319.

64 [1] P. Meyer, Bull. de la soc. des anc. textes français 1883, p. 45-55, over het gedicht Histoire littéraire de France XXXVI, 1927.   [2] Deschamps, nos. 12, 93, 207, 239, 362, 403, 432, 652, I p. 86, 199, II p. 29, 69, X p. xxxv, lxxvi ss.   [3] Molinet, Faictz et dictz, f. 151 v.   [4] La Curne de Sainte Palaye, II p. 88.   [5] Deschamps, no. 206, 239, II p. 27, 69, no. 312, II p. 324, Le lay du tres bon connestable B. du Guesclin.   [6] S. Luce, La France pendant la guerre de cent ans, p. 231; Du Guesclin, dixième preux.

65 [1] M. Lecourt, Romania t. XXXVII, 1908, 529-539.   [2] La mort du roy Charles VII, Chastellain, VI p. 440.   [3] Laborde, II p. 242, no. 4091; 138, no. 242, id. p. 146, no. 3343, p. 260, no. 4220, p. 266, no. 4255.   [4] Burckhardt, Kultur der Ren. I [10] p. 246.

66 [1] Le livre des faicts du mareschal Boucicaut, ed. Petitot, Coll. de mémoires 1e série, t. VI, VII. [2] Le livre des faicts, VI p. 379   [3] Ib. VII p. 214, 185, 200/1.   [4] Chr. de Pisan, Le débat des deux amants, Œuvres poétiques, II p. 96.   [5] Antoine de la Salle, La salade, chap. 3, Paris, M. Le Noir, 1521, f. 4 vso.

67 [1] Le livre des cent ballades, ed. G. Raynaud (Soc. des anciens textes français), p. lv.   [2] Ed. C. Favre et Lecestre, Soc. de l'hist. de France 1887/9.   [3] Le Jouvencel, I p. 25.

68 [1] Le Livre des faits du bon chevalier Messire Jacques de Lalaing, ed. Kervyn de Lettenhove, Chastellain, Œuvres VIII.   [2] II p. 20.

69 [1] W. James, The varieties of religious experience, Gifford lectures 1901/2, London 1903, p. 318.

73 [1] Le livre des faicts, p. 398.   [2] ed. G. Raynaud, Société des anciens textes français, 1905.

74 [1] Les Voeux du héron vs. 354-371, ed. Soc. des bibliophiles de Mons, no. 8, 1839.   [2] Brief van de graaf van Chimay aan Chastellain, Œuvres, VIII p. 266, vgl. ook Commines (ed. Calmette, I p. 59). [3] Perceforest, bij Quatrebarbes, Œuvres du roi René, II p. xciv.   [4] Des trois chevaliers et del chainse, van Jakes de Baisieux, ed. Scheler, Trouvères belges I, 1876, p. 162.

75 ¹ Rel. de S. Denis, I p. 594 ss.; Juvenal des Ursins, p. 379. ² Deschamps, I p. 222, no. 108, I p. 223, no. 109. ³ Journal d'un bourgeois de Paris, p. 59, 56. ⁴ Adam van Bremen, Gesta Hammaburg. eccl. pontificum, lib. II cap. 1. ⁵ La Marche, II p. 119, 144; d'Escouchy, I p. 245¹, 247³; Molinet, III p. 460. ⁶ Chastellain, VIII p. 238.

76. ¹ La Marche, I p. 292. ² Le livre des faits de Jacques de Lalaing, bij Chastellain, VIII p. 188 s. ³ Œuvres du roi René, I p. lxxv. ⁴ La Marche, III p. 123; Molinet, V p. 18. ⁵ La Marche, II p. 118, 121, 122, 133, 341; Chastellain, I p. 256, VIII p. 217, 246.

77 Marche, II p. 173, I p. 285; Œuvres du roi René, I p. lxxv. ² Œuvres du roi René, I p. lxxxvi, II p. 57.

79 ¹ N. Jorga, Phil. de Mézières, p. 348. ² Chastellain, II p. 7, IV p. 233 cf. 269, VI p. 154. ³ La Marche, I p. 109.

80 ¹ Statuten der orde, bij Luc d'Achéry, Spicilegium, III p. 730. ² Chastellain, II p. 10. ³ Chronique scandaleuse, I p. 236. ⁴ Le songe de la thoison d'or, bij Doutrepont, p. 154. ⁵ Fillastre, Le premier volume de la toison dor, Paris 1515, fol. 2.

81 ¹ Boucicaut, I p. 504; Jorga, Ph. de Mézières, p. 83, 463⁸; Romania, XXVI p. 395¹, 306¹; Deschamps, XI p. 28; Œuvres du roi René, I p. xi; Monstrelet, V p. 449. ² Des schwäbischen Ritters Georg von Ehingen Reisen nach der Ritterschaft, Bibl. des lit. Vereins Stuttgart, 1842, p. I, 15, 27, 28. ³ Froissart, poésies, ed. A. Scheler, (Acad. royale de Belgique) 1870–1872, 3 vol., II p. 341. ⁴ Alain Chartier, La ballade der Fougères, p. 718.

82 ¹ La Marche, IV p. 164; Jacques du Clercq, II p. 6; vgl. ook reeds Le songe de la thoison d'or van Michault Taillevent. ² Liber Karoleidos vs. 88 (Chron. rel. à l'hist. de Belg. sous la dom. des ducs de Bourg. III). ³ Guillaume Fillastre, Le Second volume de la toison dor, Paris, Franc. Regnault, 1516, fol. 1, 2. ⁴ La Marche, III p. 201, IV p. 67; Lefèvre de S. Remy, II p. 292; het ceremonieel van zulk een doop bij Humphrey van Glocester's heraut Nicolas·Upton, De officio militari, ed. E. Bysshe (Bissaeus) London, 1654, lib. I, c. XI, p. 19. Vgl. F. P. Barnard, The essential portions of Nicholas Upton's De studio militari, Oxford, 1931.

84 ¹ Vermoedelijk doelt op deze orde ook Deschamps in de Envoi der ballade op de amoureuze orde van het Blad (tegenover die van de Bloem) no. 767 IV p. 262 vgl. 763: 'Royne sur fleurs en vertu demourant, Galoys, Dannoy, Mornay, Pierre ensement De Tremoille... vont loant... vostre bien qui est grant etc.'. ² Le Livre du chevalier de la Tour Landry, ed. A. de Montaiglon, (Bibl. elzevirienne) Paris, 1854, p. 241 ss. ³ Voeu du héron, ed. Soc. des bibl. de Mons, p. 17.

85 ¹ Froissart, ed. Luce, I p. 124. ² Rel. de S. Denis, III p. 72. Harald Harfagri doet de gelofte, zijn haar niet te laten afsnijden, eer hij heel Noorwegen veroverd heeft, Haraldarsaga Harfagra, cap. 4; vgl. Voluspa 33. ³ Jorga, Ph. de Mézières, p. 76. ⁴ Claude Menard, Hist. de Bertrand du Guesclin, p. 39, 55, 410, 488; La Curne, I p. 240.

86 ¹ Douët d'Arcq, Choix de pièces inédites rel. au règne de Charles VI, (Soc. de l'hist. de France 1863) I p. 370. ² Le livre des faits de Jacques de Lalaing, chap. xvi ss., Chastellain, VIII p. 70. ³ Le petit Jehan de Saintré, chap. 48. ⁴ Germania cap. 31; La Curne, I p. 236. ⁵ Heimskringla. Olafssaga Tryggvasonar, cap. 35; Weinhold, Altnordisches Leben, p. 462; vgl. J. de Vries, Studiën over germaansche mythologie VIII, Tschr. v. Ned. Taal- en Letterk. 53, p. 263. ⁶ La Marche, II p. 366.

87 ¹ La Marche, II p. 381–387. ² La Marche, l. c.; d'Escouchy, II p. 166, 218. ³ d'Escouchy, II p. 189. ⁴ Doutrepont, p. 513. ⁵ p. 110, 112. ⁶ Chastellain, III, p. 376. ⁷ Chronique de Berne (Molinier no. 3103) bij Kervyn, Froissart, II. p. 531. ⁸ d'Escouchy, II p. 220.

90 ¹ Froissart, ed. Luce, X p. 240, 243. ² Le livre des faits de Jacques de Lalaing, Chastellain, VIII p. 158–161. ³ La Marche IV, Estat de la maison, p. 34, 47. ⁴ Zie mijn verhandeling: Uit de voorgeschiedenis van ons nationaal besef. De Nederlandse Natie, Haarlem 1960. [Verzamelde Werken II, p. 97, v.]

91 [1] Ps. 50, 19 (51, 20). [2] Monstrelet, IV p. 112; Pierre de Fenin, p. 363; Lefèvre de Saint Remy, II p. 63; Chastellain, I p. 331.

92 [1] Zie J. D. Hintzen, De Kruistochtplannen van Philips den Goede, Rotterdam 1918. [2] Chastellain, III p. 6, 10, 34, 77, 118, 119, 178, 334; IV p. 125, 128, 171, 431, 437, 451, 470; V p. 49. [3] La Marche, II p. 382. [4] Uit de voorgeschiedenis van ons nationaal besef, in De Nederlandse Natie, Haarlem 1960 [Verz. Werken, II p. 97 v.]

93 [1] Rymer, Foedera III pars 3, p. 158 = VII, p. 407. [2] Monstrelet, I p. 43 ss. [3] Monstrelet, IV p. 219. [4] Pierre de Fenin, p. 626/7; Monstrelet, IV p. 244; Liber de Virtutibus, p. 27. [5] Lefèvre de Saint Remy, II p. 107. [6] Laborde, I p. 201 s. [7] La Marche, II p. 27, 382. [8] Bandello, I nov. 39: Filippo duca di Burgogna si mette fuor di proposito a grandissimo periglio. [9] F. von Bezold, Aus dem Briefwechsel der Markgräfin Isabella von Este-Gonzaga, Archiv f. Kulturgesch. VIII p. 396.

94 [1] Papiers de Granvelle, I p. 360 ss.; Baumgarten, Geschichte Karls des V., II p. 641; Fueter, Geschichte des europäischen Staatensysteems 1492–1559, p. 307. Vgl. ook Erasmus aan Nicolaas Beraldus, 25 Mei 1522, opdracht van De ratione conscribendi epistolas, Allen no. 1284. [2] Erdmannsdörffer, Deutsche Geschichte 1648–1740, I p. 595. [3] A. Piaget, Romania XIX, 1890, Oton de Granson et ses poésies. [4] Chastellain, III p. 38–49; La Marche, II p. 400 ss.; d'Escouchy, II p. 300 ss.; Corp. chron. Flandr., III p. 525; Petit Dutaillis, Documents nouveaux, p. 113, 137. – Over een blijkbaar ongevaarlijke vorm van gerechtelijk tweegevecht: Deschamps, IX p. 21.

95 [1] Froissart, ed. Luce, IV p. 89/94.

96 [1] Froissart IV p. 127/8 [2] Lefèvre de S. Remy, I p. 241. [3] Froissart, XI p. 3. [4] Rel. de S. Denis, III p. 175. [5] Froissart, XI p. 24 ss., VI p. 156. [6] Ib., IV p. 110, 115. Andere soortgelijke gevechten b.v. Molinier, Sources, IV no. 3707; Molinet, IV p. 294. [7] Rel. de S. Denis, I p. 392.

97 [1] Le Jouvencel, I p. 209, II p. 99, 103.

98 [1] Froissart, I p. 65, IV p. 49, II p. 32. [2] Chastellain, II p. 140. [3] Monstrelet, III p. 101; Lefèvre de S. Remy, I p. 247. [4] Molinet, II p. 36, 48, III p. 98, 453, IV. p. 372. [5] Froissart, III p. 187, XI p. 22. [6] Chastellain, II p. 374. [7] Molinet, I p. 65. [8] Monstrelet, IV p. 65. [9] Ib., III p. 111, Lefèvre de S. Remy, I p. 259. [10] Basin, III p. 57.

99 [1] Froissart, IV p. 80. [2] Chastellain, I p. 260; La Marche, I p. 89. [3] Commines, I p. 55. [4] Chastellain, III p. 82 ss. [5] Froissart, XI p. 58. [6] Ms. Kroniek van Oudenaarde, bij Rel. de S. Denis, I p. 229[1]. [7] Froissart, IX p. 220, XI p. 202. [8] Chastellain, II p. 259 [9] La Marche, II p. 324.

100 [1] Chastellain, I p. 28; Commines, I p. 31; vgl. Petit Dutaillis in Lavisse, Histoire de France, IV[2] p. 33. [2] Deschamps, IX p. 80, vgl. vs. 2228, 2295, XI p. 173. [3] Froissart, II p. 37. [4] Le Débat des hérauts d'armes § 86, 87, p. 33. [5] Livre des faits, by Chastellain, VIII p. 252[2] en xix. [6] Froissart, ed. Kervyn, XI p. 24. [7] Froissart, IV p. 83, ed. Kervyn, XI p. 4. [8] Deschamps, IV no. 785, p. 289. [9] Chastellain, V p. 217.

101 [1] Le Songe véritable, Mém. de la soc. de l'hist. de Paris, t. XVII p. 325, bij Raynaud, les cent ballades, p. lv[1]. [2] Commines, I p. 295. [3] Livre messires Geoffroi de Charny, Romania XXVI. [4] Commines, I p. 36–42, 86, 164. [5] Froissart, IV p. 70, 302; vgl. ed. Kervyn de Lettenhove, Bruxelles 1815–1877, 26 vol., V p. 512.

102 [1] Froissart, ed. Kervyn, XV p. 227. [2] Doutrepont, Ordonnance du banquet de Lille, Notices et extraits des mss. de la bibliothèque nationale, t. XLI, 1923, I. [3] Emerson, Nature, ed. Routledge, 1881, p. 230/1.

104 [1] Aldus wil de nieuwste uitgever van de Roman de la rose, E. Langlois, de naam herstellen.

105 [1] Chastellain, IV p. 165. [2] Basin, II p. 224. [3] La Marche, II p. 350[2].

106 [1] Froissart, IX p. 223–236; Deschamps, VII no. 1282. [2] Cent nouvelles nouvelles, ed. Wright II p. 15, vgl. I p. 277, II p. 20, 168 etc. en Quinze joyes de mariage, passim. [3] Pierre Champion, Histoire poétique du quinzième siècle, Paris 1923, t. I p. 262; vgl. Deschamps, VIII p. 43. [4] H. F. Wirth, Der Untergang des niederländischen Volksliedes, Haag 1911.

107 [1] Deschamps, VI p. 112, no. 1169, La leçon de musique. [2] Charles d'Orléans, Poésies complètes, Paris 1874, 2 vol., I p. 12, 42.

108 [1] Charles d'Orléans, Poésies complètes, Paris 1874, 2 vol., I p. 88.

109 [1] Deschamps, VI p. 82, no. 1151; zie b.v. V p. 132, no. 926, IX p. 94, c. 31, VI p. 138. no. 1184, XI p. 18, no. 1438, en XI p. 269, 286[1].

112 [1] Christine de Pisan, l'Epistre au dieu d'amours. Œuvres poétiques, ed. M. Roy, II p. 1. Over haar: Marie Josèphe Pinet, Christine de Pisan, 1364-1430, Etude biographique et littéraire, Paris, Champion, 1927, waar een hoofdstuk aan de Querelle du Roman de la Rose is gewijd.

113 [1] De vijftien geschriften voor en tegen uit dit geschil zijn, behalve het nader te noemen traktaat van Gerson, uitgegeven door Ch. F. Ward, The Epistles on the Romance of the Rose and other Documents in the Debate, University of Chicago, 1911. [2] Over deze kring vergelijke men A. Coville, Gontier et Pierre Col et l'Humanisme en France au temps de Charles VI, Paris, Droz, 1934. [3] Joh. de Monasteriolo, Epistolae, Martène et Durand, Ampl. coll., II p. 1409, 1421, 1422. [4] De oorspronkelijke Franse tekst van het Traictié Maistre Jehan Gerson contre le Roumant de la Rose is uitgegeven door E. Langlois, Romania t. 45, 1918, p. 23; de latijnse vertaling in Gerson's Opera ed. Dupin, III p. 293-309, is uit het einde van de XVe eeuw. [5] Piaget, Etudes Romanes dédiées à Gaston Paris, p. 119. [6] Gerson, Opera, III p. 297; id. Considérations sur St. Joseph, III p. 886; Sermo contra luxuriem, III p. 923, 925, 930, 968.

115 [1] Bibl. de l'école des chartes LX 1899, p. 569. [2] E. Langlois, Le Roman de la rose (Société des anciens textes français) 1914, t. I, Introduction, p. 36. [3] Ronsard, Amours, no. clxi. [4] A. Piaget, La cour amoureuse dite de Charles VI, Romania, XX p. 417, XXXI p. 599, Doutrepont, p. 367.

116 [1] Leroux de Lincy, Tentative de rapt etc. en 1405, Bibl. de l'école des chartes, 2e serie, III, 1846, p. 316. [2] Piaget, Romania, XX p. 447.

117 [1] Uitgegeven in Le Trésor des pièces rares ou inédites, 1860, door H. Cocheris, die echter de verhouding tussen het oorspronkelijke werk van Sicille en een later toevoegsel geheel heeft misverstaan. [2] Œuvres de Rabelais ed. Abel Lefranc c.s., I, Gargantua ch. 9, p. 96. [3] Guillaume de Machaut, Le livre du Voir-Dit, ed. P. Paris, (Société des bibliophiles françois 1875), p. 82, 213, 214, 240, 299, 309, 313, 347, 351.

118 [1] Juvenal des Ursins, p. 496. [2] Rabelais, Gargantua, ch. 9. [3] Christine de Pisan, I p. 187ss. [4] E. Hoepffner, Frage- und Antwortspiele in der franz. Literatur des 14. Jahrh., Zeitschr. f. roman. Philologie, XXXIII, 1909, p. 695, 703. [5] Christine de Pisan, Le dit de la rose vs. 73, Œuvres poétiques, II p. 31. [6] Machaut, Remede de fortune vs. 3879 ss. Œuvres, ed. E. Hoepffner (Soc. des anc. textes français) 1908/11, 2 vol., II p. 142.

119 [1] Christine de Pisan, Le livre des trois jugements, Œuvres poétiques, II p. 111. [2] Le livre du Voir-Dit, ed. P. Paris, Société des bibliophiles françois, 1875.

120 [1] Voir-Dit, lettre II p. 20. [2] Voir-Dit, lettre XXVII p. 203. [3] Voir-Dit, p. 20, 96, 146, 154, 162. [4] Voir-Dit, p. 371.

121 [1] Voir-Dit, p. 143, 144. [2] Voir-Dit, p. 110. [3] Voir-Dit, p. 98, 70.

122 [1] Le livre du chevalier de la Tour Landry, ed. A. de Montaiglon (Bibl. elzevirienne) 1854. [2] p. 245.

123 [1] p. 28. [2] p. 249, 252/4.

125 [1] A. Piaget, Romania, XXVII, 1898, p. 63.

126 [1] Deschamps, no. 315, III p. 1. [2] Ib. I p. 161, no. 65, vgl. I p. 78, no. 7, p. 175, no. 75. [3] Ib. no. 1287, 1288, 1289, VII p. 33, vgl. no. 178, I p. 313. [4] Ib. no. 240, II p. 71, vgl. no. 196, II p. 15.

127 [1] Deschamps, no. 184, I p. 320. [2] Ib. no. 1124, no. 307, VI p. 41, II p. 213, Lai de franchise. [3] Ib. no. 199, 200, 201, 258, 291, 970, 973, 1017, 1018, 1021, 1201, 1258. [4] Ib., XI p. 94. [5] Romania XXVII, 1898, p. 64. [6] N. de Clemanges, Opera ed. 1613, Epistolae no. 14, p. 57, no. 18, p. 72, no. 104, p. 296. [7] Joh. de Monasteriolo, Epistolae, Martène & Durand, Ampl. Collectio, II c. 1398.

8 Ib. c. 1459. 9 Alain Chartier, Œuvres ed. Duchesne, 1617, p. 391. 10 Zie Thuasne, I p. 37, II p. 202. 11 Œuvres du roi René, ed. Quatrebarbes, IV p. 73, vgl. Thuasne, II p. 204.

128 1 Meschinot, ed. 1522, f. 94, bij La Borderie, Bibl. de l'Ec. des Chartes, LVI, 1895, p. 313. 2 Vgl. Thuasne, l.c. p. 205.

129 1 Recollection des merveilles, Chastellain, VII p. 200: vergelijk de beschrijving der Joutes de Saint Inglevert in een gedicht vermeld bij Froissart ed. Kervyn, XIV p. 406.

130 1 p. 215¹. 2 Meschinot, Les Lunettes des princes, bij La Borderie l.c., p. 606. 3 Molinet, IV p. 389.

131 1 Molinet, I p. 190, 194; III p. 138; vgl. Juvenal des Ursins, p. 382. 2 Zie Champion, Histoire poétique du XVe siècle, II p. 173. 3 Deschamps, II p. 213, Lay de franchise; vgl. Chr. de Pisan, Le dit de la Pastoure, Le Pastoralet, roi René Regnault et Jehanneton, Martial d'Auvergne, Vigilles du roi Charles VII, etc. etc. 4 Deschamps, no. 923, vgl. XI, p. 322.

132 1 Villon, ed. Longnon, p. 83 2 Gerson, Opera, III p. 302. 3 L'epistre au dieu d'amours, II p. 14. 4 Quinze joyes de mariage, p. 222. 5 Œuvres poétiques, I p. 237, no. 26.

134 1 Directorium vitae nobilium, Dionysii Opera, t. XXXVII p. 550; t. XXXVIII p. 358.

135 1 Don Juan c. 11, 76-80. Over het thema in het algemeen handelden C. H. Becker, Ubi sunt qui ante nos in mundo fuere (Aufsätze Ernst Kuhn 7, II 1916 gewidmet, p. 87-105, vgl. Beiblatt z. Anglia, 28, 1917, p. 362), en E. Gilson, Essais d'art et de philosophie, 1932. 2 Bernardi Morlanensis, De contemptu mundi, ed. Th. Wright, The Anglolatin satirical poets and epigrammatists of the twelfth century (Rerum Britannicarum medii aevi scriptores), London, 1872, 2 vol., II p. 37. 3 Vroeger toegeschreven aan Bernard van Clairvaux, door sommigen voor het werk van Walter Mapes gehouden; vgl. H. L. Daniel, Thesaurus hymnologicus, Lipsiae 1841-1856, IV p. 288.

136 1 Deschamps, III no. 330, 345, 368, 399. – Gerson, Sermo III de defunctis, Opera, III p. 1568; Dion. Cart., De quatuor hominum novissimis, Opera, t. XLI p. 511; Chastellain, VI p. 52, waar het gedicht is opgenomen onder de titel 'Le Pas de la Mort'. In de tekst zelf heet het 'Miroir de Mort'. Een 'Pas de la Mort' dichtte Pierre Michault (ed. Jules Petit, Société des Bibliophiles de Belgique, 1869); hier betreft het een Pas d'armes bij de Fontaine des plours, waar Dame Mort zich ophoudt. 2 Villon, ed. Longnon. p. 33. 3 Ib. p. 34. 4 Emile Mâle, l'Art religieux à la fin du moyen âge, Paris, 1908, p. 376. Vgl. bij het gehele hoofdstuk ook E. Döring-Hirsch, Tod und Jenseits im Spätmittelalter, Studien zur Geschichte der Wirtschaft und Geisteskultur, herausg. von R. Häpke, Berlin 1927.

137 1 Odo van Gluny, Collationum lib. III, Migne t. CXXXIII, p. 556. Het motief en zijn uitwerking berusten reeds op Johannes Chrysostomus, Over de vrouwen en de schoonheid, (Opera ed. B. de Montfaucon, Paris 1735, t. XII, p. 523). 2 Innocentius III, de contemptu mundi sive de miseria conditionis humanae libri tres, Migne t. CCXVII p. 702. 3 Ib. p. 713.

138 1 Olivier de la Marche, Le Parement et triumphe des dames, Paris. Michel le Noir 1520, aan het slot.

139 1 Ib. Olivier de la Marche. 2 Villon, Testament, vs. 453 ss., ed. Longnon p. 39. 3 Molinet, Faictz et dictz, fo. 4. fo. 42 v. 4 Proces over de zaligverklaring van Pieter van Luxemburg, 1390, Acta sanctorum Julii, I p. 562.

140 1 Les Grandes chroniques de France, ed. Paulin Paris, Paris 1836/38, 6 vol., VI p. 334. 2 Zie de uitvoerige studie van Dietrich Schäfer, Mittelalterlicher Brauch bei der Ueberführung von Leichen, Sitzungsberichte der preussischen Akademie der Wissenschaften, 1920, p. 478-498. 3 Lefèvre de S. Remy, I p. 260, waar voor Oxford moet gelezen worden Suffolk. 4 Juvenal des Ursins, p. 567; Journal d'un bourgeois, p. 237, 307, 671. 5 Zie uit de zeer omvangrijke litteratuur over het onderwerp G. Huet, Notes d'histoire littéraire III, Le Moyen âge, XX, 1918, p. 148, en W. Stammler, Die Totentänze, Leipzig, 1922.

141 1 Zie over dit alles Emile Mâle, l'Art religieux à la fin du moyen-âge, II 2, la Mort. 2 Laborde, II 1, 393.

142 [1] Enige reproducties bij Mâle t.a.p. en in Gazette des beaux arts 1918, avril-juin p. 167. [2] Vroeger ten onrechte als veel ouder (c. 1350) beschouwd; vgl. G. Ticknor, Geschichte der schönen Literatur in Spanien (oorspronkelijk Engels) I p. 77, II p. 598; Gröber's Grundriss II¹ p. 1180, II² 428.

143 [1] Œuvres du roi René, I p. clii. [2] Chastellain, Le pas de la mort, VI p. 59.

144 [1] Vgl. Innocentius III, de contemptu mundi, II c. 42; Dion. Cart., de IV hominum novissimis, t. XLI p. 496.

145 [1] Œuvres, VI p. 60. [2] Villon, Testament, XLI vs. 321–328, ed. Longnon, p. 33. [3] Champion, Villon, I p. 303. [4] Mâle l.c. p. 389. [5] Leroux de Lincy, Livre des légendes, p. 95.

146 [1] Le livre des faits etc., II p. 184. [2] Journal d'un bourgeois, I p. 233/4, 392, 276. Zie verder Champion, Villon, I p. 306.

147 [1] A. de la Salle, Le Reconfort de Madame du Fresne, ed. J. Néve, Paris, 1903.

148 [1] J. Burckhardt, Weltgeschichtliche Betrachtungen, 1905, S. 99, 147.

150 [1] Gerson, Opera, III p. 309. [2] Nic. de Clemanges, De novis festivitatibus non instituendis, Opera, ed. Lydius, Lugd. Bat. 1613, p. 151, 159. [3] Bij Gerson, Opera, II p. 911. [4] Acta sanctorum Apr. t. III p. 149. [5] ac aliis vere pauperibus et miserabilibus, quibus convenit jus et verus titulus mendicandi. [6] qui ecclesiam suis mendaciis maculant et eam irrisibilem reddunt.

151 [1] Alanus Redivivus, ed. J. Coppenstein, 1642, p. 77. [2] Commines, I p. 310; Chastellain, V p. 27; Le Jouvencel, I p. 82; Jean Lud, in Deutsche Geschichtsblätter, XV p. 248; Journal d'un bourgeois, p. 384; Paston Letters, II p. 18; J. H. Ramsay, Lancaster and York, II p. 275; Play of Sir John Oldcastle, II p. 2 enz. Zie mijn 'Onnoozele kinderen als ongeluksdag', Verzamelde Werken IV p. 212 v. [3] Contra superstitionem praesertim Innocentum, Gerson, Opera, I p. 203. Over Gerson te vergelijken James L. Connolly, John Gerson Reformer and Mystic, Recueil de travaux publiés par les membres des conférences d'hist. et de phil. de l'Université de Louvain, 2e série fasc. 12, 1928.

152 [1] Gerson, Quaedam argumentatio adversus eos qui publice volunt dogmatizare etc. Opera, II p. 521/522. [2] Johannis de Varennis Responsiones, etc., Gerson, I p. 909. [3] Journal d'un bourgeois, p. 259. Voor 'une hucque vermeille par dessoubz' zal 'par dessus' te lezen zijn. [4] Contra vanam curiositatem, Opera, I p. 86. [5] Considérations sur saint Joseph, III p. 842/868. Josephina, IV p. 753; Sermode natalitate beatae Mariae Virginis, III p. 1351; verder IV p. 729, 731, 732, 735, 736. [6] Gerson, De distinctione verarum visionum a falsis, Opera, I p. 50. [7] C. Schmidt, Der Prediger Olivier Maillard, Zeitschr. f. hist. Theologie, 1856, p. 501. [8] Zie Thuasne, Rob. Gaguini Ep. et Or., I p. 72 ss.

153 [1] Les cent nouvelles nouvelles, ed. Wright, II p. 75 ss, 122 ss. [2] Le livre du chevalier de la Tour-Landry, ed. de Montaiglon, p. 56. [3] L.c. p. 257; 'Se elles ouyssent sonner la messe ou à veoir Dieu'. [4] Leroux de Lincy, Le livre des Proverbes français², Paris, 1859, 2 vol., I p. 21. [5] Froissart, ed. Luce, V p. 24. [6] Cum juramento asseruit non credere in Deum dicti episcopi, Rel. de S. Denis, I p. 102.

154 [1] Journal d'un bourgeois, p. 366². [2] Een Nederl. aflaatbrief uit de 14e eeuw, ed. J. Verdam, Ned. Archief voor Kerkgesch., 1900, p. 117–122. [3] A. Eekhof, De questierders van den aflaat in de Noordelijke Nederl., 's Grav. 1909, p. 12. [4] Chastellain, I p. 187/89: intocht van Hendrik V en Philips van Bourgondië te Parijs in 1420; II p. 16: intocht van Philips van Bourgondië te Gent in 1430.

155 [1] Doutrepont, p. 379. [2] Deschamps III p. 89 no. 357; le roi René, Traicté de la forme et devise d'un tournoy, Œuvres, II p. 9. [3] Olivier de la Marche, II p. 202. [4] Monstrelet, I p. 285, cf. 306. [5] Liber de virtutibus Philippi ducis Burgundiae, p. 13, 16 (Chron. rel. à l'hist. de la Belgique sous la dom. des ducs de Bourg. II).

156 [1] Molinet, II p. 84–94, III p. 98, Faict et Dictz, fo. 47, vgl. I p. 240, en ook Chastellain, III p. 209, 260, IV p. 48, V p. 301, VII p. 1 ss. [2] Molinet, III p. 109. [3] Quinze joyes de Mariage, p. xiii.

⁴ Gerson, Opera, III p. 299.   ⁵ Friedländer, Jahrb. de k. Preuss. Kunstsammlungen, XVII, 1896, p. 206.

157   ¹ K. J. Bernet Kempers in De Muziek, 1927, p. 350, vgl. Wetzer and Welte, Kirchenlexikon, s.v. Musik, col. 2040.   ² Chastellain, III p. 155.   ³ H. van den Velden, Rod. Agricola, een Nederlands humanist der vijftiende eeuw, 1e dl., Leiden, 1911, p. 44.   ⁴ Deschamps, X no. 33, p. xli. In de voorlaatste regel staat 'l'ostel', wat natuurlijk geen zin geeft.   ⁵ Nic. de Clemanges, De novis cele-britatibus non instituendis, Opera, ed. Lydius, 1613, p. 143.   ⁶ Le livre du chevalier de la Tour-·Landry, p. 66, 70.

158   ¹ Gerson, Sermo de nativitate Domini, Opera, III p. 946, 947.   ² Nic. de Clemanges, l.c. p. 147.   ³ O. Winckelmann, Zur Kulturgesch. des Strassburger Münsters, Zeitschr. f. d. Gesch. des Ober-rheins NF XXII 2.   ⁴ Dionysius Cartusianus, De modo agendi processiones etc., Opera, XXXVI p. 198 s.   ⁵ Chastellain, V p. 253 ss.   ⁶ Michel Menot, Sermones f. 144 vs., bij Champion, Villon, I p. 202.   ⁷ Le livre du chevalier de la Tour-Landry, p. 65; Olivier de la Marche, II p. 89; l'Amant rendu cordelier, p. 25, huitain 68; Rel. de S. Denis, I p. 102.   ⁸ L.c. p. 144.

159   ¹ Christine de Pisan, Œuvres poétiques, I p. 172; vgl. p. 60, l'Epistre au dieu d'Amours, II 3; Deschamps, V p. 51 no. 871, II p. 185 vs. 75.   ² L'Amant rendu cordelier, l.c.   ³ Menot, l.c.   ⁴ Ger-son, Expostulatio... adversus corruptionem juventutis per lascivas imagines et alia hujusmodi, Opera, III p. 291; cf. De parvulis ad Christum trahendis, ib. 281; Contra tentationem blasphemiae, ib. p. 246.   ⁵ Le livre du chevalier de la Tour-Landry, p. 80, 81; vgl. Machaut, Livre du Voir-Dit, p. 143 ss.   ⁶ Le livre du chevalier de la Tour-Landry, p. 55, 63, 73, 79.   ⁷ Nic. de Clemanges, l.c. p. 145.   ⁸ Quinze joyes de mariage, p. 127, vgl. p. 19, 25, 124.   ⁹ Froissart, ed. Luce et Raynaud, XI p. 225 ss.   ¹⁰ Chron. Montis S. Agnetis, p. 341; J. C. Pool, Frederik v. Heilo en zijne schriften, Amsterdam 1866, p. 126; vgl. Hendrik Mande bij W. Moll, Joh. Brugman en het godsd. leven onzer vaderen in de 15e eeuw, 1854, 2 dln., I p. 264.

160   ¹ Gerson, Centilogium de impulsibus, Opera, III p. 154.   ² Deschamps, Iv p. 322 no. 807: vgl. I p. 272 no. 146: 'Si n'y a Si meschant qui encor ne die Je regni Dieu...'   ³ Gerson, Adversus lascivas imagines, Op. III p. 292; Sermo de nativitate Domini, III p. 946.   ⁴ Deschamps, I p. 271 ss. no. 145, 146, p. 217 no. 105, vgl. II p. lvi en Gerson III p. 85.   ⁵ Gerson, Considérations sur le peché de blasphème, Op. III p. 889.   ⁶ Regulae morales, ib. III p. 85.   ⁷ Ordonnances des rois de France, t. VIII p. 130, Rel de S. Denis, II p. 533.   ⁸ P. d'Ailly, De reformatione, cap. 6; de reform. laicorum, bij Gerson, Opera, II p. 914.

161   ¹ Gerson, Contra foedam tentationem blasphemiae, Opera, III p. 243.   ² Gerson, Regulae mo-rales, Opera, III p. 85.   ³ Cent nouvelles nouvelles, II p. 205.   ⁴ Gerson, Sermo de S. Nicolao, Op., III p. 1577; De parvulis ad Christum trahendis, ib. p. 279. Tegen hetzelfde spreekwoord ook Dionysi-us Cart., Inter Jesum et puerum dialogus, art. 2, Opera, t. XXXVIII p. 190.   ⁵ Gerson, De distinc-tione verarum visionum a falsis, Opera, I p. 45.   ⁶ Ib. p. 58.

162   ¹ Petrus Damiani, Op., XII 29, p. 283; vgl. voor de 12e en 13e eeuw Hauck, Kirchengeschichte Deutschlands, IV p. 81, 898.   ² Deschamps, VI p. 109, no. 1167, id. no. 1222; Commines, I p. 449.   ³ Froissart, ed. Kervyn, XIV p. 67.   ⁴ Rel de S. Denis, I p. 102, 104; Jean Juvenal des Ursins, p. 346.   ⁵ Jacques du Clercq, II p. 277, 340; IV p. 59; vgl. Molinet, IV p. 390, Rel de S. Denis, I p. 643.   ⁶ Joh. de Monasteriolo, Epistolae, Martène et Durand, Ampl. Coll. II p. 1415, vgl. ep. 75, 76, p. 1456 van Ambr. de Miliis aan Gontier Col, waar hij zich beklaagt over Jean de Montreuil.

163   ¹ Gerson, Sermo III in die Sancti Ludovici, Opera, III p. 1451.   ² Gerson, Contra impugnantes ordinem Carthusiensium, Opera, II p. 713.   ³ Gerson, De decem praeceptis, Opera, I p. 245.   ⁴ Gerson, Sermo de nativitate Domini, Opera, III p. 947.   ⁵ Nic. de Clemanges, De novis celebr. etc., p. 151.

164   ¹ Villon, Testament, vs. 893 ss., ed. Longnon, p. 57,   ² Gerson, Sermo de nativitate Domini, Opera, III p. 947, Regulae morales, ib. p. 86, Liber de vita spirituali animae, ib. p. 66.

165 [1] Hist. translationis corporis sanctissimi ecclesiae doctoris divi Thom. de Aq. 1368, auct. fr. Raymundo Hugonis O.P., Acta sanctorum Martii, I p. 725. [2] Bericht van de pauselijke commissarissen bisschop Konrad van Hildesheim en abt Hermann van Georgenthal over het getuigenverhoor aangaande de heilige Elisabeth te Marburg in Jan. 1235, uitgegeven Historisches Jahrbuch der Görres-Gesellschaft, XXVIII, p. 887. [3] Rel. de S. Denis, II p. 37. [4] Quicherat, Procès I p. 295, III p. 99, 2191; P. Champion, Procès de condamnation de Jeanne d'Arc, Paris 1921, II p. 184; vgl. mijn opstel Bernard Shaw's Heilige in Verz. Werken III, p. 546/7 v.

166 [1] Chastellain, III p. 407, IV p. 216.

167 [1] Deschamps, I p. 277 no. 150.

168 [1] Deschamps, II p. 348 no. 314. [2] Uit Johann Eck's Pfarrbuch für U. L. Frau in Ingolstadt, aangehaald Archiv. f. Kulturgesch., VIII p. 103. [3] Joseph Seitz, Die Verehrung des hl. Joseph in ihrer geschichtl. Entwicklung usw., Freiburg, Herder, 1908. [4] Le livre du chevalier de la Tour-Landry, p. 212.

169 [1] B. Nat. Ms. fr. 1875, bij Ch. Oulmont, Le Verger, le Temple et la Cellule, essai sur la sensualité dans les œuvres de mystique religieuse, Paris, 1912, p. 284 ss. [2] Zie over de heiligenfiguren vooral E. Mâle, l'Art religieux à la fin du moyen âge, chap. IV. [3] Deschamps, I p. 114 no. 32, VI p. 243 no. 1237.

170 [1] Bambergs missaal van 1490, bij Uhrig, Die 14 hl. Nothelfer (XIV Auxiliatores), Theol. Quartalschrift LXX, 1888, p. 72; vgl. Utrechts missaal van 1514 en Dominicaans missaal van 1550, Acta sanctorum Aprilis, t. III p. 149. [2] Erasmus, Ratio seu methodus compendio perveniendi ad veram theologiam, ed. Bazel, 1520, p. 171.

171 [1] Œuvres de Coquillart, ed. Ch. d'Héricault (Bibl. elzevirienne) 1857, II p. 281. [2] Deschamps, no. 1230, VI p. 232. [3] Colloquia, Exequiae Seraphicae, ed. Elzev. 1636, p. 620.

172 [1] Gargantua ch. 45. [2] Apologie pour Hérodote ch. 38, ed. Ristelhuber, 1879, II p. 324. [3] Deschamps, VIII p. 201 no. 1489.

173 [1] Gerson, de Angelis, Opera, III p. 1481; De praeceptis decalogi, I p. 431: Oratio ad bonum angelum suum, III p. 511; Tractatus VIII super Magnificat, IV p. 370; vgl. III p. 137, 553, 739. [2] Opera, IV p. 389. [3] Bij dit hoofdstuk vergelijke men ook de autobiographische optekeningen van de zonderlinge Opicinus de Canistris, uitgegeven door R. Salomon, Das Weltbild eines avignonesischen Klerikers, Vorträge der Bibliothek Warburg, 1926/7, 1930.

175 [1] Monstrelet, IV p. 304. [2] Bernh. v. Siena, Opera, I p. 100; bij Hefele l.c. p. 36. [3] Les cent nouvelles nouvelles, II p. 153; Les quinze joyes de mariage, p. 111, 215. [4] Molinet, Faictz et dictz, f. 188 vso.

176 [1] Journal d'un bourgeois, p. 336, vgl. p. 242 no. 514. [2] Ghillebert de Lannoy, Œuvres, ed. Ch. Potvin, Louvain, 1878, p. 163. Hetzelfde bericht van een straatgevecht in Haarlem, 1444, tussen Hoeken en Kabeljauwen, Reinier Snoy. Rerum belgicarum Annales, ed. Sweertius, Antwerpen, 1620, p. 149. [3] Les cent nouvelles nouvelles, II p. 101. [4] Le Jouvencel, II p. 107. [5] Songe du viel pelerin, bij Jorga, Phil. de Mézières, p. 423 [6].

177 [1] Journal d'un bourgeois, p. 214, 289 [2]. [2] Gerson, Opera, I p. 206. [3] Jorga, Phil. de Mézières. p. 308. [4] W. Moll, Johannes Brugman, II p. 125. [5] Chastellain, IV p. 263/5. [6] Chastellain, II p. 300, VII p. 222; Jean Germain, Liber de Virtutibus, p. 10 (de hier vermelde minder strenge vastenpraktijk kan op een andere tijd slaan); Jean Jouffroy, De Philippo duce oratio (Chron. rel. à l'hist. de Belg. sous la dom. des ducs de Bourg. III) p. 118; G. Fillastre, Le premier livre de la Thoison dor, fol. 131. – Over Philips' vroomheid vergelijke men mijn artikel: La physionomie morale de Philippe le Bon, Annales de Bourgogne, 1932 Verzamelde Werken II, p. 216 vg.]. [7] La Marche, II p. 40.

178 [1] Monstrelet, IV p. 302. [2] Jorga, Phil. de Mézières, p. 350.

179 [1] Vgl. Jorga, l.c. p. 444; Champion, Villon, I p. 17. [2] Œuvres du roi René, ed. Quatrebarbes, I p. cx. [3] La Marche, I p. 194.

180 ¹ Acta Sanctorum Jan., t. II p. 1018.   ² Jorga, l.c. p. 509, 512.

182 ¹ André du Chesne, Hist. de la maison de Chastillon sur Marne, Paris, 1621, Preuves, p. 126–131; Extraict de l'enqueste faite pour la canonization de Charles de Blois, p. 223, 234. Ook Monuments du procès de la canonisation du b. Charles de Blois, duc de Bretagne, S. Brieuc, 1921, en Revue des questions historiques, CV, 1926, p. 108. De zaligspreking kreeg eerst in 1904 haar beslag.
² Froissart, ed. Luce, VI p. 168.   ³ W. James, The varieties of religious experience, p. 370 s.

183 ¹ Ordonnances des rois de France, t. VIII p. 398, Nov. 1400, 426, 18 Maart 1401.   ² Mémoires de Pierre Salmon, ed. Buchon, Coll. de chron. nationales, 3e Supplément de Froissart, t. XV p. 49.
³ Froissart, ed. Kervyn, XIII p. 40.

184 ¹ G. Dupont Renier, Jean d'Orléans, comte d'Angoulême d'après sa bibliothèque, in Luchaire, Mélanges d'histoire du Moyen âge, III, 1897, p. 39–88; id., La captivité de Jean d'Orléans, comte d'Angoulême, Revue historique, t. LXII, 1896, p. 42–74.   ² La Marche, I p. 180.

185 ¹ Lettres de Louis XI, t. VI p. 514, cf. V p. 86, X p. 65.   ² Commines, I p. 291.   ³ Commines II p. 67, 68.   ⁴ Commines, II p. 57; Lettres, X p. 16, IX p. 260. Er was indertijd zulk een agnus scythicus in het Koloniaal Museum te Haarlem.   ⁵ Chron. scand., II p. 122.   ⁶ Commines, II p. 55, 77.

186 ¹ Acta sanctorum Apr., t. I p. 115. – Lettres de Louis XI, t. X p. 76, 90.   ² Acta Sanctorum, l.c. p. 108; Commines, II p. 55.   ³ Lettres, X p. 4 etc., Commines, II p. 54.   ⁴ Commines, II p. 56, Acta Sanctorum, l.c. p. 115.   ⁵ A. Renaudet, Préréforme et Humanisme à Paris, p. 172.

187 ¹ Doutrepont, p. 226.   ² Vita Dionysii auct. Thod. Loer, Dion. Opera, I p. xlii ss.; id. De vita et regimine principum, t. XXXVII p. 497.   ³ Opera, t. XLI p. 621; D. A. Mougel, Denys le chartreux, sa vie etc., Montreuil, 1896, p. 63.   ⁴ Opera, t. XLI p. 617; Vita, I p. xxxi; Mougel, p. 51; Bijdr. en mededeel. v. h. Hist. Genootschap te Utrecht, XVIII p. 331.   ⁵ Opera, t. XXXIX, p. 496, Mougel, p. 54; Moll, Johannes Brugman, I p. 74; Kerkgesch., II 2 p. 124; K. Krogh-Tonning, Der Letzte Scholastiker, Eine Apologie, Freiburg 1904, p. 175.   ⁶ Mougel, p. 58.

188 ¹ Opera, t. XXXVI p. 178: De mutua cognitione.   ² Vita, Opera, t. I p. xxiv, xxxviii.   ³ Vita, Opera, t. I p. xxvi.   ⁴ De munificentia et beneficiis Dei, Opera, t. XXXIV, art. 26 p. 319.

190 ¹ Gerson, Tractatus VIII super Magnificat, Opera, IV p. 386.   ² Acta Sanctorum Martii, t. I p. 561, vgl. 540, 601.   ³ K. Hefele, Der hl. Barnhardin von Siena und die franziskanische Wanderpredigt in Italien während des XV. Jahrhunderts, Freiburg, 1912, pag. 79.   ⁴ W. Moll, Johannes Brugman, II p. 74, 86.

191 ¹ De Deventer Athenaeumbibliotheek bezit: Opus quadragesimale Sancti Vincentii 1482 (Catal. v.d. incunabelen 1917, no. 274) en Oliverii Maillardi Sermones dominicales etc., Parijs, Jean Petit 1515. Over de heilige Vincent Ferrer zie men: M. M. Gorce, Saint Vincent Ferrier, Paris, 1924, S. Brettle, San Vincente Ferrer, und sein literarischer Nachlass, Münster, 1924, (Vorreform. Forschungen, t. X); C. Brunel, Un plan de sermon de S. Vincent Ferrier, Bibl. de l'Ecole des chartes LXXXV, 1924, 113.   ² Leven van S. Petrus Thomasius, Carmeliet, door Philippe de Mézières, Acta Sanctorum Jan., t. II p. 997; Dionysius Cartusianus over Brugman's preektrant: De vita etc. christ.

192 ¹ Acta Sanctorum Apr., t. I p. 513.   ² Moll, Brugman, I p. 52.

193 ¹ Dionys. Cartus., De quotidiano baptismate lacrimarum, t. XXIX, p. 84; De oratione, t. XLI p. 31–55; Expositio hymni Audi benigne conditor, t. XXXV p. 34.   ² Acta sanctorum Apr., t. I p. 485, 494.   ³ Chastellain, III p. 119; Antonio de Beatis (1517), L. Pastor, Die Reise des Kardinals Luigi d'Aragona, Freiburg, 1905, p. 51³, 52; Polydorus Vergilius, Anglicae historiae libri XXVI, Basilea, 1546, p. 15.   ⁴ Vgl. D. de Man, Vervolgingen enz., Bijdr. Vad. Gesch. en Oudheidk., 6e reeks, IV 283.

194 ¹ Gerson, Epistola contra libellum Johannis de Schonhavia, Opera, I p. 79.   ² Gerson, De distinctione verarum visionum a falsis, Opera, I p. 44.   ³ Ib. p. 48.   ⁴ Gerson, De examinatione doctrinarum, Opera, I p. 19.   ⁵ Ib. p. 16, 17.

195 ¹ Gerson, De distinctione etc., I p. 44. Deze bedenking ook bij Opicinus de Canistris, l.c. p.

165. 2 Gerson, Tractatus II super Magnificat, Opera IV, p. 248. 3 65 nutte artikelen van der passien ons Heren, Moll, Brugman, II p. 75. 4 Gerson, De monte contemplationis, Opera, III p. 562. 5 Gerson. De distinctione etc., Opera, I p. 49. 6 Ibidem. 7 Acta sanctorum Martii, t. I p. 562. 8 James, l.c. p. 343.

196 1 Acta sanctorum l.c. p. 552 ss. 2 Froissart, ed. Kervyn, XV p. 132; Religieux de Saint Denis II p. 124; Joannis de Varennis Responsiones ad capita accusationum, bij Gerson, Opera, I p. 925, 926.
197 1 Responsiones, l.c. p. 936. 2 Ib. p. 910 ss. 3 Gerson, De probatione spirituum, Opera, I p. 41. 4 Gerson, Epistola contra libellum Joh. de Schonhavia, Opera, I p. 82. 5 Gerson, Sermo contra luxuriam, Opera, III p. 924. 6 Gerson, De distinctione etc., Opera, I p. 55. 7 Opera, III p. 589 ss.
198 1 Ib. p. 593. 2 Gerson, De consolatione theologiae, Opera, I, p. 174. 3 Gerson, Epistola... super tertia parte libri Joannis Ruysbroeck De ornatu nupt. Spir., Opera, I p. 59, 67 etc. 4 Gerson Epistola contra defensionem Joh. de Schonhavia (polemiek over Ruusbroec), Opera, I p. 82. 5 Gerson, De distinctione etc., I p. 55; De libris caute legendis, I p. 114.
199 1 Gerson, De examinatione doctrinarum, Opera, I p. 19; De distinctione, I p. 55; De libris caute legendis, I p. 114; Epistola super Joh. Ruysbroeck De ornatu, I p. 62; De consolatione theologiae, I p. 174; De susceptione humanitatis Christi, I p. 455; De nuptiis Christi et ecclesiae, II p. 370; De triplici theologia III p. 869. 2 Moll, Johannes Brugman, I p. 57. 3 Gerson, De distinctione etc., I p. 55. 4 Moll, Brugman, I p. 234, 314. 5 Ecclesiasticus 24, 29; vgl. Meister Eckhart, Predigten no. 43, p. 146, 26.
200 1 Ruusbroec, Die Spieghel der ewigher salicheit, cap. 7, Die chierheit der gheesteleker brulocht, I. II c. 53. Werken, ed. David en Snellaert (Maatsch. der Vlaemsche bibliophilen) 1860², 1868, III p. 156/9, VI p. 132. Vgl. Melline d'Asbeck, La mystique de Ruysbroeck l'Admirable, un écho du néoplatonisme au XIVe siècle, Paris, 1930. 2 Naar het hs. bij Oulmont, l.c. p. 277 3 Vgl. de bestrijding dier mening door James, l.c. p. 10¹, 191, 276. 4 Moll, Brugman, II p. 84.
201 1 Oulmont, l.c. p. 204, 210. 2 B. Alanus redivivus, ed. J. A. Coppenstein, Napels, 1642, p. 29, 31, 105, 108, 116 etc. 3 Alanus redivivus, p. 209, 218.
203 1 Seuse, Leben, kap. 4, 45; Deutsche Schriften, p. 15, 154; Acta Sanctorum Jan., t. II p. 656. 2 Hefele, l.c.p. 167; vgl. p. 259 'Over den naam van Jezus', B.'s verdediging van het gebruik. 3 Eug. Demole, Le soleil comme cimier des armes de Genève, vermeld Revue historique CXXIII, p. 450. 4 Rod. Hospinianus, De templis etc., ed. IIa, Tiguri, 1603, p. 213.
204 1 James, Varieties of religious experience, p. 474, 475. 2 Irenaeus, Adversus haereses libri V, l. IV c. 21³.
206 1 Over de noodwendigheid van zulk realisme: James, l.c. p. 56.
207 1 Goethe, Sprüche in Prosa no. 742, 743.
208 1 St. Bernard, Libellus ad quendam sacerdotem, bij Dion. Cart., De vita et regimine curatorum, t. XXXVII p. 222. 2 Bonaventura, De reductione artium ad theologiam, Opera, ed. Paris, 1871, t. VII p. 502. 3 P. Rousselot, Pour l'histoire du problème de l'amour (Bäumker & Von Hertling, Beitr. zur Gesch. der Philosophie im Mittelalter, VI 6) Münster, 1908.
209 1 Sicard, Mitrale sive de officiis ecclesiasticis summa, Migne, t. CCXIII c. 232. 2 Gerson, Compendium Theologiae, Opera, I p. 234, 303 s., 325, Meditatio super septimo psalmo poenitentiali, IV p. 26. 3 Alanus redivivus, passim.
210 1 Froissart, Poésies, ed. Scheler, I p. 53. 2 Chastellain, Traité par forme d'allégorie mystique sur l'entrée du roy Loys en nouveau règne, Œuvres, VII p. 1; Molinet, II p. 71, III p. 112.
211 1 Vgl. Coquillart, Les droits nouveaux, ed. d'Héricault, I p. 72. 2 Opera, I p. xliv sq.
212 1 H. Usener, Götternamen, Versuch zu einer Lehre von der religiösen Begriffsbildung, Bonn 1896, p. 73. 2 J. Mangeart, Catalogue des mss. de la bibl. de Valenciennes, 1860, p. 687 3 Journal d'un bourgeois, p. 96.
213 1 La Marche, II p. 378. 2 Histoire litteraire de la France (XIVe siècle) t. XXIV, 1862, p. 541:

Gröber's Grundriss, II 1 p. 877, II 2 p. 406; vgl. les Cent nouvelles nouvelles, II p. 183; Rabelais, Pantagruel, I. IV ch. 29.   3 H. Grotefend, Korrespondenzblatt des Gesamtvereins etc. 67, 1919, p. 124. Dock = pop.

215   1 De captivitate babylonica ecclesiae praeludium, Werke ed. Weimar, VI p. 562.

217   1 Petri de Alliaco Tractatus I adversus cancellarium Parisiensem, bij Gerson, Opera, I p. 723. 2 Dion. Cart., Opera, t. XXXVI p. 200.   3 Dion. Cart., Revelatio II, Opera, I p. xlv.   4 Dion. Cart., Opera, t. XXXVII, XXXVIII, XXXIX p. 496.

218   1 Anecdotes historiques etc. d'Etienne de Bourbon, ed. A. Lecoy de la Marche, Soc. d'hist. de France, 1877, p. 24.   2 Gerson, Opera, I p. 17.   3 Dion. Cart., Opera, t. XVIII p. 433.   4 Dion, Cart., Opera, t. XXXIX p. 18 seq. De vitiis et virtutibus, p. 363. De gravitate et enormitate peccati, ib. t. XXIX p. 50.

219   1 L.c. XXXIX p. 37.   2 Ib. p. 56.   3 Dion. Cart., De quatuor hominum novissimis, Opera, t. XLI p. 545.

220   1 Dion. Cart. De quatuor hominum novissimis, t. XLI p. 489 ss.   2 Moll, Brugman, I p. 20, 23, 28.   3 Ib. p. 320¹.   4 Het voorbeeld van Sint Aegidius, Germanus, Quiricus bij Gerson, De via imitativa, III p. 777; vgl. Contra gulam sermo, ib. p. 909. – Olivier Maillard, Serm. de sanctis, fol. 8 a.

221   1 Innocentius III. De contemptu mundi l. I, e. i. Migne, t. CCXVII p. 702 ss.   2 Wetze und Welter, Kirchenlexikon XI 1601.   3 Extravag. commun, lib. V. tit. IX cap. 2. – Quanto plures ex eius applicatione trahuntur ad iustitiam, tanto magis accrescit ipsorum cumulus meritorum.   4 Bonaventura, In secundum librum sententiarum, dist. 41, art. 1, qu. 2, ib. 30, 2, 1, 34; in quart. lib. sent. d. 34, a. 1. qu. 2, Breviloquii pars II, Opera, ed. Paris, 1871, t. III p. 577a, 335, 438, VI p. 327b, VII p. 271 ab.

222   1 Dion. Cart., De vitiis et virtutibus, Opera, t. XXXIX p. 20.   2 Mac Kechnie, Magna Carta, p. 401.   3 Dion. Cart., Dialogion de fide cath., Opera, t. XVIII p. 36.   4 L.c. t. XLI p. 489.

223   1 Dion Cart., De laudibus sanctae et individuae trinitatis, t. XXXV p. 137; de laud. glor. Virg. Mariae, en passim.   2 James, Varieties of rel. exp., p. 419.

224   1 Joannis Scoti, De divisione naturae l. III c. 19, Migne, Patr. latina t. CXXII p. 681.   2 Cherubinischer Wandersmann, I 25.   3 Opera, I p. xliv.

225   1 Seuse, Leben, cap. 3, ed. K. Bihlmeyer, Deutsche Schriften, Stuttgart 1907, p. 14. Vgl. cap. 5, p. 21, l. 3. v. o.   2 Meister Eckhart, Predigten, no. 60 en 76, ed. F. Pfeiffer, Deutsche Mystiker des XIV. Jh., Leipzig 1857, II p. 193 l. 34 ss.; p. 242 l. 2 ss.   3 Tauler, Predigten, no. 28, ed. F. Vetter, (Deutsche Texte des Mittelalters XI) Berlin 1910, p. 117 l. 30 ss.   4 Ruusbroec, Dat boec van seven sloten, cap. 19, Werken ed. David, IV p. 106–108.   5 Ruusbroec, Dat boec van den rike der ghelieven, cap. 43, ed. David, IV p. 264.

226   1 Ib. cap. 35, p. 246.   2 Ruusbroec, Van seven trappen in den graet der gheesteliker minnen cap. 14, ed. David, IV p. 53. Voor 'ontfonken' lees ik: 'ontsonken'.   3 Ruusbroec, Boec van der hoechster waerheit, ed. David, p. 263; vgl. Spieghel der ewigher salicheit, cap. 25, p. 231.   4 Spieghel der ewigher salicheit, cap. 19, p. 144, cap. 23, p. 227.

227   1 Dion. Cart., De laudibus sanctae et individuae trinitatis per modum horarum, Opera, t. XXXV p. 137/8, id. XLI p. 263 etc.; vgl. De passione dei salvatoris dialogus, t. XXXV p. 274; 'ingrediendo caliginem, hoc est ad supersplendidissimae ac prorsus incomprehensibilis Deitatis praefatam notitiam pertingendo per omnem negationem ab ea'.   2 Jostes, Meister Eckhart und seine Jünger, 1895, p. 95.   3 Dion. Cart., De contemplatione lib. III art. 5, Opera t. XLI p. 259.   4 Id., p. 269, naar Dion. Areop.

228   1 Seuse, Leben, kap. 4, Bihlmeyer, Deutsche Schriften, 1907, p. 14.   2 Eckhart, Predigten, no. 40, p. 136, 23.

229   1 Eckhart, Predigten, no. 9, p. 47 ff.   2 Soliloquium animae, Thomas a Kempis, Opera omnia, ed. M. J. Pohl, Freiburg 1902–'10, 7 vol., I p. 230.

230 ¹ L.c. p. 222.

232 ¹ Aliénor de Poitiers, Les honneurs de la cour, p. 184, 189, 242, 266. ² J. H. Round, The king's serjeants and officers of state with their coronation services, London 1911, p. 41. ³ Zie over Karel's kleinodiën R. F. Burckhardt, Anzeiger für Schweiz. Altertumskunde, 1931, p. 247 ff., alwaar een af-beelding van 'les trois frères'.

233 ¹ Le livre des trahisons, p. 27. ² Rel. de S. Denis, III p. 464 s., Juvenal des Ursins, p. 440; Noël Valois, La France et le grand schisme d'occident, Paris 1896–1902, 4 vol., III p. 433. ³ Juvenal des Ursins, p. 342.

235 ¹ Monstrelet, I p. 177–242; Coville, Le véritable texte de la justification du duc de Bourgogne par Jean Petit, Bibliothèque de l'école des chartes, 1911, p. 57. Over het ontwerp ener tweede justi-ficatie, waarmee Petit het tegenvertoog, 11 september 1408 door abt Thomas van Cerisi gehouden, weer zou beantwoorden, zie men O. Cartellieri, Beiträge zur Geschichte der Herzöge von Burgund V. Sitzungsberichte der Heidelberger Akademie der Wissenschaften 1914, 6; Wolfgang Seiferth, Der Tyrannenmord von 1407, Leipziger dissertatie, 1922. Over alles wat Jean Petit betreft zeer uitvoe-rig: A. Coville, Jean Petit, la Question du tyrannicide au commencement du XVe siècle, Paris 1932.

236 ¹ Leroux de Lincy, Le proverbe français, vgl. E. Langlois, Bibl. de l'Ecole des chartes LX 1899, p. 569; J. Ulrich, Zeitschr. f. fran. Sprache & Lit. XXIV, 1902, p. 191. ² Achter Les Grandes chro-niques de France, ed. P. Paris, IV p. 478. ³ Alain Chartier, ed. Duchesne p. 717. ⁴ Les fortunes et adversitez de feu noble homme Jehan Regnier, zie P. Champion, Histoire poétique du XVe siècle, I p. 229 ss.; Jean Molinet, Faictz et Dictz, ed. Parijs 1537, f. 80, 119, 152, 161, 170, 194; Coquillart, Œuvres, I p. 6; Villon, ed. Longnon, p. 134. ⁵ Roberti Gaguini; Ep. et or., ed. Thuasne, II p. 366. ⁶ Gerson, Opera, IV p. 657; ib. I p. 936; Carnahan, The Ad Deum vadit of Jean Gerson, p. 61, 71; vgl. Leroux de Lincy, Le proverbe français, I p. lii.

237 ¹ Geffroi de Paris, ed. de Wailly et Delisle, Bouquet, Recueil des Historiens des Gaules et de la France, XXII p. 87; zie index rerum et personarum s. v. Proverbia, p. 926. ² Froissart, ed. Luce, XI p. 119; ed. Kervyn, XIII p. 41, XIV p. 33, XV p. 10; Le Jouvencel, I p. 60, 62, 63, 74, 78, 93. ³ Zie mijn Uit de voorgeschiedenis van ons nationaal besef, in De Nederlandse Natie, Haarlem 1960 [Ver-zamelde Werken II, p. 97 v.].

238 ¹ A. Piaget, Le livre Messire Geoffroy de Charny, Romania, XXVI 1897, p. 396. ² L'arbre des batailles, Paris, Michel le Noir 1515. Zie over Bonet Molinier, Sources de l'histoire de France, no. 3861.

239 ¹ Chap. 35, 85 bis (de nos. 80–90 komen in de uitgaven van 1515 tweemaal voor), 124/6. ² Chap. 56, 60, 84, 132. C. W. Coopland, The three of battles and some of its sources, Tijdschrift voor rechtsgeschiedenis V, 1923, p. 173, toont Bonet's sterke afhankelijkheid aan van Johannes van Legnano, † 1382. Doch de gedeelten die hier in beschouwing komen, schijnen tot het meer oorspron-kelijk aandeel van Bonet te behoren. Over J. van Legnano zie G. Ermini, I trattati della guerra e della pace di G. da Legnano, Studi e memorie per la storia dell' università di Bologna, t. VIII, 1924. ³ Chap. 82, 89, 80 bis en v. ⁴ Le Jouvencel, I p. 222, II p. 8, 93, 96, 133, 214. ⁵ Les vers de maître Henri Baude, poète du XV siècle, ed. Quicherat (Trésor des pièces rares ou inédites), 1856, p. 20–25.

240 ¹ Champion, Villon, II p. 182. ² La Marche, II p. 80.

241 ¹ La Marche, II p. 168. ² Chastellain, IV p. 169. ³ Chron. scand., II p. 83. ⁴ Petit-Dutaillis, Documents nouveaux sur les mœurs populaires etc.; vgl. Chastellain, V p. 399 en Jacques du Clercq, passim. ⁵ Du Clercq, IV p. 264; verg. III p. 189, 184, 206, 209.

242 ¹ Monstrelet, I p. 342, V p. 333; Chastellain, II p. 389; La Marche, II p. 284, 331; Le livre des trahisons, p. 34, 226. ² Quicherat, Th. Basin, I p. xliv. ³ Chastellain, III p. 106. ⁴ Sermo de nativ. domini, Gerson, Opera, III p. 947. ⁵ La Pastoralet, vs. 2043. ⁶ Jean Jouffroy, Oratio, I p. 188.

243 ¹ La Marche, I p. 63. ² Gerson, Querela nomine Universitatis etc., Opera, IV p. 574; vgl. Rel. de S. Denis, III p. 185. ³ Chastellain, II p. 375, vgl. 307. ⁴ Commines, I p. 111, 363.

244 [1] Monstrelet, IV p. 388. [2] Basin, I p. 66. [3] La Marche, I p. 60, 63, 83, 88, 91, 94, 134[1]; III p. 101. [4] Commines, I p. 170, 262, 391, 413, 460. [5] Basin, II p. 417, 419; Molinet, Faictz et Dictz f. 205. In de derde regel lees ik *sa* voor *la*.

245 [1] Deschamps, Œuvres, t. IX. [2] L.c. p. 219 ss. [3] L.c. p. 293 ss. [4] Vgl. Marett, The threshold of religion, passim.

246 [1] Monstrelet, IV p. 93; Livre des trahisons, p. 157; Molinet, II p. 129; vgl. Du Clercq, IV p. 203, 273; Th. Pauli, p. 278. [2] Molinet, I p. 65.

247 [1] Gerson, Opera, I p. 205. [2] Le songe du vieil pelerin, bij Jorga, Phil. de Mézières, p. 69[1]. [3] Juvenal des Ursins, p. 425. [4] L.c. p. 415. [5] Gerson, Opera, I p. 206. [6] Gerson, Sermo coram rege Franciae, Opera, IV p. 620; Juvenal des Ursins, p. 415, 423. [7] Gerson, Opera, I p. 216.

248 [1] Chastellain, IV p. 324, 323, 314[1]; vgl. Du Clercq, III p. 236. [2] Chastellain, II p. 376, III p. 446, 447[1], 448, IV p. 213, V p. 32. [3] Monstrelet, V p. 425.

249 [1] Chronique de Pierre le Prêtre, bij Bourquelot, La vauderie d'Arras, Bibliothèque de l'école des chartes, 2e série, III p. 109. [2] Jacques du Clercq, III passim; Matthieu d'Escouchy, II p. 416 ss.

250 [1] Martin le Franc, Le Champion des dames, bij Bourquelot, l.c. p. 86; bij Thuasne, Gaguin, II p. 474. [2] Froissart, ed. Kervyn, XI p. 193.

251 [1] Vgl. R. Stadelmann, Vom Geist des ausgehenden Mittelalters, Halle 1929, p. 46[2]. [2] Gerson, Contra superstitionem praesertim Innocentum, Op. I p. 205; De erroribus circa artem magicam, I p. 211; De falsis prophetis, I p. 545; De passionibus animae, III p. 142. [3] Journal d'un bourgeois, p. 236. [4] L.c. p. 220.

252 [1] Dionysius Cartusianus, Contra vitia superstitionum quibus circa cultum veri Dei erratur, Opera, t. XXXVI p. 211 ss.; vgl. A Franz, Die kirchlichen Benediktionen im Mittelalter, Freiburg 1909, 2 Bde. [2] B.v. Jacques du Clercq, III p. 104–107.

256 [1] Rel. de S. Denis, II p. 78. [2] Ib. II p. 413. [3] Ib., I p. 358.

257 [1] Rel. de S. Denis, I p. 600; Juvenal des Ursins, p. 379. [2] La Curne de Ste Palaye, I p. 388; vgl. ook Journal d'un bourgeois de Paris, p. 67. [3] Bourgeois de Paris, p. 179 (Karel VI); 309 (Isabella van Beieren); Chastellain, IV p. 42, (Karel VII), I p. 332 (Henry V); Lefèvre de S. Remy, II p. 65; M. d'Escouchy, II p. 424, 432; Chron. scand., I p. 21; Jean Chartier, p. 319 (Karel VII); Quatrebarbes, Œuvres du roi René, I p. 129; Gaguini compendium super Francorum gestis, ed. Paris, 1500, begrafenis van Karel VIII, f. 164. [4] Martial d'Auvergne, Vigilles de Charles VII; les poésies de Martial de Paris, dit d'Auvergne, Paris 1724, 2 vol., II p. 170.

258 [1] P. Fredericq, Codex docum. sacr. indulg. neerland., R G P, kl. serie 21, 1922, p. 252. [2] B.v. Froissart, ed. Luce, VIII p. 43.

260 [1] Betty Kurth, Die Blütezeit der Bildwirkerkunst zu Tournay und der Burgundische Hof, Jahrbuch der Kunstsammlungen des Kaiserhauses 34, 1917, 3.

261 [1] Le livre des trahisons, p. 156. [2] Chastellain, III p. 75; La Marche, II p. 340, III p. 165; d'Escouchy, II p. 116; Laborde, II: zie Molinier, Les sources de l'hist. de France, nos. 3645, 3661, 3663, 5030; Inv. des arch. du Nord, IV p. 195.

263 [1] La Marche, II p. 340 ss.

264 [1] Laborde, II p. 326. [2] La Marche, III p. 197. [3] Laborde, II p. 375, no 4880.

265 [1] Laborde, II p. 322, 329. [2] A. Kleinclausz, Un atelier de sculpture au XVe siècle, Gazette des beaux arts, t. 29, 1903 I.

268 [1] Kleinclausz, l'Art funéraire de la Bourgogne au moyen âge, Gazette des beaux arts, 1902, t. 27. [2] Zie Etienne Boileau, Le livre des métiers, ed. de Lespinasse et Bonnardot, Histoire générale de Paris, 1879, p. XI, iii[2]. [3] G. Cohen, Le livre de conduite du régisseur et le compte des dépenses pour le mystère de la passion joué à Mons en 1501. Publ. fac. des lettres de Strasbourg, fasc. 23, 1925. [4] Chastellain, V p. 26[2], Doutrepont, p. 156.

269 ¹ Juvenal des Ursins, p. 378. ² Jacques du Clercq, II p. 280; Foulquart, bij d'Héricault, Œuvres de Coquillart, I p. 23¹. ³ Lefèvre de S. Remy, II p. 291. ⁴ London, National Gallery; Berlijn, Kaiser Friedrich Museum.

270 ¹ Froissart, ed. Kervyn, XI p. 197. ² P. Durrieu, Les très riches heures de Jean de France, duc de Berry (Heures de Chantilly), Paris, 1904, p. 81.

271 ¹ Moll, Kerkgesch., II³ p. 313 v; J. G. R. Acquoy, Het klooster van Windesheim en zijn invloed, Utrecht, 1875–'80, 3 vol., II p. 249. ² Th. a Kempis, Sermones ad novitios no. 28, Opera ed. Pohl, t. VI p. 287. ³ Moll, l.c., II² p. 321; Acqouy, l.c. p. 222. ⁴ Chastellain, IV p. 218.

272 ¹ La Marche, II p. 398. ² Ib. II p. 369. ³ Chastellain, IV p. 136, 275, 359, 361, V p. 225; du Clercq, IV p. 7.

273 ¹ Chastellain, III p. 332; du Clercq, III p. 56. ² Chastellain, V p. 44, II p. 281; La Marche, II p. 85; du Clercq, III p. 56. ³ Chastellain, III p. 530. ⁴ Du Clercq, III p. 203.

275 ¹ De uitgevers van Bonaventura te Quaracchi kennen het auteurschap toe aan Johannes de Caulibus, een franciscaan uit San Gimignano, die in 1376 stierf.

276 ¹ Facius, Liber de viris illustribus, ed. L. Mehus, Florence 1745, p. 46; ook bij Weale, Hubert and John van Eyck, p. lxxiii.

278 ¹ Dion. Cartus., Opera, t. XXXIV p. 223. ² L.c. p. 247, 230. ³ O. Zöckler, Dionys des Kartäusers Schrift De venustate mundi, Beitrag zur Vorgeschichte der Ästhetik, Theol. Studien und Kritiken, 1881, p. 651; vgl. E. Anitchkoff, l'esthétique au moyen âge XX, 1918, p. 271; M. Grabmann, Des Ulrich Engelberti von Strassburg O. Pr. Abhandlung De Pulchro, Sitzungsb. Bayer. Akademie, Phil. hist. kl. 1925; W. Seiferth, Dantes Kunstlehre, Archiv f. Kulturgeschichte, XVII, XVIII, 1927, 1928.

279 ¹ Summa theologiae, pars Ia q. XXXIX art. 8. ² Dion. Cart., Opera, t. I Vita p. xxxvi. ³ Dion. Cart., De vita canonicorum, art. 20, Opera, t. XXXVII, p. 197: An discantus in divino obsequio sit commendabilis; vgl. Thomas van Aquino, Summa theologiae, IIa IIae q. 91 art. 2: Utrum cantus sint assumendi ad laudem divinam.

280 ¹ Molinet, I p. 73; vgl. 67. ² Petri Alliaci De falsis prophetis, bij Gerson, Opera, I p. 538. ³ La Marche, II p. 361. ⁴ De venustate etc., t. XXXIV p. 242.

281 ¹ Froissart, ed. Luce, IV p. 90, VIII p. 43, 58, XI p. 53, 129; ed. Kervyn, XI p. 340, 360, XIII p. 150, XIV p. 157, 215. ² Deschamps, I p. 155; II p. 211, II no. 307, p. 208; La Marche, I p. 274. ³ Livre des trahisons, p. 150, 156; La Marche, II p. 12, 347, III p. 127, 89; Chastellain, IV p. 44; Chron. scand., I p. 26, 126. ⁴ Lefèvre de S. Remy, II p. 294, 296.

282 ¹ Coudere, Les comptes d'un grand couturier parisien au XVe siècle, Bulletin de la soc. de l'hist. de Paris, XXXVIII, 1911, p. 125 ss. ² Blason des couleurs, ed. Cocheris, p. 113, 97, 87, 99, 60, 88, 108, 83, 110. ³ B.v. Monstrelet, V p. 2; Du Clercq, I p. 348. ⁴ La Marche, II p. 343; F. M. Graves, Deux inventaires de la maison d'Orléans, p. 28¹. ⁵ Chastellain, VIII p. 223; La Marche, I p. 276, II p. 11, 68, 345; Du Clercq, II p. 197: Jean Germain, Liber de virtutibus, p. 11; Jouffroy, Oratio, p. 173. ⁶ d'Escouchy, I p. 234.

283 ¹ Le miroir de mariage, XVII vs. 1650; Deschamps, Œuvres, IX p. 57. ² Chansons françaises du quinzième siècle, ed. G. Paris, (Soc. des anciens textes français), 1875, no. XLX, p. 50; vgl. Deschamps, no. 415, III p. 217, no. 419, ib. p. 223, no. 423, ib. p. 227, no. 481, ib. p. 302, no. 728, IV p. 199; l'Amant rendu cordelier, h. 62, p. 23; Molinet, Faictz et Dictz, fol. 176. ³ Blason des couleurs p. 110. Over de kleuren-symboliek in Italië zie Bertoni, L'Orlando furioso p. 221 vg. ⁴ Cent balades d'amant et de dame no. 92, Christine de Pisan, Œuvres poétiques, III p. 299; vgl. Deschamps, X no. 52; L'histoire et plaisante cronicque du petit Jehan de Saintré, ed. G. Helleny, Paris, 1890, p. 415.

284 ¹ Chansons du XVe siècle, no. 5, p. 5, no. 87, p. 85. ² La Marche, II p. 207.

285 ¹ Zie hierover mijn Het probleem der Renaissance, in Verzamelde Werken IV p. 231 v. ² La Renaissance septentrionale et les premiers maîtres des Flandres, Bruxelles 1905.

289 [1] Erasmus, Ratio seu Methodus compendio perveniendi ad veram theologiam, ed. Bazel 1520, p. 146. [2] E. Durand Gréville, Hubert et Jean van Eyck, Bruxelles 1910, p. 119.

293 [1] Alain Chartier, Œuvres, ed. Duchesne, p. 594.

295 [1] Chastellain, I p. 11, 12, IV p. 21, 393, VII p. 160; La Marche, I p. 14; Molinet, I p. 23.

296 [1] Jean Robertet, bij Chastellain, VII p. 182. [2] Chastellain, VII p. 219. [3] Chastellain, III p. 231 ss.

298 [1] Chastellain, III p. 46, zie hierboven p. 94 v., III 104, V 259. [2] Chastellain, V p. 273, 269, 271.

299 [1] Zie de reproducties bij A. Michel, Histoire de l'art etc., Paris 1907 etc., IV, 2 p. 711 en P. Durrieu, Les belles heures du duc de Berry, Gazette des Beuax arts 1906, t. 35, p. 283.

300 [1] Froissart, ed. Kervyn, XIII p. 50, XI p. 99, XIII p. 4. [2] Dichter onbekend, gedrukt Deschamps, Œuvres X no. 18; vgl. Le Debat du cuer et du corps de Villon, evenzo Charles d'Orléans, rondel 192. [3] Variant: Monstré Paix. [4] Ed. de 1522, fol. 101, bij A. de la Borderie, Jean Meschinot etc., Bibl. de l'école des chartes LVI, 1895, p. 301. Vgl. de balladen van Henri Baude, ed. Quicherat (Trésor des pièces rares ou inédites, Paris 1856), p. 26, 37, 55, 79. [5] Froissart, ed. Luce, I I p. 56, 66, 71, XI p. 13, ed. Kervyn, XII p. 2, 23; vgl. ook Deschamps, III p. 42.

301 [1] Froissart, ed. Kervyn, XI p. 89. [2] P. Durrieu, Les très-riches heures de Jean de France duc de Berry, 1904, pl. 38.

302 [1] Œuvres du roi René, ed. de Quatrebarbes, II p. 105.

303 [1] Deschamps, I nos, 61, 144; III nos. 454, 483, 524; IV nos. 617, 636. [2] Durieu, l.c. pl. 3, 9, 12.

304 [1] Deschamps, VI 191, no. 1204.

305 [1] Froissart, ed. Luce, V p. 64, VIII p. 5, 48, XI p. 110, ed. Kervyn, XIII p. 14, 21, 84, 102, 264. [2] Froissart, ed. Kervyn, XV p. 54, 109, 184, XVI p. 23, 52, ed. Luce, I p. 394. [3] Froissart, XIII p. 13.

307 [1] G. de Machaut, Poésies lyriques, ed. V. Chichmaref (Zapiski ist. fil. fakulteta imp. S. Peterb. universiteta XCII 1909), no. 60, I p. 74. [2] La Borderie, l.c. p. 618.

308 [1] Christine de Pisan, Œuvres poétiques, I p. 276. [2] Ib. p. 164, no. 30.

309 [1] Christine de Pisan, Œuvres poétiques, I p. 275, no. 5. [2] Froissart, Poésies, ed. Schéler, p. 216.

310 [1] P. Michault, La dance aux aveugles etc., Lille, 1748. [2] Recueil de poésies françoises des XVe et XVIe siècles, ed. de Montaiglon (Bibl. elzevirienne), t. IX p. 59.

312 [1] Deschamps, VI no. 1202, p. 188. [2] Froissart, Poésies, I p. 91.

313 [1] Froissart, ed. Kervyn, XIII p. 22. [2] Deschamps, I p. 196, no. 90, p. 192, no. 87, IV p. 294, no. 788, V no. 903, 905, 919, VII p. 220, no. 1375, vgl. II p. 86, no. 250, no. 247. [3] Durrieu, Les très-riches heures, pl. 38, 39, 60, 27, 28.

314 [1] Deschamps, no. 1060, V p. 351, no. 844, V p. 15. [2] Chastellain, III p. 256 ss. [3] Zie A. Warburg's belangrijke verhandeling Arbeitende Bauern auf burgundischen Teppichen, Gesamm. Schriften, I p. 221. [4] Journal d'un bourgeois, p. 325². [5] Deschamps, nos. 1229, 1230, 1233, 1259, 1299, 1300, 1477, VI p. 230, 232, 237, 279, VII p. 52, 54, VIII p. 182; vgl. Gaguin's De validorum mendicantium astucia, Thusane, II p. 169 ss.

315 [1] Deschamps, no. 219, II p. 44, no. 2, I p. 71. [2] Ib., IV p. 291, no. 786. [3] Bibliothèque de l'école des chartes, 2e série III 1846, p. 70.

316 [1] Proverbia, 14, 13. [2] Alain Chartier, La belle dame sans mercy, p. 503, 505; vgl. Le debat du reveille-matin, p. 498; Chansons du XVe siècle, p. 71, no. 73; L'amant rendu cordelier à l'observance d'amours, vs. 371; Molinet, Faictz et dictz, ed. 1537, f. 172. [3] Alain Chartier, Le débat des deux fortunes d'amours, p. 581. [4] Œuvres du roi René, ed. Quatrebarbes, III p. 194.

317 [1] Charles l'Orléans, Poésies complètes, p. 68. [2] L.c. p. 88, ballade 19. [3] L.c. chanson no. 62.

318 [1] In plaats van de twijfel, die ik in vroegere uitgaven uitsprak, gebaseerd op gronden van kwaliteit, stel ik thans zekerheid, mij beroepend op het oordeel van P. Champion, Histoire poétique du XVe siècle, I p. 365.

319 [1] Huitains 51, 53, 57, 167, 188, 192, ed. de Montaiglon, Soc. des anc. textes français, 1881.

320 [1] Museum te Leipzig, no. 509.

321 [1] J. Veth & S. Muller Fz., A. Dürer's Niederländische Reise, Berlin-Utrecht, 1918, 2 Bde, I p. 13. [2] Chastellain, III p. 414. [3] Chron. scand., I p. 27. [4] Molinet, V p. 15. [5] Lefebvre, Théâtre de Lille, p. 54, bij Doutrepont, p. 354. [6] Th. Godefroy, Le ceremonial françois, 1149, p. 617.

322 [1] J. B. Houwaert, Declaratie van die triumphante Incompst van den... Prince van Oraingnien etc.; t'Antwerpen, Plantijn, 1579, p. 39.

323 [1] De these van Emile Mâle omtrent de invloed der theatervoorstelling op de schilderkunst moge hier blijven rusten. [2] Zie P. Durrieu, Gazette des beaux arts, 1906, t. 35, p. 275. [3] Christine de Pisan, Epitre d'Othéa à Hector, Ms. 9392 de Jean Miélot, ed. J. van den Gheyn, Bruxelles 1913. [4] L.c. pl. 5, 8, 26, 24, 25.

324 [1] Van den Gheyn, Epitre d'Othéa pl. 1 en 3; Michel, Histoire de l'art IV, 2 p. 603, Michel Colombe, grafmonument uit de kathedraal van Nantes, id. 616, figuur van Temperantia aan het grafmonument der kardinalen van Amboise in de kathedraal van Rouen. [2] Zie daarover mijn opstel Uit de voorgeschiedenis van ons nationaal besef, in De Nederlandse Natie, Haarlem 1960 [Verzamelde Werken II, p. 97 v.] [3] Exposition sur vérité mal prise, Chastellain, VI p. 249. [4] Le Livre de paix, Chastellain, VII p. 375. [5] Advertissement au duc Charles, Chastellain, VII p. 304 ss. [6] Chastellain, VII, p. 237 ss. [7] Molinet, Le miroir de la mort, fragment bij Chastellain, VI p. 460.

325 [1] Chastellain, VII p. 419. [2] Deschamps, I p. 170. [3] Le Pastoralet, vs. 501, 7240, 5763. [4] Vgl. voor de vermenging van pastorale en politiek Deschamps, III p. 62, no. 344, p. 93, no. 359. [5] Molinet, Chronique, IV p. 307.

326 [1] Bij E. Langlois, Le roman de la rose (Soc. des anc. textes), 1914, I p. 33. [2] Recueil de Chansons etc. (Soc. des bibliophiles belges), III p. 31. [3] La Borderie, l.c. p. 603, 632.

328 [1] N. de Clemanges, Opera ed. Lydius, Lugd. Bat., 1613; Joh. de Monasteriolo, Epistolae, Martène & Durand, Amplissima Collectio, II col. 1310. [2] Ep. 69 c. 1447, ep. 15 c. 1338. [3] Ep. 59 c. 1426, 58, c. 1423.

329 [1] Ep. 40, col. 1388, 1396. [2] Ep. 59, 67, col. 1427, 1435. [3] Le livre du Voir-Dit, p. xviii.

330 [1] Gerson, Opera, I p. 922. [2] Ep. 38, col. 1385. [3] Dion. Cart., t. XXXVII p. 495. [4] Petrarca, Opera ed. Bazel 1581, p. 847; Clemanges, Opera, Ep. 5, p. 24; J. de Montr., Ep. 50, col. 1428. [5] Chastellain, VII p. 75–143; vgl. V p. 38–40, VI p. 80, VIII p. 358, Le livre des trahisons, p. 145.

331 [1] Machaut, Le Voir-Dit, p. 230; Chastellain, VI p. 194; La Marche, III p. 166; Le Pastoralet vs. 2806; Le Jouvencel, I p. 16. [2] Le Pastoralet vs. 541, 4612. [3] Chastellain, III p. 173, 177, 359 enz.; Molinet, II p. 207. [4] Germain, Liber de virtutibus Philippi ducis Burgundiae (Chron. rel. à l'hist. de Belg. sous la dom. des ducs de Bourg. III). [5] Chronique scandaleuse, II p. 42.

332 [1] Christine de Pisan, Œuvres poétiques, I no. 90, p. 90. [2] Deschamps, no. 285, II p. 138. [3] Villon, ed. Longnon p. 15, h. 36–38; Rabelais, Pantagruel, I. 2, ch. 6. [4] Chastellain, V p. 292 ss; La Marche, Parement et triumphe des dames, Prologue; Molinet, Faictz et dictz, Prologue, id. Chronique, I p. 72, 10, 54.

334 [1] Uittreksels bij Kervyn de Lettenhove, Œuvres de Chastellain, VII p. 145–186; zie P. Durrieu, Un barbier de nom français à Bruges, Académie des inscriptions et belles-lettres, Comptes rendus 1917, p. 542–558. [2] Chastellain, VII p. 146. [3] Ib. p. 180.

335 [1] La Marche, I p. 15, 184–186; Molinet, I p. 14, III p. 99; Chastellain, VI; Exposition sur vérité mal prise, VII p. 76, 29, 142, 422; Commines, I p. 3; vgl. Doutrepont, p. 24. [2] Chastellain, VII p. 159. [3] Ib.

336 [1] Thuasne, R. Gaguini Ep. et. Or., I p. 126. [2] Thuasne, I p. 20. [3] Thuasne, I p. 178, II p.

509. [4] Deschamps, no. 63, I p. 158. [5] Villon, Testament vs. 899, ed. Longnon, p. 58. [6] Le Pastoralet vs. 2094. [7] Ib. vs. 30, p. 574.

337 [1] Molinet, V p. 21. [2] Chastellain, Le dit de vérité, VI p. 221; vgl. Exposition sur vérité mal
prise; ib. p. 297, 310. [3] La Marche, II p. 68.

338 [1] Roman de la rose vs. 20141.

VERTALING DER
VOORNAAMSTE AANHALINGEN

3

de aandoenlijkste processies, die ooit bij mensenheugenis gezien waren; verderop: in hevig wenen, in bittere tranen, in grote devotie.

en hij vertederde de harten zodanig, dat iedereen smolt in tranen van medelijden, en men prees zijn einde het schoonste dat men ooit gezien had.

er was een menigte volk, die bijna allen hete tranen schreiden.

4

groot en klein weende zo deerlijk en diep, alsof zij hun beste vrienden (= hun naaste verwanten) zagen begraven, en hij zelf ook.

'zeer luide zijn vertrek met schreien en zuchten beklagende.'

5

maar naar het voorbeeld van de slak, die haar horens intrekt, als men dicht bij haar komt, en ze weer uitsteekt, als zij niets meer hoort, deden ook deze. Want vrij kort nadat gezegde prediker uit het land vertrokken was, begonnen zij weer als tevoren, en vergaten zijn lering, en hernamen van lieverlede haar oude staatsie, even groot of nog groter dan zij die gewoon waren geweest te dragen.

6

gekleed in bange rouw, zeer droevig om te zien, en in de ganse stad weende en klaagde men zeer om de grote droefheid en verdriet, waarin men hen om de dood huns meesters zag.

en God weet welk een smartelijke en deerniswaardige rouw zij dreven om hun voorgenoemde heer.

7

en dat de bedaardste er het geduld bij verliest.

8

toen hoorde men stemmen opgaan en geween uitbreken en een algemeen geroep weerklinken: Wij allen, wij allen, Heer, zullen met u leven en sterven. – Wel, leeft en lijdt dan, en ik zal eerder voor u lijden, dan dat gij gebrek hebt. – terwijl de een zeide: ik heb duizend, de ander: ik tienduizend, weer anderen: ik heb dit, ik heb dat om het voor u te besteden en uw toekomst af te wachten.

9

Goeden dag, Heer, goeden dag, wat is dit? Speelt gij nu koning Artur of heer Lancelot?

11

die half onwillig en met spijt haar een Schotse groot uit zijn beurs haalde en leende.

12

zeker klein traktaat over de fortuin, uitgaande van haar onstandvastigheid en bedriegelijke aard.

13

want vorsten zijn mensen, en hun belangen zijn hoog en hachelijk, en hun aard is onderhevig aan menige hartstocht als haat en nijd, ja hun hart een ware woonplaats derzelve, wegens hun roemzucht in het heersen.

in alle pijnlijke en dodelijke hevigheid zou hij streven naar wraak om de dode, zo ver als God het hem wilde veroorloven, en hij zou er lijf en ziel op zetten, vermogen en landen alles aan het lot wagen, het een heilzaam werk achtende en eer aan God gevallig om er zich op toe te leggen dan om het te laten.

17

waarover het volk meer verheugd was dan of er een nieuw heiligenlichaam was aan het licht gekomen.

19

en men lachte er duchtig om, omdat het allen lieden van geringe stand waren.

22

een zeer hovaardig, hebzuchtig man, wereldser dan zijn staat toeliet.

een man van zeer weinig medelijden met enig ander, als hij geen geld of een gelijkwaardig geschenk kreeg, en men vertelde voor waar, dat hij wel vijftig processen voor het Parlement had, want van hem kreeg men niets zonder proces.

27

Tijd van smart en verzoeking,
tijd van wenen, nijd en plagen,
tijd van kwijnen en verderf,
eeuw die naar het einde leidt,
Tijd vol gruwel, die alles verkeerd doet,
eeuw van leugen, vol hovaardij en nijd,
tijd zonder eer en zonder juist oordeel,
eeuw in droefheid, die het leven verkort.

Alle blijdschap laat af,
alle harten zijn stormenderhand genomen
door droefheid en zwaarmoedigheid.

O ellendig en zeer treurig leven!...
wij hebben oorlog, sterfte, hongersnood;
kou, hitte ondermijnt ons dag en nacht:
vlooien, huidwormen en ander ongedierte
bevechten ons. In 't kort, ellende beheerst
ons nietig lichaam, welks leven zeer kort is.

28

En ik, de arme schrijver,
met het treurige, zwakke, ijdele hart,...
Als ik ieders leed aanzie,
houdt mij Zorg in haar hand;
altijd tranen in het oog...
niets wil ik dan sterven.

Ik droevig man, geboren in donker van verduistering, in dichte stortbuien van weeklagen.

toen hij een poos had gemelancholiseerd (= gepeinsd), bedacht hij, dat hij zou terugschrijven aan de commissarissen van de koning van Frankrijk.

29

Nu is hij laf, misselijk en slap,
oud, hebzuchtig en kwaadsprekend:
ik zie slechts zotten en zottinnen...
het einde nadert, waarlijk...
alles gaat slecht...

36

Hij richtte een gedeelte van de dag al zijn doen en laten op ernst, en, met spel en lach daartussen gemengd, verlustigde hij zich in fraai spreken en in het vermanen van zijn edelen tot deugd, als een redenaar. En met die bedoeling vond men hem meermalen gezeten in een staatsiezetel met hoge rugleuning, zijn edelen voor hem, terwijl hij hun allerlei vertogen hield naar tijd en aangelegenheden. En altijd was hij, als vorst en hoofd over allen, rijk en prachtig gekleed boven alle anderen;

hoge prachtlievendheid van hart om gezien en aanschouwd te worden in bijzondere dingen.

39

wie zich vernedert voor zijn meerdere, verhoogt

en vermenigvuldigt zijn eigen eer, en het goede van die daad straalt op zijn gelaat terug.

41

Gaat u voor. – Neen toch. – Toe nu!
Zeker zult u, nicht.
– Neen, ik doe het niet. – Roept buurvrouw,
want zij moet nog liever eerst offeren.
– Ge moest het niet dulden,
zegt buurvrouw: het komt mij niet toe:
offert toch, want het ligt maar aan u
dat de priester niet voortgaat.

De jonge vrouw moet antwoorden:
– Neemt, ik zal 't niet nemen, mevrouw.
– Ja wel, neemt het, lieve vriendin.
– Bepaald, ik zal het niet nemen;
men zou mij voor mal houden.
– Geeft het aan juffer Marote.
– Neen, ik niet, Christus bewaar me!
Geeft het over aan mevrouw Ermgard.
– Mevrouw, neem het – Heilige Maria,
geeft de paes aan de baljuwse.
– Neen, aan de gouverneursvrouw.

42

zodat velen zich verbaasden over zijn grote vrijgevigheid.

44

zonder hem een woord te zeggen, kwamen zij op hem toe; Lhuillier geeft hem met de elleboog een stoot in de maag, de anderen braken zijn priesterhoed en de koorden daarvan; allerlei scheldwoorden zeggende en hem de vinger in het gezicht zettend, en hem zo bij de arm grijpend dat hij hem het koorhemd scheurde; en als hij er niet zijn hand voor gehouden had, zou hij hem in het gezicht hebben geslagen.

46

en hij hield regel noch maat, en dat zodanig dat hij iedereen in verwondering bracht over zijn mateloze smart. – was het aandoenlijk om allerlei slag van lieden te horen schreien en wenen en hun verschillende klachten en treurnis slaken.

Vechy merveilles! zoveel als: flauwe praatjes.

53

Om te komen tot het derde lid, dat het rijk vol maakt, dit is de stand der goede steden, der kooplieden en der landarbeiders, van wie het niet past zulk een lange uiteenzetting te geven als van de andere standen, omdat hij uit zich zelf nauwelijks vatbaar is hem hoge doeleinden toe te kennen, daar hij verkeert in een graad van dienstbaarheid.

55

zo moeten de onschuldigen van honger omkomen, waarvan de grote wolven zich ieder dag de buik vullen, die bij duizenden en honderden de onrechtmatige schatten opkopen: het is het graan, het koren – het bloed, de beenderen die het land geploegd hebben – van de arme lieden, vanwaar hun geest om wraak schreeuwt tot God en wee de heerschappij...

De arme man zal geen brood om te eten hebben, of misschien een weinig rogge of gerst; zijn vrouw zal in de kraam liggen, en zij zullen vier of zes kleine kinderen bij de haard hebben, of op de oven, die misschien warm zal zijn; die zullen om brood vragen, zullen schreeuwen van razende honger. De arme moeder zal hun niets in de mond te stoppen hebben dan een beetje brood met zout erin. Nu, die ellende moest genoeg zijn: – komen de schooiers die alles oppakken... alles zal weggenomen en opgehapt worden, en zoek maar wie 't betaalt.

56

O God, zie de nooddruft van 't gemeen,
voorzie er in, haastiglijk:
Helaas, het beeft van honger, koude, vrees en ellende.
Indien het tegen u gezondigd heeft of nalatigheid
beging,
vraagt het toegevendheid.
Is het niet jammer, hoe men het zijn goed ontsteelt?
Het heeft geen koren meer om naar de molen te brengen,
men neemt het wollen en linnen lakens af,
om te drinken blijft hun water en niets meer.

57

Vanwaar komt voor allen hoogverheven adeldom?
Van het adellijk hart, met edele zeden versierd.

...Niemand is dorper, als 't hem niet uit het harte komt.

Kinderen, kinderen, aan mij, Adam, ontsproten,
die na God de eerste vader ben,
door hem geschapen, gij allen stamt
natuurlijkerwijs uit mijn rib en uit Eva;
zij was uw moeder. Hoe is van u, broeders, de één een
           dorper,
en de ander neemt de naam van adeldom?
Vanwaar komt zulke adel?
Ik weet het niet, of het moet van de deugden zijn,
en dorperschap van alle ondeugd, die schendt;
gij zijt allen met één huid bekleed.

Toen God mij maakte uit het slijk waarin ik was,
sterfelijk mens, zwak, zwaar en ijl,
en Eva uit mij, schiep hij ons geheel naakt,
maar de eeuwige geest blies hij ons in ten volle,
vervolgens gewerd ons dorst en honger,
arbeid, smart en kinderen in droefenis;
om onze zonden baren in nood
alle vrouwen; op gemene wijs wordt gij ontvangen.
Vanwaar komt die naam dorper, die de harten kwetst?
gij zijt allen met één huid bekleed.

De machtige koningen, de graven en hertogen,
de heersers van het volk en oppersten,
als zij geboren worden, waarmee zijn zij bekleed?
Met een vuil vel.
...Vorst, bedenk, zonder de arme lieden
te minachten, dat de dood de teugel houdt.

61

De glorie der vorsten ligt in hoogmoed en in het ondernemen van hoogst gevaarlijke dingen, alle vorstelijke machtsuitingen lopen uit op één klein punt, dat hoogmoed heet.

62

Ere vermaant elke edele natuur
om alles lief te hebben wat edel is in zijn wezen.
Adeldom ook voegt daar zijn rechte zin aan toe.

63

Hij begeerde grote roem, wat hem meer dan iets anders tot zijn oorlogen bracht; en hij had gaarne willen gelijken op die oude vorsten, van wie zoveel gesproken is na hun dood;

En toen bemerkte ik, dat hem het hart stond naar zeer bijzondere voornemens voor de toekomst, en om roem en faam te verwerven in buitengewoon bedrijf.

68

Het is een blijde zaak, de oorlog. Men houdt zo van elkaar in de oorlog. Wanneer men weet dat zijn zaak goed is, en men ziet zijn bloed (landslieden) goed vechten, krijgt men tranen in de ogen. Er komt in 't hart een zoet gevoel van trouw en van deernis, zijn vriend te zien, die zich dapper blootstelt om het gebod van onze schepper te volbrengen. En dan bereidt men zich om met hem te sterven of te leven, en voor geen ding ter wereld hem in de steek te laten. Daarin komt over u zulk een verrukking, dat geen mens die het niet ondervonden heeft, zou kunnen zeggen, welk een genot dat is. Meent ge, dat iemand die dat doet de dood vreest? Neen, want hij is zo gesterkt, zo in vervoering, dat hij niet weet waar hij is. Waarlijk hij is bang voor niets.

74

Wanneer wij in de herberg zijn, sterke wijnen drinkend,
de dames naast ons, die ons aanzien,
met haar gladde halzen, haar nauwsluitende colliers,
die schitterende ogen van glimlachende schoonheid,
dan vermaant ons natuur, een driest hart te hebben.
...Dan overwinnen wij Yaumont en Agouland,
en anderen overwinnen Olivier en Roland.
Maar, als wij te velde zijn op onze dravende rossen,
het schild aan de hals en de lansen geveld,
en als de bittere koude ons geheel doet bevriezen,
de leden ons begeven, voor en achter,
en onze vijanden ons naderen,
dan zouden wij willen zijn in een kelder zo groot,
dat wij nooit gezien werden, in het geheel niet.

Helaas, waar zijn de dames om ons te amuseren, om ons aan te sporen tot inspanning, of ons te beladen met kentekens, deviezen, sluiers of halsdoeken!

80

Geenszins tot spel en vermaak
maar opdat lof worde gebracht

aan God in de allereerste plaats
en aan de goede roem en hoge faam.

81
Aan God en de mensen verachtelijk
is leugen en verraad,
daarom wordt in de reeks der dapperen
niet het beeld van Jason opgenomen,
die om het vlies van Colchis mee te kunnen nemen
een meineed deed.
Diefstal laat zich niet verbergen.

84
Zo vermoed ik sterk, dat die Galois en Galoises, die in die staat en die minnarijen stierven, martelaars der liefde waren.

Nu kome wat komen moet, want het is niet anders.
– Toen nam het meisje, schoon van leden, haar vinger
weg,
en het oog bleef gesloten, zodat de aanwezigen het
zagen.

85
Welaan, sprak de koningin, ik weet dat ik sedert enige
tijd
zwanger van kinde ben, want mijn lichaam heeft het
gevoeld.
Nog zoëven heeft het zich in mijn lichaam gekeerd.
En ik gelove en belove aan God die mij schiep...
dat mijn vrucht uit mijn lichaam niet zal uitgaan,
eer gij mij hebt gebracht naar het land derwaarts over,
om te vervullen de gelofte die gij geloofd hebt;
en als het uit wil gaan, als het nog niet de tijd ervoor is,
zal ik mij met een groot stalen mes doden;
mijn ziel zal verloren zijn, en de vrucht zal verderven.

En toen de koning het hoorde, dacht hij er sterk over na,
en sprak: voorzeker, meer zal niemand geloven.

86
Ledigheid begerend te ontgaan, menend er goede naam aan te winnen en de genade van de schone wier dienaar wij zijn.

87
Het behaagt mijn zeer geduchte heer niet, dat heer Philippe Pot in zijn gezelschap op de heilige

tocht ga met onbeschermde arm, maar hij vindt het goed, dat hij met hem ga goed en voldoende geharnast, zoals het behoort.

93
Om te vermijden storting van christenbloed en verderf des volks, waarmee ik in mijn hart mededogen heb... dat door mij persoonlijk alleen deze twist ten einde worde gebracht, zonder er de weg van oorlog toe in te slaan, waardoor vele edellieden en anderen, zo van uw leger als het mijne, hun dagen jammerlijk zouden moeten eindigen.

zowel door onthouding van spijs en drank als door het nemen van lichaamsoefening om hem in goede adem te brengen.

96
Als wij andere wegen zoeken dan de rechte, zullen wij niet tonen, dat wij rechte krijgslieden zijn.

Sommigen beschouwden het als een heldenstuk, anderen als een ongeoorloofde zaak en een grote verwatenheid.

98
Dus werd voortaan deze strijd het treffen van Mons en Vimeu genoemd, en het werd verklaard, geen slag te zijn, omdat de partijen elkaar bij toeval ontmoetten, en er zo goed als geen banieren ontplooid waren; omdat alle slagen de naam moeten dragen van de naaste versterkte plaats, waarbij zij geleverd zijn.

99
Daar vocht de koning een hele tijd tegen heer Eustache en deze tegen hem, zodat het zeer aardig was hen te zien.

Toen men hem een poos bekeken had, bracht men hem weg, en hing hem op aan een boom. Ziedaar het uiteinde van die Philips van Artevelde.

100
Want er is gevaar en verlies van leven, en God weet welk een ellende als er storm is, en dan is er

de zeeziekte, die veel lieden slecht verdragen. Voorts, het harde leven, dat men er heeft, dat niet wel strookt met de adel.

Zeer waakzaam en op grote sommen geld gesteld, hetzij in pensiën, renten, gouverneurschappen of opbrengsten.

101/102
Willem; aangezien gij wenst op krijgstocht te gaan naar Hongarije en Turkije, om wapenfeiten te zoeken tegen lieden en landen, die ons nooit iets misdaan hebben, en gij hebt geen andere redelijke grond er heen te trekken, dan om de ijdele roem dezer wereld, – laat toch Jan van Bourgondië en onze neven van Frankrijk hun 'emprises' vervullen, en vervul gij uw eigene, en ga in Friesland ons erfdeel veroveren.

105
Voor hen en voor allen van hun gevolg, en wel baden voorzien van al wat tot Venus' ambacht hoort, om naar keur en keus te nemen wat men begeerde, en alles op kosten van de hertog.

107
Dit hier zijn de tien geboden,
ware God der liefde...

Toen riep hij mij, en liet mij de handen leggen
op een boek, terwijl hij mij liet beloven,
dat ik getrouwelijk mijn plicht zou doen
op de punten der liefde.

108
En ik heb hoop, dat hij spoedig in het paradijs
der minnenden zeer hoog zal zijn gezeten,
als martelaar en hooggeëerde heilige.

Ik heb de lijkdienst van mijn dame verricht
in de kerk der min,
en de mis voor haar ziel
heeft Droeve gedachte gezongen.
Veel kaarsen van jammerlijke zuchten
waren er voor haar tot 'luminaire' (verlichting),
ook heb ik haar tombe doen maken.
van klachten...

114
Door middel van de vederen en vleugels van verscheiden gedachten, van een plaats naar een andere, tot in het heilig hof van Christenheid. – Schaamte, Vrees en Gevaar, de brave deurwachter, die niet zou durven of willen toestaan zelfs geen oneerzame kus, of wulpse blik of lokkende lach of lichtzinnig woord.

Hij werpt overal vuur brandender en stinkender dan grieks vuur of van zwavel; hoe alle jonge meisjes hun lichaam vroegtijdig en duur moeten verkopen zonder vrees of schaamte, en geen rekening moeten houden met bedrog of meineed.

115
Om een deel van de tijd bevalliger door te brengen en ontluiking van nieuwe vreugde te vinden.

118
Ik verkoop u de stokroos.
– Schone, ik durf u niet zeggen,
hoe mij Liefde tot u trekt,
gij bemerkt het wel zonder zeggen.

Van 't kasteel der Liefde vraag ik u:
zeg mij de eerste grondslag!
– Trouw beminnen.

Noem mij nu de hoofdmuren,
die het fraai, sterk en hecht maken.
– Wijs verzwijgen.

Zeg mij, wat de tinnen zijn,
de vensters en de stenen!
Lokkende blik.

Vriend, noem mij de portier!
– Kwaadsprekend gevaar.

Wat is de sleutel, die het ontsluiten kan?
Hoofse bede.

Partures = strijdvragen, die men elkander opgaf.

119
Vrouwe, ik zou liever willen, dat ik goed van

haar hoorde spreken, en kwaad bij haar bevond.

120

Ik zal, tot uw roem en prijs, iets maken dat in goede gedachtenis zal blijven. En, mijn lief hart, gij zijt bedroefd dat wij zo laat begonnen zijn? bij God, ik ben het ook, maar ziehier het genees-middel: laat ons zo goed leven, als wij kunnen, in plaats en tijd, dat wij de tijd goedmaken, die wij verloren hebben, en dat men van onze liefde spreekt tot honderd jaar hier na, gans ten goede en gans in ere, want als er kwaad in stak, zoudt ge 't voor God verbergen, als ge kondt.

121

...Toen men het Agnus Dei sprak,
– bij mijn trouwe aan Sint Crepais, –
gaf zij mij zachtjes de vrede,
tussen twee pijlers van de kerk.
En ik had er wel behoefte aan,
want mijn verliefd hart was
gestoord, dat zij zo spoedig vertrok.

122

Valse, lange, peinzende blikken en kleine zuch-ten en wonderlijke, aangedane gezichten, en die meer woorden bij de hand hebben dan andere lieden.

Mejuffrouw, het zou beter zijn, in uw gevan-genschap te vallen dan in die van menig ander, en ik denk dat uw gevangenis niet zo hard zou zijn als die van de Engelsen. Zij antwoordde mij, dat zij kort geleden iemand had gezien, die zij wel tot gevangene wenste. En toen ik haar vroeg, of zij hem een kwade gevangenis zou bereiden, zei zij: neen, en dat zij hem even lief zou hebben als zich zelf; en ik zei, dat die persoon wel gelukkig was, om een zo zoet en nobel prisoen te hebben. Wat zal ik u zeggen? Zij was welbespraakt ge-noeg, en scheen naar haar woorden genoeg te weten, en zij had een heel levendige en lichte oogopslag. – En toen wij vertrokken waren, zei mijn heer vader tegen mij: wat dunkt u van haar die ge gezien hebt. Zeg me er uw mening over. – Mijn heer, zij lijkt mij goed en wel, maar ik zal haar nooit nader zijn, dan ik ben, als 't u belieft.

123

Want ik heb velen horen zeggen, die in haar jeugd verliefd geweest waren, dat als zij in de kerk waren, haar denken en verbeelding haar vaker hield bij de innige gedachten en geneug-ten van haar liefde dan bij de dienst van God, en de kunst der liefde is van dien aard, dat als men op 't hoogst van de dienst is, dat is als de priester Onzen Heer boven het altaar houdt, dan kwa-men haar de meeste kleine gedachten.

125

Onder groen gebladerte, op heerlijk gras
bij een bruisende beek en klare bron
vond ik een draagbare hut opgesteld,
daar at Gontier met vrouw Helayne
verse kaas, melk, gekaasde boter,
room, roomkaas, appel, noot, pruim, peer,
knoflook en uien, sjalotten op grijze korst
gestreken, met grof zout, om lekkerder te drinken.

en mond en neus, de gladde en de baardige.

Ik hoorde Gontier bij 't kappen van zijn boom
God danken voor zijn veilig leven:
'Ik weet niet – sprak hij – wat marmeren pilaren zijn,
blinkende knoppen, muren met schilderwerk bekleed;
ik vrees niet voor verraad geweven
onder schone schijn, noch dat ik word vergiftigd
in gouden vaatwerk. Ik sta niet blootshoofds
voor een tiran, noch buigt mijn knie voor hem.
Geen deurwachters staf drijft mij ooit naar buiten
want zover voert mijn hebzucht niet,
noch eerzucht of gulzige vraatzucht.
De arbeid voedt mij in blijde vrijheid!
ik min Helayne zeer, en zij mij zonder feil,
en dat is genoeg. Om het graf hebben wij geen
        zorg.'
Toen zei ik: 'Helaas! de hofslaaf is geen duit waard,
maar vrije Gontier een zuivere edelsteen in goud.'

126

Terugkerend van een vorstelijk hof,
waar ik lange tijd verwijld had,
vond ik in een bosje bij een bron,
Robin de vrije, wel bekranst,
een krans van bloemen had hij om zijn
hoofd gezet, en Marion zijn lief...

...Ik wil voortaan houden
de staat des middens, dat is mijn zin,
de oorlog laten en in arbeid leven:
oorlog voeren is slechts verderf.

Ik vraag aan God slechts dat hij mij geve
hem in deze wereld te dienen en te prijzen,
voor mij zelf te leven, met hele rok of buis,
een paard om mijn arbeid te dragen,
en dat ik de middelmatige staat mag houden,
in genade, zonder nijd,
zonder te veel te hebben en zonder om brood te vragen,
want het veiligste leven is dat van de dag.

127

...Een werkman en een arme voerman
gaat slecht gekleed, in lompen en zonder schoenen,
maar al werkend doet hij zijn arbeid gaarne,
en doet zijn werken vrolijk eindigen.
's Nachts slaapt hij goed; daarom ziet zulk een trouw
       hart
vier koningen en hun regering eindigen.

Het hof is een zee, waaruit stijgen
golven van hoogmoed, storm van nijd...
Toorn verwekt twisten en krenkingen,
die dikwijls de schepen terneerwerpen;

128

verraad speelt er zijn rol.
Drijf elders tot uw vermaak.

129

Ik heb een koning van Sicilië
herder zien worden
en zijn edele vrouwe
van hetzelfde beroep,
zij droegen de broodtas,
de staf en de hoed,
wonend op de heide
bij hun kudde.

130

Heer, gij zijt een herder Gods;
hoed zijn beesten trouwelijk,
breng ze in het veld of in een hof,
maar laat ze niet verderven,
voor uw moeite zult gij goed loon hebben,

als gij ze goed bewaart, en zo niet,
dan hebt gij te kwader ure die naam herder gekregen...

131

Mijn brood is goed, niemand behoeft mij te kleden:
het water dat ik wil drinken is gezond,
ik vrees geen tiran noch vergif.

135

Waar is thans uw glorie, Babylon, waar is
de vreselijke Nebukadnezar, en de kracht van Darius en
       die Cyrus?
Als een wiel met geweld in beweging gezet zijn zij
       voorbijgegaan,
de faam blijft over, die wordt vast, zij zijn verrot.
Waar is nu de rechtshal en de staatsie van Caesar?
       Caesar, ge zijt heengegaan.
Gij zelf zijt geweest bloeddorstiger dan gij (?) en
       machtiger dan de wereld.
Waar is nu Marius, en Fabricius die het goud niet
       kende?
Waar is de eervolle dood en gedenkwaardige daad van
       Aemilius Paulus?
Waar is de goddelijke philippica en hemelse stem van
       Cicero?
Waar is Cato's vrede voor de burgers en toorn voor de
       rebellen?
Waar is nu Regulus? of waar Romulus? of waar
       Remus?
De roos van gisteren bestaat als naam, blote namen
       behouden wij.

Zeg, waar is Salomo, eertijds zo edel
of Simson de onverwinlijke aanvoerder, waar is hij?
En de schone Absalom, wonderbaarlijk van gezicht,
of de liefelijke Jonathan, zeer beminnelijk?
Waarheen is Caesar gegaan, hoog van oppermacht?
Waarheen de Rijke*, geheel in de maaltijd opgaand?
Zeg, waar is Cicero, beroemd om welsprekendheid
Of Aristoteles, de opperste van vernuft?

138

Eenmaal was ik boven alle vrouwen schoon,
maar door de dood ben ik zó geworden.
Mijn vlees was zeer schoon, fris en teder.

* Hier kan de rijke uit de gelijkenis van Lazarus,
of mogelijk ook Crassus bedoeld zijn.

nu is het geheel in as verteerd.
Mijn lichaam was zeer liefelijk en zeer fraai,
ik placht mij dikwijls in zijde te kleden,
Nu moet ik naar recht gans naakt zijn.
Ik ging in bont van 'gris' en 'menu vair'*
ik woonde naar mijn wens in een groot paleis,
nu woon ik in deze kleine doodkist.
Mijn kamer was versierd met schone tapijten,
nu is mijn groeve van spinnen omringd.

Die zachte blikken, die ogen voor geneugt gemaakt,
denkt er wel aan, zij zullen hun helderheid verliezen,
neus en wenkbrauwen, de welbespraakte mond,
zullen rotten...

139
Als gij de rechte loop der natuur ten einde leeft,
waarvan zestig jaar een groot getal is,
zal uw schoonheid in lelijkheid veranderen,
uw gezondheid in duistere ziekte,
en ge zult in deze wereld slechts tot last zijn.
Als ge een dochter hebt, zult ge haar een schaduw zijn,
zij zal gezocht en gevraagd zijn,
en de moeder van iedereen verlaten.

Wat is dat gladde voorhoofd geworden,
die blonde haren, gewelfde wenkbrauwen,
de brede tussenruimte der ogen, de aardige blik;
die mooie rechte neus, niet groot en niet klein,
die kleine aansluitende oren,
de puntige kin, het helder, langwerpig gezicht,
en die schone, rode lippen?
Het voorhoofd gerimpeld, de haren grijs,
de wenkbrauwen uitgevallen, de ogen gedoofd...

144
Mijn vriend zie mijn gelaat,
zie wat de droeve dood doet,
en vergeet het nooit meer.
Dit is zij, die gij zo hebt bemind,
en dit uw lichaam, lelijk en vuil,
zult gij voor altijd verliezen;
het zal een stinkend gerecht zijn
voor aarde en wormen:
de harde dood eindigt alle schoonheid.

* Bont van eekhoornhuiden in geschakeerd patroon.

Er is geen lid noch deel
dat niet zijn ontbinding voelt,
eer nog de geest gevloden is.
Het hart dat in het lichaam barsten wil
heft de borst omhoog.
Die zich aan de ruggegraat wil sluiten.
– Het gelaat is wankleurig en bleek.
En de ogen omfloerst in het hoofd.
De spraak heeft hem begeven,
want de tong kleeft aan het verhemelte.
De pols is onrustig, en hij hijgt.
. . . .
De beenderen rekken zich aan alle kanten,
geen spier die zich niet tot brekens spant.

145
De dood doet hem beven, verbleken
de neus krommen, de aderen zich spannen,
de hals zwellen, het vlees verslappen,
gewrichten en spieren rekken en strekken.

Vrouwenlichaam, dat zo teer zijt,
zo glad en zacht en kostbaar,
moet ge deze euvelen verwachten?
Ja, of levend ten hemel gaan.

146
Dagloner die in zorg en moeite
al uw tijd hebt geleefd,
gij moet sterven, het is zeker,
hier helpt wijken noch tegenweer.
Gij moet tevreden zijn met de dood,
want hij bevrijdt u van grote zorg.

152
Het stoffelijk zaad derhalve waaruit het lichaam moest worden gebouwd, was noch te hard noch al te vloeibaar.

155
Dan zal hij met bazuingeschal
zijn algemene grote rekenkamer openen.
Hoort, hoort, eer en prijs
en de allergrootste aflaat der wapenen.

156
Oneerbare lichaamsdelen en onreine en schandelijke zonden.

157
Men placht in vroeger tijd
in de kerk vromelijk
op de knieën te liggen in nederigheid
dicht bij het altaar,
't hoofd met aandoening ontbloot,
maar tegenwoordig komt men als vee
dikwijls bij het altaar,
kaproen en hoed op het hoofd.

159
Indien ik vaak ter kerke ga,
is 't alles om de schone te zien
fris als een nieuwe roos.

En daarom heeft men hier een goed voorbeeld, dat men niet op beevaart moet gaan om enig dwaas vermaak.

160
Er is niet een zo geringe of hij zegt:
ik verzaak God en zijn moeder.

162
Waarde heren, ik heb op mijn zaak gelet, en ik houd het ervoor in mijn geweten, God grotelijks te hebben vertoornd, want reeds sedert lang heb ik gedwaald tegen het geloof, en ik kan niet geloven, dat er iets aan is van de Drieëenheid, noch dat de Zoon Gods zich verwaardigde zich zo te verlagen, dat hij uit de hemel kwam neerdalen in het menselijk lichaam ener vrouw, en ik geloof en zeg, dat, als wij sterven, er niets van een ziel is... Ik heb deze mening gehouden sedert ik kennis der dingen had, en ik zal haar houden tot het einde.

164
Ik ben een arme, oude vrouw
die niets weet; ik heb nooit een letter kunnen lezen,
ik zie in de kerk, waarvan ik parochiaan ben,
het paradijs geschilderd, waar harpen en luiten zijn,
en een hel waar de verdoemden gezoden worden:
het ene maakt mij bang, het ander vrolijk en blij.

167
Gij die vrouw en kinderen dient,
hebt altijd Joseph in gedachten,

hij diende een vrouw, altijd treurig en droef
en zorgde voor Jezus Christus in zijn kindsheid,
hij draafde tevoet, zijn bundel aan zijn lans,
men ziet hem op allerlei plaatsen zo afgebeeld,
bij een muilezel, om hun genoegen te doen,
en hij had nooit vertier in deze wereld.

Wat had Joseph voor armzaligheid,
voor hardheid
en ongeluk.
toen God geboren werd?
Hij heeft hem menigmaal gedragen
en laten rijden
uit goedheid
met zijn moeder erbij,
op zijn muil nam hij hen mee;
ik heb hem gezien
zo geschilderd;
naar Egypte is hij gegaan,
de sukkel wordt afgebeeld
helemaal vermoeid
en gedost
in een rok en een 'barry' (?)
een stok op schouder,
oud, versleten
en sluw.
Hij heeft in deze wereld geen vertier,
maar van hem
gaat de roep:
dat is malle Joseph.

168
God wilde dat zij de heilige man Joseph huwde, die oud en rechtschapen was; want God wilde geboren worden onder schaduw van huwelijk, om te gehoorzamen aan de wet, die toen gold, om de opspraak der wereld te ontgaan.

Als het u behaagt, zal ik trouwen en een menigte kinderen en familie hebben. Ik ben zwart doch schoon. Al is dit meisje zwart, toch is zij bevallig en wel geschapen van lijf en leden, en wel geschikt om een menigte kinderen te dragen. Mijn lieve zoon heeft mij gezegd, dat zij zwart en donker is. Voorwaar ik wil dat zijn gade jong zij, hoofs, liefelijk, bevallig en mooi, en schoon van leden.

169

Neem haar, want zij is behagelijk
om haar zoete minnaar wel te minnen,
neem nu ruimschoots van onze goederen,
en geef er haar overvloedig van.

Er zijn vijf heiligen in de stamboom
en vijf vrouwelijke heiligen, aan wie God
vol goedheid toestond bij het eind huns levens,
dat wie van harte hen zal aanroepen
in alle gevaren, dat God verhoren zal
hun beden, voor welk ongeval ook.
Wijs dus bij die deze vijf zal dienen:
Joris, Dionys, Christoffel, Gilles, Blasius.

170

God die uw uitverkoren heilige Georgius etc. met bijzondere voorrechten boven alle anderen hebt onderscheiden, zodat allen, die in hun nood hun hulp inroepen, naar de belofte van uw genade het heilzaam gevolg hunner bede deelachtig worden.

171

Sint Teunis verbrande het bordeel, ... het rijdier.
– Sint Teunis verkoopt mij zijn kwaal te duur,
hij stookt mij 't vuur in 't lijf.

Sint Maurus zal maken dat ge niet hoeft te beven.

172

Maakt geen goden van zilver,
van goud, van hout, van steen of brons,
die 't volk tot afgoderij brengen...
Want het kunstwerk is een fraaie vorm;
hun schilderwerk (het zij geklaagd)
de schoonheid van het blinkend goud
doen menig onzeker volk geloven,
dat het stellig goden zijn.
En zij dienen met dwaze gedachten
zulke beelden die in 't rond staan
in de kerken, waar wij er te veel van opstellen;
't is slecht gedaan: in korte woorden,
laat ons zulke beelden niet aanbidden.
Vorst, laat ons in één God alleen geloven
en hem volkomenlijk aanbidden
in het veld, overal, want dat is redelijk,
niet valse goden, ijzer noch zeilsteen,

geen stenen zonder besef:
laat ons zulke beelden niet aanbidden.

175

Laat ons bidden dat de Jacobijnen
De Augustijnen mogen opeten,
en dat de Karmelieten worden gehangen
met de koorden der Minderbroeders.

179

Geheel gelijk aan de bakken waarin men gewoonlijk drek en vuil draagt. En ik hoorde vertellen, dat hij in alle steden, waar hij kwam, zulke intochten hield, uit nederigheid.

182

Daar werd gedood, in goede vorm, gezegde heer Karel van Blois, het gezicht naar zijn vijanden, en een bastaardzoon van hem, heer Jan van Blois geheten, en verscheiden andere ridders en knapen van Bretagne.

183

Zacht, heus en goedaardig, maagdelijk van lichaam, een groot aalmoezengever. Het grootste deel van de dag en de nacht was hij in gebeden. In heel zijn leven was er niets dan nederigheid.

Ik zie wel, dat men mij van de goede weg tot de slechte wil brengen: goed, goed, als ik mij er op begeef, zal ik maken dat de hele wereld van mij zal spreken.

184

Die de genade Gods en van de Maagd Maria kocht voor meer geld dan ooit een koning deed.

185

In deze tijd liet de koning een groot aantal spelers op snaren- en houtinstrumenten komen, die hij onderbracht in Saint Cosme bij Tours, waar zij zich verzamelden tot een getal van 120, waaronder verscheiden herders uit het land van Poitou. Zij speelden dikwijls voor 's konings verblijf, maar zagen hem niet, opdat die instrumenten de koning vermaakten en verstrooiden, en om hem uit de slaap te houden. En anderdeels liet hij ook een groot aantal kwezelaars en kwezels komen en lieden van devotie, als kluizenaars en heilige schepsels, om zonder ophouden God te bidden, dat hij de koning niet liet sterven en nog liet leven.

196

En hij had grote toeloop van volk, die hem kwamen zien uit alle landen om het zeer edele en eerbare, eenvoudige leven dat hij leidde.

Aus leus, De wolven!

200

Gij zult hem eten in het vuur gebraden, goed gebakken, niet aangebrand of verbrand. Want zo werd het Paaslam tussen twee hout- of koolvuren behoorlijk gebakken en gebraden, zo werd de zoete Jezus, op de goede Vrijdag, aan het spit van het waardig kruis gestoken, bevestigd en gebonden; tussen de twee vuren van bange dood en lijden, en van zeer brandende liefde die hij had voor onze zielen en ons heil, werd hij als gebraden en langzaam gebakken om ons te redden.

210

Zonder bijmenging van enig zaad van voortplanting.

211

Van de pantoffel komt ons enkel gezondheid en alle profijt zonder ernstige ziekte, om haar een titel van gezag te geven geef ik haar de naam van nederigheid.

212

Toen verhief zich de godin Tweedracht, die in de toren van Slechten Raad woonde, en wekte Toorn, de uitzinnige, en Hebzucht en Razernij en Wraak, en zij grepen wapenen van allerlei aard, en stieten weg uit hun midden zeer smadelijk Rede, Gerechtigheid, Gedachtenis Gods, en Matiging. – En in minder tijd dan men honderd schreden gaan kon nadat zij dood waren, bleef hun niets dan hun onderbroek, en lagen zij op hopen als varkens in het slijk...

213

Fol cuidier – dwaze mening; Folle bombance – dwaze pralerij.

bij wijze van maskerade en tot vermaak, om het feest vrolijker te maken.

214

Escondit – weigering, afwijzing, verontschuldiging.

221

Gevormd uit zeer vuil zaad, ontvangen in een jeukte des vlezes.

222

Vrome pelikaan, Heer Jezus, Reinig mij onreine met uw bloed, waarvan één droppel redden kan de ganse wereld van alle zonde.

223

Overwezenlijke Drieëenheid, overaanbiddelijke en overgoede... leidt ons tot de overlichte schouwing van u zelve... overallerbarmhartigst, overallerwaardigst, overallerbeminnelijkst, overaller schitterendst, overalmachtig en overwijs, overallerheerlijkst.

230

Begeer niet gekend te worden.

233

Zo had de goede hertog Jan die daad herleid tot een moraliteit.

234

Een zeer grote vrees bevangt mijn hart, ja zo groot, dat mijn vernuft en geheugen vlieden, en dat weinigje verstand dat ik meende te hebben, mij reeds geheel heeft verlaten.

235

Je vous avoue – Ik bevestig uw woorden.

De slecht gekleden zet men met de rug in de wind. Niemand is kuis als het niet nodig is. De mens is goed zo lang hij bang is voor zijn huid. Desnoods behelpt men zich met de duivel.

371

236

Een goed gekamd hoofd draagt slecht een helm, van andermans leer brede riemen, zoals de heer is, gedragen zich de dienaren, Zo rechter zo oordeel, Die 't algemeen dient, niemand betaalt hem ervoor, Wie een zeer hoofd heeft, moet zijn kaproen niet afnemen.

237

dont on ne se tanne – waarvan men niet genoeg krijgt.

241

Goede lieden, zegt uw onzevaders voor de ziel van wijlen Laurent Guernier, bij leven wonende te Provins, die men onlangs dood gevonden heeft onder een eik.

244

Ik heb een ongekende zaak gezien:
een dode wederopstaan,
en op zijn terugkomst
voor duizenden koop sluiten.
De een zegt: hij is in leven,
de ander: 't is maar wind.
Alle goede harten zonder nijd
betreuren hem dikwijls.

246

Vrijwel overeenstemmende met de namen van dagelijkse kleren, instrumenten of spelen van heden, als Pantoufle, Courtaulx en Mornifle.

247

Hij kon niet naar zijn wil de genoemde tekens en hun uitwerking tegen God goed uit zijn hart uitroeien.

247/248

Heb ik niet voor mij de stukjes was, op duivelse wijs gedoopt en vol afschuwelijke kunsten tegen mij en anderen?

248

Want in alle dingen betoonde hij zich iemand van trouw en gans geloof jegens God, zonder te vorsen naar iets van zijn geheimen.

En als men tegen hem redeneerde, 't zij geestelijken of anderen, zei hij, dat men deze moest gevangen nemen als verdacht, tovenaars te zijn.

249

Men had in de landen herwaarts over nooit zulke gevallen zien gebeuren.

een zaak door zekere slechte lieden verzonnen.

Er is geen oud vrouwtje, hoe verdwaasd,
dat van deze dingen het geringste had gedaan,
maar om haar te laten verbranden of hangen
leidt de vijand der menselijke natuur,
die maar al te veel lagen weet te leggen,
haar zinnen valselijk op een dwaalspoor.
Er is geen stok of staak
waarop iemand zou kunnen vliegen,
maar als de duivel haar het hoofd verwart,
menen zij ergens heen te gaan
om zich te vermaken
en haar wil te doen.
Men zal ze van Rome horen spreken,
en toch zullen zij er nooit geweest zijn.

250

. . . .

De duivelen, zegt Vrij-Willen,
zijn allen in de hel, geketend,
en zij zullen tang noch vijl hebben,
waarmee zij ooit losgemaakt worden.
Hoe komen zij dan de christenen
zoveel parten spelen,
en zoveel ontuchtige gevallen brengen?
Ik kan uw gebazel niet begrijpen.

Ik zal niet geloven, zolang ik leef
dat een vrouw lichamelijk
door de lucht kan gaan als een merel of lijster
– zei de Kampioen terstond –.
Sint Augustijn zegt duidelijk:
het is inbeelding en spooksel;
en niet anders geloven
Gregorius, Ambrosius noch Hieronymus.
Als het arme mens te bed ligt,
om te slapen en te rusten,
komt de vijand die nooit ter ruste gaat
zich naast haar leggen.

Dan weet hij haar heel listig
zinsbegoochelingen te bereiden,
zodat zij meent te doen of te zeggen
wat zij enkel droomt.
Misschien zal de oude dromen,
dat zij op een kat of op een hond
naar de vergadering gaat,
maar waarlijk, er zal niets van zijn:
ook is er geen stok of hout,
dat haar een stap kan wegdragen.

251

Die vele dwaze lieden bewaarden in besloten plaatsen, en zij hadden zo groot geloof in die vuiligheid, dat zij vast voor waar geloofden, dat zolang zij dat hadden, mits het netjes in schone zijden of linnen doeken gewikkeld was, zij dan nooit een dag van hun leven arm zouden zijn.

259

Men kon geen ding aanraden of bedenken om het te verfraaien, of de heer van Trimouille liet het maken aan zijn schepen. En dit alles betaalden de arme lieden in Frankrijk.

264

En voorzeker was dit een zeer schoon tussenspel, want er zaten meer dan veertig personen in.

269

Springend en huppelend zodanig dat het schoon was om aan te zien.

270

Een nagemaakt boek, van een stuk wit hout, geschilderd als een boek, waar niets in is van bladen en niets geschreven staat.

271

Gekleed in goudlaken en koninklijke tooi als haar paste, en veinzende de meest wereldse van allen te zijn, luisterend naar elk ijdel woord, zoals velen doen, en uiterlijk vertonende gelijke zeden als de loszinnigen en ledigen, droeg zij dagelijks het haren kleed op het blote vlees, vastte op brood en water menige dag, zonder het te doen blijken, en sliep, als haar man afwezig was, menige nacht in het stro van haar bed.

272

Praal en ijdele overdaad. – de ergelijke overdaad en de grote kosten die ter oorzake van die banketten gemaakt zijn. – streven naar deugd.

273

Van geringe afkomst.

Hij placht alles te besturen geheel alleen en opzichzelf alles te behandelen en te leiden, hetzij van oorlog, van vrede, of op 't stuk der financien.

Genoemde kanselier werd een der wijze mannen van het koninkrijk geacht, om in 't wereldlijke te spreken, want met betrekking tot het geestelijke, daarover zwijg ik.

279

Want tot schoonheid zijn drie dingen nodig. Ten eerste geheelheid of volkomenheid, want wat afgebroken is, is reeds daardoor lelijk. Een passende verhouding of overeenstemming. En nogmaals klaarheid: vandaar dat hetgeen een heldere kleur heeft schoon genoemd wordt.

283

De ene kleedt zich voor haar in 't groen,
een ander in 't blauw, een ander in 't wit,
een ander kleedt zich in 't bloedrood,
en hij die haar het meest begeert
kleedt zich uit grote rouw in 't zwart.

Gij zult u in 't groen moeten kleden,
dat is de livrei der verliefden.

In het zich in 't blauw kleden ligt het niet,
of men zijn dame bemint, noch in 't dragen van
deviezen,
maar in het dienen haar alleen, van volmaakt trouwer
harte,
en haar te vrijwaren voor smaad
...daarin ligt de liefde, niet in het blauw dragen;
wellicht dat velen de euveldaad
van valsheid menen te bedekken onder een grafsteen,
door blauw te dragen...

Dat hij die mij de blauwe rok heeft aangedaan,
en met de vinger heeft doen aanwijzen, gedood worde.

Boven elke kleur min ik de bruine,
omdat ik haar min, heb ik er mij in gekleed,
en al de andere heb ik vergeten.
Helaas! mijn liefde is niet hier.

Grijs en bruin mag ik wel dragen,
want ik ben het hopen moe.

293
Om zwaarmoedigheid te vergeten
en mij op te vrolijken,
ging ik op een goede morgen de velden in,
de eerste dag dat liefde de harten
bereent in het blijde jaargetij...

Rondom fladderden vogels,
en zongen zo liefelijk,
dat geen hart er zich niet in zou verheugen.
En zingende stegen zij omhoog in de lucht,
en wedijverden om het hoogst te stijgen.
Het weder was niet betrokken,
de hemel was in 't blauw gekleed,
en de schone zon schitterde klaar.

294
Ik zag de bomen in bloei,
en hazen en konijnen lopen.
Alles verheugde zich in de lente.
Daar scheen liefde de heerschappij te voeren.
Niemand kan oud worden of sterven,
dunkt mij, zolang hij daar verkeert.
Een zoete geur ging uit van 't gras,
door de heldere lucht nog verzacht;
bruisend vloeide door het dal
een beekje dat de velden vochtig maakte,
het water ervan was niet zout.
Daar dronken de vogels,
wanneer zij zich met krekels,
met muggen en vlinders
Hadden gevoed.
Lanners* havikken en smellekens
zag ik, en vliegen met angels (!)

* Een uitheemse valkensoort (Falco biarmicus Feldeggii).

die van schone honig (!) tenten maakten
in de bomen naar goede maat.
Aan de andere kant was de omheining
van een liefelijke weide, waar natuur
de bloemen zaaide op het groen,
witte gele, rode en paarse.
Van bloeiende bomen was zij omgord,
zo wit of verse sneeuw
ze bedekte, het leek een schilderij,
zoveel verschillende kleuren waren er.

295
een Vlaming, een man uit het laagland van 't vee, onwetend, met een dikke tong, vet in mond en verhemelte, en geheel beslijkt met andere armzaligheden aan de landaard eigen.

296/297
De hertog dan, op een maandag die Sint Antonie's dag was, na de mis, verlangend dat zijn huis in vrede bleef en zonder onenigheid tussen zijn dienaren, en dat ook zijn zoon zou handelen naar zijn besluit en welbehagen, – nadat hij al een groot deel van zijn getijden had gezegd en de kapel leeg van volk was, – riep zijn zoon om bij hem te komen, en zei hem zacht: 'Karel, wat die strijd betreft tussen de heren van Sempy en van Hémeries om de post van kamerheer, ik wil dat ge er een eind aan maakt, en dat de heer van Sempy de vacante plaats krijgt.' Toen zei de graaf 'Mijn heer, ge hebt mij eenmaal uw ordonnantie gegeven, waarin niet de heer van Sempy staat, en, mijn heer, als het u behaagt, bid ik u, dat ik die mag houden.' – 'Ei, zei de hertog toen, bemoei u niet met de ordonnanties, het staat aan mij om ze te vermeerderen en te verminderen, ik wil dat de heer van Sempy er in komt.' – 'Hahan! zei de graaf (want zo vloekte hij altijd), mijn heer, ik bid u, vergeef mij, want ik zou 't niet kunnen doen, ik houd mij aan 't geen ge mij bevolen hebt. Dat heeft de heer van Croy gedaan, die mij dit gebrouwen heeft, ik zie het wel.' – 'Hoe, zei de hertog, zult ge mij ongehoorzaam zijn? Zult ge niet doen wat ik wil?' – 'Mijn heer, ik al u gaarne gehoorzamen, maar ik zal dit niet doen.' En de hertog, bij die woorden, fel van toorn, antwoordde: 'Ha! knaap, zult

ge aan mijn wil ongehoorzaam zijn? ga uit mijn ogen', en het bloed trok hem bij die woorden naar 't hart, en hij werd bleek en daarop plotseling vuurrood en zo schrikwekkend in zijn gelaat, zoals ik het de geestelijke van de kapel hoorde vertellen, die alleen bij hem was, dat het vreselijk was, hem te zien...

297

'Caron, maak ons open!' – 'Ei, Mevrouw, mijn heer heeft mij verboden onder zijn ogen te komen, en is boos op mij, zodat ik, na dat verbod, er niet zo spoedig zal terugkeren, maar heen zal gaan waar God mij leidt, ik weet niet waar.' – 'Mijn vriend, gauw, gauw, open ons, wij moeten heengaan, of wij zijn dood.'

298

De dagen waren in dat jaargetij kort, en het was al diepe avond, toen de vorst in eens te paard steeg, en niets anders wou dan geheel alleen te midden der velden te zijn. Het geviel zo, dat diezelfde dag, na een lange en harde vorst, er een dooi was ingevallen, en na een lange dichte motregen, die de hele dag gevallen was, veranderde het tegen de avond in een fijne regen, die door en door nat maakte, en die de velden doorweekte en het ijs zwak maakte, met wind die er bij kwam.

298

Maar hoe meer hij naderde, hoe vreselijker en schrikwekkender het er uitzag, want uit een aardhoop kwam op meer dan duizend plaatsen vuur, met dikke rook, zodat niemand op dat uur anders zou denken dan dat het of vagevuur van een of ander ziel of een andere (!) begoocheling des duivels ware.

Een menigte koppen in verroeste helmen met baarden van grijnzende kerels erin, en lippen die de tanden lieten zien.

299

Toen hoorde hij het nieuws dat hun stad genomen was. 'En door wat voor volk?' vroeg hij. Zij die met hem spraken, antwoordden: 'Het zijn Bretons!' – 'Ha, zei hij, Bretons is slecht volk,

zij zullen de stad plunderen en verbranden en dan aftrekken.' 'En welke krijgskreet roepen ze?' zei de ridder, 'Wel, heer, zij roepen la Trimouille'.

300

Mijn heer, Gaston is dood. – Dood? zei de graaf. – 'Ja, waarlijk, hij is dood, heer'. – Dus vroeg hij hem, in zaken van liefde en familie, om raad. – 'Raad,' antwoordde de aartsbisschop: voorwaar, schoon neve, dat is te laat. Gij wilt de stal sluiten, als het paard verloren is.'

301

Dood, ik beklaag mij. – Over wie? – Over u.
– Wat heb ik u gedaan? – Gij hebt mijn vrouwe
genomen.
– Dat is waarheid. – Zeg mij waarom.
– Het was mijn welbehagen. – Gij hebt slecht gedaan.

Heer... – Wat wilt ge? – Hoort... – Wat? – Mijn
geval.
– Zeg dan – Ik ben... – Wie? – Het vernielde
Frankrijk!
– Door wie? – Door u. – Hoe? – In alle staten
(standen).
– Gij liegt. – Neen ik. – Wie zegt het? – Mijn lijden.
– Wat lijdt gij? – Slechte behandeling – Welke? –
Ter overmaat.
– Ik geloof er niets van – Het blijkt – Spreekt er niet
meer van!
– Helaas, ik zal toch. – Gij verliest uw tijd. – Welk
een onrecht!
– Wat heb ik slecht gedaan? – Tegen vrede. – En hoe?
– Krijgvoerend... – Tegen wie? – Tegen uw vrienden
en verwanten.
– Spreek wat fraaier – Ik kan niet, voorwaar.

302

En aan de andere zijde, de boeren aan de arbeid
zingen luide, ja zonder ophouden,
opmonterend
hun ossen, die wakker ploegen de vette grond
die het goede koren geeft.
En daarbij roepen zij hen aan,
elk bij zijn naam:
de een Vale, de ander Grijze,
Bruin, Witte, Blonde of Makker;

Dan prikken zij hen menigmaal met de prikkel,
om voort te gaan.

303
Zijn oudste zoon, de Dolfijn van Viennois,
gaf deze plaats de naam Beauté.
En wel te recht, want zij is vol geneugt.
Men hoort er de nachtegaal zingen;
de Marne omstrengelt het kasteel, men kan de
profijtelijke hoge bossen van het nobele park zien
wuiven...
De weilanden zijn dichtbij, de vermakelijke tuinen,
de schone weiden, mooie heldere bronnen,
ook wijngaarden en akkerland,
draaiende molens, en vlakten schoon om te zien.

304
Helaas, men zegt dat ik nooit meer iets maak,
die vroeger menig nieuw gedicht maakte;
de reden dat ik geen stof heb,
om iets van te maken dat goed of schoon is.

305
Verstandig, koel en vindingrijk, en die in zijn
zaken ver vooruit zag.

307
Bij 't afscheid van u laat ik u mijn hart,
en ik ga heen, treurend en beschreid.
Om u te dienen, zonder het ooit terug te nemen,
laat ik u mijn hart bij het afscheid van u.
En bij mijn ziel, ik zal geen lust noch vree hebben
tot de terugkomst, zo van troost beroofd, enz.

Zult gij mij wel liefhebben,
zeg, bij uwe ziel?
Mits ik u liefheb
meer dan enig ding,
Zult ge mij wel liefhebben?
God legde in u
zoveel goeds, dat het balsem is;
daarom noem ik mij
de uwen. Maar hoeveel
zult ge mij wel liefhebben?

307/308
Wees zeer welkom,
mijn lief, nu omhels mij en kus mij,

en hoe hebt gij het gehad
sedert uw vertrek? Zijt ge
altijd gezond en wel geweest?
Hier, kom naast mij, zet u en vertel mij,
hoe het u gegaan is, slecht of goed,
want daarvan wil ik rekenschap hebben.
– Vrouwe, aan wie ik ben verbonden
meer dan aan iemand anders, niemand ten spijt,
weet dat verlangen mij zo kort
heeft gehouden, dat ik nooit zulk ongemak leed,
en ik vond in niets genoegen
ver van u. Liefde, die 't hart bedwingt
zei mij: 'Houd mij uw trouw',
want daarvan wil ik rekenschap hebben.
– Dus hebt ge mij uw eed gehouden?
Wel dank weet ik u ervoor, bij Sint Nicasius;
en nu ge goed en wel teruggekomen zijt,
zullen wij vreugde genoeg hebben; wees nu rustig,
en zeg mij, of ge weet hoeveel
het leed dat gij hadt, meer bedraagt
dan dat wat mijn hart heeft geleden,
want daarvan wil ik rekenschap hebben.
– Meer leed dan gij, naar ik verneem,
heb ik gehad, maar zeg nu zonder feil,
hoeveel kussen zal ik er wel voor hebben?
Want daarvan wil ik rekenschap hebben.

308
Het is heden een maand
dat mijn vriend is heengegaan.
Mijn hart blijft dof en stil,
het is heden een maand.
'A Dieu, zei hij mij, ik ga heen',
en verder sprak hij niet tot mij.
Het is heden een maand.

309
Mijn vriend, schrei niet meer;
want ge beweegt mij zo tot medelijden,
dat mijn hart zich gelaten overgeeft
aan uw zachte vriendschap;
herneem een ander gedragen,
bij God, treur niet meer,
en toon mij een vrolijk gelaat:
ik wil alles wat gij wilt...

Als ieder uit het leger keert,
waarom blijft gij achter?

En ge weet toch, dat ik u mijn volle liefde
heb gegeven in hoede en bewaring.

Froissart kwam uit Schotland terug,
op een paard dat grijs was,
een witte hazewind had hij aan 't koord.
Helaas, – zie de windhond – ik word moe,
Grijsje, wanneer zullen wij rusten?
Het is tijd, dat wij eten krijgen.

310
Wij zijn de beenderen der arme gestorvenen,
hier opgetast in regelmatige hopen,
gebroken, stuk, zonder regel noch orde...

312
Het is een vreemde melodie
die geen groot vermaak schijnt
voor lieden die ziek liggen.
Eerst laten de raven stellig weten
zodra het dag is:
zij krassen hard uit alle macht,
de dikke, de dunne, zonder ophouden.
Nog beter was 't geluid van een trom
dan die kreten van allerlei vogels;
dan komt het vee op weg naar de wei: koeien, kalveren,
bulkende, loeiende, en dat alles schaadt
als men het hoofd te leeg heeft.
Daarbij nog het klokgelui van de kerk,
dat alle verstand verstoort
van lieden die ziek liggen.

't Is een koude herberg en een slecht verblijf
voor lieden die ziek liggen.

313
Vooruit, vooruit! richt u daarheen.
Ik zie wonder, schijnt mij.
– En wat, wachter, zie ge daar?
Ik zie tien duizend ratten samen
en menige muis, die zich verzamelen
op de kust van de zee...

315
Men vraagt mij ieder dag,
wat ik denk van de tijd die ik zie,
en ik antwoord: 't is alles ere,
trouw, waarheid en geloof,

milddadigheid, dapperheid en goede orde,
liefdadigheid en welzijn dat vooruitgaat
voor het gemeen; maar, bij mijn geloof,
ik zeg niet alles wat ik denk.

Versta al deze punten omgekeerd.
't Is grote zonde de wereld zo te smaden.

Vorst, als het overal algemeen
zo is als ik weet, vloeit het over van deugd;
maar menigeen die mij hoorde, zou zeggen: hij liegt.

316
Ik heb geen mond die lachen kan,
of de ogen heten hem liegen:
want het hart zou hem willen verloochenen
door de tranen die uit de ogen springen.

Hij deed moeite, vrolijk te kijken,
en toonde een geveinsde blijdschap,
en dwong zijn hart om te zingen,
niet uit lust maar uit vrees,
want altijd vlocht zich een rest van klacht
in de toon van zijn stem,
en hij kwam terug op zijn thema,
als de vogel op zijn slag in 't hout.

Dit boekske heeft willen dicteren en doen schrijven
om de tijd door te brengen zonder laaggestemd gemoed
een simpele klerk, die men Alain noemt,
die zo van liefde spreekt van horen zeggen.

Dus zei hij mij glimlachend,
dat ik maar moest gaan slapen,
en dat ik niet bang behoefde te zijn,
aan dit euvel te sterven.

317
Ik ben degeen met het hart gekleed in 't zwart.

Eens praatte ik met mijn hart,
dat heimelijk tot mij sprak,
en al pratend vroeg ik het,
of het niets had opgespaard
van enig goed, toen het Liefde diende:
het zei mij, dat het mij heel gaarne
er het ware van zou vertellen,
zodra het zijn papieren had nagezien.

377

Toen 't dat gezegd had, ging het op weg.
En vertrok van mij.
Vervolgens zag ik het binnengaan
in een kantoor, dat het had:
daar zocht het hier en daar,
verscheiden oude schrijfboeken doorzoekend,
want het wou mij 't ware aantonen,
zodra het zijn papieren had nagezien.

Klopt niet meer aan de deur van mijn Gedachte,
zorg en kommer, zonder u zo in te spannen;
want zij slaapt, en wil niet wakker worden,
de hele nacht heeft zij in pijn doorgebracht.
Zij is in gevaar, als zij niet goed verpleegd wordt;
houdt op, houdt op, laat haar slapen, enz.

318
En dan, als ik de ruiten
van het huis hoorde rinkelen,
dan scheen het mij, dat mijn beden
door haar verhoord waren.

Zo help mij God, ik was zo vervoerd,
dat ik mijn zin of zijn niet kende,
want, zonder spreken, scheen het me,
dat de wind tegen haar venster waaide,
en dat zij mij wel had kunnen herkennen,
zachtjes zeggend: Goede nacht,
en God weet, wat groot heer ik was
daarna, de hele nacht.

319
Ik was zo gelaafd,
dat ik, zonder mij om te keren of af te pijnigen,
een gouden slaap sliep,
zonder eens in de nacht wakker te worden,
en vervolgens, eer mij aan te kleden,
om er Liefde lof voor te brengen,
kuste ik drie maal mijn hoofdkussen,
in mij zelf zalig lachende.

De anderen, om te bedekken dat zij het te kwaad
hadden,
hielden hun hart met geweld in,
al maar sluitend en openend
de getijboeken die ze in de hand hielden,
waarvan zij steeds de bladen omkeerden,
ten teken van devotie.

Maar de rouw en het wenen dat zij dreven,
toonden wel hun aandoening.

Zachte ogen, die altijd heen en weer gaan;
zachte ogen, die de pels verwarmen
van hen die verliefd worden...
Zachte ogen, parelhelder,
die zeggen: 't is gedaan wanneer gij wilt,
aan hen, die zij wel machtig voelen.

320
En hebzucht wilde zelfs niet, dat men hun hun broeken liet, als zij maar vier penningen waard waren, hetgeen groter wreedheid en onmenselijkheid bij christenen was dan van welke andere men kan spreken.

321
Ook waren er nog drie heel schone meisjes, die Sirenen voorstelden, geheel naakt, en men zag haar borsten, recht, vrij, rond en hard, wat zeer aangenaam was, en zij zeiden kleine motetten en herdersliedjes; en dicht bij haar speelden verscheiden lage instrumenten, die grote melodieën ten beste gaven.

Maar de stellage, waar de mensen met de meeste lust naar keken, was die van de geschiedenis der drie godinnen, die naakt was voorgesteld en door levende vrouwen.

324
Deze dame wees er op, dat zij stellige voorwaarden en zeer scherpe en bijtende redenen had; zij knarste met de tanden en kauwde op haar lippen, knikte dikwijls met het hoofd, en gaf tekenen dat zij wou redetwisten, trappelde met haar voeten en draaide zich dan naar de ene, dan naar de andere kant; zij had een houding van ongeduld en tegenspraak; het rechter oog had zij dicht en het andere open; zij had een zak vol boeken voor zich, waarvan zij sommige als geliefkoosd in haar gordel stak, en de andere spijtig weg wierp; zij verscheurde papieren, en bladen, wierp schrijfboeken vinnig in het vuur, lachte over deze en kuste ze, spuwde op andere uit boosheid en trapte er op; zij had een pen in de hand, vol inkt waarmee zij vele gewichtige

geschriften doorhaalde; ook maakte zij met een spons sommige afbeeldingen zwart, krabde op andere met de nagels... en weer derde veegde zij geheel uit en maakte ze glad, als om ze uit het geheugen te wissen; en toonde zich hard en fel vijandig tegen veel lieden van aanzien, meer naar willekeur dan redelijk.

325
Dokter, hoe gaat het met het Recht?
– Bij mijn ziel, hij is maar minnetjes...
Hoe gaat het Rede?...
Zij heeft haar verstand verloren,
zij spreekt maar zwak,
en Gerechtigheid is geheel idioot...

En zo bleef Sluis in vrede, die in haar ingesloten werd, want de oorlog werd van haar uitgesloten, eenzamer dan een kluizenares. En opdat ik niet verlies de tarwe van mijn arbeid, en opdat het meel dat er van gemalen wordt heilzaam bloem mag opleveren, ben ik voornemens, als God er mij zijn genade toe geeft, om onder mijn ruwe molenstenen te wenden en te doen verkeren het lichamelijke in het geestelijke, het wereldse in het goddelijke, en het hogelijk te moraliseren. En zo zullen wij honig trekken uit de harde steen, en de rode roos uit de stekende doornen, waar wij zullen vinden graan en korrel, vrucht, bloem en blad, zeer zoete geur, geurig groen, groenenden bloesem, bloeiend voedsel, voedende vrucht en bevruchtende spijze.

326
daar kreeg ik een koorts van gedenken
en katarrh van ongenoegen.
Een migraine van lijden,
koliek van ongeduld,
kiespijn niet om uit te houden
Mijn hart zou niet meer kunnen dulden
het betreuren van mijn lot
door ongewone smart.

332
O Socrates vol filosofie,
Seneca van zeden en Anglux(?) van gedrag.
Ovidius, groot in uw dichtkunst,
kort in het spreken, wijs in redekunst,

zeer hoge adelaar, die door uw theorie
het rijk van Aeneas verlicht,
het Eiland der reuzen, die van Brut, en die hebt
gezaaid de bloemen en de rozentuin geplant,
voor hen die de taal niet kennen een Pandarus,
grote vertaler, edele Geoffrey Chaucer!
. . . .
U vraag ik daarom uit de bron van Helicon
een echte dronk,
waarvan de waterleiding geheel in uw macht is,
om daarmede mijn hektische dorst te lessen,
ik die in Gallië verlamd zal zijn,
tot gij mij drenken zult.

Uwe zeer nederige en gehoorzame slavin en dienstmaagd, de Stadt Gent, de inwendige innerlijke smart en kwelling, – onze franse spraak en volkstaal, gedrenkt met het zoete en honingvloeiende sap dat uit de hengstebron komt, deze deugdzame Scipionische hertog, lieden van vrouwelijke moed.

334
Ik heb enige tijd in ons huis rust gehouden, gedurende een deel van de nevelige koude.

In het oog getroffen door een vreselijke schittering,
in het hart gewond door ongelooflijke welsprekendheid,
moeilijk voort te brengen voor menselijk verstand,
geheel verduisterd door ontvlammend licht,
dat met bijna onmogelijke straal doordringt
tot een duister lichaam, dat nooit licht kan geven,
verrukt, onttogen vind ik mij in mijn vreugde
een lichaam dat in ekstase ter aarde ligt,
een zwakke geest, buiten staat, een weg te zoeken
om een plaats en geschikte uitgang te vinden
uit het enge pas, waar ik mij heb ingesloten,
gevangen in het net dat ware liefde heeft geweven.

Waar is het oog, in staat zulk een voorwerp te zien, het oor om de hoge zilveren klank en gouden schellenklank te horen? – Vriend der onsterfelijke goden en lieveling der mensen, hoge Odyseïsche borst vol honingvloeiende welsprekendheid. – Is het geen schittering gelijk aan de wagen van Phoebus? – de bazuin van Amphion, de fluit van Mercurius die Argus deed inslapen.

335

In Italië, waarop de hemel neerziet met een invloed die versierd spreken geeft, en waarheen
alle zachtheid der elementen trekt om er harmonie te stichten.

Hij is een voorbeeld van Cicero's kunst, en een
vorm van Terentius' fijnheid... die als gunst uit
onze borsten onze innerlijkste substantie heeft gezogen, die behalve de gratie hem geschonken op
eigen bodem, zich is gaan begeven naar het land
van fijnproevers, om nieuwe verkwikking, daar
waar de kinderen hun moeders aanspreken in
morgenliederen, hunkerend naar school en mon-
dig verklaard van geleerdheid.

Robert heeft mij uit zijn wolk besproeid, waarvan de parelen, die daarbij stollen als rijp, mijn
klederen doen schitteren; maar wat baat het
donkere lichaam daaronder, als mijn kleed hen
die mij zien bedriegt?

336

Het oude leven mishaagt, nieuwe zeden behagen;
De mens ziet het gelaat, maar het hart blijkt aan
Jupiter.

Tempel midden in het bos om tot de goden te
bidden, Als ik om mijn Muze vreemder te maken
van de heidense goden spreek, toch zijn de herders en ikzelf christenen. Gij moet het doen, niet
om aan de goden en godinnen geloof te hechten,
maar omdat Onze Heer alleen de mensen bezielt,
zoals het hem behaagt, en menigmaal door verschillende inspiraties.

337

De heidense volken weleer zochten
de liefde der goden door nederige offers,
dewelke, gesteld dat zij al niet nuttig waren
niettemin voordelig en vruchtbaar waren
door menig groot gevolg en hoge zegeningen op te
leveren,
metterdaad bewijzend, dat de diensten van liefde
en nederige verering, waar zij ook aan worden betoond,
genoeg waren om hemel en hel te doordringen.

Ik wens dat ik moge hebben bevrediging van
mijn verlangen en geen ander goed ooit meer.

338

Zo helpe mij God, de gekruisigde,
ik heb zeer berouw, dat ik de mens schiep.

TIJDTAFEL

1302

Paus Bonifacius VIII verheft nog eenmaal, in de bul *Unam Sanctam*, de aanspraak van pauselijke oppermacht boven het wereldlijk gezag. Koning Philips IV van Frankrijk roept de Standen van zijn rijk bijeen, tot verweer tegen de pauselijke aanspraken.

– Het leger van Philips IV bij Kortijk in de Gulden Sporenslag verslagen door de burgers van Vlaanderen.

1303

Bonifacius VIII, kort na zijn vernedering te Anagni, gestorven.

1308

Paus Clemens V (1305-1314) verplaatst de zetel der Curie van Rome naar Avignon.

1311

Concilie van Vienne. Eerste uitingen van het streven naar hervormingen in de Kerk, van de zijde der hoge geestelijkheid.

1314

Opheffing van de Orde der Tempeliers. Philips IV de Schone van Frankrijk †.

c. 1315

Jean Chopinel of Clopinel, of de Meun, de tweede dichter van de Roman de la Rose †.

1319

Vrede tussen Frankrijk en Vlaanderen, dat zijn Frans gedeelte (Rijsel, Douai, Béthune) verliest, doch zijn zelfstandigheid tegenover de Franse kroon bewaart.

1321

Dante †.

1327

Meester Eckhart †.

1328

De oudere linie van het huis Capet in Frankrijk uitgestorven. De linie Valois volgt op, met Philips VI, de Lange.

– Philips VI van Frankrijk helpt de graaf van Vlaanderen, Lodewijk van Nevers, de opstand der Vlaamse burgerijen bedwingen.

1336/7

– Eduard III van Engeland wint tegen Frankrijk de steun van de Keizer, Lodewijk van Beieren, alsook van de vorsten aan de Neder-Rijn en de steden van Vlaanderen. Begin van de Honderdjarige oorlog tussen Frankrijk en Engeland.

1337

Giotto †.

1338

Gent en de andere Vlaamse steden, onder leiding van Jacob van Artevelde, kiezen de Engelse zijde.

1341-1364

Strijd om het hertogdom Bretagne tussen Karel van Blois en Jan van Montfort.

1346

Eduard III verslaat het Franse leger bij Crécy.

1347

Eduard III verovert Calais. Wapenstilstand tussen Engeland en Frankrijk.

1348

Grote pestepidemie in Europa, 'de Zwarte Dood'.

1351

'Combat des Trente' te Ploërmel in Bretagne.

1353

De Osmaanse Turken bemachtigen een eerste sterkte in Europa.

1356

De Statenvergadering te Parijs tracht door hervormingen in de koninklijke regering in te grijpen.

– Slag bij Maupertuis of Poitiers, koning Jan II de Goede met zijn jongere zoon Philips in Engelse gevangenschap.

1358

Boerenopstand 'la Jacquerie' in Frankrijk. De adel wint.

1360

Vrede van Bretigny tussen Frankrijk en Engeland. De Engelsen verwerven Gascogne, Guyenne, Poitou, Calais enz. – Eduard III ziet af van aanspraken op de Franse kroon.

– Verblijf van de Henegouwse chronist en dichter Jean Froissart (1337-na 1400) in Engeland.

1361

De Duitse mysticus Johannes Tauler (geb. c. 1300) †.

1362-1365

De koning van Cyprus, Peter I van Lusignan, bereist met Pierre Thomas en Philippe de Mézières de hoven van Italië, Frankrijk, Duitsland en Engeland, om tot een kruistocht op te wekken. Alexandrië door een christenvloot genomen.

1363

Koning Jan van Frankrijk beleent zijn jongere zoon Philips met het hertogdom Bourgondië (waar een oudere zijlinie uit het huis Capet als hertogelijk geslacht is uitgestorven).

1364-1380

Karel V de Wijze, koning van Frankrijk. In Bretagne breekt de strijd met de Engelsen opnieuw uit, geleid door Bertrand du Guesclin (1370 Connétable van Frankrijk).

1364

Karel van Blois sneuvelt bij Aurai.

1365

De Duitse mysticus Heinrich Seuse, of Suso (geb. 1300) †.

1366

De Fransen onder Du Guesclin helpen de kroonpretendent van Castillë, Hendrik van Trastamara, om koning Pedro den Wrede te verdrijven.

1367

Paus Urbanus V keert uit Avignon naar Rome terug, tegen de wil der kardinalen en de raad van Karel V van Frankrijk.

– De Engelse troonopvolger, 'de Zwarte Prins', komt koning Pedro van Castilië te hulp, en wint de slag bij Najera (of Navarrete), waar Du Guesclin gevangen wordt gemaakt.

1368

De Duitse keizer, Karel IV (huis Luxemburg), doet voor de tweede maal een tocht naar Rome.

1369

Pedro de Wrede †. Hendrik van Trastamara verwerft de troon van Castilië. Het verbond tussen Castilië en Frankrijk bedreigt Engelands veiligheid ter zee.

– De Standen van Guyenne staan op tegen de Engelse overheersing. Nieuwe openlijke krijg tussen Frankrijk en Engeland.

– Philips I, de Stoute, hertog van Bourgondië, huwt Margareta van Male, erfdochter van Vlaanderen, Artois, Franche Comté (graafschap Bourgondië), Nevers en Rethel.

– Froissart bij hertog Wencelijn van Brabant.

1370

Paus Urbanus V keert uit Rome terug naar Avignon.

1374

Francesco Petrarca †.

1375

Giovanni Boccacio †.

1376

Paus Gregorius XI keert wegens de dreigende toestand van de Kerkelijke Staat naar Rome terug.

1377

De dichter Guillaume de Machaut (geb. c. 1300) †.

1378

Het Grote Schisma van het Westen. Een gedeelte der kardinalen kiest tot paus de aartsbisschop van Bari, die als Urbanus VI (1378-1389) te Rome blijft, de anderen kiezen de kardinaal Robert van Genève, Clemens VII, die naar Avignon gaat. Urbanus VI wordt erkend in het Duitse Rijk, Vlaanderen, het grootste deel van Italië, Engeland, Hongarije, Polen, Denemarken, Zweden en Noorwegen. Aan Clemens V houden zich Frankrijk, Savoye, Schotland, enige Duitse territoriën, Napels, Sicilië, Sardinië, later ook de Spaanse koninkrijken.

— De Turken veroveren Adrianopel.

1380

Karel VI, koning van Frankrijk, onder voogdij en regentschap van zijn ooms, de hertogen Lodewijk van Anjou, Philips van Bourgondië en Jan van Berry.

— Bertrand du Guesclin †.

1381

Boerenopstand in Engeland (Wat Tyler).

— Jan van Ruusbroec †.

1381–1409

Tijd van werkzaamheid van de schilder Melchior Broederlam uit Yperen, in de dienst van Lodewijk van Male, graaf van Vlaanderen, en van hertog Philips de Stoute van Bourgondië.

1382

Gent en andere Vlaamse steden, onder leiding van Philips van Artevelde, in opstand tegen de graaf. Philips van Bourgondië, 's graven schoonzoon, beweegt de koning van Frankrijk tot gewapende hulp tegen de Vlamingen, die bij Rosebeke verslagen worden, waar Artevelde sneuvelt.

1383

De bisschop van Norwich, Henry Despenser, rust een 'kruistocht' uit tot hulp van de Urbanistische steden van Vlaanderen tegen hun 'schismatieke' graaf. Het loopt enkel uit op een tocht van plundering en verwoesting.

1384

Lodewijk van Male †. Philips en Margareta van Bourgondië erven Vlaanderen enz.

— Geert Groote, uit Deventer (geb. 1340), stichter der Fraterheren of Broederschap des gemenen levens, †. — John Wiclef †.

1385

Jan van Nevers, later genoemd Jan Zonder Vrees, zoon van Philips de Stoute, huwt Margareta van Beieren, dochter van hertog Albrecht, graaf van Henegouwen, Holland en Zeeland, terwijl diens zoon Willem van Oostervant de dochter van hertog Philips, Margareta van Bourgondië huwt.

— Koning Karel VI van Frankrijk huwt Isabella van Beieren, dochter van hertog Steven III van Beieren-Landshut.

c. 1385

Het kerkelijk reformstreven en de eis tot bijlegging van het Schisma winnen veld, geuit door de leiders der Parijse Universiteit, Pierre d'Ailly, bisschop van Kamerijk, Jean Gerson, kanselier der universiteit, Nicolas de Clemanges.

1386

Philips de Stoute van Bourgondië rust met behulp van de Franse koning een vloot uit in de haven van Sluis, tot een inval in Engeland. De vloot vaart niet uit.

1386/7

Leerlingen van Geert Groote en Florens Radewijns stichten het klooster Windesheim van de Orde der Augustijner koorheren (reguliere kanunniken van Sint Augustinus). Het wordt het hoofd van de Windesheimer Congregatie en het centrum der *Devotio moderna* in de Nederlanden en Nederduitsland.

1387

De zalige Pieter van Luxemburg (geb. 1369) †.

1389

De Turken vernietigen het Servische rijk door de slag op het Lijsterveld.

1392

Koning Karel VI van Frankrijk voor de eerste maal krankzinnig. De hertogen van Bourgondië en Berry opnieuw aan 't roer. Karel's broeder, Lodewijk van Orleans, betwist hun de macht.

1393

Sultan Bajazid onderwerpt de Bulgaren. Hongarije in gevaar.

1394/5

Paus Bonifacius IX (Rome) laat op verzoek van koning Sigismund van Hongarije het kruis prediken tegen de Turken.

1396

Een Frans ridderleger onder Jan van Nevers verenigt zich te Ofen met een Duitse, Hongaarse en Poolse legermacht. Dit kruisleger wordt bij Nicopolis door de Turken verslagen. Jan van Nevers in gevangenschap.

— De wapenstilstand tussen Frankrijk en Engeland tot twintig jaar verlengd. Koning Richard II van Engeland huwt Isabella van Frankrijk.

1397

De dichter Othe de Grandson te Bourg en Bresse

in een tweekamp door zijn aanklager Gerard d'Estavayer gedood.

1399

Richard II van Engeland door het Parlement afgezet (kort daarop †). Het huis Lancaster verwerft de troon met Hendrik IV 1399–1413.

1400

De Rooms-Koning Wenzel door keurvorsten en vorsten des rijks afgezet. Zij kiezen Ruprecht van de Palts.

– Geoffrey Chaucer (geb. c. 1430) †.

c. 1400

Werkzaamheid der miniatuurschilders de Gebroeders van Limburg aan het hof van Jan van Berry.

1401/2

Aan het hof te Parijs een 'Cours d'amours' opgericht. Litteraire twist over de Roman de la Rose.

1402

De Mongoleninval onder Timur Lenk verzwakt het Turkse gevaar voor Europa, door de slag bij Angora.

1404

Philips de Stoute van Bourgondië †. Zijn zoon Jan van Nevers erft Bourgondië (hertogdom en graafschap), Vlaanderen, Artois enz.

– Claes Sluter †.

1405

De dichter en publicist Philippe de Mézières (geb. 1311) †.

1406

Brabant aan het huis Bourgondië, in de persoon van Antonie, jongere zoon van Philips de Stoute.

1407

Jan van Bourgondië laat hertog Lodewijk van Orleans te Parijs vermoorden en wijkt naar Vlaanderen.

1408

Hij keert terug, en laat te Parijs aan het hof zijn daad verdedigen door Meester Jean Petit. De koning vergeeft hem de daad.

– Jan van Bourgondië overwint de Luikenaren, en verwerft de bijnaam Jan Zonder Vrees.

– De Universiteit van Parijs verklaart de paus te Avignon, Benedictus XIII (Peter van Luna) van zijn waardigheid vervallen. De koning bevestigt voor Frankrijk de onttrekking der gehoorzaamheid aan de paus te Avignon.

1409

Concilie van Pisa, belegd door de kardinalen van beide obediënties. Het zet Benedictus XIII (Avignon) en Gregorius XII (Rome) beide af, en kiest tot paus de aartsbisschop van Milaan (Alexander V, 1409–1410), zonder daarmede het Schisma tot een eind te brengen.

1410

De hoge edelen onder graaf Bernard van Armagnac vormen een tegenpartij tegen het Bourgondisch bewind te Parijs, dat op het volk steunt. Burgeroorlog.

– Johannes XXIII (Balthasar Cossa) volgt Alexander V als conciliepaus op.

1411

Sigismund, koning van Hongarije (uit het huis Luxemburg, broeder van Wenzel) Roomskoning.

1412

De Armagnacs wenden zich tot Hendrik IV van Engeland om hulp tegen de Bourgondiërs.

1413

Schijnvrede tussen Bourguignons en Armagnacs. Parijs thans in handen der laatsten.

– Hendrik V koning van Engeland.

1414

Jan van Bourgondië verbindt zich met Engeland.

1414–1418

Concilie van Constanz, in tegenwoordigheid van koning Sigismund, tot herstel der eenheid in de Kerk, bestrijding van dwaalleer, en uitvoering van algemene hervormingen in hoofd en leden der Kerk. Proces en vuurdood van Johannes Hus (1415).

1415

Hendrik V van Engeland valt in Frankrijk. Hij verslaat het Franse leger bij Azincourt (Antoine van Bourgondië-Brabant gesneuveld, de jonge Karel van Orleans gevangen). Hij keert naar Engeland terug.

1416

Koning Sigismund doet een reis naar Frankrijk en Engeland, ter bemiddeling van een vrede. Hij faalt, en verbindt zich met Engeland.

1416

Hertog Jan van Berry, groot kunstbeschermer, †.

1417

Willem van Beieren, als graaf van Henegouwen de Vierde, in Holland en Zeeland de Zesde, †.

384

Zijn dochter Jacoba van Beieren volgt hem op – Nieuwe inval van Hendrik V in Normandië.

– Het Concilie van Constanz kiest, nadat Johannes XXIII en Gregorius XII hun waardighied hebben nedergelegd, en Benedictus XIII door de landen van zijn obediëntie is verzaakt, kardinaal Otto Colonna tot paus, Martinus V (1417–1431). Einde van het Grote Schisma.

1418

Het Concilie ontbonden, zonder in de algemene reformatie te zijn geslaagd.

– Hendrik V belegert Rouen. Schrikbewind der Bourguignons te Parijs. Armagnac, en vele anderen vermoord. De heerschappij over Frankrijk raakt verdeeld: Jan van Bourgondië met de koningin meester te Parijs, de Dauphin te Bourges.

– Jean de Montreuil, hoofdvertegenwoordiger van het vroege humanisme in Frankrijk (geb. c. 1361) †.

– Jacoba van Beieren huwt haar neef Jan IV van Brabant.

1419

Rouen door de Engelsen ingenomen. – Jan van Bourgondië wil zich met de Dauphin verstaan, ten einde samen de Engelsen te verdrijven. Hij wordt bij de samenkomst te Montereau, op de Yonnebrug, door de aanhangers van de Dauphin vermoord.

– Sint Vincent Ferrer, Dominicaner prediker (geb. c. 1350) †.

– Jacoba's oom Jan van Beieren, tevoren Elect van Luik, verwerft de macht in Holland.

1420

Samenkomst te Troyes van Hendrik V, koningin Isabella van Frankrijk en hertog Philips van Bourgondië (de Goede). Hendrik V huwt Catharina van Frankrijk, wordt als troonopvolger erkend, en houdt samen met zijn schoonvader, de krankzinnige Karel VI, zijn intocht binnen Parijs.

c. 1420–1460

Werkzaamheid van de schilder Robert Campin, genoemd de Meester van Flémalle.

1421

Jean le Meingre, maréchal de Boucicaut, krijgsman, diplomaat en letterkundige †.

1422

Hendrik V van Engeland †. Karel VI van Frankrijk †. De jonge Hendrik VI van Engeland (geboren 1421) als koning van Frankrijk uitgeroepen. Zijn oom Jan, hertog van Bedford, voert voor hem het regentschap. De meerderheid van het Franse volk houdt de zijde van Karel VII, 'le roi de Bourges'.

1422

Jan van Eyck in dienst van hertog Jan van Beieren, graaf van Holland, in Den Haag.

– De dichter Eustache Deschamps (bloeitijd c. 1380) †.

1424

Jacoba van Beieren huwt Humphrey van Gloucester.

1425

Jan van Beieren †. – Jan van Eyck in dienst van hertog Philips de Goede van Bourgondië, te Brussel en in Vlaanderen.

1426

Philips de Goede wint op de aanhangers van Jacoba de slag bij Brouwershaven. – Hubert van Eyck (geboren c. 1370) †.

1428

Zoen van Delft. Philips de Goede verwerft Henegouwen, Holland en Zeeland als 'ruwaert ende oir'.

– De Engelsen belegeren Orleans.

– Jan van Eyck naar Portugal, om het portret van Philips' bruid te schilderen.

1429

Jeanne d'Arc begeeft zich naar Karel VII, aan zijn hof te Chinon. Zij ontzet Orleans en brengt de Dauphin naar Reims, waar hij gezalfd en gekroond wordt.

– Jean Gerson, genaamd Le Chalier (geb. 1363) †.

– De dichteres Christine de Pisan (geb. c. 1363) †. – De dichter Alain Chartier (geb. 1368) †.

1430

Philips de Goede huwt (in derde huwelijk) Isabella van Portugal. Hij sticht de Orde van het Gulden Vlies.

– Jeanne d'Arc bij Compiègne door Bourgondische troepen gevangen. Zij wordt uitgeleverd aan de Engelsen.

– Philips de Goede erft Brabant en Limburg (Jan IV † 1427, Philips van Saint Pol † 1430).

1431

Jeanne d'Arc te Rouen verbrand. Hendrik VI als koning van Frankrijk gekroond.

– Concilie van Bazel, Paus Eugenius IV (1431–1447) tracht het terstond te ontbinden: het handhaaft zich, tegen de paus, en geleid door lagere geestelijken.

1432
Jan van Eyck voltooit het Gentse altaarstuk 'de Aanbidding van het Lam', tezamen met Hubert begonnen.

1433
Paus Eugenius IV erkent het Concilie van Bazel. Het volhardt in zijn geest van verzet en kerkelijk radicalisme.

1435
Vredescongres te Atrecht. De vrede tussen Frankrijk en Engeland faalt, doch Philips de Goede verzoent zich met Karel VII, die hem de steden aan de Somme enz. in pand geeft, en hem van alle leenplicht ontslaat.

1436
Parijs weder in handen van Karel VII.

1436–1438
Brugge in opstand.

1438
Paus Eugenius IV verlegt het Concilie van Bazel naar Ferrara, opdat het zich daar wijde aan de hereniging met de Griekse kerk. – De betrekkingen tussen de Curie en Frankrijk geregeld door de Pragmatieke sanctie van Bourges.

1439
De te Bazel achtergebleven leden van het Concilie verklaren Eugenius VI afgezet, en kiezen een tegenpaus (Amadeus VIII van Savoye = Felix V). De conciliebeweging verloopt.

1440
'La Praguerie', een Fronde tegen Karel VII, van de grote edelen, waaronder de Dauphin Lodewijk.
– Karel van Orleans uit de Engelse gevangenschap losgekocht, door toedoen van Philips de Goede.

1441
Jan van Eyck (geb. c. 1390) †.

1444
De dauphin Lodewijk voert de afgedankte benden, Ecorcheurs of Armagnacs genoemd, op Bazels gebied. Slag bij Sankt Jakob an der Birs. Hij geeft zijn plannen op.

1444–1450
Agnes Sorel, invloedrijk maîtresse van Karel VII, aan het Franse hof.

1445
Hendrik VI van Engeland huwt Margareta van Anjou, dochter van René, naam-koning van Jeruzalem en Sicilië.

1446
De heilige Colette Boellet (geb. 1380) †.

1446–1448
De betrekkingen tussen de Curie en de Keizer, mitsgaders de Duitse territoriën, geregeld door de concordaten van Frankfort en het concordaat van Wenen.

1447
Philip de Goede, hertog van Bourgondië en heer over het grootste deel der Nederlanden, knoopt met keizer Frederik III onderhandelingen aan over zijn verheffing tot koning.

1448–1453
De Engelsen verliezen gaandeweg hun laatste sterkten in Frankrijk.

1449
Het Concilie van Bazel eindigt te Lausanne. De Curie, de prelaten en de landsheren weder in het bezit van de leiding der Kerk.

1450–1452
Kardinaal Nicolaas van Cusa (1401–1464) bereist als pauselijk legaat Duitsland en de Nederlanden, om de aflaat ter gelegenheid van het jubeljaar, en de kruistocht tegen de Turken te prediken, alsmede om de seculiere geestelijkheid en de orden te reformeren.

c. 1450–1480
Werkzaamheid van de chronist en dichter Olivier de la Marche aan het hof van Bourgondië.

1451
Luxemburg in het bezit van Philips de Goede bevestigd.

1453
Einde van de Honderdjarige Oorlog. Alleen Calais blijft Engels (tot 1558).
– Sultan Mohammed II verovert Constantinopel.
– Jacques Coeur, uit Bourges, financier van Karel VII en leider van het landsbestuur, uit 's konings raad verwijderd.

– Philips de Goede bedwingt de grote opstand van Gent door de slag bij Gavere.

– Jacques de Lalaing, dolend ridder en tournooi-held †.

– De chronist Enguerrand de Monstrelet (geb. 1390) †.

1454

Philips de Goede laat op het grote hoffeest te Rijsel de kruistochtgeloften tegen de Turken 'le voeu du faisan', afleggen.

1455/6

Proces ter rehabilitering van Jeanne d'Arc te Bourges.

1456

Philips de Goede belegert Deventer, als inleiding tot de verovering van Friesland. Hij zet zijn bestaard David van Bourgondië op de bisschopszetel van Utrecht. – De Dauphin Lodewijk vlucht voor het ongenoegen van zijn vader, Karel V, naar het hof van Philips de Goede te Brussel.

1458–1464

Pius II (Aeneas Sylvius Piccolomini) paus.

1460

Begin van de oorlogen der Witte en Rode roos, de huizen York en Lancaster in Engeland.

1461

Karel VII van Frankrijk †. – Lodewijk XI keert, onder geleide van Philips de Goede, uit diens landen naar Frankrijk terug.

– Hendrik VI (Lancaster) onttroond. Eduard IV (York) koning van Engeland.

– 'Vauderie d'Arras', grote heksenvervolging te Atrecht; de processen tenslotte vernietigd.

1462

Nicolas Rolin (geb. 1376) kanselier van Philips de Goede, †.

1463

Lodewijk XI lost de Sommesteden uit de Bourgondische pandschap.

– Margareta van Anjou, gemalin van de onttroonde Hendrik VI van Engeland, vlucht uit Schotland naar de Nederlanden, en vandaar naar Frankrijk.

1464

Cosimo de' Medici †. – Rogier van der Weyden (geb. c. 1399) †.

1465

Karel, Graaf van Charolais, de latere Karel de Stoute, met andere Franse prinsen verbonden in de Ligue du bien public, beoorloogt Lodewijk XI. Slag bij Montlhéry. Verdragen van Conflans en St. Maur.

– De dichter hertog Karel van Orleans (geb. 1391) †.

1466

Erasmus te Rotterdam geboren (volgens sommigen eerst 1469).

1467

Philips de Goede †. – Karel de Stoute hertog van Bourgondië enz., tot 1477.

– Oproer te Gent bij zijn eerste bezoek.

1468

Karel de Stoute bedwingt de opstand van Luik, en noodzaakt Lodewijk XI tot het verdrag van Péronne. Hij huwt (in derde huwelijk) Margareta van York, zuster van Eduard IV van Engeland.

1469

Karel de Stoute verwerft de Elzas c.a. in pand van Sigismund van Tirol.

1470

Eduard IV moet voor de graaf van Warwick over zee vluchten, en vertoeft in de Nederlanden. Hendrik VI op de troon hersteld.

1471

Eduard IV keert met Bourgondische hulp naar Engeland terug. Warwick sneuvelt. De partij van Lancaster bij Tewkesbury voorgoed verslagen. Koningin Margareta gevangen, haar zoon gedood, evenzo haar gemaal Hendrik VI.

– Thomas a Kempis (geb. 1380) †. – Dionysius de Kartuizer (of Van Ryckel), somtijds de laatste der Scholastieken genoemd, te Roermond †.

1472

Philippe de Commines verlaat de dienst van Karel de Stoute en begeeft zich in die van Lodewijk XI.

1473

Karel de Stoute maakt zich meester van het hertogdom Gelre (strijd tussen de hertogen Arnold en Adolf). Vergeefse samenkomst te Trier tussen keizer Frederik III en Karel de Stoute. De rijkssteden in de Elzas en de bisschoppen aan de

Boven-Rijn sluiten, tot handhaving van hun vrijheden, een verbond tegen Bourgondië.

1474

De Zwitsers sluiten vrede met Oostenrijk. Karel weigert de lossing van de Elzas uit de pandschap te aanvaarden. Zijn stadhouder Peter van Hagenbach door de Elzassers gedood. Oorlog van Bourgondië tegen de Zwitsers en hun bondgenoten.

– Guillaume Dufay, hoofdvertegenwoordiger der zogenaamde Nederlandse school in de muziek (geb. 1420) †.

1475

Karel de Stoute belegert vruchteloos Neuss. Lodewijk XI sluit een verbond met de Eedgenoten. Karel krijgt hulp van Eduard IV van Engeland. De Keizer sluit zich aan bij de vijanden van Bourgondië, doch Karel beweegt hem en Lodewijk XI tot neutraliteit.

– De Connétable Louis de Luxembourg, graaf van Saint Pol, als hoogverrader te Parijs onthoofd.

– Georges Chastellain, Bourgondisch hofhistoriograaf en dichter, (geb. 1404) †. – Dirk Bouts (geb. 1410) †. – Alain de la Foche, Dominicaan (geb. 1428) †.

1476

Karel de Stoute verovert Lotharingen, en trekt op tegen de Zwitsers. Hij wordt verslagen bij Grandson en bij Murten. Hij belegert Nancy.

1477

Karel de Stoute sneuvelt in de slag bij Nancy tegen hertog René II van Lotharingen. – Lodewijk XI trekt het hertogdom Bourgondië weer aan de Kroon en zendt zijn legers in Franche Comté, Picardië, Artois en Henegouwen.

– Marie van Bourgondië huwt 's Keizers zoon Maximiliaan van Oostenrijk. De Staten der Nederlandse gewesten dwingen haar het Groot Privilege af.

1480

René van Anjou, naam-koning van Sicilië †. Provence komt aan de Franse kroon.

c. 1480-1500

Werkzaamheid van de chronist en dichter Jean Molinet (geb. 1435) aan het Bourgondische hof in de Nederlanden.

1482

Maria van Bourgondië †. Maximiliaan voogd en regent in de Nederlanden voor zijn zoon Philips (later de Schone genoemd). Vrede met Frankrijk.

– Lodewijk XI laat Franciscus van Paula aan zijn hof komen.

1483

Lodewijk XI †. Karel VIII koning van Frankrijk (1483-1498).

– Eduard IV †.

1484

Paus Innocentius VIII vaardigt de bul *Summis desiderantes* uit, tegen toverij en heksenwezen.

– François Villon (geb. c. 1431) †.

1485

Einde der Rozenoorlog in Engeland. Richard III (York) sneuvelt bij Bosworth. Hendrik Tudor verenigt de aanspraken van Lancaster en York, als koning Hendrik VII (1485-1509).

1486

Maximiliaan als Rooms-koning gekozen.

1487

Het boek van Heinrich Institoris en Jacob Sprenger *Malleus maleficarum* (de Heksenhamer) verschenen.

1488

Maximiliaan te Brugge door de oproerige burgers gevangen gehouden. Zij laten hem vrij, als de keizer met het Rijksleger tegen Brugge optrekt.

1491

Karel VIII van Frankrijk huwt Anna van Bretagne (die dispensatie verwerft van haar huwelijk bij procuratie met Maximiliaan). Bretagne komt aan de Franse kroon. De oorlog tussen Frankrijk en Maximiliaan breekt weder uit.

– De dichter Jean Meschinot (geb. 1420) †.

1492

Lorenzo de' Medici, il Magnifico †.

– Granada, de laatste bezitting der Moren in Spanje, door Ferdinand van Aragon en Isabella van Castilië veroverd.

– Ontdekking van Amerika.

1493

Vrede van Senlis tussen Frankrijk en Maximiliaan als regent der Bourgondische erflanden. Zijn dochter Margareta van Oostenrijk, sedert

1482 met Karel VIII verloofd, keert uit Frank-
rijk terug.

– Keizer Frederik III †. Maximiliaan volgt als
Keizer op. Hij huwt Bianca Maria Sforza.

– Paus Alexander VI (Borgia) vaardigt een bul uit
ter verdeling der overzeese landen tussen Spanje
en Portugal.

1494

Karel VIII van Frankrijk trekt naar Italië, ter verovering van Napels. De Medici uit Florence verdreven. Savonarola.

– Hans Memlinc (geb. 1430) †.

1495

Karel VIII neemt Napels. Een coalitie van Paus
Alexander VI, keizer Maximiliaan, Ferdinand
van Aragon, de hertog van Milaan en de Repu-
bliek Venetië noodzaakt hem, het te verlaten.

1496

De Fransen uit Napels verdreven. – Aartshertog
Philips de Schone, vorst der Bourgondische erflanden, huwt de infante Johanna van Aragon.

1498

Karel VIII van Frankrijk †. – De linie Valois-Or-
leans volgt op, met Lodewijk XII (1498–1515).

– Savonarola te Florence verbrand.

1499

Lodewijk XII van Frankrijk verovert Milaan.

1500

Karel V te Gent geboren. – Begin der oorlogen
om Italië tussen Frankrijk en het huis Habsburg.

REGISTER